VANESA

HERMOSA Rendición

EDICIONES DÉJÀ VU

Editorial Déjà Vu, C.A. J-409173496
info@edicionesdejavu.com

Dirección de arte y diseño gráfico:
Elías Mejía.

Ilustraciones:
Anna Novik
Chriss Braund
Juan Barrios

Maquetación
Cristhian Sanabria

Ilustración de portada:
Anna Novic **@spirkitty**

Diseño de portada:
Elías Mejía - Katherine Hoyer.

Editora:
Altagracia Javier.

Corrección:
Suhey Canosa
Deilimaris Palmar
Romina Godoy
Verónica Verenzuela
Cristina Montilla

ISBN: 9789801842712
Depósito legal:

Agradecimientos

Gracias a todos mis lectores, por apoyarme y acompañarme en esta aventura de escribir, espero algún día conocerlos. Gracias también a la editorial Déjà vu y a Nacarid Portal por confiar en mí, por su guía en este proceso junto con la editora Altagracia, quien me enseñó mucho en este camino de la escritura. Por supuesto, gracias a mis padres que siempre han estado para mí en las buenas y en las malas, pero sin duda le debo dar las gracias a mi hermana, Loreto, quien es la persona que más me ha apoyado en mis metas y sueños. Ella siempre me ha tenido mucha fe, incluso más que yo misma, y me ha ayudado cuando he estado perdida. Siempre estaré agradecida por todo ese soporte y amor.

¡GRACIAS!

ADVERTENCIA

Este libro está destinado a lectores adultos mayores de 18 años. Incluye contenido ficticio que aborda situaciones que pueden no ser apropiadas para niños y adolescentes. La trama explora la mente de un asesino y toca temas oscuros y sensibles que podrían resultar perturbadores para algunos lectores.

La narrativa presenta escenas de violencia, lenguaje fuerte y situaciones intensas que podrían generar malestar emocional. Se recomienda discreción al leer este libro, ya que puede causar incomodidad o desencadenar respuestas emocionales.

Por favor, considere su nivel de sensibilidad antes de embarcarse en esta lectura.

Prólogo

Unos gritos desgarradores taladran mis oídos, y apenas soy consciente de que provienen de mí misma. Que atraviesan mi garganta como un cuchillo afilado. Que saltan de mis labios como prueba de la agonía que es sentir unas cuantas manos recorriendo mi cuerpo. Las lágrimas resbalan por mi rostro y tiemblo de miedo, de dolor, de rabia.

Suelto un grito sofocante cuando su sonrisa angelical aparece ante mí, mientras las manos siguen tocándome de forma lasciva. Pero ahora lo sé… La inocencia en su rostro es solo una máscara que esconde lo que es: un monstruo aterrador que, con su mirada, promete seguirme adondequiera que vaya… Si es que logro escapar.

ANASTASIA

Capítulo 1

—¡Dios!, Anastasia, ¿por qué estás tardando tanto? —Escucho los gritos de Alejandra—. Vamos a llegar tarde.

Tomo mi mochila y guardo mis cuadernos y mi estuche. Suelto un bufido cuando Alejandra vuelve a gritar que me apure. Es una exagerada, aún falta una hora para entrar. Agarro mi móvil y abro la puerta, encontrándome con mi mejor amiga y su novio, hablando.

—Ya estoy lista —digo con mal humor porque no quiero entrar a la universidad. Me había acostumbrado a trabajar durante un año—. No eran necesarios tantos gritos, Ale.

—¡Claro que sí! —exclama con una sonrisa burlona y me lanza un beso—. Vamos, equipo. Es el primer día de clases y parece que van a un funeral con esas caras, sobre todo tú, Anastasia —añade con entusiasmo.

Hago una mueca; nadie se pone tan contento por ir a estudiar y Cameron me lo confirma cuando suelta un suspiro que me hace reír.

—¡Muévanse que vamos tarde! Por cierto, amor, te ves muy guapo.

Ruedo los ojos al escuchar lo que le dice mi mejor amiga a su novio, uno de los tíos más guapos de la universidad. Se conocieron el año pasado cuando ambos iniciaron sus respectivas carreras, y desde ese momento están juntos. Mi amiga babea por él.

Me subo al auto de Cameron y me encuentro con que el asiento de al lado está ocupado por un chico que está leyendo un libro. Mi curiosidad me lleva a observarlo y noto que está vestido de negro, un tono que combina con su cabello azabache. Me fijo en que el brazo izquierdo lo tiene cubierto de tatuajes, pero en el derecho no hay ninguno. El pelinegro no parece notar mi presencia y sigue leyendo, pero no puedo evitar intentar leer el título del libro.

Parece que mi intento llama su atención. Me mira de reojo y alza una ceja en mi dirección antes de volver a concentrarse en su lectura, creo que es de medicina. Miro por la ventanilla y veo cómo Alejandra le da besos a Cameron. ¡La voy a matar! ¿No que estábamos muy atrasados?

Suelto un suspiro y saco mi móvil para revisar mi Instagram. Escucho un carraspeo del hombre de negro que me hace voltear y veo que me está observando con una sonrisa deslumbrante de hoyuelos marcados.

—No creo que te guste este libro —me dice sin perder la sonrisa, entonces me muestra la cubierta de un ejemplar de medicina—. Es tu primer año de universidad, ¿verdad?

—Tal vez me guste. —Me encojo de hombros—. Y sí, es mi primer año. —Ruedo los ojos y vuelvo a mirar la pantalla entre mis manos.

—Me lo imaginaba. ¿Eres amiga de Alejandra? —pregunta con un tono relajado.

Observo unos segundos a la parejita que está afuera, besándose, antes de centrarme de nuevo en el extraño. De seguro que es otro chico popular amigo de Cameron, porque Alejandra me dijo que todos sus amigos son conocidos por las fiestas en la universidad.

—Sí —contesto amable, pero tratando de cortar la conversación porque no tengo interés en estos momentos de ser sociable.

Y supongo que él lo nota porque frunce el ceño. Normalmente, si quisiera seguir con la conversación, le preguntaría: ¿Y tú de dónde eres? O, ¿cómo estás? Chorradas por el estilo.

—¿No quieres hablar conmigo? —pregunta con un tono juguetón en su voz que la hace sonar más grave.

—Soy una persona de pocas palabras.

—Interesante. —Se toca el mentón, pensativo—. Entonces eres de las chicas misteriosas que guardan secretos y tienen esa aura oscura a su alrededor —comenta con una sonrisa traviesa que llama mi atención—. Eres de esas a las que les gusta estar solas porque la vida ya les ha hecho mucho daño, ¿verdad?

Justo cuando le voy a responder, las puertas delanteras se abren y entra la parejita enamorada que ya me tiene enferma con su amor.

—Hola, Diego —dice la rubia con emoción. Desvío la mirada del chico y me fijo en Alejandra, quien me guiña un ojo—. ¿Cómo estás?

—Hola, guapa. Muy bien, ¿y tú? —le responde el pelinegro con una enorme sonrisa perfecta.

Cameron se echa a reír al escuchar a su amigo. Mis ojos vuelven a posarse en la pantalla, pero aún no tengo respuesta de los gemelos o de Jonathan, mis mejores amigos. De seguro se quedaron dormidos los tres imbéciles.

—Diego, por última vez, no quiero que le digas así a mi novia —bromea Cameron.

—No es mi culpa que las mujeres no se resistan a mí —presume y lo miro con diversión porque fue patética esa respuesta, pero decido callar lo que pienso—. Veo que este año hay muchas chicas guapas.

Me guiña un ojo y frunzo el ceño porque de repente su actitud me recuerda a esa persona que pensé que sería mi primer amor, pero que terminó haciéndome sentir insegura sobre mi cuerpo. Aún puedo recordar algunas de sus frases: «Vamos, Anastasia, tú me gustas, eres mi favorita entre todas las otras». Sacudo la cabeza; fui una estúpida por caer ante él.

—Alejandra, tengo una duda —dice el tío de negro—. ¿Es cierto que tu amiga es de pocas palabras?

Miro a Alejandra con diversión y ella me guiña un ojo en forma de respuesta porque ella me conoce mejor que yo misma.

—Algo así, no es nada contra ti. —La rubia le sonríe a Diego—. Le cuesta demasiado confiar en la gente y bueno, Diego, tú eres muy confiado con todo el mundo. No es una buena combinación.

—¡Interesante! —repite con diversión.

—¡Hey, chico! —lo llamo—. Sabes que sigo aquí, ¿cierto? Yo puedo responder a tus preguntas, claro, cuando te conozca, que no es el caso en este momento.

—Eso parece una invitación a salir y a pasar tiempo juntos. —Sonríe con aire malvado y no puedo evitar soltar una risa. Él se inclina hacia mí y yo me alejo por inercia—. Yo también puedo ser de pocas palabras.

—Lo tendré en cuenta —comento con un tono burlón que no le pasa desapercibido.

—Espero que no lo pienses demasiado, nena, porque la paciencia no es una de mis virtudes. Soy algo intenso y no me gusta esperar tanto. Soy alguien al que le gusta correr en vez de caminar —dice con confianza.

Lo miro y una sonrisa traviesa aparece en sus labios.

—Sí. Ya veo que eres bastante confiado con personas que ni siquiera conoces.

—Algo —confiesa—. Sobre todo con chicas guapas y misteriosas; son, por así decirlo, un desafío para mí. —Me mira con intensidad y luego suelta una risa ronca.

—Eso en muchos idiomas se puede considerar acoso, ¿lo sabes?

—Es broma, chica de pocas palabras —se muerde el labio inferior—, pero no te negaré que me pareces muy interesante.

Sus ojos cafés me observan con diversión, y yo hago lo mismo. Lo estudio con detenimiento. Diego es realmente atractivo, pero se nota a metros que es un mujeriego. Por la forma en la que la camiseta se adhiere a sus músculos me doy cuenta de que entrena algún deporte o solo va al gimnasio, es guapo como el infierno, pero es un terreno que yo ya pisé y terminé con el corazón roto.

Por fin llegamos a la universidad y me bajo del auto. Camino al lado de Alejandra mientras ella habla de forma muy animada con su novio y con Diego. No me uno a la conversación porque desconozco el tema que tratan.

—Diego —grita una joven de pelo rubio—. Te extrañé tanto en estas vacaciones.

La chica de minifalda negra y camiseta rosada se lanza a los brazos de Diego y él, encantado, empieza a devorarle la boca. Pongo cara de asco porque vi un poco de lengua y no quería ver eso.

—Voy a clase, bonita. No quiero seguir observando este espectáculo —bromeo con Ale.

Ella suelta una carcajada y me abraza con fuerza.

—Intenta sonreír, pero dame una sonrisa verdadera.

Niego con la cabeza y ella arruga las cejas.

—Solo intenta volver a ser feliz, Anastasia. —Toma mi mano y le da un suave apretón—. No toda la gente es mala. No pierdas la oportunidad de conocer a otras personas y de vivir las experiencias que te ofrece esta nueva etapa de tu vida.

—Alejandra —digo su nombre como una advertencia, porque ese terreno es peligroso para mí y ella lo sabe.

Ale sabe que, aunque intente seguir adelante, jamás volveré a ser esa persona que fui en el pasado.

Esa herida siempre seguirá ahí, recordándome que nunca debo confiar del todo en las personas, aun cuando crea conocerlas. Sé que a ella no le gusta mi actitud porque sabe que estoy fingiendo cada sonrisa y que intento engañarme a mí misma diciéndome que son reales, pese a que en el fondo soy miserable; pero no puedo hacer más, es lo que la vida me ha enseñado. Miro el mapa de la universidad para ver dónde se encuentra mi salón. Dejo salir un suspiro de alivio cuando encuentro el correcto luego de equivocarme dos veces. Me siento en el primer asiento disponible que veo.

Saco mi cuaderno y mis lápices para tomar notas. Cuando giro la cabeza, me encuentro con Diego sentado a mi lado.

—Menuda coincidencia, bella —me dice contento—. ¡Qué genial que tengamos esta clase juntos! —Me ofrece una sonrisa deslumbrante.

—¡Qué alegría! Mi corazón da saltos de emoción —respondo con sarcasmo—. En serio te gusta hablar con los extraños, ¿verdad?

—Sí, quiero decir, es la forma en la que se conoce a las personas. —Alza una ceja y una sonrisa socarrona aparece en sus labios—. Al menos es la forma tradicional.

—¿Tienes dos formas para conocer a la gente?

—Claro, la segunda es sin ropa y con mis manos explorando su cuerpo. —Aprieto los labios en una fina línea. «Mujeriego»—. Se puede conocer a la persona a través del sexo y sin necesidad de palabras.

Me quedo observándolo mientras una pregunta asalta mi mente: ¿De dónde ha salido? Es mujeriego, simpático y guapo, y eso significa que debo mantenerlo a metros de distancia.

—Vale. —No oculto mi incomodidad por sus palabras.

Él suelta una risa y varios mechones de pelo caen en su frente.

—Supongo que si te ofrezco estas dos opciones tú no tomarás ninguna, ¿verdad?

—¡Exacto! —Paseo la vista a mi alrededor y noto que varias chicas lo están mirando fijamente. «¡Oh, vamos! Solo es un hombre», pienso.

—Por cierto, ¿qué haces aquí? Juraría que no deberías —añado.

Ladea la cabeza y sonríe.

—Tengo la primera hora libre, quise visitar a una amiga. Los maestros ni siquiera se darán cuenta de que no soy de esta clase. Lo he hecho muchas veces.

Sacudo la cabeza, incrédula. Está demente. Un silencio incómodo se instala entre los dos. Un minuto después, Diego saca un libro de Shakespeare y yo me quedo sorprendida por su elección. Él me mira de reojo, pero desvío la mirada; no quiero que crea que me gusta. No pienso alimentar su ya gigantesco ego.

—¿Te gusta Shakespeare? —inquiere con curiosidad.

Me giro para mirarlo y me sorprende que, pese a su pregunta, esté concentrado en la lectura.

—No tanto, Diego, difiero en muchos puntos de vista con él.

Sonríe, pero sigue leyendo dando una imagen muy buena para mirar, aunque no estoy interesada en verlo.

—Eres bellísima. —Me mira de reojo y cambia la página del libro—. ¿Te gustaría salir con este extraño?

—No —respondo de inmediato.

Suelta un largo suspiro y sus ojos van a la otra página. Me pregunto cómo puede leer y hablar al mismo tiempo. Yo necesito estar en silencio o escuchando música para poder disfrutar de la lectura.

—Tenía que intentarlo —es todo lo que dice.

Saco mi lápiz y empiezo a golpearlo contra la mesa. Siento su mirada sobre mí y estoy segura de que le está molestando el ruido, lo que, por un momento, me hace querer golpear con más fuerza. Diego se aclara la garganta antes de hablar.

—¿Puedes dejar de hacer eso? —me pide con voz suave pero firme.

Sonrío divertida. ¡Lo sabía! Lo ignoro y sigo en lo mío, aunque la verdad es que solo quiero molestarlo un poco.

—¡Dios, solo quiero leer un poco! —exclama molesto.

—¡Y yo solo quiero golpear mi lápiz contra mi mesa! —respondo seria, pero por dentro me quiero morir de la risa.

Frunce el ceño y yo vuelvo a jugar como si nada. Pasan unos minutos en silencio hasta que, de repente, me arranca el lápiz de la mano. Lo fulmino con la mirada cuando me doy cuenta de su sonrisa triunfadora mientras estira la mano hacia arriba para que yo no pueda alcanzarlo.

—Devuélvemelo —le pido con gentileza.

—No. Te lo pedí amablemente y no quisiste parar, ahora te aguantas, muñeca.

Justo cuando voy a responder, una chica pasa sus manos por los hombros de Diego, llamando su atención.

—Hola, Tamara, tan guapa como siempre —dice el pelinegro. Ah, esa es su "amiga".

La aludida sonríe y se sienta en las piernas del idiota, quien no pierde tiempo y empieza a tocarle los muslos. Ella parece más que complacida con lo que obtiene y yo ruedo los ojos por la escenita. Veo que el tonto ególatra deja mi lápiz en su mesa y se lo quito de inmediato.

—Disculpa, ¿te puedes salir de ese puesto? —No es una pregunta, es una exigencia de la señorita minifalda. Sonrío de oreja a oreja.

—Mmm... déjame pensarlo. —Me paso la mano por mi largo cabello castaño y miro de nuevo a la tal Tamara—. Después de meditarlo unos segundos; ya sabes, analizando las ventajas y desventajas de por qué tendría que irme del puesto al que yo llegué primero. Mi respuesta es un… ¡NO! —Ella deja de sonreír y su cara se pone un poco roja—. Mira, guapa, si tanto quieres estar cerca de Diego, puedes llevártelo, pero a mí no me metan en sus asuntos poliamorosos. Además, me harías un favor apartándolo de mí. Así que, por favor —junto mis manos en forma de súplica—, hazlo.

Él se aclara la garganta y yo le guiño un ojo.

—Primero que nada, bonita, ¿quién te crees que eres? Y, además, ¿sabes quién es Diego para que te expreses así de él? —inquiere indignada como si yo hubiera cometido el peor de los crímenes.

Me muerdo el labio para aguantar la risa y no reírme en su cara.

—Por favor, chica, me da exactamente igual quiénes son ustedes dos. —Me encojo de hombros—. Solo quiero que me dejen sola y tranquila en este puesto, y listo. —Me limpio una uña restándole importancia—. Hay muchos más puestos desocupados, bonita. —Le guiño el ojo y se ruboriza—. Eres muy guapa para estar con alguien que no te valora y que, supongo, todo lo que puede ofrecerte es una noche. —Ella se sonroja aún más—. Me llamo Anastasia.

—Tamara —me responde con una sonrisa tímida—. Bueno, me voy. Estamos hablando, guapa.

Me quedo viendo cómo pasa a mi lado y camina a su lugar. Escucho un carraspeo que me hace voltear y veo a Diego mirándome serio.

—Me acabas de arruinar la fiesta. —Aprieta la mandíbula—. Eres algo desagradable.

La expresión de enfado en su rostro me divierte tanto que me echo a reír. Parece que no le gusta que le quiten a sus chicas. Nunca he estado con una mujer, pero tampoco me niego a la idea de explorar mi sexualidad.

—¿Por qué eres así? —me vuelve a preguntar.

Me muerdo el labio inferior para aguantarme la risa y no volver a reírme de su cara de estúpido.

—Soy como soy. —Me encojo de hombros y sonrío—. ¿Acaso tienes celos de mí?

—Oh, excelente respuesta, tanto como que el dinero es dinero. Creo que tú tienes celos de Tamara. Estoy seguro de que quieres estar en mis piernas y que mis manos recorran tu piel —me provoca con un gesto torcido de satisfacción.

—Claro, muero de celos —digo aburrida ya por el tema.

—Cobarde —me susurra, haciéndome demasiado consciente de su cercanía cuando su aliento roza ligeramente el lóbulo de mi oreja. Doy un pequeño salto—. Tu cuerpo dice otra cosa.

—Nah, mi cuerpo se aleja de ti porque me estás acosando, estás en mi espacio personal.

Muevo mis manos marcando mi reducido entorno y él suelta una carcajada que provoca el movimiento de varios mechones en su frente, dándole un toque *sexy*. Observo a mi alrededor cómo varias chicas suspiran por él.

—Me queda claro cuál es tu espacio personal y lo he respetado hasta ahora, pero me acabas de arruinar la fiesta, Anastasia. —Se acerca aún más y termina rozando su nariz con la mía, tensándome en el acto—. Y puede que me guste romper tu espacio personal, nena. —Su mano toca mi espalda y exploto.

—¡No soy tu nena y quítame las manos de encima! —Enfurezco por su atrevimiento—. No me toques de nuevo o te juro que no respondo —le advierto furiosa.

No me gusta que me toquen.

—Vale, lo siento. —Me suelta poco a poco como si tuviera miedo de mi reacción—. ¡Mierda! Me pasé, pero no me gusta que arruinen mis fiestas. —Chasquea la lengua y añade—: Será mejor que me vaya a otro lugar, ya que alguien espantó a una de mis conquistas.

Arrugo la frente ante sus palabras, eso fue tan asqueroso. Es lo típico de los guapos y es una de las razones por las que me mantengo lejos, y eso tengo que hacer con Diego.

—Le mandas saludos —digo con una sonrisa mientras veo cómo guarda su libro en la mochila y suelta un bufido. Se acerca.

—Se lo diré cuando me la esté follando —me susurra con voz ronca.

¡Puerco!

Me quedo callada y niego con la cabeza. Justo en ese momento entra el profesor.

—Buenos días, alumnos, la clase comenzará ahora. Guarden silencio, por favor —pide.

Empiezo a tomar apuntes de todo lo que dice, pero siento la mirada de Diego sobre mí mientras habla con una chica y otras tantas suspiran por él. ¡Madre mía! ¿En serio la gente sigue cayendo por una cara bonita?

Me remuevo incómoda en mi silla y un papel aterriza en mi mesa. Levanto la mirada y veo que es de Diego.

Desdoblo el papel y emito un bufido al leer lo que dice la nota:

NO ESTÉS CELOSA, ANASTASIA. TÚ TAMBIÉN PUEDES
JUGAR CONMIGO Y DIVERTIRNOS SIN ROPA
HASTA CONOCERNOS MEJOR. POR CIERTO, ERES LA CHICA
MÁS BELLA QUE HE VISTO. NO PUEDO DEJAR DE MIRARTE.

El papel cruje en mis dedos cuando lo hago pedazos bajo la atenta mirada del idiota, quien se lleva la mano al corazón como si le hubiera dolido; ruedo los ojos con fastidio.

«Asqueroso, repugnante y mujeriego», lo insulto mentalmente.

Cuando el timbre al fin suena, guardo todas mis cosas en mi mochila. Salgo del salón, pero una mano se aferra a mi brazo y me detiene. Me doy vuelta y veo a Diego, sonriéndome.

—¿Qué quieres?

—Eso fue feo, acabas de destrozar mi corazón. —Se inclina hacia mí y retrocedo—. Tranquila, Anastasia, no romperé tu espacio personal. Ven, te llevaré a donde nos juntamos con los demás para que no seas una rara. —Deja salir una risa—. Claro que serías una rara muy bella. —Se muerde el labio inferior.

¡Dios, ayúdame! Este día recién comienza y, por lo que veo, no tiene pinta de mejorar gracias al amiguito de Alejandra. ¡Perfecto, todo es jodidamente perfecto!

Capítulo 2

—Vaya, no mentías con lo de ser intenso, ¿verdad? —Me cruzo de brazos y él sonríe de lado—. No te preocupes por mí, soy nueva, pero puedo encontrar a mi amiga.

—Será más rápido si vas conmigo —me ofrece. Mete una mano en un bolsillo de su pantalón y saca un papel, me lo entrega—. Mi número.

—¿Para qué querría...?

—Es por si te pierdes y necesitas a alguien guapo que te guíe por la universidad. —Se acerca y apoya una mano en mi hombro—. Y me puedes guardar como "el amor de tu vida" —dice con una sonrisa traviesa y haciendo comillas con sus dedos.

—No lo sabía, pero interesante dato —digo con sarcasmo y golpeo su hombro en forma de broma—. Solo que yo no tengo citas, no creo en el amor y tampoco me gusta conocer gente nueva.

—Eres rara.

Me encojo de hombros. Eso ya lo sé, antes era una persona con mucha alegría y esperanzas. Ahora solo sigo con mi vida: estudiar para tener una carrera y ser alguien en esta vida según lo que dicta la sociedad.

—Lo soy —le confirmo mientras guardo su número en el bolsillo de mi pantalón.

—¿Te gusta la soledad? —Levanto la cabeza para encararlo y él me está observando con curiosidad.

—Me gusta perderme, así que supongo que sí. A la gente le da miedo estar sola en esta vida, yo creo que es algo fascinante y a la vez natural. Nacimos solos. —Suspiro—. Me tengo que ir. —Doy media vuelta y comienzo a caminar por el pasillo.

—Adiós, chica rara.

Lo miro por encima de mi hombro y sacudo la cabeza. Extraigo el papel y lo tiro a un basurero. Saco el mapa para ubicarme y veo pasar a Diego con otra chica. «Mujeriego, mujeriego y mujeriego».

Me siento en una banca alejada de los demás y comienzo a leer los documentos que me envió Luis sobre todo lo que pasó aquel día. Suelto un suspiro enorme. Ya han pasado dos años. Dos años que me gustaría borrar para siempre. No ha sido fácil recuperarme. He tenido que ir a muchas terapias en distintas ciudades de España para intentar sanar este dolor que siento.

El sonido de una llamada de Dylan, uno de mis mejores amigos, me alerta.

—¿En dónde están? —pregunto.

—Hola, Amorcín, yo estoy bien, ¿y tú? Oh, Dylan, yo también estoy bien. Por cierto, ¿en dónde están? —Su monólogo me hace reír—. Oh, mi Amorcín, nos quedamos dormidos y supongo que ya has espantado a la mitad de la universidad y ahora estás sola, ¿verdad?

Suelto un bufido. Me conoce tan bien.

—Más o menos —confieso.

—Amorcín, sé sociable —me anima, pero se me escapa un gruñido que al parecer le hace gracia—. ¿Por qué no estás con Alejandra?

—No lo sé, no me siento cómoda con sus amigos; no son, por así decirlo, mi estilo —le explico a Dylan y lo escucho reír—. Además, me gusta estar sola.

—A nadie le gusta estar sola, bueno, tal vez a ti. Me tengo que ir, Amorcín. Mañana nos vemos y únete a los demás, no seas rara en tu primer día de clases.

Hago una mueca por sus palabras y me despido de él.

Sigo revisando mis mensajes y veo que me acaba de llegar uno de Alejandra, lo abro sin titubear:

Alejandra

¿Dónde estás, Anastasia? Ven, estamos en el patio principal.

10:21 a.m.

Anastasia

Voy para allá

10:22 a.m.

Camino por los pasillos de la universidad y, por suerte, no tardo en llegar al patio principal. Intento ubicar a la rubia con la mirada y lo logro cuando levanta las manos y las agita para llamar mi atención.

—¡Anastasia, por aquí!

Me acerco al grupo y me siento al lado de Ale y de Diego, quien está hablando con una pelirroja. El aludido me mira de reojo y una sonrisa de diversión aparece en sus labios. Alejandra me abraza con fuerza y se aclara la garganta para atraer la atención de sus amigos.

—Chicos, ella es mi mejor amiga Anastasia. Ella es María —me informa señalando a la chica de pelo corto y rubio—. Y ella es Bárbara. —Me fijo en la pelirroja, de ojos azules, que lleva un vestido morado—. Ellos son Cristian y Carlos. —Miro a los dos rubios, uno tiene los ojos negros y el otro grises.

Saludo a todos en general y Alejandra comienza a hablar con Cameron y María sobre una fiesta que desconozco y que tampoco me interesa mucho. Ya sabía que no iba a encajar aquí. Supongo que ya perdí la práctica de hacer amigos; he pasado demasiado tiempo sola. Siento unos ojos sobre mí, levanto la mirada y veo a Diego observándome con una sonrisita traviesa.

—¿Estás incómoda? —pregunta. Hago una mueca y él se suelta a reír—. No quiero sonar mal, pero nadie de este grupo parece tu estilo de amigos.

—No, no lo son —respondo con sinceridad.

—Eres demasiado callada para mi gusto. —Achica sus ojos como intentando descifrar mis movimientos o pensamientos.

—Ya te lo dije antes, soy de pocas palabras —le recuerdo.

Miro mi móvil y respondo un mensaje pendiente. Diego se aclara la garganta y me giro para mirarlo.

—Eres como un acertijo que hay que ir descifrando poco a poco para saber tu verdad o tu pasado. Lo puedo intuir —concluye y aprieto los labios mientras él juega con su celular, distraído—. Normalmente no conozco a chicas así.

—Eres demasiado confiado, ¿no crees?

Diego suelta una carcajada que llama la atención de todo el grupo, sobre todo la de Alejandra, Cameron y Bárbara. La primera me abraza con fuerza y fulmina con la mirada al pelinegro. Él niega con la cabeza y comienza a hablar con la pelirroja. Alejandra vuelve a centrarse en su conversación con sus amigos y yo miro al cielo sin lograr sentirme cómoda.

A pesar de que llevo casi toda mi vida siendo amiga de la rubia, muchas veces no tenemos nada en común como, por ejemplo, los amigos. Y sé que tiene buena intención al intentar unirme a su grupo, pero simplemente no son mi estilo, así como ella tampoco se integra mucho con los gemelos y Jonathan.

—Hola, linda, un gusto conocerte, ¿te habían dicho lo hermosa que eres? —Una voz se cierne sobre mí.

Levanto la mirada y veo que es uno de los rubios. ¿En qué momento se acercó?

—Hola.

—Alto ahí, Carlos —grita Alejandra con un tono de voz dramático. Frunzo el ceño—. A mi amiga la dejas tranquila, vete a buscar a otra que quiera tus halagos porque con mi mejor amiga no, y lo digo muy en serio.

Me quedo callada porque Alejandra siempre hace lo mismo desde mis últimas dos relaciones que no salieron nada bien para mí: una me hizo sentir una verdadera mierda y la otra casi me mata, quedé viva, pero ya nada es como antes; después de esa noche perdí mi sonrisa, mi felicidad; después de esa noche perdí vida.

—Es mejor intentarlo que quedarse con la incertidumbre —bromea Carlos.

No puedo evitarlo y suelto una carcajada. Un carraspeo a mi lado me hace voltear y me topo con la mirada fija de Diego, se acerca a mí y su boca de nuevo roza mi oído.

—No es tan bueno como aparenta, Anastasia. —Su aliento me recorre todo el cuerpo y un extraño escalofrío me araña la piel—. ¿Quieres salir conmigo, chica rara? —pregunta de nuevo.

—No, tengo planes para la tarde —respondo cortante. No me interesa salir con él.

Un fingido suspiro se escapa de sus labios casi al mismo tiempo en que su barbilla se apoya en su puño. Sus ojos escanean mi rostro y su otro brazo se estira hasta que sus dedos envuelven un mechón de mi pelo castaño. Lo miro sorprendida cuando lo pone detrás de mi oreja.

—¿De verdad no quieres salir conmigo? —inquiere y niego con la cabeza—. Eres complicada, Anastasia. Apenas me diriges unas pocas palabras y tampoco quieres salir. Todo parece tan complejo contigo, pero no me rendiré. —Me da una deslumbrante sonrisa que, por alguna razón, me enfada—. Tarde o temprano te conoceré.

—Deberías hacerlo —murmuro por lo bajo—. Deberías rendirte.

No llega a responderme cuando a su lado se sienta una chica de pelo corto, negro, con algunos mechones azules, y ojos cafés. Toma el brazo de Diego y él se aparta con rapidez, como si su tacto le quemara.

—Hola, Diego —lo saluda—. Te extraño mucho. —Hace un puchero y desvío la mirada porque la situación es incómoda.

—Hola, Catalina —responde Diego, sin desviar la mirada de su celular. —He estado... ocupado.

—¿Cuándo volveremos a vernos? —insiste la chica.

Tomo un mechón de mi pelo y comienzo a jugar con él. Alejandra me mira y sonríe. Se inclina hacia mí y pasa su brazo por mis hombros.

—¿Lo estás pasando bien?

—Oh, sí, claro —miento—. Pero tengo una duda, ¿siempre pasa lo mismo con él? —susurro haciéndole señas con los ojos para que mire a Diego.

Su mirada recae unos segundos en las personas que tenemos a lado y pone los ojos en blanco.

—Sí, Diego es muy conocido por sus aventuras. Supongo que solo quiere divertirse. Nunca lo he visto en una relación seria ni nada similar. —Ambas miramos de reojo la escena donde Diego sigue hablando con la chica, pero se le puede ver que está algo molesto—. Por lo general, él siempre deja las cosas claras.

—Mmm, vale —respondo.

Miro mi móvil y... ¡Mierda! Voy tarde a otra clase. Comienzo a levantarme, pero me detengo cuando escucho las palabras crudas del pelinegro.

—¡Nunca más! —enfatiza cada letra—. Mira, linda, yo no quiero una relación y lo sabes. Ahora lárgate. No te voy a volver a follar. Solo fue diversión de una tarde y ya te dejé claro cómo son las cosas —dice Diego en un tono seco.

—¡Eres un imbécil! —le grita la chica antes de ponerse en pie y llevarse su poco orgullo.

La veo alejarse a pasos rápidos por el patio. Miro a Diego, quien está jugando con una pulsera en su muñeca como si nada hubiera pasado.

—¿Acaso no te gustó tener relaciones sexuales con ella? —le pregunta uno de sus amigos.

—Es un asco en la cama, ni sabe moverse —responde el idiota en tono de broma y todos se ríen.

No dejo de mirarlo mientras la rabia me arropa el cuerpo. ¡Odio a los tipos como él! No tiene ningún derecho a hacer ese tipo de comentarios sobre la intimidad de una mujer y menos a burlarse.

—¡Eres un idiota! —suelto de repente robándome todas las voces y risas. Empuño mis manos para comprimir las ganas de romperle su bonita cara—. ¿Quién crees que eres tú para reírte de ella y compartir su intimidad con los demás? Eres un cerdo, poco hombre.

Lejos de lo que espero, Diego se echa a reír revolviéndome el estómago. ¿Qué le hace gracia? ¿Qué hace que sus amigos aplaudan y se rían? ¡Es horrible! Pensé que aquí en la universidad sería diferente a como es en el instituto, pero me equivoqué.

—Me han dicho cosas mucho peores, así que tienes que esforzarte un poco más —responde con chulería—. Además, muñeca, yo no la obligué a que se acostara conmigo. Ella sola se tiró a mis brazos, simplemente no me gustó y punto.

Lo fulmino con la mirada y él entorna sus ojos esperando mi respuesta.

—Eres un gilipolla, es que ni siquiera te das cuenta de lo horrible que fueron tus palabras... ¡Imbécil!

Diego tensa la mandíbula y una marcada vena aparece en su cuello. Se levanta de un salto y se planta frente a mí, retándome. Aprieto las manos con fuerza e intento contar hasta diez para no perder el control y estamparle el puño en la nariz.

—Anastasia, no lo hagas. —Alejandra me mira fijamente. Respiro varias veces para intentar contenerme. No vale la pena.

Respiro y comienzo a alejarme porque si no me voy esto se va a poner feo para mí.

—¡Esto no se quedará así! —grita Diego.

Me vuelvo y le muestro mi dedo medio a ese imbécil engreído y luego me dirijo a mi salón de clases.

Me siento en el último puesto que da a la ventana y sigo contando porque de verdad quiero estrellar su bonita cara contra el piso. Noto que alguien se sienta a mi lado y se aclara la garganta.

—Anastasia. —Escucho la voz de un Diego molesto que se reprime—. ¿Podemos hablar como personas civilizadas?

Lo ignoro y miro de nuevo a la ventana.

—Por favor —insiste.

Giro la cabeza y me topo con sus ojos café, le devuelvo la mirada por unos segundos y termino cediendo.

—Tú dirás de qué quieres hablar conmigo.

—Escúchame bien, lo que hiciste en el patio... —Antes de que termine de hablar lo interrumpo.

—Lo que tú hiciste fue muy bajo. Entiendo tu punto de "nada serio" con las chicas y también el hecho de que se lo dejas claro, pero que después te burles y hagas ese tipo de comentarios es horrible.

—Mira, chica rara, yo opino de mis experiencias sexuales lo que quiera y no tengo por qué sentirme mal. Además, fue una broma y ya. —Me encara—. ¿Siquiera tienes una idea de quién soy? Si lo deseo puedo hacerte la puta vida imposible aquí en la universidad.

Cierro los ojos y empuño las manos. A la mierda con intentar controlar mi ira, le romperé la cara contra esa mesa. ¡¿Quién mierda se cree?!

—Me vale. —Sonrío—. Sé perfectamente quién eres, Diego. Sé que eres uno de los más populares y que todo el mundo te tiene respeto porque eres un buen boxeador, pero déjame decirte que no me impresiona en lo absoluto y no te tengo miedo; de hecho, me das risa. —Lo miro con una sonrisa burlona y él entrecierra los ojos—. Si eso era todo lo que me ibas a decir, no me interesa.

Levanta las manos, frustrado, y de su boca se desprende un largo suspiro.

—Mira, tal vez fue de mal gusto mi broma y quizás tengas razón, pero ya lo dije y punto. No quiero que nos llevemos mal porque nosotros nos veremos casi todos los días. Alejandra es mi mejor amiga y está con mi mejor amigo, así que será mejor llevar la fiesta en paz entre nosotros dos.

—En esto tienes razón. Nos veremos mucho, pero es mejor que no hablemos. Ya me di cuenta de que tenemos diferentes formas de pensar y es mejor para los dos. Para todos.

Me mira, pero no dice nada más y yo tampoco. Dejamos que el silencio nos envuelva mientras esperamos que entre el profesor a ejercer su oficio. Volteo un momento y noto que me sigue observando, por lo que desvío la mirada. El profesor entra y comienza a dictar su asignatura. Tomo apunte de todo lo que dice y en la mitad de la clase Diego desliza un papel en mi mesa. Lo miro, pero tiene la cabeza apoyada en la madera fingiendo estar dormido.

Desdoblo el pedazo de papel y vuelvo a echar un vistazo al idiota, quien tiene una sonrisa en los labios aún con los ojos cerrados.

NO TE ENOJES CONMIGO, NO QUIERO QUE NOS LLEVEMOS MAL.
SÉ QUE PAREZCO UN MUJERIEGO Y NO LO NIEGO.
TAMBIÉN SÉ QUE ME PORTÉ MAL Y LO SIENTO. ¿ME PERDONAS?
:(

Sacudo la cabeza y me concentro en lo que dice el profesor. Cuando la clase termina, guardo a toda prisa mis cosas y salgo del salón sintiendo unos pasos que siguen los míos. Cuando me doy la vuelta, choco con el torso duro de Diego que casi me tira al suelo si no es porque me aferro a su brazo.

—Tendré que poner una orden de alejamiento —digo. Él deja salir una risa y aparta el pelo de mi cara; el acto me distrae por unos segundos. Trago saliva y doy un paso atrás—. Y no me tienes que pedir disculpas, lo tienes que hacer con esa chica. Ah, y deja de seguirme, por favor.

—Eso ya lo sé, pero también te debo una disculpa a ti por cómo te hablé; no fue correcto. Y tienes razón, me porté como un cavernícola, fue una broma muy desagradable —admite, pero no digo nada porque me cuesta creerle—. Tampoco te estoy siguiendo, Anastasia, camino hacia la salida —aclara con una sonrisita que me hace rodar los ojos.

Me doy la media vuelta y camino a paso rápido hasta que estoy fuera de la universidad. Ladeo la cabeza por encima de mi hombro y veo que Diego viene detrás de mí y me sonríe. Suelto un suspiro y me detengo en el semáforo, esperando que la luz cambie para poder cruzar.

—Aún sigue siendo sitio público y voy donde está estacionado mi Jeep. Lo dejé aquí ayer. —Se detiene a mi lado y no me sorprende que lo haga—. Tenemos que dejar de vernos así —bromea con una sonrisa que deja ver sus hoyuelos. ¿Nunca deja de sonreír?

No digo nada, solo retomo el paso con más apremio mientras noto que Diego choca con algunas personas.

Esquivo al caballero que pasa por mi lado y saco un mapa de Barcelona. Mis ojos van de la calle al mapa para intentar ubicarme bien en donde estoy; aún no sé manejarme muy bien aquí.

—Eres rápida para caminar, ¿por qué no usas GPS? ¿En serio sigues usando el mapa en papel? —Vuelve a aparecer en mi campo de visión.

Resoplo ante su intromisión.

—Uso un mapa de papel porque es más práctico y pequeño, y así nadie puede robarme mi teléfono. Son trucos que he aprendido en estos años.

Se pasa una mano por la barbilla mientras sus ojos brillan con diversión. Alzo una ceja hacia él porque no entiendo qué le causa tanta gracia.

—Si quieres te llevo a tu apartamento —se ofrece con amabilidad y señala su Jeep negro que está estacionado a unos metros de donde estamos.

Niego con la cabeza.

—Gracias, pero voy a otra parte. —Me centro de nuevo en el mapa y veo que tengo que ir a la izquierda—. Adiós, Diego.

—Espera un poco, Anastasia, es peligroso que andes sola en una ciudad que apenas conoces. —Su tono de voz lleva un ligero tinte de preocupación.

Sonrío.

—No te preocupes. Me gusta perderme, nada malo me pasará, pero si eso pasa te llamo a ti, amor de mi vida —digo lo último haciendo comillas con mis dedos.

Sus labios se curvan hacia arriba.

—Eres la chica más rara con la que me he topado.

—Lo tomaré como un halago. —Me llevo una mano al corazón y doy media vuelta para comenzar a caminar a mi destino. Diego se despide con un grito y no sé por qué, pero me saca una sonrisa genuina.

Cuando llego a mi destino veo que Luis ya está esperándome. Me acerco a él y me abraza con fuerza. Entramos al gimnasio en donde me inscribí para comenzar a entrenar con Ricky, que, según mi amigo, es uno de los mejores entrenadores de boxeo de Barcelona.

—Planearé pronto tu pelea —dice Luis mirándome de reojo cuando salimos de la edificación, luego de fijar un horario para mis entrenamientos.

Observo cómo el semáforo cambia de amarillo a verde, dándole paso a su auto y permitiéndonos dejar el gimnasio atrás.

—Gracias por seguir conmigo.

—Siempre, Anastasia. —Toma mi mano y le da un apretón amistoso que me hace sonreír.

Tengo a los mejores amigos y, a pesar de que a Luis lo veo poco, sé que siempre puedo contar con su amistad. Gracias a él estoy empezando a recolectar información y pruebas sobre lo que sucedió dos años atrás, y por fin podré darle un cierre a esa etapa de mi vida. Por fin podré despertar de la pesadilla. Por fin podré dejar atrás a los monstruos que me persiguen.

Capítulo 3

Alaridos de agonía se arrastran por mis oídos y se clavan en mis entrañas como garras afiladas. Su delgado cuerpo se retuerce preso del dolor mientras libro una batalla con las cadenas que me retienen. El dolor en mis muñecas no es nada comparado con el terror que veo en sus ojos mientras es sometido a la barbarie humana.

—¡Alex! —grito a mi hermano, o lo intento. Estoy débil y desorientada. Me siento sucia, asqueada e impotente.

—Eres mía, Anastasia… —Escucho una voz que reconozco; no es la de mi hermano, es la del monstruo que juró amarme y ahora me apuñala con su crueldad.

—No… —Sollozo, no tengo aire, me asfixio ante la imagen de un Alex siendo golpeado, me hundo bajo las olas de la noche fría, oscura, letal…

El sonido de mi alarma me hace saltar en la cama, asustada y confundida. Otra pesadilla. ¿Cuándo las dejaré atrás definitivamente? Me limpio la humedad en mis mejillas y me obligo a respirar para centrarme. Los recuerdos amargos no van a dominarme. Ubico mi móvil y apago la alarma. Me quedo mirando varios segundos a la nada y caigo en cuenta de que Alejandra no está en el apartamento porque ayer se quedó donde Cameron. Después de dos bostezos y un gruñido de dolor y frustración por lo que he vuelto a soñar, miro la hora y me levanto de golpe al ser consciente de lo tarde que es. Comienzo a desvestirme por el camino para entrar al baño, abro el grifo de la ducha y tomo una gran bocanada de aire cuando siento el chorro de agua fría en mi cuerpo.

Salgo del baño temblando y tomo lo primero que veo de mi armario: pantalones, camiseta y Converse. Todo de color negro. Me paso una mano por el pelo, porque no hay tiempo para peinarlo, y avanzo a toda velocidad.

Guardo todo lo que necesito en mi mochila y pesco una manzana cuando paso por la cocina. Corro hacia la puerta cuando me doy cuenta de que me quedan quince minutos para entrar a clases.

Las sensaciones de la pesadilla persisten, pero decido ignorarlas. El dolor sigue en mi pecho, profundo y lacerante, pero estoy acostumbrada a dejarlo de lado para poder seguir, de lo contrario no pudiera dar siquiera un paso. Y no puedo rendirme, tengo una promesa que cumplirle a mi hermano: resistir hasta que el monstruo que le arrebató la vida y destruyó la mía pague.

Cuando salgo de mi edificio veo que Diego está afuera recargado en su todoterreno y con el teléfono en la oreja. Corta la llamada y frunce el ceño, molesto, porque de seguro está buscando a sus amigos que no están. Como si me sintiera, levanta la mirada y me observa con una deslumbrante sonrisa que, por alguna razón desconocida, ayuda bastante a disipar los pensamientos de mi cabeza.

—Hola, chica rara —me saluda con tanta emoción que me hace rodar los ojos. Me da la impresión de que intenta caerle bien a todo el mundo con esa actitud de "chico guapo, malo y carismático" que me hace querer pegarle un puñetazo—. ¿Cómo estás?

Muerdo la manzana y mastico lentamente el pedazo porque está deliciosa. Se acerca a mí y sus ojos me hacen un breve repaso que me saca una mueca de disgusto y a él una carcajada.

—Negro —dice con un tono de fascinación en su voz—. Me gusta tu estilo, veo que tenemos algo en común, solo que hoy opté por algo más colorido. —Se señala la camisa de cuadros rojos y negros que lleva arremangada hasta los codos y que deja a la vista algunos tatuajes de su brazo izquierdo.

—Fue lo primero que encontré —respondo de forma fría para cortar el tema de conversación—. Cameron y Ale no están aquí, así que ya puedes irte, Diego, adiós.

Comienzo a alejarme de él, pero me agarra del brazo y una corriente eléctrica recorre mi cuerpo con su contacto. ¿Por qué? No lo sé y no me interesa averiguarlo. Me suelto de su agarre con premura y él se posa frente a mí e inclina la cabeza hacia donde está su todoterreno.

—Te llevo —me dice. Le doy una mordida a mi manzana bajo su atenta mirada y niego con la cabeza—. Además de rara, eres terca. Si vas en el metro estará lleno y te costará encontrar un lugar, por lo que llegarás casi cuarenta minutos tarde.

Me lo pienso varios segundos porque tiene razón. Suelto un largo suspiro que hace que su sonrisa se agrande aún más.

—Vale, pero quiero que sepas que aún estoy pensando en sacar una orden de alejamiento para ti —bromeo.

Me mira con diversión y chasquea la lengua antes de hablar:

—No lo creo, bella, porque en el fondo sé que te gusto y a mí también me gusta tu actitud —contesta de forma presuntuosa y me quedo callada para no confesarle que jamás me va a gustar un chico que se esfuerza tanto en caer bien y ser aceptado por los demás—. Nos vamos, Anastasia.

Asiento y me subo a su auto. Durante la mitad del camino Diego tararea diferentes canciones que suenan en la radio. Me contengo para no reír o apagar la radio de una buena vez, y me concentro en mirar por la ventanilla y fingir que el chico a mi lado no existe.

—¿Eres de Madrid igual que Alejandra? —curiosea.

—Sí.

—Pero Alejandra ya va en su segundo año y tú recién empiezas el primero. ¿Cuál fue el motivo por el cual te retrasaste un año? Claro, solo si tú quieres hablar, bella.

Le echo un vistazo mientras juego con mis dedos. Si me he tardado un año en empezar la universidad no es porque no quisiera estudiar, sino porque tuve que trabajar e intentar apelar para que me dieran una beca, cosa que no era fácil. Y es que, pese a que mis padres tienen una buena economía, ellos no quieren saber nada de mí desde que destruí nuestra familia, así que simplemente tuve que valerme por mí misma y ahorrar para poder pagar mis estudios.

—Larga historia y algo aburrida —digo sin interés, mirando de nuevo la ventanilla—. No tiene importancia.

—Ah, vale. —Escucho su risita—. He descubierto algo sobre ti, eres una mala mentirosa. No deberías tocarte el pelo porque eso te delata, supongo que tienes un tic. —Dejo mi pelo quieto y lo observo. Tiene una sonrisa de orgullo—. Soy algo observador, chica rara, y aunque no me des mucha información, puedo ir aprendiendo de ti con tus gestos.

—¿Acaso eres psicólogo? —ironizo.

—No, pero me gusta observar a la gente. La mayor parte del tiempo las expresiones corporales dicen mucho de las personas. En ocasiones decimos algo con palabras y nuestro cuerpo expresa algo muy diferente.

—Interesante. Eres una caja de sorpresas, ¿verdad? —cuestiono con algo de sarcasmo.

Una hermosa sonrisa de hoyuelos marcados se dibuja en sus labios.

—Puede ser... —Se queda callado unos segundos en los que su sonrisa se borra por completo—. Casi nadie me conoce en realidad, solo aparento ser alguien a la vista de todos.

Frunzo el ceño ante sus palabras, eso ya lo sabía y tal vez es una de las razones por las que no me cae del todo bien, no me gusta la gente que finge ser alguien que no es. Ya conocí a alguien así y me hizo pedazos.

—Eso es patético, Diego, no deberías esconder quién eres. —Me encojo de hombros—. Eres igual que casi todo el mundo. Solo quieres encajar en un grupo porque te aterra estar solo.

—¿Y qué me dices de ti?

—Yo no hago eso, mis amigos me conocen de verdad. —Soy sincera. Él me mira un segundo antes de mirar la carretera—. Alejandra sabe todo de mí, me ama y yo igual. Además, yo no he fingido contigo en ningún momento, ¿o sí?

—No, por eso eres rara, pero en el buen sentido. Es admirable como te apegas a tu verdadera identidad. Pensé que cuando te unieras a nuestro grupo intentarías encajar, pero solo te quedaste ahí, callada e incómoda.

—Es porque no son mi estilo de amigos —recalco mi punto. Suelta una carcajada, pero prosigo—. Y tú me caes mal como casi todo tu grupo de amigos.

El viaje continúa en completo silencio y no sé por qué, pero tengo la ligera impresión de que Diego quiere decirme algo y que mi confesión lo contiene. Cuando estaciona en el campus me bajo del vehículo y busco mi horario para saber cuál es mi salón, pero algo llama mi atención y es que, incluso sin verlo, sé que Diego está detrás de mí como una sombra, y lo confirmo cuando sopla en mi cuello. Me giro para encararlo.

—Nos toca en el mismo salón, Anastasia. ¡Vamos! —Empieza a caminar delante de mí y yo guardo mi horario.

—¿Cómo es que tenemos materias juntas cuando estudiamos diferentes carreras y tú estás más avanzado que yo?

Me mira por el hombro y sonríe con malicia.

—Supongo que yo estoy tomando asignaturas transversales que tú decidiste tomar en el primer semestre.

Lo sigo unos cuantos pasos atrás para mantener mi distancia y él me mira de vez en cuando asegurándose de que voy detrás. Entramos al salón; él se sienta junto a una chica de pelo rojo y yo en un puesto vacío al lado de la ventana.

Tomo mi móvil y observo la foto de mi hermano y yo, esa en la que éramos felices, esa en la que sus ojos todavía brillaban con ilusión, con vida. Un suspiro cansado se desliza por mis labios al mismo tiempo en que mi mente vuelve a formular las mismas preguntas: ¿En algún momento podré detener al monstruo? ¿Lograré hacerle justicia a mi hermano? No tengo casi nada de evidencia de ese día y estar tan lejos tampoco me lo hace fácil.

Comienzo a escribir unas normativas que están dictando. Cuando termino me doy cuenta de que Diego está sentado a mi lado. ¿Cuándo llegó?

—Esa chica parecía pulpo intentando tocarme —confiesa y entorno los ojos.

—¿Y me lo cuentas por…?

—Porque me caes bien, chica rara —dice antes de ponerse a leer un libro. Exhalo profundo y espero a que el profesor dé por terminada la clase. Miro de reojo cómo la chica con la que estaba Diego me está fulminando con la mirada—. Tranquila, no te hará daño.

No puedo contener la risa, sabiendo que si lo intenta será ella la que salga lastimada, aunque no pelearía por un hombre, y menos por él. Pero no tengo tiempo para pensar en tonterías. Hoy tengo mi primer entrenamiento con Ricky y estoy emocionada de volver a las peleas ilegales para seguir teniendo ingresos y ahorrar.

—Muy bien, alumnos, terminamos por hoy. Nos vemos en la siguiente clase —se despide el profesor y guardo mis cosas lo más rápido posible porque quiero alejarme lo más que pueda de Diego.

Me levanto de la silla, pero el pelinegro está bloqueando mi salida con su silla. Doy un pequeño golpe en su hombro y levanta la mirada con una sonrisa traviesa en los labios.

—Disculpa, pero quiero salir y no puedo.

Muevo mis manos en dirección a su silla.

—Puedes pasar por encima de mi regazo, nena, prometo no tocarte —suelta, aún sonriendo. Tomo su silla y la empujo moviéndolo. Él me mira sorprendido—. Tienes fuerza, chica rara.

—Digamos que sé defenderme muy bien de tontos que intentan pasarse de listos y que son unos gilipollas. Adiós, chico intenso.

Salgo del salón y me encuentro con mis gemelos favoritos. Dylan me abraza y me levanta del suelo haciéndome girar varias veces. Se detiene solo cuando ya estoy algo mareada. Javier me agarra del brazo y tira de mí hacia su torso para abrazarme.

LOS GEMELOS

—Hola, pequeña. —Me da un beso y no puedo evitar abrazarlo de nuevo porque los extrañaba demasiado. No los he visto desde hace más de seis meses y por fin estoy con ellos—. Estás más hermosa.

—¡Amorcín! Estás tan guapa y grande. —Dylan me abraza por atrás y apoya su barbilla en mi hombro. Sonrío. Siguen iguales, aunque tienen su pelo un poco más largo, siguen tan guapos como siempre—. Vamos a comer algo.

Asiento y mientras lo hago, noto que Diego me está mirando con detenimiento, luego vuelve a fijar su vista en la chica pelirroja... Creo que se llama Bárbara. ¿Por qué parece que siempre tiene los ojos puestos en mí?

Paso el día asistiendo a diferentes clases, agradeciendo no seguir topándome a Diego en todas ellas, al menos hasta que entro a la penúltima. Me siento en el último asiento al lado de la ventana, como siempre, y escucho que alguien arrastra la silla a mi lado. No le doy importancia y sigo mirando fuera, quiero que termine este día para poder ir a entrenar.

—¿Es tu novio? —Escucho esa voz.

No tengo que mirarlo para saber quién es. Respiro hondo. Sigo sin entender por qué tenemos tantas clases juntos si yo estudio *marketing* y supongo que él medicina, aunque todas las asignaturas que compartimos son transversales.

—No, yo no tengo novios. —Me cruzo de brazos.

Diego cierra el libro y lo deja en la mesa. Intento ver el título y lo tapa con el brazo. Una sonrisa victoriosa adorna sus labios y me dan ganas de taparme los ojos.

—¿Y se puede saber el porqué de esa decisión tan drástica? —pregunta con verdadero interés. Apoya los codos en la mesa y sus ojos café se clavan en mí.

Me quedo en silencio mirándolo, es guapo y hay algo magnético en él, cosa que no debería importarme, de hecho, no lo hace. Tamborilea los dedos en la mesa esperando una respuesta.

—No creo en las relaciones amorosas. Así de simple. Pienso que el amor es solo una fantasía que termina haciéndose pedazos y lastimando a la gente, así que... ¿quién necesita un sentimiento así?

—Discrepo en lo que estás diciendo. No has conocido a la persona indicada para enamorarte, pero yo creo que el amor sí existe, solo tenemos que abrirnos a él.

Me quedo callada varios segundos meditando sobre sus palabras y casi quiero reír por lo que acaba de decirme. No es lo típico que te soltaría un tipo guapo y mujeriego, pensé que me diría que él tampoco creía en el amor y que solo buscaba pasárselo bien en su juventud.

—Entonces tenemos otra cosa menos en común. —Lo miro y se está apartando varios mechones de pelo negro de la frente—. ¿Sabes? No me malinterpretes, pero esas no serían las palabras típicas de alguien como tú.

—¿Alguien como yo? —Noto el tono de diversión en su voz.

—Sí, eres el típico chico popular y mujeriego de la universidad. No lo sé, supongo que esperaba que dijeras que somos jóvenes y que tenemos que aprovechar y divertirnos sin compromiso.

Sus ojos brillan y una pequeña sonrisa aparece en sus labios.

—Solo me gusta divertirme, pero creo que jamás he dicho que no quiera tener una novia, ¿o sí? Solo soy paciente y mientras espero me divierto.

Nos quedamos en un silencio incómodo y la profesora por fin entra dando comienzo a su clase. En el transcurso de la misma, Diego no me habla; ambos nos mantenemos atentos a lo que dice la mujer, pero no me pasa desapercibido las miradas de las chicas al pelinegro.

Golpeo mi lápiz contra la mesa mientras escucho la información sobre el porcentaje de las notas y cómo será cada unidad, está resultando bastante aburrida esta asignatura de inglés.

Diego parece tan aburrido como yo, suspira y empieza a tomar varios mechones de mi pelo, ni siquiera intento detenerlo, estoy muy ocupada intentando no morir de hastío. Apoyo la cabeza en la mesa y él me imita, nos quedamos mirándonos por varios segundos. Por un momento me pierdo en el color intenso de sus ojos, en las sensaciones extrañas serpenteando por mi espalda, al menos hasta que veo la diversión en su mirada y ruedo los ojos.

Los párpados me pesan y cedo porque tengo mucho sueño. Quiero intentar dormir un poco mientras la profesora sigue explicando lo mismo una y otra vez. Diego tira de un mechón de mi pelo.

—No te quedes dormida —me susurra con voz ronca. Lo manoteo y me giro al otro lado para dormir—. Bella pero brusca.

Lo ignoro e intento conciliar el sueño, pero siento de nuevo sus dedos tirando de mi pelo y por más que intento obviar su lado infantil, no se detiene. ¡Dios, dame paciencia! Un soplido sobre mi cuello me alerta. Me giro para mirarlo y choco con su frente.

—¡Mierda! —maldigo. Llevo la mano al área del impacto y masajeo—. Joder, ¿qué mierda te pasa, idiota? —Mi voz es baja pero firme. No quiero llamar la atención de los demás compañeros.

—No te enojes, chica rara —dice con un tono tranquilo y casi burlón que me hace enojar más. Apenas se pasa la mano por su frente. Lo fulmino con la mirada.

—¿Cuál es tu problema, Diego? ¿Por qué no me dejas en paz? —resoplo—. Aléjate de mí —digo, borrando su sonrisa. Sé que estoy de mal humor, pero solo quería dormir y ahora de seguro tengo la frente hinchada.

—¡Qué carácter! —bufa irritado.

Saco la botella de agua y humedezco un pañuelo para hacer presión en la parte que me duele. Diego me quita el trozo de tela y me examina con cuidado, empieza a hacer unos pequeños masajes y me alejo de él. ¡Está loco!

—¡Quédate quieta, maldita sea! —brama en voz baja y me enfado aún más porque a mí nadie me da órdenes—. Solo quiero ayudarte.

—¡No te lo he pedido! —Me suelto de mala gana.

Me mira con cierta sorpresa, pero lo ignoro. Le pido permiso a la profesora para poder retirarme de clase. Tomo mis cosas, las guardo en la mochila y me levanto de la silla; él intenta agarrar mi muñeca y lo esquivo.

—¿A dónde vas, Anastasia? —La preocupación tiñe su voz—. Déjame acompañarte para que no estés sola.

—Eso a ti no te importa. —Paso por su lado y la sensación de sus ojos en mi espalda no desaparece aun cuando salgo del salón.

Camino por los pasillos hasta que alguien me toma de la mano y me giro de forma brusca para estamparle un puñetazo, pero me detengo cuando veo su cara.

—Eres algo agresiva —dice y alzo una ceja hacia él—. Lo siento, no quise hacerte daño. No es fácil hablar con una chica tan fría como tú.

—Solo aléjate de mí.

—¿Por qué?

Me paso una mano por la cara, frustrada. ¿Tendrá problemas de entendimiento?

—No me caes bien y no quiero ser tu amiga, te lo dejé en claro el primer día, pero creo que pensabas que lo decía en broma o simplemente decidiste ignorarlo —respondo. Desvía la mirada unos segundos y casi puedo ver cómo los engranajes de su cerebro están pensando en el siguiente movimiento.

—Lo siento, en serio, no quise hacerte daño. Acompáñame a mi casillero, tengo una crema para bajar la inflamación y otras cosas más. —Suspira agobiado—. Solo quiero ayudarte, Anastasia.

Llegamos a su casillero, rebusca entre sus cosas y cuando encuentra lo que necesita, vierte un poco de crema en mi frente y sus dedos hacen pequeños masajes con bastante delicadeza. Lo observo en silencio, no tengo nada más que hablar con él, pero supongo que aún tiene cosas que decir porque se aclara la garganta.

—Lo siento mucho, Anastasia, realmente me siento mal por el golpe. —Su voz sale algo ronca, como si tuviera un nudo en la garganta—. Solo quiero que seamos amigos o que intentemos llevarnos mejor.

No respondo a lo que me dice, solo camino unos pasos hacia donde está una banca, y, como me esperaba, él se sienta a mi lado. No me está gustando nada que se esté acercando tanto o que tenga tanta curiosidad sobre mí, en un futuro eso sería un gran problema para ambos.

—Será mejor que no me hables más.

—¿Por qué?

—Es lo mejor para todos; además, te repito, no eres de mi agrado y es molesto verte en cada esquina. —Mis ojos se centran en los suyos—. ¿Me estás siguiendo, Diego? Porque siento que me estás acosando.

—¡¿Qué?! —Su rostro se contrae—. No te estoy acosando, son coincidencias, Anastasia. Además, te recuerdo que somos compañeros y que estudio en esta universidad, incluso desde antes que tú. En serio siento lo del golpe, no fue mi intención. ¡Mierda! No te estoy acosando.

—Bueno, pero no me hables más. —Juego con la pulsera en mi muñeca y él se levanta de la banca—. De verdad creo que no nos llevaríamos bien, Diego. No a todo el mundo le puedes agradar.

Me mira un segundo antes de dar la vuelta y caminar de nuevo al salón. Es lo mejor, mientras menos gente se involucre conmigo estarán más a salvo. No necesito distracciones, tengo que estar concentrada en detener a la persona que acabó con mi vida. Sé que por ahora él está tranquilo, pero también sé que pronto vendrá por mí.

Después de dos horas de estar entrenando, salgo del gimnasio y camino a mi apartamento. Quiero darme un baño y ponerme hielo en los nudillos, me quedaron un poco sensibles por pegarle al saco de boxeo. Abro la puerta y me doy cuenta de que están todos los amigos de Alejandra.

—Hola —saludo a todas las personas que se encuentran en la sala de estar y ellos me responden el saludo con demasiado entusiasmo, se nota que algunos ya están bastante achispados por el alcohol.

Alejandra me ofrece una cerveza y niego con la cabeza porque necesito un poco de agua, así que dejo mi bolso en el suelo y entro en la cocina, saco varios cubitos de hielo y los dejo en un paño para luego apoyarlo en mis nudillos.

Cuando salgo de la cocina, la rubia se levanta del sillón, me alcanza y toma con cuidado mi mano para examinarla con cara de preocupación.

—¿Qué te pasó, Anastasia? ¿Quién te hizo esto? —pregunta alarmada y no puedo evitar esbozar una sonrisa.

—Nada y nadie me hizo daño, rubia. —Recojo mi bolso y ella se acerca más a mí para intentar tener completa intimidad y que no escuchen sus amigos—. Estoy bien, no te preocupes.

—Dime por favor que no peleaste con alguien en la calle. —Enarca una ceja.

Una risa se escapa de mis labios, es una exagerada, aunque no la culpo. Alejandra siempre se ha comportado como mi hermana mayor; ella fue la única que me apoyó en mis peores momentos y la que me ayudó a salir adelante.

—Ya me conoces. Me peleé con dos tíos y los mandé al hospital —bromeo y sonríe—. Fue en el entrenamiento, comencé a entrenar de nuevo con un instructor —la tranquilizo y el alivio se instala en su rostro.

—Me vas a matar de un infarto en estos días —dice sacudiendo la cabeza. Tomo el bolso del suelo.

—Exagerada. —Le doy un pequeño codazo—. Me voy a bañar, rubia.

Entro a mi habitación y le pongo seguro a la puerta, no me siento muy cómoda con todos esos hombres en el apartamento. Una vez lista y algo arreglada, salgo y me encuentro con Diego y Bárbara besándose en el sofá, hago una mueca de asco.

Justo cuando voy a entrar a la cocina tocan la puerta. Gruño por lo bajo porque de seguro son más amigos de Alejandra que vienen a tomar, al parecer mi amiga ha armado una pequeña fiesta sin siquiera mencionármelo.

—Abre tú, Anastasia —grita Alejandra.

Pongo los ojos en blanco y abro la puerta por donde aparecen mis dos imbéciles favoritos. Dylan y Javier me sonríen con diversión y me encanta como andan vestidos iguales, lo que vuelve difícil distinguir quién es quién a simple vista, pero yo los conozco demasiado bien. Dylan es bastante especial y carismático; en cambio, Javier es más callado y misterioso.

—¡Mira a qué hermosa chica tenemos por acá! —bromea Javier.

—¿Qué están haciendo aquí? —pregunto con curiosidad. No tenía planeado que vinieran hoy y si lo hicieron es porque tienen noticias sobre una posible pelea ilegal.

—Hola, Anastasia. Sí, nosotros también te extrañábamos mucho —dice Dylan con sarcasmo.

Ruedo los ojos. Estos dos chicos nunca van a cambiar, desde pequeños siempre han sido iguales y esa es la razón de porqué seguimos siendo mejores amigos hasta el día hoy.

—¿Podemos pasar o nos vas a tener aquí todo el rato? —Javier sonríe de oreja a oreja.

—Claro. —Me hago a un lado para que los gemelos entren y en cuanto lo hacen se topan con el mismo espectáculo que yo. Todos se están besando.

Hago una mueca.

—Menuda orgía que tienen aquí —comenta Dylan con un tono burlón y Javier y yo soltamos una carcajada. ¡Dios! No tiene ningún filtro para decir las cosas. Todos se separan cuando ven a los gemelos y una gigantesca sonrisa se apodera de los labios de Alejandra al verlos.

—Creo que faltamos nosotros, ¿y si hacemos un trío? ¿Qué me dices, Amorcín? —Los gemelos me miran con su hermosa sonrisa. Son unos imbéciles.

—¡Puaj! Qué asco, tío. —Me hago la ofendida, pero una sonrisa curva mis labios al verlos hacer puchero como niños pequeños.

—Algún día vas a caer, Amorcín, y verás lo que es bueno —bromea Dylan guiñándome un ojo. Me apoyo en la pared y noto que Diego me mira fijamente. Sonríe y empieza a besar el cuello de Bárbara. Aparto la mirada asqueada.

—Hola, Dylan y Javier, siguen siendo tan guapos como siempre —dice Alejandra unos segundos antes de abrazarlos con fuerza.

—¡Oh, gracias por agrandar más mi ego, rubia! Y sí, tienes razón, cada día estoy más guapo y *sexy* —afirma Dylan con una seguridad que deja en silencio a todos en la habitación.

—Sí, pero cada día que pasa te vas quedando con menos neuronas en tu diminuto cerebro —lo molesto. Dylan finge una carcajada.

—Mira quién lo dice. —Me toma de la cintura—. Cada día te ves más guapa pero más insoportable. A este paso te quedarás sola.

—Si intentabas hacerme sentir mal por eso, no lo lograste, y me lo tomaré como un cumplido hacia a mí —respondo, empujándolo—. Vamos a mi cuarto.

—¿Vamos a hacer el trío? —pregunta, pícaro antes de añadir—: Nos vemos chicos, y no llamen a la policía si escuchan mucho ruido.

Ruedo los ojos mientras avanzan delante de mí hacia mi habitación. Cierro la puerta cuando entran para tener más privacidad.

—Me halagan con su visita, pero supongo que no están aquí solo para verme. ¿Ya tienen una fecha para mi próxima pelea? —Asienten al mismo tiempo—. Luis ya les dio toda la información, ¿verdad?

—Anastasia, le ganarás en un segundo, ya te has enfrentado a ella, es Rebeca —dice Javier con un tono de voz tan tranquilo que me hace reír. La conocí en las peleas ilegales, es buena y tiene un buen gancho, pero es demasiado lenta, por lo que no es un problema para mí.

—Nada de qué preocuparme —confirmo y cuando volteo a ver a Dylan, está tomando varios libros de mi biblioteca. Me acerco y se los quito de las manos—. Hoy está de tocón, ¿eh? —Él sonríe antes de volver a tomar otras cosas de mi biblioteca.

—¿Saben algo de Jonathan? —pregunto porque no lo he visto desde hace más de seis meses y no ha aparecido estos días en la universidad.

—Sí, viene en camino. —suelta Javier—. Nosotros tenemos una fiesta, ¿te vienes? —Niego. No tengo ánimos de ir a una fiesta y de fingir una sonrisa. Además, tampoco quiero exponerme tanto porque él siempre termina encontrándome; prefiero tener un perfil bajo en esta nueva ciudad.

—Vamos, nena, será divertido —insiste Dylan.

—Será para otra ocasión. —Vuelvo a negar—. Quiero estar a solas con Jonathan.

—Vale, vale, ya veo que lo prefieres a él y a nosotros siempre nos dejas de lado. —Dylan se lleva una mano al corazón de una forma tan dramática.

—Te dejamos entonces, nos vemos mañana en la universidad. —Javier me da un beso en la mejilla. Dylan hace lo mismo en la frente para luego revolver mi pelo.

Cuando mis amigos se van, tomo un libro de mi biblioteca, me siento en la cama y me miro de reojo en el espejo. Suspiro con cierta amargura porque no reconozco a mi reflejo. No reconozco a esa chica con la mirada fría y apagada, esa que contrasta con la joven dulce y alegre que antes fui. Dejo el libro a un lado, cierro los ojos y me dejo caer hasta que mi espalda toca las frías sábanas. No estoy muy clara en qué momento me quedé dormida.

—Despierta, Anastasia. —Una voz suave se cuela por mis oídos. Abro los ojos y me topo con un rostro que conozco de memoria: Jonathan me sonríe.

—¿Cómo entraste aquí? —pregunto aún adormilada.

—Por la puerta —responde burlón.

—Ja, ja, ja, muy chistoso. —Me pongo de pie y me doy cuenta de que ya es de noche—. ¿Qué quieres hacer? —le pregunto.

—Salgamos a caminar —me dice y me detengo a detallar su aspecto. Lleva unos pantalones negros y una sudadera blanca que lo hace lucir muy guapo y relajado.

—Vale. —Salimos de la habitación y lo primero que visualizo es a una Alejandra ebria. Miro a sus amigos y todos están igual. La puerta del baño se abre y un Diego risueño se planta frente a mí.

—¡Hey, chica rara! ¿Aún sigues enojada conmigo? —pregunta con un tono bastante alegre, se nota que lleva bastante alcohol encima.

—Sí, porque me caes mal —contesto.

—No te enojes, bella, mejor ven a compartir una cerveza conmigo. —Agita la mano en la que lleva su bebida.

—Tengo otros planes y no es emborracharme, por cierto. —Intento pasar, pero él me bloquea. «Respira, Anastasia, Respira».

—Ya veo —masculla. Jonathan posa su mano en mi cintura y me atrae hacia él—. ¿Quién es? ¿Tu novio? —Mira por un momento a Jonathan, antes de volver a fijar su vista en mí—. Pensaba que no creías en el amor y en las relaciones.

—Vamos, Anastasia —dice mi mejor amigo, incómodo. No le contesto a Diego porque no tengo por qué darle explicaciones de mi vida.

Me voy con Jonathan y dejo al pelinegro atrás preguntándome una cosa: ¿cómo es posible que mientras más intento alejarlo, más cerca parece estar de mí? Si supiera el riesgo que corre estando a mi alrededor, tal vez se lo pensaría dos veces.

Capítulo 4

Anastasia

Llego a la universidad y los pasillos acogen el murmullo de los alumnos que se desplazan con premura para llegar a tiempo a sus clases. Mis pies se detienen en cuanto entro a mi salón, casi todos los lugares están ocupados, excepto uno que se encuentra justo detrás de Diego. ¡Maldita clase de Inglés!

Me ubico en mi lugar y cuento los segundos que el pelinegro se va a tardar en girarse para saludarme. En total pasan treinta cuando se gira y deja un trozo pequeño de papel sobre mi mesa.

—¿Qué es esto? —pregunto intrigada.

Me ignora y comienza a conversar con la chica que tiene al lado. No entiendo a este chico. Creo que no me escucha cuando le digo lo de alejarse. Observo el papel y lo tomo. Odio ser curiosa, es mi debilidad y creo que comienza a sospechar esa parte de mí. Abro la nota que dice:

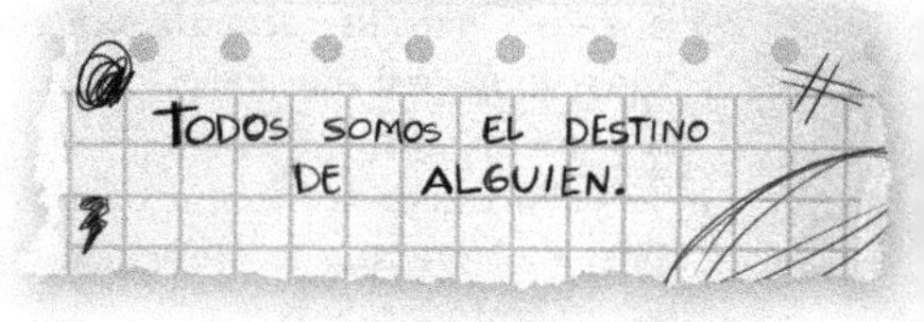

Frunzo el ceño porque es un mensaje muy raro. Le doy la vuelta al papel buscando algo más, pero no hay nada. La doblo y la guardo en mi cuaderno para luego botarla en la basura. Saco un lápiz, comienzo a golpearlo contra mi mesa y casi por inercia se voltea a verme.

—¿Crees en el destino? —cuestiona. Miro a la ventana y niego, es de locos creer en eso, cada persona crea su destino con sus acciones—. Eres una chica rara, no crees en el amor ni en el destino.

—Soy realista, Diego. El amor es lindo y bonito al inicio, pero después ya no. A veces ni siquiera sabes realmente quién es tu pareja. Uno nunca termina de conocer a las personas —murmuro en voz baja—. Y nosotros creamos nuestro destino, es así de simple.

—No estoy de acuerdo con tus pensamientos. Te observo y veo que estás jodida por dentro. Supongo que la vida ya te hizo bastante daño y asumo que esa es la razón por la que ya no crees en nada —suelta de repente. Lo miro de reojo y trago saliva.

No sé cómo puede verlo, pero tiene razón, estoy jodida por dentro. Solo sé causar daño o poner en riesgo a las personas que amo y no es justo para ellos. Muchas veces he querido retroceder el tiempo para no conocer al monstruo que clavó sus garras en mí y dejó sus malditas huellas.

—El mundo es cruel y cada persona tiene su pasado doloroso, Diego. —Juego con el lápiz entre mis dedos—. Lo importante es que te vuelvas a levantar y sigas adelante. Cada persona tiene su propia batalla interna y tiene que aprender a librarla.

—Exacto. —Lleva una mano debajo de mi silla y la arrastra más cerca de él—. Me gusta cómo piensas, ¿salimos juntos? No pienses mal, tal vez salir a caminar un poco por las calles de Barcelona.

—Diego... —le advierto.

—Solo para hablar, Anastasia, no intentaré nada contigo. —Suelta un suspiro y desvía la mirada un segundo antes de volver a fijar sus ojos en mí—. Siento que contigo puedo hablar de muchas cosas y quiero conocerte un poco más.

—No soy tu amiga, Diego, y no me lo tomes a mal, pero tampoco quiero serlo.

—Anastasia… —La suavidad de sus dedos alcanza mi mejilla y solo por un segundo, me pierdo en la calidez de su tacto, en sus ojos suplicantes, en la esperanza que nace en sus pupilas, en el «tal vez» que se eleva en el aire.

El tiempo se rompe, la diminuta ilusión se hace pedazos y mi cuerpo reacciona.

—No me toques. —Me aparto con brusquedad y su mirada se entristece.

—Solo a caminar —dice haciendo un puchero—. A menos, claro, que a tu novio le moleste que tengas un amigo tan guapo y *sexy* como yo.

Suelto un bufido.

—Jonathan no es mi novio, Diego, es mi mejor amigo desde…, no lo sé, hace ¿diez años? —le aclaro ese punto—. Pero, reitero, es mejor que dejemos de hablarnos y ya.

—No estoy de acuerdo tampoco con eso. —Se cruza de brazos y mira a un lado—. Yo creo que tienes miedo de que yo te guste y por eso intentas alejarme de ti —me desafía.

—Puedes pensar lo que quieras.

—Créeme que lo estoy pensando —dice—. Eres desagradable, con razón no tienes tantos amigos.

—¿Soy desagradable por no querer ser tu puta amiga? Estás actuando como un niño pequeño. Madura, Diego.

Sacude la cabeza e inhala hondo. Su rostro se relaja y termina mordiéndose el labio inferior antes de posar sus dedos en mi mejilla y dejar una leve caricia que envía un escalofrío a todo mi cuerpo. Deja caer la mano sin que pueda moverme. Solo lo miro haciéndome demasiado consciente de lo guapo que es. ¿Por qué carajos estoy pensando en eso?

—Sé que puedes sentir lo que pasa cada vez que te toco. —Su voz es un susurro ronco—. Lo siento cada vez que te veo y te acaricio. Me molesta que te niegues, Anastasia. Me enfada que actúes como una niña pequeña diciendo esas estupideces.

Le doy un empujón y me pongo de pie. No sé qué tiene en la cabeza. Puedo entender que se sienta atraído por mí, pero no que pretenda conocer mis emociones. ¡No siento nada por él! Me niego a hacerlo.

—¡Estás loco! —Tomo mi mochila, pero me agarra la muñeca—. ¡Suéltame! —Comienzo a forcejear con él y consigo soltarme—. No te acerques a mí, no sé qué mierda te estás imaginando, pero estás mal. Me conoces desde hace pocos días.

—¡¿Y qué?! Solo quiero ser tu amigo para conocerte, pero eres testaruda y desagradable conmigo —refuta molesto—. He intentado ser simpático contigo y lo único que recibo de tu parte son insultos que duelen.

—¡Oh, pobrecito! —Me llevo la mano al pecho—. Lamento romper tu corazón por no querer ser tu amiga, pero aun así no vas a lograr nada. —Me acerco a él y noto cómo contiene la respiración—. No me gusta la gente falsa.

No espero que me responda, salgo del salón bajo la atenta mirada de mis compañeros. Camino por el patio y me siento en una banca. Necesito respirar. ¿De verdad cree que me voy a enamorar de él en tres días solo porque es guapo y popular?

—Anastasia. —Su voz llega a mí antes que su cuerpo. ¡Dios santo!

Me levanto de la banca para huir, pero Diego ya está frente a mí y toma mis manos con cuidado entre las suyas. Observo el gesto y siento cómo mi respiración se va alterando a medida que va subiendo sus dedos por mis brazos.

—Lo sientes, ¿verdad? Tienes el pulso alterado y se han entreabierto tus labios, Anastasia —me dice haciéndome reaccionar. Me separo de golpe.

—¡Yo no siento nada! —Intento pasar, pero me bloquea el paso llevando sus manos a mis hombros—. Creo que estás drogado, Diego.

—Puede ser, yo... ¡Joder! Parezco un loco, ¿verdad? —Se aparta llevándose las manos a la cabeza.

—Sí, eso pareces.

—¡Mierda! Lo siento, es solo que algo me pasó contigo desde que te vi —dice y se sienta en la banca.

Busco con la mirada un lugar por donde podría escapar, pero me siento a su lado al darme cuenta de que tal vez he sido un poco antipática con él.

—No sé qué es lo que sientes, Diego, pero me asustas un poco —le confieso y hace una mueca—. La razón por la que no me caes bien es porque estás fingiendo ser alguien que no eres y eso a mí no me gusta.

—Contigo no estoy fingiendo, Anastasia. —Su confesión me toma desprevenida.

Lleno mis pulmones de aire y lo suelto despacio. No sé qué hacer. Puedo notar que su comportamiento burlesco y desinteresado con sus amigos dista mucho del chico intenso y cursi que siempre parece estar a mi alrededor. Me confunde.

—Salgamos a caminar en plan amigos, pero sé realmente tú. Y esto no es una cita, así que no intentes pasarte de listo porque te golpearé —le advierto y él asiente con una tímida sonrisa—. Te veo en la salida.

—Vale, nos vemos, chica rara.

Tomo mi mochila y me alejo de Diego, quien deja aflorar una enorme sonrisa. ¡Ya perdí mi clase, joder!

Entro a la biblioteca y dejo que el tiempo se escabulla entre las líneas de *El Resplandor* de Stephen King. Me encanta leer. Un rato después le escribo a mis amigos para ver si vinieron a la universidad y, por suerte, la respuesta es positiva.

Camino por los pasillos y me encuentro con el grupo de Diego. Él me toma con cuidado del brazo y Alejandra nos mira de reojo porque no le agrada mucho que el pelinegro se esté acercando a mí; ayer me lo comentó y me advirtió que tuviera cuidado.

Se inclina un poco y me entrega otro pequeño papel.

—¿Qué es esto?

—Mi número. Botaste el anterior, guárdalo, por favor. Y recuerda ponerme como "el amor de tu vida" —bromea con su bonita sonrisa haciendo notar sus hoyuelos. Los cuales me desconcentran por un segundo.

Me aclaro la garganta antes de hablar.

—Tengo que irme, nos vemos. Ah, y ni una sola palabra a tus amigos y menos a Alejandra —le advierto—. Ella es algo sobreprotectora y no le gusta que esté junto a ti.

—Creo que me quedaré contigo, bella. —Me guiña un ojo, da media vuelta y comienza a hablar con un chico mientras avanzan. Me quedo en el medio del pasillo mirando cómo va desapareciendo con su amigo.

«¿Creo que me quedaré contigo?». ¿Qué carajo significa eso?

—Hola, guapa —dicen los gemelos al unísono. Doy un salto cuando siento la mano de Dylan en mi cintura.

—¡Dios! ¡Qué susto me diste, tonto! Menos mal que llegaron a tiempo. Vamos a buscar a Jonathan —les propongo.

Sonríen y me siguen mientras empiezan a parlotear. Yo, en cambio, sigo escuchando las palabras de Diego en mi cabeza y rogando al universo no estarme equivocando al dejarlo acercarse.

Me apoyo contra el muro de la salida mientras espero que Diego salga. Me vibra el móvil y encuentro un mensaje de Luis. Me informa que está preparando todo para volver a las peleas, pero que debemos tener cuidado porque esto me podría exponer de nuevo a él, al monstruo.

Pierdo visibilidad cuando alguien me cubre los ojos y me resulta extraño no haberme asustado. Aunque sí me sorprende reconocer su perfume con tan pocos días de conocerlo. Diego me da un beso en la mejilla antes de pararse frente a mí. Parpadeo varias veces para poder enfocarme y no perderme en la majestuosa vista que es este chico con su brazo completamente tatuado. ¡Qué *sexy*!

—Hola, chica rara —me saluda con una sonrisa y ruedo los ojos

—Nos vamos, no quiero que Alejandra nos vea juntos.

Diego emite un grito ahogado y se lleva una mano al corazón.

—¡Soy tu sucio secreto! —exclama con dramatismo. No puedo evitar reír.

—Puede…

—¡Puede! —repite él con una sonrisa traviesa—. Vamos, te llevaré a un lugar que te encantará, confía en mí.

—Sorpréndeme… —Lo sigo hasta donde está estacionado su todoterreno.

Me mira por encima de su hombro.

—Te sorprenderé, bella.

Me abre la puerta con una reverencia exagerada. Me subo sonriendo ante su payasada. Es ridículo pero tierno a la vez. Va a su puesto, enciende el auto y se pone en camino a quién sabe dónde. Los veinte minutos siguientes pasan entre canciones que Diego tararea y mis labios comprimiendo sonrisas para no reírme de él.

—Llegamos, Anastasia, espero que te guste mi sorpresa para ti —dice cuando aparcamos en un estacionamiento público.

Salta de su lugar y se mueve a abrir mi puerta ofreciéndome su mano para bajar del auto, pero me niego. Una risa brota de su garganta con tanta naturalidad que me eriza la piel. ¿Qué me pasa? Comienza a caminar y lo sigo hasta que se detiene frente a un gigantesco edificio antiguo. Ascendemos por las imponentes escaleras y cuando atravesamos las enormes puertas, un grito ahogado cruje en mi garganta de la impresión. Diego rodea mi cintura con su brazo y se inclina hacia mí.

—Bienvenida a la biblioteca municipal de Barcelona. —Me da un beso fugaz en la mejilla—. ¿Te gusta?

Los pasillos repletos de libros amortiguan la sensación de sus labios contra mi piel. El lugar es asombroso, debe haber millones de libros, es un paraíso.

—¿Te gusta? —vuelve a preguntar.

—Claro que sí. ¡Dios!, es hermoso —respondo con una sonrisa.

—Me alegro. Ven. —Toma mi mano y me conduce por pasillos con estanterías llenos de historias plasmadas en páginas. Es… maravilloso—. ¿Cuál es tu género literario favorito?

Levanto la cabeza cuando escucho su pregunta. ¡Error! Nuestras miradas colisionan, el aire se vuelve denso y la realidad me golpea. Diego es un peligro para mí. No es la persona que pensaba. Puede ser fascinante.

—¿Por qué me miras así? —Parece confundido.

—¿De qué libro te escapaste? —suelto de repente—. ¿Eres real? ¿No se supone que eres un chico malo que rompe los corazones de las chicas? ¿No se supone que tendrías que ser tóxico, de mal humor y fiestero como en los libros o películas? En cambio, eres tierno, simpático, carismático y te gusta leer. Es una locura.

Suelta una carcajada y acaricia mi mentón. Me tenso y lo nota porque deja de tocarme.

—Tienes una idea muy equivocada de mí, Anastasia. Y sé que fue en parte mi culpa por actuar como un imbécil el primer día, pero solo estaba fingiendo. Ven, vamos a hablar un rato. —Me guía a unos sillones y nos sentamos rodeados del maravilloso aroma que desprenden los libros—. Confieso que eres la chica más bella que mis ojos han visto y quizá eso influyó mucho en mis neuronas.

—Eso ha sonado bastante cursi, creo que leer tantos libros ya te ha afectado el cerebro —bromeo y le doy un golpe en el hombro. El gesto me sale tan natural que siento un ligero estremecimiento—. Tal vez sí que puedes ser un buen amigo —digo y lo veo hacer un corazón con las manos que luego rompe.

—Eso dolió, jamás me habían enviado a la temida zona de amistad —se queja y luego desliza un libro hasta mis manos. Lo miro y veo que es *Romeo y Julieta*, alzo una ceja hacia él—. ¿Lo has leído alguna vez?

—No.

—Dale una oportunidad. —Saca su móvil del bolsillo y me lo da—. ¿Anotas tu número? —Sonríe contagiándome. Marco los dígitos y se lo devuelvo. Teclea un poco antes de girar la pantalla y mostrarme—. Te guardé como "el amor de mi vida".

Ruedo los ojos.

—¡Payaso!

—¿Por qué? Sé que tengo una reputación de mujeriego y en este momento lo odio, pero eres especial para mí, Anastasia. No lo dudes.

El silencio se eleva, danza en medio de nuestros cuerpos como una melodía casi sublime, pero a la vez algo incómoda. «Tú también eres especial», mi consciencia me traiciona, pero comprimo cualquier pensamiento irracional. Amigos. Solo podemos ser amigos, no estoy preparada para cualquier otro sentimiento que no sea de cariño. Además, Diego parece un buen chico y no se merece estar en el punto de mira de él. No se merece lidiar con las sombras que me rodean y me atormentan.

Capítulo 5

El tiempo parece escurrirse entre nuestros dedos sin que nos demos cuenta. Han pasado casi dos semanas desde que entré a la universidad. Mi amistad con Alejandra es tan buena como antes de separarme de ella y mi relación con Diego va sobre la marcha. Ambos nos hemos seguido viendo a escondidas de Alejandra y Cameron en plan de amigos, porque ese par está empecinado en pensar que hay algo más entre nosotros. Cosa que no es cierta, le dejé muy claro que por el momento no quiero una relación y él parece respetarlo. Aunque he de recalcar que ya no se junta con casi ninguna chica, solo con Alejandra y conmigo.

—Adiós, Ricky —me despido de mi entrenador.

La noche me recibe con una corriente de viento que me hace abrazarme a mí misma. El verano está muriendo en los brazos del otoño. El cielo parece entristecido y pequeñas gotitas de agua se ciernen sobre mi cuerpo. ¡Lo que me faltaba! Mis pies se mueven con rapidez en mi intento por huir de la lluvia, pero es imposible. Me empapo en segundos. La ropa se pega a mi piel y apenas puedo ver a través del torrente de agua que se desata. Me abrazo con más fuerza en mi afán de conservar algo de calor corporal, aunque es inútil, tiemblo.

Un todoterreno se detiene a mi lado, pero lo ignoro y camino más rápido. Mis nervios se disparan cuando noto que el vehículo me sigue de cerca y empiezo a correr como loca. Doblo en la primera esquina acelerando mis pasos, pero mi cuerpo rebota en una pared invisible cuando el todoterreno me pasa y se detiene delante de mí.

«¡Mierda, no, no puede ser él!».

La puerta del conductor se abre y una figura masculina encapuchada se impone. Retrocedo lista para volver a emprender la huida, pero resbalo. Casi puedo verme en el suelo cuando un brazo me sostiene de la cintura evitando la caída.

«Te volvió a encontrar». «De nuevo eres su presa». «Ahora nadie podrá ayudarte, ahora no podrás escapar». «Va a torturarte con sus juegos mentales hasta que no quede nada de ti». Los pensamientos se acumulan en mi cabeza y duele. Mis ojos se empañan, el cuerpo me tiembla, mi corazón late desbocado.

Sus manos me sueltan y se dirigen a su capucha hasta deshacerse de ella. El bonito rostro de Diego aparece en mi campo de visión y un suspiro de alivio se arrastra por mis labios. ¡Mierda! Pensé que el monstruo me había encontrado.

—¡Joder! —Le doy un empujón con fuerza—. Pensé que eras otra persona, Diego. ¡Qué susto me has dado, imbécil! —exclamo molesta y aparto el pelo mojado de mi cara.

En un movimiento rápido, Diego toma mis muñecas y me lleva contra el muro para protegerme de un coche que pasa levantando una ola de agua.

—Perdóname, bella, no quise asustarte. —Su aliento choca contra mi cara—. Iba de camino a tu apartamento y te vi caminando bajo este aguacero. Sube al coche, por favor. Te llevo —dice con un tono de voz amable. Niego con la cabeza, necesito estar sola por un momento. Pensé que, después de pasarme dos años escapando de él, me había encontrado, que me iba a secuestrar. Las manos me tiemblan y mi respiración sigue siendo un caos. «Respira, Anastasia, respira», me digo mentalmente.

—Anastasia, ¿qué ocurre? ¿Estás bien? Estás muy pálida, por favor sube al coche.

—Yo... no puedo, prefiero seguir caminando sola —siseo.

—¿Por qué a veces eres tan cabezota? Joder, me vuelves loco. —Posa sus manos en mis mejillas y se inclina—. Estás helada, puedes enfermarte. Sube, por favor.

Vuelvo a negar y se acerca más a mí, despertando una especie de corriente que reprimo. Me niego a sentir.

—¿Eres consciente de que la tormenta va a empeorar? Ya se están inundando las calles —advierte. Miro a mi alrededor y es cierto—. Por favor, sube.

—No me falta tanto, Diego, puedo correr rápido para llegar a mi apartamento. Déjame…

La última palabra muere en la punta de mi lengua cuando me doy cuenta de que estamos tan cerca que nuestras narices podrían rozarse.

—Te caerás y te lastimarás antes de que puedas llegar. —El enfado crece en sus ojos. Retrocede, mira un momento al cielo y vuelve a fijar su vista en mí—. Sube al coche, no te lo volveré a pedir, por favor.

—No, en estos momentos no necesito de tu ayuda, entiéndelo.

—No aceptaré un no por respuesta, te llevaré y punto. Así que, por última vez, sube al coche, Anastasia. —Niego y él suelta un gruñido de frustración—. ¿Es tu última palabra? —inquiere y asiento porque las palabras no parecen querer salir por mi garganta—. Pues entonces no me dejas más opción.

Todo pasa tan deprisa que apenas puedo ser consciente de lo que pasa. Mis pies abandonan el suelo cuando Diego me levanta y me lleva a su hombro como saco de papas. Unos cuantos pasos de su parte y me deja en el asiento del copiloto. Me abrocha el cinturón de seguridad bajo mi protesta y luego corre a subirse del lado del conductor. Me desabrocho el cinturón con la intensión de bajar, pero antes de que pueda hacerlo, pisa el acelerador.

—Déjame bajar, Diego.

No me mira, tiene la vista fija en la carretera. Un minuto después veo que la calle de mi apartamento está inundada. Diego empieza a refunfuñar en voz baja, pero no logro entender lo que dice. Gira a la izquierda y se aleja de mi edificio.

—Déjame bajar —repito, nerviosa.

Pone el seguro para niños y vuelve a fijar la vista en la carretera. Resoplo y decido callarme cuando lo veo tan concentrado, supongo, ya que no está siendo fácil manejar con este diluvio.

—Tendrás que quedarte esta noche en mi apartamento —dice con un tono alegre en su voz en cuanto estaciona en un subterráneo.

— ¡No, ni loca!

—Vamos, Anastasia, somos amigos y tu calle está inundada, no se puede entrar. Además, aún sigues bastante pálida. —Toca mi mejilla un segundo que se siente eterno y a la vez fugaz. Diego se baja del todoterreno y lo rodea. Abre mi puerta y me quita con cuidado el cinturón de seguridad, me quedo quieta porque su olor se desliza por mis fosas nasales y me sacude algo por dentro. ¡Huele tan bien! Se aclara la garganta y pestañeo varias veces para concentrarme de nuevo en las circunstancias.

—Vamos, bella.

Me ofrece su mano, pero la rechazo. Planto los pies en el suelo y cierro la puerta del vehículo dejándolo atrás. Entramos en el ascensor en completo silencio y aparto un mechón húmedo pegado a mi cara. Un escalofrío recorre mi cuerpo y me abrazo en un intento desesperado por conseguir un poco de calor. El pelinegro se acerca a mí y acuna mi rostro en sus manos. Lo observo.

—Estás muy helada, Anastasia. En unos minutos podrás darte un baño y te prestaré ropa seca para que entres en calor. —Me suelta despacio como si no quisiera hacerlo—. Te prepararé una sopa para que recuperes un poco de color en la cara —comenta preocupado. No digo nada. En verdad agradezco su ayuda, pero en estos momentos me gustaría estar sola.

Las puertas del ascensor se abren dejando a la vista un pasillo café claro muy lujoso con algunas mesillas de noche con lámparas y flores. Se detiene en una puerta y la abre.

—Oh... —es lo único que logro articular.

El apartamento de Diego es enorme. Los tonos blancos en las paredes lo hacen lucir elegante. Pasa por mi lado y se mete a la cocina. Me acerco a los ventanales y mis ojos se iluminan ante la imagen de una Barcelona imponente, hermosa, vibrante. La vista es increíble.

Un ruido llama mi atención y cuando me giro veo a Diego sacando unas ollas. Mi mirada curiosa se pasea por toda la estancia y se detiene en un piano que está casi en medio del salón, muy alejado de la escalera. Se acerca y me pasa un suéter que no sé de dónde sacó tan pronto.

—No es necesario.

—Póntelo mientras te duchas y te cambias.

Me saco el suéter deportivo y me pongo el que acaba de ofrecerme. Diego vuelve a posar su mano en mi mejilla y me mira atento.

—Ya estás mejor. Ven, te mostraré la habitación para que puedas bañarte y ponerte algo seco.

Subimos la escalera en completo silencio hasta que se detiene en la primera puerta y entramos a un cuarto oscuro que se ilumina en cuanto enciende las luces. La lluvia choca violentamente contra las enormes ventanas del lugar.

—Espero que no estés tramando nada, Don Juan —bromeo.

—Muy graciosa, Anastasia. —Pone los ojos en blanco y luego observa el gotear de mi ropa empapada—. Tendré que secar mi suelo porque una chica rebelde no quiso subir de inmediato a mi coche y no solo mojó el asiento de mi todoterreno, ahora lo hace por todo mi apartamento.

—Ups...

—Sí, ups. —Sacude la cabeza y deja mi bolso en el suelo. Me mantengo inmóvil porque lo último que quiero es causar más daño. Él frunce el ceño y toma mi mano—. Puedes caminar, bella, no me enojo.

—Eres tan raro, Diego —suelto de repente —. Sigo pensando que estás tramando algo.

—No soy como tú crees que soy. No te dejes llevar por los comentarios de la gente. —Camina a la puerta y me mira por encima del hombro antes de salir—. Te traeré ropa, espera un momento aquí.

Su ausencia me permite apreciar mejor la habitación. A diferencia del salón, las paredes de esta son de color crema. Una enorme cama se impone en el centro, acompañada de una cómoda y dos pequeños sillones al lado de la ventana. Me siento en uno y espero a que Diego regrese.

—Te traje una camiseta, un buzo y también un… bóxer. —Se rasca el cuello y me muerdo el labio para no reírme de él, se ve tierno estando nervioso—. Voy a dejar aquí la ropa y también unas toallas. Si quieres puedes lavar tu ropa, tengo lavadora y secadora.

Me levanto y saco los guantes de boxeo, los examino y no están mojados. Diego se planta a mi lado y fija la mirada en lo que acabo de extraer de la bolsa.

—¿Haces boxeo? —pregunta, atónito.

—Sí.

Una deslumbrante sonrisa blanca aparece en sus labios y marca sus hoyuelos.

—Podríamos boxear juntos más tarde, ¿te animas? —propone con una sonrisa pretenciosa.

—¿En serio? Es que recién estoy comenzando. —Tomo mis guantes de boxeo y lo veo acercarse a mí—. No estoy tan segura.

—Oh, tranquila, rarita, dejaré que me ganes.

—¡Payaso!

—Solo un poco. —Se encoje de hombros—. Hablo en serio, puedo enseñarte un poco más.

—Vale.

—Lo haremos después de comer, pero no te puedes echar para atrás, Anastasia. Prometo ser un buen maestro. —Toma un mechón de mi pelo y lo pone detrás de mi oreja—. Te dejo para que te bañes y te pongas cómoda, estaré abajo preparando algo de comer.

Lo veo avanzar hacia la puerta y una necesidad imperiosa me hace llamarlo.

—Diego.

—¿Sí?

—Muchas gracias. De verdad, gracias por ayudarme y tenerme paciencia.

Asiente, sonríe con picardía y luego sale por la puerta dejándome a solas con el frío en los huesos y no estoy segura si es porque sigo empapada o porque aún tengo el corazón acelerado por el susto que me di al pensar que el monstruo había vuelto a mi vida. ¿Algún día podré caminar por las calles sin sentirme asechada por él?

Después de un baño relajante, bajo la escalera, y entro a la cocina en donde me encuentro a Diego sumido en lo que está cocinando. Me acerco un poco y el delicioso olor a comida hace rugir mi estómago. ¡Dios!, eso huele muy bien. Me mira de reojo mientras sigue revolviendo las verduras en la sartén.

—No sabía que supieras cocinar. —Enarco una ceja.

Se da la vuelta y me escanea de arriba abajo; su ropa me queda terriblemente grande. Sus labios se curvan en una sonrisa traviesa y luego me hace una señal para que me acerque más. Lo hago con cautela porque aún no sé qué está tramando. Diego no parece el tipo de chico que se rinde y yo solo puedo ofrecerle ser amigos.

—Estoy cocinando patatas con carne —me informa y hago una mueca porque soy vegetariana—: La carne es para mí, para ti preparé verduras.

—¿Cómo sabes que soy vegetariana?

—Alejandra me lo contó; además, le avisé para que no se preocupara y, por supuesto, me amenazó de muerte si te tocaba un solo pelo. Anastasia, dile algo —dice como niño pequeño.

—Yo ya le dije que solo estamos pasando tiempo como amigos, pero no me cree. Seguro que ahora piensa que estamos follando —bromeo.

Diego se atora con una verdura que acababa de llevarse a la boca y comienza a toser, no puedo evitar soltar una risotada porque sus mejillas se han puesto rojas.

Le paso un vaso de agua y golpeo con fuerza su espalda.

—Créeme que si estuviéramos follando hasta Alejandra escucharía tus gritos de placer, bella.

Abro los ojos con asombro y doy un paso atrás.

—¡Mierda! Eso se escuchó muy mal, perdóname —agrega.

—Tienes una mente pervertida —admito—. Sí fue de mal gusto, la verdad. Entre tú y yo no va a pasar nada, por mucho que lo desees.

—Nunca digas nunca, te puedes arrepentir.

—Claro, se me olvida que eres "el amor de mi vida", pero como soy algo lenta aún no me he dado cuenta, ¿verdad?

—¡Exacto! —Se ríe y me siento en la silla frente a él. Mmm... Huele delicioso. Levanto la mirada y me está observando con una sonrisa deslumbrante mientras deja un plato servido frente a mí—. Pruébalo, por favor, es la primera vez que cocino algo vegetariano —me anima.

—¿En serio?

—Ajá, vamos, pruébalo —insiste.

Tomo el tenedor y lo clavo en una patata con varias verduras, me lo llevo a la boca y suelto un pequeño gemido. Está delicioso. Él suelta una risa y empieza a comer. «¡Qué bueno está!», pienso cuando me llevo otro pedazo a la boca.

¿Cuántas cosas más sabrá hacer el pelinegro?

Diego me da un leve empujón para que entre al gimnasio de su edificio. La soledad nos muestra su mejor sonrisa, ofreciéndonos el lugar solo para nosotros. Sigo los pasos de mi acompañante hasta que abre una habitación que tiene un pequeño ring de boxeo. Cierra la puerta detrás de mí y observo cómo comienza a quitarse la camiseta.

—¿Disfrutando de la vista, bella? —pregunta con una sonrisa malvada. Mi vista recorre su marcado torso. ¡Dios! Vuelvo a mirarlo a los ojos y tiene una ceja alzada.

—No estás mal —admito.

Me quito el suéter quedándome con el *top* deportivo y me hago una cola alta en la cabeza. Sonrío cuando noto los ojos de Diego recorriendo mi cuerpo con detenimiento. ¡Hombres! Me aclaro la garganta para llamar su atención y pestañea varias veces para salir de su trance.

—¿Estás lista?

—Lista.

Nos subimos al ring de pelea. Diego deja unas botellas y toallas en una esquina, después se acerca a mí y comienza a explicarme las posiciones, asiento a todo lo que dice. Comenzamos y, como dijo, deja que le gane, aunque yo también finjo que no sé mucho sobre las peleas.

—Muy bien, ahora vamos a ir en serio —me dice.

Cuando le aseguro que estoy lista, me lanza un golpe que esquivo y contraataco con otro en su torso que lo hace retroceder. Me mira con sorpresa, pero no le doy tregua e intento encajar otro golpe que bloquea con un brazo, pero es lento y vuelvo a atacar pegándole en la mejilla derecha con fuerza.

—Espera un segundo, bella —dice con la voz entrecortada—. ¿Sabes boxear? Porque esos golpes no son de una persona novata.

—Diego, te estaba tomando el pelo, sé boxear muy bien y no quiero hacerte daño en ese rostro de niño bueno que tienes. —Me quito los guantes y tomo su rostro para asegurarme de que no lo lastimé—. Entreno desde pequeña, era algo que compartía con mi hermano. —Lo suelto—. No te preocupes, tu bonita cara sigue intacta.

—¿Bonita cara? Gracias por el cumplido. —Sonríe socarrón—. Eres asombrosa.

Tomo una botella de agua y le arrojo la otra.

—Sé defenderme muy bien, Diego. —Bebo un sorbo.

—Chica inteligente. —Me ofrece una sonrisa radiante, la más real que le he visto hasta ahora, y siento que algo se estremece en mi interior—. En serio que cada segundo me sorprendes más, Anastasia.

Si Diego supiera cuánto puedo sorprenderlo, y no precisamente para bien. Si conociera mi pasado y lo que me corroe por dentro, tal vez corriera en dirección contraria a mí. Tal vez sus ojos no me vieran como me ven ahora. Tal vez la ilusión que veo en su mirada no fuera más que repulsión.

Capítulo 6

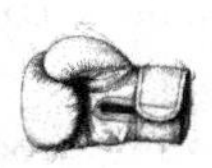

Su mirada siniestra me inquieta, la sonrisa por la que antes habría dado la vida me hace estremecer de miedo. Su tacto, que antes anhelaba, me da náuseas. Sus manos están manchadas de la sangre de mi hermano, y también las mías.

—¿Qué te parece si nos hacemos preguntas? —inquiere Diego, sacándome de mi sueño, aunque estoy despierta. Desde que volvimos hace un rato de entrenar, hemos estado jugando al UNO para matar el tiempo. Sin embargo, no he podido quitarme de la cabeza que, si me conociera realmente, huiría de mí, porque soy un imán para la destrucción y nadie quiere ser sepultado bajo los escombros.

—¿Preguntas?

—Sí, es mejor que estar en este silencio tan deprimente; además, así podemos conocernos un poco más —propone y asiento—. Comenzamos: ¿te gusta la universidad? —me pregunta.

—Pues… es algo aburrida. Los libros me engañaron, pensé que habría muchas fiestas y orgías por montón, ya sabes, vamos a follar todos y a tomar alcohol hasta morir porque somos jóvenes y la vida es una sola —digo como si nada y él se suelta a reír—: En cambio, lo único que he tenido han sido largas noches de trabajos y de ansiedad.

—Bienvenida a la universidad, Anastasia, veo que ya estás conociendo a nuestra amiga "la ansiedad" y acostúmbrate porque ella te va a acompañar hasta el último día de clases —comenta en tono burlón.

—Me alegro de tener una nueva "amiga". —Suelto un bufido que lo hace reír.

—¿Qué estudias? —cuestiono.

—Medicina, seré un doctor guapo —confirma mi sospecha y me muerdo el labio inferior porque es cierto, se verá muy guapo en una bata blanca—. ¿Y tú?

—*Marketing* —contesto con orgullo.

—Interesante carrera —murmura.

—Es común. —Me encojo de hombros—. Me gusta el diseño y las campañas publicitarias, así que creo que estoy en la carrera correcta, aunque a veces lo dudo.

—¿Por qué?

—Bueno, solo tengo diecinueve años, Diego. Escoger una carrera es complejo porque aún no sabemos bien lo que queremos. Yo diría que estamos en la etapa más difícil porque seguimos teniendo actitudes de adolescentes, pero con más responsabilidades.

—En eso tiene razón. ¡Uno! —exclama levantando la carta y dejándola en el suelo con las demás—. Perdiste, Anastasia.

Resoplo y él ríe acercándose hasta sentarse a mi lado. Apoyo la cabeza en su hombro mientras miramos cómo la lluvia cae sobre algunos edificios iluminados bajo la noche.

—¿Por qué no crees en el amor? —pregunta de repente. Lo medito unos segundos.

—Es complicado —contesto con una mueca y me separo de él—. Lo único que ha hecho el amor es hacerme sentir como una mierda, y me cansé de eso, prefiero la soledad. —Abrazo mis rodillas.

—No deberías cerrarte al amor, Anastasia, todo el mundo necesita ser amado. Sería muy triste pasarnos la vida solos.

Sus palabras me enmudecen, no quiero seguir hablando. Diego inhala profundo y deja ir el aire. Lo veo tomar el mando y encender el televisor. Pasa algunos canales y se detiene donde están transmitiendo la película de *Harry Potter y el prisionero de Azkaban*. Se levanta y lo sigo con la mirada hasta que se pierde por las escaleras.

Mis ojos vuelven a la película y una ligera risa abandona mis labios cuando Harry queda con la cara pegada al bus.

—Toma. —Diego me entrega una manta con la que me cubro los pies. Deja la suya en el suelo y camina a la cocina, me quedo mirando la puerta y un momento después sale con unas galletas y dos vasos de leche. ¿Quieres? —me ofrece y asiento.

—¿Has tenido novia? —pregunto de la nada. Él pestañea varias veces y niega con la cabeza—. ¿Seguro? —insisto.

—No, bella, nunca he tenido una novia.

—¿Por qué?

—Bueno, no me he sentido completo con ninguna chica hasta el momento, pero créeme que cuando la vea sabré que es ella. —Me mira con intensidad—. Cuando la encuentre le llamaré por un apodo especial para mí.

Aparto la mirada y le doy una mordida a mi galleta. La profundidad de sus palabras me hace sentir extraña.

—¿Te gusta Harry Potter?

—Claro —respondo sin dudarlo—. ¿Y a ti?

—Las películas me parecen buenas, pero los libros son mejor. Siempre le cambian o le quitan cosas que son importantes. La película es un asco al lado de los libros —dice serio.

—Ah, los lectores somos algo criticones cuando sacan las películas de nuestros libros favoritos. Me vas a matar, pero no he leído nunca la saga de *Harry Potter*.

Emite un grito ahogado y se lleva una mano al corazón. Suelto una risa porque eso salió muy pero muy dramático.

—¿Por qué?

—No me llama tanto la atención el mundo de magia, los hombres lobos o vampiros *sexy* en los libros —agrego.

—Es entendible. —Toma de su vaso.

Me concentro en la película, pero siento su mirada sobre mí.

—Te gusta mirarme, ¿verdad?

—Eres preciosa —susurra con voz algo ronca. Trago saliva y ante mi falta de respuesta toma su teléfono y comienza a contestar un mensaje. O eso asumo. Apoyo mi espalda en el sillón y de repente una luz me ciega. Tardo dos segundos en entender que me ha tomado una foto con flash.

—Es para Alejandra, para que vea que tienes ropa puesta y que no te estoy metiendo mano —dice molesto—. Es un grano en el culo cuando quiere serlo.

Libero una risa y asiento dándole la razón.

—Me protege mucho. Ella es una de las personas por las que daría mi vida sin pensarlo. Ale solo quiere que vuelva a ser feliz.

Tira su teléfono al sillón y se acerca más a mí provocando que me aleje en reacción. Ríe divertido.

—Tranquila, no romperé tu espacio personal —ironiza, pero se acerca más. Nuestras miradas colisionan provocando un impacto en mi cuerpo. No sé en qué momento se inclina, ni cuándo sus labios se entreabren y mucho menos tengo idea de por qué los míos lo imitan, pero está pasando. ¡Dios mío! ¿Qué se supone que está sucediendo entre nosotros? Yo solo quiero conocerlo como amigo, pero esto no es de amistad—. ¿Lo sientes, Anastasia? —Su voz sale cálida y suave, pero segura. Sacudo la cabeza para espantar las confusas sensaciones.

—Será mejor que me vaya a dormir. —Me levanto y subo las escaleras lo más rápido que puedo, pero antes de atravesar la puerta del cuarto, me detiene.

—Eres inteligente, astuta y guapa, pero eres muy terca. —Acerca los labios a mi oreja y yo intento echarme hacia atrás. Él, en cambio, me agarra el brazo con cuidado—. Sigues negando que entre nosotros hay química, bella.

—Creo que estás confundiendo las cosas, amigo. No pasa nada entre tú y yo —respondo incómoda—. Tienes que aprender a aceptar lo que es un no, Diego.

Él suelta una carcajada ruidosa, pero lejos de apartarse, acaricia mi mejilla. Arde, mi piel arde.

—Sé aceptar un no, Anastasia, solo te estoy diciendo la verdad de lo que pasa entre nosotros dos —afirma con absoluta convicción—. Puedes negarlo todo el tiempo que quieras y no me molestaré. Puedo ser paciente cuando quiero, pero sabes que te gusto tanto como tú a mí. Sabes que ahora mismo tienes el pulso acelerado solo por mi cercanía. —Toma un mechón de mi pelo y empieza a jugar con él. Trago saliva—. Sabes que vibramos en la misma sintonía.

Algo se remueve en mi estómago, pero me obligo a reaccionar.

Me aparto y lo empujo.

—Estás loco, Diego. Tienes el puto ego en el cielo. ¡Aléjate de mí, joder! —Golpeo su pecho—. Ni siquiera me conoces y no sé qué esperas de mí, pero ya te dije que solo puedo darte mi amistad. No quiero nada con un mujeriego.

—Otra vez con eso —resopla. Voy a abrir la boca, pero me interrumpe—. ¿Sabes qué? Mejor vamos a dormir y lo consultamos con la almohada; yo voy a pensar si es que puedo ser tu amigo y tú, señorita, vas al menos a pensar en darme una oportunidad, aunque sea en tus sueños, ¿verdad?

No respondo, por lo que sacude la cabeza y se inclina dejando un suave beso en la comisura de mis labios. Su aliento calienta mi piel y una sensación de fuego parece quemarme entera. El contacto es tan intenso y suave al mismo tiempo. ¡Mierda!

—¡Hey! Estás toda roja. Oh, oh, esto no lo hacen los amigos, bella. —Alza una ceja—. Buenas noches —dice con una sonrisa de orgullo. Me doy la vuelta, entro a la habitación y le pongo seguro.

—Imbécil —mascullo molesta, pero no sé si con él por ser tan insistente, o conmigo por sentirme extraña ante su contacto.

Una melodía triste y vacía se cuela por mis oídos. Abro los ojos y noto que estoy en el cuarto de visitas de Diego. Mis ojos tardan unos segundos en acostumbrarse a la oscuridad. Tomo el móvil y el reloj marca las tres de la madrugada. Me levanto y camino con cautela. Con cada paso que doy, puedo escuchar con más claridad la melodía. Al llegar a los pies de la escalera, veo a Diego tocando el piano y por un momento me recuerda a una escena de *Cincuenta sombras de Grey.* Estoy considerando volver a subir cuando escucho su voz enronquecida.

—¿Necesitas algo? —pregunta deteniendo sus dedos sobre las teclas.

—Venía a buscar un vaso de agua. Yo… lo siento, no quise interrumpirte.

Se levanta del sillón y camina a la cocina. Segundos después reaparece frente a mí con una cerveza y un vaso de agua. Acepto el vaso, y noto que tiene los ojos rojos, como si hubiera estado llorando.

—¿Te encuentras bien? —pregunto preocupada.

—Perfectamente. Vete a acostar. —Intenta sonreír, pero no lo logra. Lo sigo mirando y él desvía la mirada—. Vuelve a la cama —repite con voz susurrante.

Me doy la vuelta y empiezo a subir la escalera. Cuando estoy en el último escalón un estruendo me detiene. Giro y veo los restos de la botella en el suelo y a un Diego bastante alterado. Vuelvo a bajar y me le planto en frente.

—¿Qué te sucede?

—Nada. Necesito estar solo, Anastasia. No es un buen momento para mí, por favor, vete.

—No te dejaré. —Tomo su cara entre mis manos mientras su pecho sube y baja con rapidez—. Mírame, no estás solo —susurro y acaricio su mejilla con delicadeza. Él frunce el ceño, pero poco a poco me muestra una triste sonrisa.

—Tienes algo de baba por aquí —bromea con voz ronca y limpia la orilla de mi labio. Suelto una risa y le aprieto las mejillas antes de soltarlo—. Perdona por ponerme algo brusco hace unos segundos.

—Mmm... Disculpa aceptada, ¿qué te sucede?

Me siento a su lado y apoyo mi mano en su pierna. Nota el gesto y mira fijamente donde está mi mano, luego posa la suya sobre la mía.

—No podía dormir. —Alcanza las mantas que estaban en el suelo y acomoda el sofá con la vista al ventanal—. Levántate un poco.

Le hago caso y observo cómo aprieta algo que convierte el sillón en un sofá cama. Nos sentamos y nos cubrimos con una de las telas gruesas.

Ambos nos perdemos en el oscuro paisaje de la ciudad.

—¿Tienes frío? —inquiere pulverizando el silencio. Niego, pero me acerco a él—. ¿Te puedo abrazar? —Antes de que conteste me abraza con fuerza y apoyo la cabeza en su hombro—. Gracias por acompañarme.

—Es un placer.

Y justo ese es el problema, que en verdad lo es.

Capítulo 7

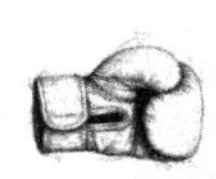

Anastasia

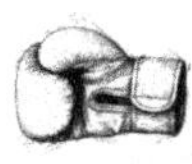

—Espero que te guste —dice Diego en cuanto me siento a comer. Me sorprende ver una apetecible hamburguesa de soya—. Y perdóname por mantenerte despierta y ocupada hasta tan tarde. —Siento la cara arder sin que pueda evitarlo, el pelinegro lo nota y se ríe—. Tienes una mente pervertida, Anastasia.

—¡¿Yo?! Eres tú el que habla en doble sentido y tonta no soy —me defiendo.

—Fantástica y muy inteligente. —Me dedica una intensa mirada.

—La lluvia no quiere parar. —Le doy una mordida a mi pan.

—Me gusta la lluvia, en cierta forma me trae paz, sobre todo hoy que tengo una bonita compañera con la que puedo hablar.

—Tienes que parar de hacer eso... —comienzo a divagar.

—¿Por qué, Anastasia? ¿Puede ser porque en el fondo sabes que te atraigo y que te sientes a gusto conmigo? ¿Por qué no admites que no soy la persona detestable que tú creíste en su momento?

—Diego...

—¡¿Qué?! Yo no hago nada —dice con voz de niño regañado que me hace sonreír. No puedo evitarlo porque tiene ese carisma tan raro—. Es mi belleza y mi gracia lo que te está conquistando. —Se golpea la frente dramáticamente y niega con la cabeza—. Perdona, se me olvida que somos amigos —mueve las manos entre nosotros—, y eso no hacen los amigos, aunque yo no te puedo ver como mi amiga.

—¡Diego! —exclamo entre carcajadas—. Dios, ayúdame. Solo somos amigos.

—¿Qué dices? —Se levanta de la silla y camina a la cocina—. No te escucho, pero claro que podemos ser algo más que amigos —grita con un tono de diversión y niego con la cabeza. Diego es todo un caso.

El tiempo ha transcurrido lento y silencioso. Hace dos horas que se cortó la luz y decidimos irnos a descansar, pero no consigo dormir. El apartamento está un poco oscuro, pero puedo ver lo suficiente para salir de la habitación y pararme frente a la suya sin matarme en el camino. Toco su puerta, pero no responde, lo intento de nuevo, pero nada. Sé que está ahí dentro, no lo he escuchado bajar. Abro un poco la puerta y veo a Diego durmiendo profundamente en la cama. O al menos lo estaba hasta que el sonido de la madera al abrirse lo hace voltearse.

—Diego, yo... —tartamudeo. Él se remueve, y me hace una seña para que entre.

—Perdón, no quise despertarte... Mmm, mejor me voy a mi habitación.

Sus ojos cafés se abren casi al mismo tiempo en que se pasa una mano por el pelo. Lo miro y me doy cuenta de que no tiene camiseta. Me rasco el cuello al notar sus abdominales marcados, pero no paro ahí e involuntariamente mis ojos se deslizan hasta su brazo izquierdo donde la tinta lo cubre. Se ve tan… *¿sexy?*

—Tranquila, ¿qué sucede? —Su voz sale ronca, rasposa.

—Ya sabes que se fue la luz y la lluvia parece que no piensa detenerse —digo, incómoda—. Y ya no sé qué hacer para que se me pase el aburrimiento.

Suspira aún adormilado y estira la mano. Miro sus largos dedos extendidos en mi dirección y dudo.

—Acércate, Anastasia. No te voy a morder a menos que lo quieras. —Me reta.

Casi por instinto mis ojos se desvían hacia sus labios. Son bonitos y parecen tan suaves... «¿Qué estoy haciendo?». «No seas estúpida, Anastasia, no te dejes engañar por esa cara bonita».

El pelinegro se pasa la mano por la nuca y me examina el rostro tomándose su tiempo. Sé que está mirándome la boca; después de todo, yo he sido la primera en hacerlo. Noto cómo su respiración se vuelve irregular, su mirada más rasgada y sus pupilas adquieren un brillo sobrecogedor. No tengo ni idea de cómo lo ha logrado, pero sé que me tiene atrapada en ellos. Mis movimientos se vuelven repentinamente vacilantes y me cuesta pensar con claridad. Desvío la mirada y él se aclara la garganta cortando el momento incómodo, al menos para mí.

Al final, sin saber por qué, tomo su mano y en un solo movimiento me atrae a su cuerpo. Intento separarme, pero su voz suave y calmada parece un jodido sedante y derriba por un momento mis defensas.

—Duerme, Anastasia —dice, y, contra todo pronóstico, me dejo envolver por un sueño profundo y placentero.

Parpadeo varias veces para despejarme. Diego está sentado en su escritorio y cuando me ve despertar, se acerca.

—¿Cómo dormiste? —Toma un mechón de mi pelo y lo deja detrás de mi oreja.

—Bien, perdona. No me di cuenta de que me quedé dormida. —Evito su mirada—. Será mejor que vaya a la habitación y llame a alguien para que me venga a buscar.

Una de sus manos alcanza mi barbilla y hace que lo mire.

—Anastasia, no hay forma de que salgas de aquí, la mayoría de las calles están inundadas.

Me doy por vencida con un resoplido y me reclino de nuevo, tengo que admitir que es una cama muy cómoda. Me cubro la cara con la almohada, pero Diego me la arranca y esa sonrisa traviesa aparece en sus labios.

—¿Cuál es tu tipo de chicos? —pregunta, tomándome desprevenida.

Nos observamos un segundo antes de que pueda asimilar su pregunta.

—Vamos, dímelo —insiste con una sonrisa retadora.

—No tengo ningún tipo de chico, Diego. La verdad es que no tengo un perfil de alguien o algo así —intento explicarme—. No sé si me entiendes. Cuando alguien me gusta simplemente pasa, soy un asco explicando. —Él asiente con una sonrisa—. ¿Y tú?

Sonríe de oreja a oreja.

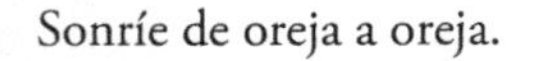

—Claro que ya lo sé, ni siquiera tengo que pensar en un prototipo de chica, ¿verdad? Igual cada uno elige con quien estar. Lo que molesta es que te burles después de ellas, eso es feo. —Soy honesta—. Es típico de un hombre como tú: mujeriego.

Intento ponerme en pie, pero sus dedos sobre mi muñeca me retienen.

—No tan rápido, Sherlock. —Me da un repaso de arriba abajo. Yo pongo los ojos en blanco—. ¿Qué tiene de malo divertirse con las chicas que me buscan? —Me deshago de su agarre—. Ellas ya saben lo que hay antes de venir a mí e incluso, ya conocen mis condiciones para estar conmigo un rato.

—Vale. —No estoy muy convencida con su respuesta.

—Siempre he sido claro, Anastasia. Jamás le he mentido a ninguna mujer, siempre he sido honesto por muy cruel que suene. Son ellas las que se encaprichan conmigo después del sexo, son ellas las que intentan cambiarme por cumplir alguna especie de fantasía.

—¿Eres un objeto sexual para las mujeres o qué? ¿No te molesta tener la fama que tienes? Tú mismo me has dicho que en algún momento quieres tener una novia. ¿No crees que tal vez eso afecte un poco a tu relación?

—Yo espero que esa chica entienda que mi pasado es mi pasado y que ella es mi presente, así de simple.

—Le deseo suerte a tu futura novia con ese tema. Por fortuna, yo no seré esa pobre chica —bromeo con una sonrisa.

Él suelta una ruidosa carcajada que hace que se doble hacia adelante. Se tambalea y de repente su frente cae sobre mi hombro, sobresaltándome.

—Dime qué te hace a ti más especial que las otras. —Me remuevo incómoda consiguiendo que se aparte de mí—. ¿Es que acaso mis innumerables y variadísimos encantos no surten efecto en ti?

—Pues te lo he dicho, no eres el príncipe de mis sueños. Además, tus innumerables y variadísimos encantos son una porquería —le rebato con una pequeña sonrisa.

—Anastasia, Anastasia... Eso es porque aún no uso todas mis habilidades de conquista para que caigas por mí —bromea y se lleva el puño al corazón como si fuera una promesa—. Además, ya te lo había dicho antes, cuando encuentre a la chica indicada, no la dejaré ir y lucharé por ella. Soy un hombre muy decidido en ese aspecto. —Hay una intensidad en su mirada mientras me observa que me hace estremecer.

—Mejor me voy. —Me levanto de la cama y camino rápido a la salida. Cuando voy a abrir la puerta, Diego me atrapa con sus dos manos sobre mi cabeza y me bloquea el paso.

Mi espalda se arquea para amortiguar el golpe cuando me empuja contra la madera. Antes de que pueda decirle algo me tapa la boca con cuidado.

¡Joder, ahora sí que me va matar!

Su boca se hunde en mi clavícula desnuda y su aliento calienta mi piel. Una sensación de fuego parece quemarme entera. Un sentimiento, que hasta ahora nunca había experimentado, adormece mi cuerpo y vuelve todas mis reacciones lentas y torpes.

Se separa lo suficiente para apoyar su frente contra la mía. Su aliento me golpea, pero logro recuperarme del trance y darle un empujón antes de encajar un puñetazo tan fuerte en su estómago, que hace que se doble antes de caer al piso.

—¡No vuelvas a ponerme una puta mano encima! —le grito y salgo corriendo mientras lo dejo quejándose del dolor.

Tomo mi móvil y marco el número de Jonathan, y en cuanto contesta le pido que me recoja con urgencia. Bloqueo la puerta con una silla porque no quiero ver a Diego. Guardo todas mis cosas en mi bolso mientras escucho los pasos que se acercan. Unos toques en la madera llaman mi atención, pero sigo en mi tarea.

—Lo siento, Anastasia. —Su voz suena agitada—. ¡Mierda! No te vayas, por favor. ¡Lo siento! No debí hacerlo, pero te juro que no quise ser un abusivo, ni lastimarte y mucho menos ofenderte.

—¡Vete, Diego!

—Por favor, vamos a hablar… Sé que actué mal y joder, lo siento tanto. No quise hacerte sentir incómoda, por favor, perdóname —me pide con voz rota—. Hablemos, Anastasia.

—No, me voy a ir ahora mismo, así que aléjate de esa puerta o te juro que te va a ir peor.

—Por favor…

—¡Vete!

Lo escucho maldecir por lo bajo, pero por suerte, Diego me hace caso y pronto me veo andando hacia Jonathan, quien espera por mí en la recepción.

—Vámonos de aquí —dice recibiéndome con un abrazo.

Corremos un poco por las calles hasta que llegamos donde está su auto estacionado y nos subimos con premura para escapar de la lluvia.

—Gracias por venir a buscarme. —Le sonrío.

—Menos mal que estaba cerca y pude salir a buscarte. —Toma mi mano—. Sabes que siempre vendré a ti, pequeña.

Jonathan arranca el auto y conduce mientras yo me sumerjo en mis pensamientos. Me siento confundida, molesta y agobiada. Quería una amistad con Diego, pero está claro que no es posible y eligió la peor manera para hacérmelo saber. ¿En qué mierda estaba pensando? Tengo demasiados problemas para tener que lidiar con él ahora.

Capítulo 8

Anastasia

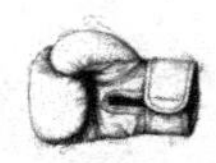

El fin de semana la pasé en el apartamento de mi amigo Jonathan y se sintió como estar en casa. Ahora estoy aquí, sentada en una silla de un pequeño cuarto, esperando a que pasen los minutos para que empiece mi pelea. ¡Al fin he vuelto! Estoy emocionada. Recuerdos del pasado intentan asaltarme: su sonrisa dulce que terminó siendo una farsa, su entusiasmo ante las peleas, su traición que casi me deja sin vida.

—¿Cómo estás, campeona? —pregunta Dylan. Como siempre, me acompañan los gemelos. Espabilo y me centro en el ahora. Esta noche solo importa el presente, aunque el pasado sea una vil serpiente venenosa que siempre está al acecho.

—Lista para ganar.

—Esa es mi chica, vas a triunfar. —Se emociona Javier.

La puerta se abre dándole paso a la cara sonriente de Luis, mi amigo y organizador del evento.

—Estás aquí, hermosa, todo el mundo apuesta por ti. —Se acerca a mí—. Sé que no debería decir esto, pero si ganas te llevarás una gran pasta. La pelea va a empezar en dos minutos, es mejor que salgas ya y te quedes en una esquina.

Asiento y le hago caso. Salgo del cuarto junto a los gemelos. Nos quedamos en una esquina observando a la gente chocar para tener mejor vista de la pelea. El tiempo se acaba y Luis reaparece anunciando a mi contrincante. La gente enloquece, y la adrenalina aumenta en mi cuerpo cuando escucho mi nombre seguido de gritos aún más fuertes.

La multitud me abre paso hasta que estoy dentro del círculo. A nuestro alrededor hay un muro de personas eufóricas. Rebeca se posa frente a mí y sonrío con arrogancia. Por lo general, no me lo tomo muy en serio, solo es un deporte que me apasiona y que disfruto y, claro, que me ayuda a cubrir todos mis gastos.

El sonido de la sirena se eleva sobre el bullicio y Rebeca hace sus primeras jugadas, pero logro esquivarlas con facilidad. Doblo el codo y lanzo mi primer puño contra su nariz, un golpe rápido y preciso que la obliga a retroceder varios pasos. Mi segundo golpe va directo a su mejilla y logro captar un gemido de dolor, pero parece despertar de su trance porque me lanza un puñetazo que intento esquivar; no lo consigo del todo y termina encajándolo en la comisura de mis labios.

Doy un paso atrás, pero no pierdo tiempo. Alineo mis pies y ataco a mi contrincante propinándole algunos golpes mientras esquivo algunos más. Rebeca toma impulso e intenta defenderse con más ímpetu, pero ya no tiene tanta fuerza y no es tan ágil como yo, por lo que sus puñetazos no logran alcanzarme.

Mi paciencia se agota y decido terminar la pelea aprovechando su agotamiento. Lanzo varios golpes imprimiendo todas mis fuerzas y todos impactan en ella.

Un ruido sordo me indica que Rebeca ha caído al suelo y un instante después la veo rendirse. Un silencio corto ruge en la estancia y luego la sala estalla en gritos de victoria cuando Luis arroja la bandera blanca en el centro del ring.

Otra batalla superada.

Después de recibir mi pasta, seguida de un montón de felicitaciones, y al final despedirme de los gemelos, veo a Jonathan conducir mientras me pregunto si debería volver al psicólogo. Las pesadillas no son tan constantes, pero siguen allí. No sé qué hacer con mi vida, con mis sombras, con el peso de mi pasado.

—Gracias, guapo, nos vemos mañana —me despido de Jonathan cuando estaciona frente a mi edificio.

—Cuídate mucho, Anastasia. —Sonrío y asiento con la cabeza antes de cerrar la puerta del coche.

Subo al apartamento y me encuentro a Alejandra con su grupo de amigos haciendo un trabajo. Ella levanta la vista de su ordenador cuando me acerco.

—¿Cómo te fue? ¿Ganaste? —me pregunta sin dejar de teclear.

—¿Dudas de mí, Ale? —Hago una mueca y golpeo su hombro—. Yo siempre gano —confirmo con orgullo.

Camino a la cocina y saco un hielo, lo envuelvo con un paño y me lo pongo en los nudillos. Me acerco a la rubia y me siento a su lado. Ella extiende la mano a mi barbilla y me examina con detenimiento.

—Tienes un corte en el labio y un pequeño moretón en la mejilla —dice preocupada. Sonrío.

—Creo que he estado peor —suelto. Ella se ríe y choca su hombro con el mío—. Nunca vas a dejar de ser una mamá gallina, ¿verdad?

—Pues alguien tiene que ponerte límites, jovencita. —Sigue en lo suyo como si nada—. ¿Ya terminaste tus tareas pendientes?

Respondo de forma positiva. Giro a ver a sus amigos y están todos concentrados, menos Diego, que me mira fijamente. Alzo una ceja hacia él y baja la mirada.

—Me voy a acostar —me despido de la rubia.

Me lleva veinte minutos llegar a mi habitación, disfrutar de una ducha relajante y vestirme con mi cómoda pijama. Estoy literalmente con un pie en la cama cuando, de repente, alguien toca mi puerta. Me levanto y abro encontrándome con una figura que reconozco bien. Miro de reojo al salón y ya no están ni Alejandra ni sus amigos. Todos se fueron menos él.

—¿Puedo pasar? —pregunta—. Quiero pedirte perdón por lo que pasó el viernes pasado, por favor, Anastasia, te he estado buscando todo este tiempo, pero tú no paras de escapar. —Su voz sale rota y eso quiebra algo en mi interior.

Suspiro, me hago a un lado y lo dejo entrar. Cierro la puerta con cautela y cuando me vuelvo, Diego está muy cerca de mi espacio personal. Alarga la mano y pasa su pulgar por mi labio inferior.

—Eres preciosa. —Frunzo el ceño y se aparta pasándose la mano por la cabeza—. Perdóname, Anastasia, no debí hacer eso. Estuvo muy mal de mi parte y ¡joder! Arruiné tu confianza. Sé que no merezco tu perdón, pero por favor, dame otra oportunidad de ser tu amigo.

—¡No! —Me cruzo de brazos—. Lo que hiciste estuvo mal. ¿Y sabes qué es lo peor? Que tal vez pudo haber surgido algo entre nosotros con el tiempo, pero no pudiste controlar tus instintos cavernícolas, ¿verdad?

—¡Joder! Lo siento, Anastasia, en serio que no quise hacerte sentir incómoda con lo que hice. Fui un gilipolla, ¿crees que no lo sé? —Se frustra—. He estado llamándote, escribiéndote; he intentado acércame a ti para pedirte perdón, pero tú te alejas de mí. Mira, sé que me equivoqué y lo lamento, pero tú me gustas mucho.

—Pero tú a mí no —replico, aunque mi cuerpo dice otra cosa cada vez que se acerca a mí—. Jodiste todo entre nosotros, Diego. Además, tú eres un chico desechable —concluyo, usando sus mismas palabras al referirse a las mujeres.

Da un paso atrás como si mis palabras le dolieran y desvía la mirada un momento antes de volver a encararme.

—Por favor, Anastasia, dame una última oportunidad de ser tu amigo —me suplica—. Te prometo que no intentaré nada de ahora en adelante.

Suelto un enorme suspiro y lo observo, parece agotado, como si no hubiese dormido en días. No sé qué hacer, tengo sentimientos encontrados.

—Tengo que pensarlo, ya rompiste mi confianza una vez y nada me asegura que no vuelvas a hacerlo —le explico y me siento en mi cama.

Él me imita y se sienta a mi lado, se gira para mirarme y alza una ceja. Sus ojos brillan tenuemente mientras toma mi mano con cuidado, provocando que un escalofrío haga mi piel mucho más sensible a su tacto.

—Lo sientes, ¿verdad, Anastasia? Ahí está cada vez que te toco, lo siento en todo mi cuerpo. —Apoyo mi espalda en la pared y lo miro, varios mechones rebeldes caen en su frente—. Me estoy volviendo loco. Joder, no sé qué está sucediendo conmigo. ¡Ya estoy delirando! —Dejo salir una risa y me fulmina con la mirada—. No te rías, eres tú la causante de que me comporte tan raro, creo que incluso doy algo de miedo.

—Sí, lo das, Diego —le confirmo—. La verdad estás actuando de una manera extraña que no sé si es normal en ti.

—No, normalmente soy tranquilo y no persigo a las chicas. Perdona por asustarte y por lo que pasó en mi apartamento. —Hace un puchero.

—¿Estás borracho? —pregunto de broma.

—No, solo tomé dos cervezas. —Empieza a jugar con un mechón de mi pelo—. Por cierto, hoy me quedaré a dormir aquí en tu cuarto —dice con un tono de diversión que me deja perpleja.

—¡¿Cómo?!

—Sí, me quedo aquí. Puedo dormir en tu cama o en el piso, pero no quiero dormir en la sala de estar y escuchar los gemidos de Cameron y Alejandra. Te cuento un secreto —susurra la última parte y sus ojos tienen un brillo travieso—. Alejandra es muy ruidosa.

Suelto una carcajada y asiento porque ya los he escuchado antes. Se acerca un poco más y lleva un dedo a su boca pidiéndome que me calle. Nos quedamos en silencio y de repente se escucha un gemido.

—¡Dios! —Me tapo la boca con la mano para no reír y él me guiña un ojo.

—Ya han empezado, en cualquier momento será una fiesta de gemidos. —Sonríe con aire malvado y se deja caer hacia atrás.

—¡Mierda! —exclamo cuando escucho otro gemido de Alejandra. ¡Qué vergüenza! Miro a mi acompañante que no parece del todo incómodo—. Voy a preparar tu cama.

Saco colchas gruesas, cojines, sábanas y una almohada. Me dispongo a acomodar todo cuando posa una mano en mi cintura alterando mis sentidos.

—Déjame a mí —me pide.

—Adelante.

Me acuesto mientras observo cómo Diego arma su improvisada cama al lado de la mía, luego se quita la chaqueta, la camiseta y el pantalón. Levanta la cabeza y alza una ceja al notar que lo estoy viendo, yo imito su acto sin amedrentarme.

—¿Disfrutando de la vista?

—No está mal, pero tengo baño, no me enfado si lo usas —ironizo. Sonríe y se encoge de hombros justo antes de acostarse. Es lógico que se sienta cómodo con su cuerpo porque está realmente bueno.

Apago mi lámpara y me quedo mirando el techo pensando si lo perdono o no. Al menos reconoció su error y se disculpó. Las luces que entran por la ventana dejan el espacio bastante iluminado porque no cerré las cortinas.

—¿En dónde estabas, Anastasia? —Su voz me saca de mis cavilaciones. Apoyo mis codos en la cama y lo miro. Está sentado—. ¿Quién te pegó?

—No es de tu incumbencia, muchachote —respondo con diversión—. Aún no te perdono.

Él arquea una ceja, pero se recupera con rapidez y adopta una arrogante pose de regocijo. Su lengua hace un corto recorrido por su labio inferior, humedeciéndolo, mientras un brillo de deleite se instala en sus penetrantes ojos.

—Rencorosa —me reprocha con una sonrisa socarrona—. En el fondo sabes que soy el amor de tu vida.

—Buenas noches, amor de mi vida —me burlo y me acuesto tapándome hasta arriba con la manta.

—Ojalá no fueras tan preciosa y a la vez tan cabezota.

Sonrío ante el comentario.

Alcanza mi mano por unos segundos y después me suelta haciéndome sentir un pequeño y extraño vacío.

¿Por qué? No tengo idea.

ANASTASIA

Capítulo 9

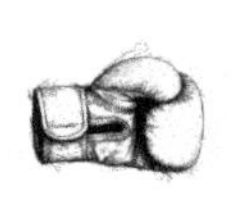

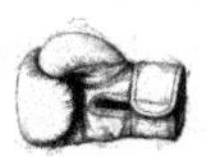

Anastasia

Desciendo del auto y él toma mi mano conduciéndome a una bodega abandonada donde se realizan peleas ilegales. Frunzo el ceño y me detengo un segundo para mirarlo. Él me sonríe de lado.

—¿Por qué estamos aquí? —pregunto. Su mano abandona la mía y termina con ambas dentro de sus bolsillos. Doy un paso atrás porque no es normal que esté tan callado conmigo. Pensé que sería una sorpresa, pero ahora no estoy tan segura.

—Solo será un momento, tengo algo que arreglar para mi próxima pelea. —Me ofrece su mano de nuevo y esta vez dudo, pero al final cedo y entrelazo mis dedos con los suyos.

Entramos en la bodega y recorremos el oscuro pasillo hasta que llegamos a un salón ocupado por siete siluetas sentadas. Él aprieta mis dedos con fuerza y un gemido de dolor me atraviesa la garganta. Me libero de su agarre, pero alguien me azota contra la pared y después... Después todo se vuelve confuso cuando siento muchas manos recorriendo mi cuerpo y...

Abro los ojos y me toco el cuello, aún puedo sentir sus asquerosas manos sobre mi piel. Mi respiración es errática, aunque sé que solo fue un maldito sueño. ¡No, no! Esas pesadillas se habían ido. Suelto un gemido y me abrazo escondiendo mi cara entre mis piernas. Odio esto, lo odio.

Un movimiento de Diego llama mi atención. Está dormido, pero se remueve inquieto. Me limpio las lágrimas e intento borrar esos pensamientos horribles cuando, de repente, el pelinegro se incorpora de un salto.

—¿Estás bien? —pregunto preocupada y él me mira de reojo. Extiendo mi mano y paso mis dedos por su mejilla húmeda.

—Sí, perdón por despertarte. —Su voz sale enronquecida.

Suspiro y me levanto de la cama. Me siento frente a él y tomo su barbilla para que sus ojos enrojecidos me miren.

—¿Cada cuánto tienes pesadillas? —inquiero, pero vuelve a desviar la mirada.

No contesta a mi pregunta, solo se deja caer, se cubre con la sábana y da una palmada a su lado. Me trago mis miedos y me acuesto junto a él.

—Perdón por despertarte, Anastasia, no fue mi intención hacerlo —me susurra—. ¿Me puedes dar un abrazo, por favor?

—Diego, ¿estás bien? —insisto. Esta vez su respuesta es negar con la cabeza. Toma mi mentón con cuidado y me escanea. De seguro yo también tengo los ojos rojos. Hace más de tres meses que no tenía pesadillas; es cierto que la terapia ayudó mucho, pero a veces es inevitable tener estos recuerdos.

—¿Quieres que hablemos? —cuestiono con calma, pero vuelve a negar—. Todo estará bien —le aseguro, pero su mirada está oscura, perdida. Llevo mi mano a su mejilla y la acaricio.

Su cuerpo se tensa de inmediato, pero luego se relaja, me pasa un brazo por debajo de la espalda y me atrae a su pecho. ¡Mierda! No me gusta que me toquen personas extrañas o que no tenga tanta confianza, es algo con lo que aún lidio. Tomo una gran bocanada de aire antes de hablar.

—Diego... —empiezo a decir, incómoda. Sé que no lo hace con mala intención en estos momentos donde está tan vulnerable como yo, pero no puedo evitar sentirme inquieta. Respiro profundo para intentar calmarme.

—¡Por favor, Anastasia! Déjame tenerte entre mis brazos solo por esta noche, prometo que no haré nada —me suplica con voz quebrada.

Mi mirada se clava en su perfecto rostro y, sin que pueda evitarlo, mi dedo empieza a recorrer su contorno con delicadeza, detallando sus facciones, apreciando la suavidad de su piel.

—Nadie nunca me había tocado así... —dice de repente. Me quedo mirándolo y parece pensativo—. No recuerdo que alguien lo haya hecho de esa forma tan tierna como lo haces tú.

Sus ojos bajan a mis labios y el tiempo se ralentiza. Trago saliva, él suspira y su rostro se hunde sutilmente en la curva de mi hombro.

—Gracias. —Su aliento choca contra la piel desnuda de mi cuello y mi respiración se vuelve pesada. Sus ojos vuelven a enfrentar a los míos—. Volvamos a dormir, por favor, mi bella.

Asiento y apoyo mi cabeza en su pecho. Sus brazos me rodean mientras un pensamiento emerge de lo profundo de mi cabeza. ¿Sus labios se sentirán tan suaves como parecen? ¡Joder! ¿De dónde saco tantas tonterías? Inhalo y me concentro en los latidos de su corazón y en la calidez de su piel contra mi mejilla. Los minutos pasan y su aroma me envuelve hasta que todo se torna oscuro y me quedo profundamente dormida.

—¿No me vas a decir qué te hizo ese idiota? —pregunta Diego devolviéndome a la realidad. Suspiro con pesadez. A diferencia de lo que creí cuando me desperté en los brazos de Diego esta mañana, el día en la universidad fue una mierda.

—Ya te lo dije: el imbécil de Jorge intentó pasarse de listo y le di un puñetazo.

Jorge es uno de mis compañeros en algunas clases y hoy me sorprendió en un intento de coqueteo, pero cuando me negué a seguir su jueguito, se puso idiota e intentó tocarme. Y a pesar de que le puse en su lugar, no pude evitar ponerme nerviosa. Justo esa es la razón por la que estoy en el auto de Diego.

—Voy a romperle la cara…

—No quiero hablar más del tema. —Miro el lugar donde estaciona el auto de Cameron y lo reconozco—. Mejor dime qué hacemos en tu edificio.

—Me pediste que te sacara de la universidad porque no te sentías bien.

Ruedo los ojos

—Eso ya lo sé, Diego, pero… —Miro a todos lados—. ¿Qué hacemos aquí?

Sonríe.

—Ah... —Se encoje de hombros—. Tengo una sorpresa para ti.

—No me digas que vas a intentar manosearme como en el metro.

Una carcajada estridente retumba en el auto y… ¡Dios! Se ve tan lindo riendo.

—Si no fue mi culpa que estuviera atestado de gente —replica sin perder la sonrisa.

Aunque no lo reconoceré, tiene razón. Esta mañana nos tuvimos que ir en metro a la universidad y había tanta gente que parecíamos sardinas en lata amontonados uno sobre otro.

—¿Tampoco fue tu culpa la erección que sentí contra mi costado?

—No, eso fue culpa tuya por frotarte contra mí —dice divertido.

—¡Oye! —me quejo porque eso tampoco fue mi culpa sino de la multitud.

Diego se ríe abiertamente y sale del auto. Sacudo la cabeza y aprieto los labios conteniendo una sonrisa. Desciendo y me lo encuentro de frente.

—¡Vamos! —Tira de mi mano sin dejarme replicar. Resoplo y me dejo conducir por él hacia el ascensor. Mientras subimos seguimos bromeando sobre lo del metro. La verdad es que fue incómodo en el momento. Ahora recordarlo me hace reír.

Salimos del ascensor y nos conducimos a su piso. Diego abre la puerta y se hace a un lado para que pase. Avanzo hasta el salón.

—Anastasia —susurra en mi oído y doy un salto. No sabía que estaba tan cerca de mí—. ¿Te gusta mucho leer?

—Me encanta, pero eso ya lo sabes —le recuerdo.

—Te quiero mostrar algo especial para mí. —Envuelve mi muñeca con sus dedos—. ¡Ven!

Pasamos la cocina y nos detenemos en una puerta que pasé por alto cuando estuve aquí la semana pasada. La abre y me invita a pasar. Dudo un segundo porque está oscuro, pero lo hago.

—Diego —lo llamo esperando a que encienda la luz.

—Confía en mí, Anastasia, relájate —me pide y su respiración se desliza por mi cuello, mientras una de sus manos se aferra a mi cintura haciéndome retroceder tres pasos—. ¿Estás lista? —pregunta y me cubre los ojos.

—Sí.

Escucho el *tac* de un botón y tres segundos después Diego aparta la mano y me da vía libre para ver. Pestañeo varias veces para acostumbrarme de nuevo a la luz. La imagen ante mí me absorbe tanto que doy un paso atrás y choco con su duro abdomen.

Me sostiene de la cintura y se lo agradezco porque un ligero mareo me azota de la impresión. ¿Esto es real? Hay tres paredes repletas de libros, tanto que hay un pequeño pasillo con escalera.

—¡Madre mía! —pienso en voz alta.

—¿Te gusta? —Se separa de mí y avanza hasta estar a mi lado—. Es mi lugar preferido del apartamento —confiesa con una radiante sonrisa.

—Diego, es demasiado hermoso... yo ¡Dios! —tartamudeo, mirando de nuevo las paredes llenas.

—Tienes una sonrisa preciosa, Anastasia, y creo que es la primera vez que te veo tan contenta. —Mi sonrisa se agranda aún más—. Puedes venir aquí siempre que quieras y te puedes llevar todos los libros que desees.

—¿Cuál es tu condición o precio? —Entorno los ojos con desconfianza.

—¡¿Qué?! —Arruga el entrecejo—. No, ninguno, bella. Parece que para ti todo tiene un precio.

Lo peor es que tiene razón, pero no tiene idea hasta qué punto es así.

Con los años solo me he vuelto cada vez más desconfiada de la gente, ya que nunca sé cuáles son sus intenciones reales y eso en el fondo me asusta.

—Solo quiero que sonrías, además, somos amigos —dice con una pequeña mueca y nuestras miradas se funden con tanta calidez que casi puedo palpar pequeñas ráfagas de fuego entre ambos. Me acerco a él y elevo mi mano hasta su pecho. Un pequeño suspiro se desprende de sus lindos labios.

—¿Solo amigos? —cuestiono en tono bajo.

—Quiero respetar tu decisión y no volver a cagarla, pero sabes que quiero mucho más que una amistad —me incita mientras agacha la cabeza hasta casi rozar su nariz con la mía—. Eres bellísima, Anastasia, y te lo confieso: no estoy jugando, quiero algo en serio contigo. ¿Lo entiendes?

Me aclaro la garganta y me alejo, necesito tener mi espacio personal sin la fragancia de Diego confundiéndome.

—Lo entiendo, pero yo solo quiero una amistad.

No estoy lista. Tengo asuntos más importantes que el amor.

—¡Terca! —farfulla con tono burlón.

—¡Imbécil! —respondo con una sonrisa.

Sacude la cabeza y una ligera curva se acentúa en una esquina de sus labios.

—¿Vives tú solo aquí?

La verdad es que nunca lo he escuchado hablar sobre su familia. Hace una mueca y sus ojos se tornan tristes, pero se recupera con rapidez y adopta una arrogante pose de regocijo.

—Vivo solo. —Se acerca a mí con una sonrisa pícara—. ¿Preocupada, Anastasia?

—Eso quisieras, muchachote —digo con sorna. Me acerco a la estantería y empiezo a mirar los nombres de los libros, algunos son recientes y otros son antiguos. Sonrío cuando noto que tiene *Romeo y Julieta*, al parecer es uno de sus favoritos.

—Anastasia —me llama.

—Sí, dime. —Saco otro libro y empiezo a hojearlo con cuidado porque es un libro de primera edición de Jane Austen y debe valer una fortuna.

—¿Quieres venir a mi pelea de hoy? —pregunta mientras me analiza con la mirada. Cierro el libro y lo dejo en su lugar, camino un poco pasando mis dedos por el borde de las estanterías.

—Mmm..., no lo sé. ¿Por qué no llevas a otra chica?

Hace una mueca y niega con énfasis.

—Quisiera que estuvieras ahí.

—¿Para qué?

Suelta un gruñido y sonrío porque es tan fácil sacarlo de sus casillas; en el fondo me gusta molestarlo, aunque él no tiene por qué saberlo.

—¿Quieres ir o no? —Se exaspera. Me encojo de hombros y finjo un bostezo logrando sacarle otro gruñido.

—Enojón. —Le saco la lengua—. Será divertido verte pelear y que alguien te patee el culo.

—A mí nadie me gana, Anastasia —dice con orgullo, pretencioso.

Emito un bufido ante sus palabras. Es un engreído.

—Ya lo veremos, guapo. —Le guiño un ojo. Y sí, iré a ver cómo le patean el culo o, por el contrario, cómo se alimenta su ego si gana.

DIEGO

Capítulo 10

Desde que conocí a Diego supe que boxeaba y que era bastante popular, pero, siendo honesta, cuando me invitó a su pelea, no creí que fuera tan bueno para ganar con tanta facilidad.

Los gritos de la multitud celebran la victoria y yo me uno con un par de aplausos y algunos «bien hecho» lanzados al aire que dudo que escuche, pero que me salen naturales y con cierto orgullo. Diego baja del ring con una sonrisa gigante y me abraza sin darme más opción que corresponderle.

—Te dije que ganaría, mi bella —me grita por encima del bullicio—. ¿Me das un beso de felicitaciones?

Me aparto para encararlo y sus ojos brillan con diversión. Tomo su barbilla entre mis dedos y le doy un beso en la comisura izquierda que ensancha su bonita sonrisa.

—¡Felicitaciones! —Me separo—. ¿Tienes que ir al camerino?

Asiente con la cabeza y toma mi mano para conducirme al pequeño cuarto. Cuando entramos a la estancia, enciende la luz y se acerca con una sonrisa traviesa.

—¿Te gustó mi pelea?

—Eres muy bueno, ya te invitaré yo a la mía la próxima vez, ¿te gustaría?

Toma mi mano y entrelaza nuestros dedos. Su contacto me hace estremecer por dentro y nos miramos, lo hacemos por largos segundos… Nuestras miradas se anclan, se funden en las llamas que parecen desprender nuestros cuerpos. Trago saliva y rompo el contacto visual, la tensión entre nosotros empieza a ser… ¡Dios!

—Yo amaría verte pelear, Anastasia, sé que eres la mejor.

—Basta, Diego, por favor —le ruego. Me tiene la cabeza hecha un lío y es que hace tiempo que no sentía nada por ninguna persona y este chico me está cautivando muy rápido—. No me confundas más.

—No quiero confundirte, Anastasia, quiero que tú sientas lo mismo que yo siento por ti. —Aprieta mi mano—. Entiendo que te pueda dar miedo, pero no quiero hacerte daño y tampoco quiero presionarte, ya cometí ese error y no pienso repetirlo.

Lleno mis pulmones de aire y lo dejo salir, aliviada. Ciertamente lo que dice me deja mucho más tranquila, solo espero que de verdad cumpla su palabra de esperar y aferrarse a ese «tal vez» que se acaba de crear entre ambos.

La puerta se abre y entran Alejandra, Cameron, Carlos, Bárbara y más amigos del pelinegro, lo que me hace apartarme. Los abrazos y las felicitaciones no se hacen esperar. Bárbara se pega como una garrapata a Diego y hago una mueca porque hasta aquí puedo sentir la incomodidad de él. Mientras ellos siguen festejando, yo me entretengo revisando mis notificaciones y un mensaje de mi amigo Luis llama mi atención.

Luis

¿Aún sigues aquí? Tengo información sobre él. Te espero en unos minutos en la habitación de la puerta número tres.
23:43 p.m.

Levanto la mirada de mi móvil y veo que la mayoría está abriendo cervezas. Alejandra y Diego hablan entusiasmados y como si supieran que los observo, giran la cabeza en mi dirección y sonríen. Pongo los ojos en blanco, no entiendo a mi mejor amiga. Hay días que pareciera que le gusta mi amistad con Diego y otros no.

Anastasia

Voy en camino.
23:43 p.m.

Le digo a la rubia y al pelinegro que saldré a tomar un poco de aire y salgo del camerino. Avanzo por el pasillo oscuro, hasta que choco con alguien que casi me hace caer.

—Perdóname —dice una voz clara que me parece familiar. Retrocedo un paso y lo esquivo. Intento seguir mi camino, pero me toma del brazo—. Anastasia, ¿eres tú?

Me quedo perpleja cuando logro reconocer al chico delante de mí.

—¿Qué haces tú aquí? —inquiero y no termino de realizar la pregunta cuando todos mis sentidos se alertan.

—¿Podemos hablar en un lugar más privado?

Me quedo callada por un momento, sé que tengo tanto que agradecerle, pero no logro sentirme del todo segura junto a él. Mi titubeo le da tiempo para tomarme de la mano y guiarme de nuevo a través del pasillo oscuro. Entramos a una habitación vacía con una luz tenue.

—No me lo puedo creer, ¿qué haces aquí? —Simón parece tan sorprendido como yo. Su mirada intensa me escanea—. Estás muy guapa.

—Vine a la pelea. —Miro a mi excuñado, está aun más guapo que antes. Siempre lo ha sido, pero ahora se ve mucho mejor, no lo veía desde hace dos años. No quise verlo después de todo lo que pasó.

—Ya veo que algunas cosas nunca cambian, supongo que sigue siendo tu deporte favorito. ¿Has venido acompañada? —me pregunta con demasiado interés.

—He venido sola —me apresuro a contestar—. No necesito compañía, sé moverme muy bien por estos rumbos —le recuerdo con una fría mirada.

—Yo vine con un amigo, pero puedo llevarte a donde quieras —me ofrece con una tierna sonrisa mientras se pasa la mano por el pelo rubio.

—No creo que sea buena idea.

No quiero estar con él, es como recibir un puñetazo del pasado en el estómago. Simón me observa un momento antes de asentir, supongo que ambos sabemos que es peligroso estar juntos de nuevo.

—Tranquila, él no está aquí y sé que ha estado ocupado en sus "asuntos", pero ten cuidado, Anastasia, porque cada día que pasa es más peligroso —me advierte—. Nunca voy a entender por qué decidiste estar con él, siempre fue muy raro. Además, había algo especial entre nosotros.

Doy un paso atrás porque sé que cometí el error de enamorarme de su hermano, pero soy consciente de que nuestra relación también fue un tropiezo en mi vida.

—Joder, no empieces de nuevo, Simón. —El enojo y la frustración me asalta—. Tú no tienes derecho de decirme nada sobre mi puta vida.

Salgo disparada porque no quiero estar ni un segundo más a su lado, pero me toma de la mano para que no me marche.

—Dame una oportunidad para que hablemos con más calma, bonita. —Me suelto de su agarre—. Lo que pasó entre nosotros…

—Simón, basta, déjame en paz. —Lo señalo con mi índice en señal de advertencia—. Pasó hace cuatro años, supéralo de una buena vez. No volvería contigo jamás, eres el hermano del monstruo que me destruyó la vida y apenas tolero verte un minuto.

—Anastasia…

—Adiós, Simón. —Me doy la vuelta y busco la puerta que Luis me dijo en el mensaje. La encuentro con facilidad. Inhalo y exhalo unos segundos antes de entrar.

Tiro de la perilla y descubro a Luis de pie junto a una mesa. En cuanto me ve se acerca y me abraza. Le correspondo con gusto.

—¿En dónde estabas? —pregunta. Luego hace un gesto con la mano restándole importancia—. Bueno, lo importante es que estás aquí.

—¿Qué es lo que tienes para mí?

—Tengo unos documentos importantes, no preguntes cómo los conseguí, pero fue difícil. —Regresa a la mesa, y alcanza la carpeta para entregármela.

La abro y empiezo a hojearla prestando atención. Mis ojos se van empañando poco a poco mientras asimilo la información. ¡Qué estúpida fui! ¿Cómo pude enamorarme de un ser tan despreciable? Confié en él y me traicionó. Todo fue planeado. Es un maldito monstruo. Suspiro de cansancio y me limpio la lágrima solitaria que corría por mi mejilla.

—¿Es en serio? —pregunto con la voz ronca.

—Por supuesto, estuvo el otro día aquí en una pelea y habló sobre ti. Hoy andaba Simón por aquí acompañado de un amigo. También ten cuidado con él, Anastasia, no olvides que es su hermano —me advierte preocupado.

—Sí, me lo acabo de topar, fue un encuentro muy incómodo después de tanto tiempo sin verlo.

—¿Estás segura de que quieres seguir con esto? Mira, Anastasia, sé que eres fuerte, pero te estás metiendo en algo muy turbio, tu vida está en riesgo.

—Lo sé, Luis, pero tengo que hacer justicia por lo que le hicieron a mi hermano y a mí. Mi primer objetivo es mi exnovio, él tiene que pagar por todo lo que me ha hecho y sigue haciendo. Aun si no hago nada, él es un peligro y tú lo sabes bien.

—Eres la chica más valiente que he conocido, ¿lo sabes? —Me sonríe y pasa un brazo por mis hombros—. Pero, por favor, sé inteligente y no te dejes llevar por el odio, piensa con cabeza fría.

Asiento. Sé que tiene razón, no puedo ser impulsiva. Tengo que ser paciente y cuidadosa, pero siento tanta ira que no estoy segura si podré cumplir esa promesa.

Le agradezco una vez más por lo que hace por mí y me despido con un abrazo afectuoso.

Camino de regreso al camerino. A diferencia de un rato atrás, todo se siente silencioso. No hay nadie en la estancia. Avanzo hacia la salida mientras voy revisando mi móvil. Tengo un montón de llamadas perdidas y mensajes de mis amigos. El aire helado me asalta cuando salgo del viejo edificio, y antes de que pueda buscar el auto de Diego o el de Cameron, el pelinegro aparece ante mí con el ceño fruncido.

—¡Por Dios, Anastasia! Te hemos buscado por todas partes. ¿Dónde te metiste? Me preocupé por ti.

Ruedo los ojos.

—Solo tomé un poco de espacio. Casi entro en un coma diabético solo de ver a Bárbara encima de ti como una goma de mascar. —Enarco una ceja—. Preferí irme, no quería interrumpir su tierno romance —digo con sarcasmo. Una sonrisa socarrona tira de la comisura de sus labios y sus ojos brillan con diversión.

—¿Celos? —Da un paso hacia mí—. Porque no tendrías que tenerlos, Anastasia. —Acuna mi rostro entre sus manos—. No sé qué me hiciste, pero solo tengo ojos para ti.

Por alguna razón pongo mis manos sobre las suyas mientras nuestras miradas conectan y un escalofrío me eriza la piel.

Suspira.

—Estoy enloqueciendo —agrega—. A veces me das esperanza de ser algo más que amigos y siento que me quieres besar tanto como yo quiero besarte a ti, pero hay otras veces que me tratas como si no quisieras tocarme ni con un palo. ¿Qué me estás haciendo, Anastasia?

Inhalo intentando aclarar mis ideas, pero no es fácil teniendo su cara a centímetros de la mía.

—Tú te confundes solo. —Doy un paso atrás, pero me toma de la cintura para que no me aleje—. Diego…

—¿Solo yo? —susurra cerca de mis labios—. ¿Qué me dices de ti? Yo creo que ambos nos estamos confundiendo.

—Tal vez.

Suelta una risa y me da un beso en la nariz que me hace parpadear. Las mejillas me arden y una extraña calidez me abraza la piel.

—¿Te cuento un secreto, Anastasia?

—Tengo que fingir que me interesa, ¿verdad? —digo con falso interés, porque en lo único que puedo concentrarme es en que está demasiado cerca.

Confirma con la cabeza.

—Estoy fascinado por ti, en serio, eres bellísima, interesante e ingeniosa. —El fuego en sus ojos me hace querer huir y al mismo tiempo querer tocarlo, abrazarlo—. Estás cambiando mi vida para bien, Anastasia. Espero que algún día yo pueda causar ese mismo efecto en ti.

Trago saliva. Sus palabras hacen tambalear mi corazón y por alguna razón algo dentro de mí admite que yo también lo espero, pero aun así soy incapaz de emitir alguna palabra. Sonríe, comprensivo.

—¿Te parece si vamos a comer algo para celebrar mi victoria? Ale y Cameron ya se fueron.

—Me parece bien.

Toma mi mano y me conduce a su auto. Y aunque no quiero admitirlo, sus dedos entrelazados con los míos se sienten bien, demasiado bien.

Veo a Diego deshacerse de su chaqueta y dejar sus tatuajes al descubierto mientras esperamos nuestra comida. La tinta en su brazo me sigue causando curiosidad y no puedo ocultarlo.

—¿Qué? —Enarca una ceja con una sonrisa—. ¿Te gustan?

—Se te ven bien. —Soy sincera—. ¿Qué significan?

—Cada uno de ellos significa algo especial para mí, digamos que es muy personal.

—¿Me podrías decir el significado de algunos? —pregunto y asiente. Miro unos segundos su brazo para luego acariciar un pequeño tatuaje de una brújula con cuatro fechas diferentes y un corazón rodeando cada una—. ¿Qué significa este? Es muy bonito.

Suspira.

—Significa querer volver al hogar y estar bajo la protección de nuestra familia; en otras palabras, personas que están viviendo lejos de su lugar natal y ansían poder regresar algún día a la casa de la que se marcharon. También es una forma de recordar a los seres queridos que ya no están con nosotros, pero esperamos volver a verlos —me explica con una triste sonrisa.

—Eso fue muy bonito, Diego.

—Este tatuaje me lo hice por mi familia, Anastasia —confiesa con la voz rota, pero se repone de inmediato porque me sonríe de forma traviesa—. ¿Y tú tienes alguno?

—No. Prefiero verlos en otras personas.

—Seguro que a ti te quedarían preciosos —me coquetea. Sacudo la cabeza. Escucho que nos llaman para retirar nuestra comida y Diego se levanta. Cuando regresa no pierdo tiempo y ataco las papas. No sabía que tenía tanta hambre hasta ahora.

—¿Están ricas? —pregunta con diversión y le da una mordida a su hamburguesa—. ¿Estás bien? Te has puesto un poco pálida.

—Sí, es solo que me hizo recordar a mi familia. —Unto la mayonesa en la papa un poco menos animada—. Me encantaban estas papas fritas y siempre las pedía cuando salíamos a comer todos juntos, pero hace años que eso ya no sucede.

Entorna los ojos con curiosidad.

—¿Por qué? ¿Están de viaje o viven muy lejos?

—Mis padres me echaron de la casa por un problema del que aún no me siento lista para hablar, pero no los he visto desde hace más de dos años y los extraño.

Mi confesión lo deja quieto por un momento, parece meditar; luego sus dedos viajan a mi barbilla y me hace mirarlo.

—¿Por qué no los buscas, Anastasia? Estoy seguro de que ellos también te extrañan mucho y de que están preocupados por su hija.

—No es tan fácil, Diego. Ellos no solo me echaron de sus vidas, sino que me dijeron palabras horribles y con justa razón, pero…

—No sé qué fue lo que sucedió con tus padres, debe ser algo grave, pero Anastasia, ellos también se equivocan, son humanos y cometen errores. Muchas veces nos dejamos llevar por el momento y decimos cosas que realmente no pensamos o sentimos. —Sus ojos siguen clavados en los míos mientras apenas puedo respirar por lo que dice—. A veces es bueno perdonar a nuestros seres queridos y aprovechar que aún están vivos, porque, aunque lo quisiéramos, los padres no son eternos y cuando ya no están, nos arrepentimos de no haber pasado más tiempo con ellos.

Me tardo unos segundos en asimilar sus palabras. Son tristes y su mirada lo refleja, pero tiene razón. Mis padres han intentado volver a ponerse en contacto conmigo, pero siempre he escapado de ellos porque no sé si estoy lista para verlos de nuevo a los ojos.

—Eso fue muy profundo, Diego.

Como respuesta me da una triste sonrisa antes de apartarse e ir a darle otro bocado a su hamburguesa. El ambiente se vuelve tenso por un momento, pero luego nos relajamos y seguimos charlando. Bueno, Diego sigue coqueteándome y sacándome sonrisas.

De pronto, una canción suena de fondo. La reconozco, es *Easier* de 5 Seconds of Summer, y antes de que pueda darme cuenta, escucho la voz casi susurrante de Diego, cantando.

—¿Qué haces? —pregunto y sonríe. Rompe el espacio entre los dos y su aroma impacta contra mis sentidos casi al mismo tiempo que su cercanía despierta mi piel.

Las suaves yemas de sus dedos escalan hasta mi mentón y deja una suave caricia. El aire parece atascarse en mi garganta y una corriente, que empieza con su tacto, se resbala por mi cuerpo, y entonces pasa… Diego inclina la cabeza hasta que su aliento roza el mío, y empieza a cantar:

¿Es más fácil quedarse? ¿Es más fácil ir?
No quiero saber, oh
Pero sé que nunca, nunca voy a cambiar
Y sabes que no lo quieres de otra manera
¿Por qué siempre tenemos que huir?
Y terminamos en el mismo lugar
Es como si estuviéramos buscando lo mismo
Lo mismo, sí
Sí, ¿realmente tenemos que hacer esto ahora?
Aquí mismo, con todos tus amigos alrededor
Por la mañana podemos solucionarlo
¡Averígualo!
Te amo tanto que te odio
Ahora mismo, es tan difícil culparte
Porque eres tan jodidamente hermosa
Eres tan hermosa.

Me quedo sin habla, sin aire, sin cordura… El calor me abraza, sus ojos vibrantes me envuelven y los dedos me cosquillean. ¿En qué momento su rostro se ha acercado tanto al mío?

Alguien tropieza con nuestra mesa y el hechizo se rompe, el aire vuelve a fluir por mis pulmones y recobro un poco del juicio que había perdido. Diego se rasca el cuello y sonríe con una expresión entre divertida y decepcionada.

La noche se acaba cuando me lleva a mi piso, después de todo, no terminó tan mal el día.

—Gracias, la pasé muy bien —le digo cuando estaciona frente a mi edificio.

Toma algunos mechones de mi cabello y los enrolla en su dedo índice. Sonríe antes de acercarse a mi mejilla y dejar un beso que tarda unos segundos de más.

—Buenas noches, Anastasia.

Me bajo de su auto y camino hacia mi edificio. Cuando entro a mi habitación, me dejo caer en la cama y caigo rendida del cansancio con un pensamiento en la cabeza: mañana por fin le daré la cara a mis padres después de tanto tiempo, mañana volveré a mirar al pasado de frente sin saber cuántos trozos más le robará a mi corazón.

Tres años atrás

Observo molesta a mi padre y a mi hermano porque es estúpido que me quieran prohibir salir con un chico cuando ya tengo quince años. Mi padre tiene el ceño fruncido.

—No tienes mi permiso para salir con ese chico y punto final a esta conversación. Eres muy pequeña para tener novio, Anastasia, y es mejor que te sigas concentrando en los estudios; ya tengo suficiente con lo de las peleas ilegales —dice enojado.

—¿Qué te dijo Alex? Él es muy buen estudiante, papá, no le hagas caso a mi hermano; él no lo conoce.

—Ese chico es raro, Anastasia, su mismo hermano me dijo que te alejara de él. —Me fulmina con sus ojos azules—. Soy tu hermano mayor y ese tipo no me gusta, tiene algo extraño que no sé cómo explicar.

Me levanto molesta y pongo un dedo en el pecho de Alex.

—No tienes derecho a opinar sobre mi vida.

—Lo tengo porque soy tu hermano, así que termina lo que sea que tienes con él —me advierte entre dientes—. Esta vez no me vas a convencer.

—¡Los odio! —grito antes de salir de la oficina de mi padre y azotar con fuerza la puerta que retumba en toda la casa—. Eres un imbécil, Alex.

Después de algunas horas de viaje, estoy aquí, de pie frente a la casa en la que viví la mayor parte de mi vida, y no puedo evitar pensar en qué jodido es el destino, antes amaba este lugar, ahora todo se reduce a recuerdos.

Suelto un suspiro y me hago una cola alta para despejar mi pelo de la cara.

Toco la puerta, pero no escucho movimiento, quizás no hay nadie; mi padre y mi madre tal vez estén en sus exitosos trabajos. Toco de nuevo y nada. Me doy la vuelta, frustrada.

—Hija, ¿eres tú? —Miro por encima de mi hombro y veo cómo mi madre sale con su elegante vestido negro. Me quedo quieta por varios segundos, en *shock*, pero ella se acerca y me da un abrazo apretado—. ¡Oh, mi hija, eres tú, pensé que te había perdido como a tu hermano! ¿Por qué te escapaste de nosotros? —Se separa llorando—. Intentamos muchas veces verte, pero siempre te ibas.

Parpadeo varias veces y la vuelvo abrazar con fuerza. Las lágrimas descienden incontrolables por mis mejillas y el corazón se acelera en mi pecho.

—Mamá, perdóname, por favor —le suplico con voz rota—. Todo fue mi culpa, yo tuve la culpa de todo. Alex me lo advirtió y yo no le hice caso… —Antes de que termine de hablar, ella me interrumpe.

—Tú no tienes la culpa de nada, hija. No la tienes y nunca la has tenido, solo te enamoraste de un monstruo que te engañó y te manipuló, pero tú eras una niña. —Se separa de mí y toma mi cara entre sus manos—. ¿En dónde has estado estos dos años? Sé que estuviste unos meses con tus abuelos, pero después desapareciste.

—Es una larga historia, pero ahora vivo con Alejandra en Barcelona y he empezado el primer año en la universidad.

—Vamos adentro, aquí está haciendo frío y no quiero que te enfermes. Y llamaré a tu padre para que venga a casa. —Se limpia las lágrimas.

Toma mi bolso y ambas empezamos a caminar hacia el interior de la casa. Millones de imágenes vienen a mi mente, pero un recuerdo se impone ante todos. Ese de la última vez que estuve aquí, dos años atrás, justo el día en que mis padres me echaron y la razón por la cual me costó tanto volver aquí.

Mi padre tira mis bolsos a la calle mientras me froto la mejilla por la cachetada que mi madre me dio hace un momento. Sé que es mi culpa que mi hermano esté muerto y entiendo su dolor, pero yo también los necesito.

Miro a mi madre que sigue llorando y mi padre me sujeta del brazo.

—Por tu culpa tu hermano está muerto —me grita el hombre que me engendró, tirando de mi brazo hacia la salida, y me sostiene con tanta fuerza que cuando me suelta termino en el suelo—. Tú también moriste para mí. Te dijimos que dejaras a ese demente y mira cómo terminó. Tú ya no eres mi hija.

—Pero... —intento hablar, pero me estrellan la puerta en la cara.

Me abrazo a misma con el peso del dolor, de la culpa, de la impotencia. Lloro en el suelo mientras ruego al universo que todo sea una puta pesadilla, que mi hermano esté vivo y que mis padres me sigan amando, pero no lo es y los minutos que pasan me lo comprueban. Tomo las pocas cosas que me quedan y comienzo a caminar lejos de ellos, asimilando que estoy sola, que ya no tengo familia y que siempre llevaré sobre mis hombros el ser la causante de la muerte de mi hermano.

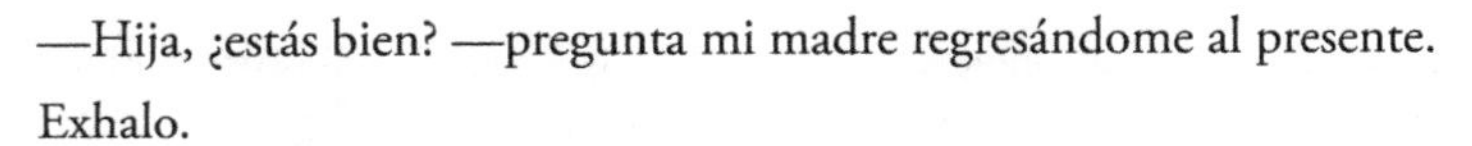

—Hija, ¿estás bien? —pregunta mi madre regresándome al presente.

Exhalo.

—Sí, solo sigo un poco consternada por tu reacción de ahora —confieso con la voz algo temblorosa a causa del llanto que intento reprimir—. Después de todo, no es fácil olvidar la última vez que te vi.

Sus ojos se llenan de lágrimas y sus brazos vuelven a rodearme con fuerza. No los juzgo por cómo actuaron entonces, sobre todo porque yo también me odiaba.

—Cometimos el peor error de nuestras vidas al decirte todo eso y echarte de nuestra casa, porque este es tu hogar y jamás te podríamos odiar, pero en ese momento lo vimos todo rojo y no estábamos pensando, solo actuamos y de la peor forma. ¡Perdónanos, Anastasia! —Se echa a llorar—. Nos hemos arrepentido cada día y lo único que nos daba consuelo era saber que estabas a salvo con mi madre.

—Fue mi culpa, mamá, no es necesario que me pidas perdón porque hasta yo misma me odio por eso.

—No digas eso, hija. Tú nunca has sido responsable de las decisiones de esa persona, tú fuiste una víctima más. —Suspira—. Aún no entiendo por qué la policía no ha investigado este caso por más que hemos pedido que lo vuelvan a abrir.

Hago una mueca.

—Porque tiene gente muy poderosa. —Me siento en un sillón.

Ella deja el bolso en el cuarto de estar y se sienta a mi lado. Miro la estancia color verde claro y nada ha cambiado, todas las fotos y muebles siguen intactos. Me acerco a mi madre y le tomo la mano.

—¿Cómo han estado ustedes? —pregunto con cautela.

—Con un nudo en la garganta por ti. No hemos estado bien en dos años porque sentimos que perdimos a nuestros dos hijos. Pasamos de tener una casa llena de risas, a una casa llena de soledad y angustia. Te repito, hija: jamás debimos decir lo que te dijimos y menos actuar de esa forma —dice entre sollozos.

—Perdóname por no haberme comunicado con ustedes, pero pensé que me odiaban y que ya no querían saber nada de mí. Estoy aquí porque un buen amigo me dio un bonito y reflexivo consejo y lo tomé. —Limpio sus lágrimas—. ¿Por qué no llamas a mi papá? —sugiero con una triste sonrisa.

Asiente y saca su móvil para marcar, y aprovecho para tomar una foto de mi hermano.

—Fuiste mi héroe y no pude salvarte —susurro para que mi madre no me escuche.

Cierro los ojos por unos segundos y por fin me siento de nuevo protegida por mi madre. Esa madre que siempre me cuidaba y se preocupaba con adoración por mi hermano y por mí. Esa madre que posa su mano en mi hombro y me regala una dulce sonrisa.

—¿Tienes hambre, hija? Estás muy flaca, pero también muy guapa.

Sonrío porque sigue siendo la misma.

—Estoy bien, mamá, desayuné en el aeropuerto, pero si quieres hacerme de tu rico desayuno lo acepto.

—Respuesta correcta. Ven, vamos a la cocina —dice, pero nos quedamos quietas cuando escuchamos que la puerta se abre y entra mi padre con los ojos rojos. No me sorprende que llegara tan rápido, trabaja apenas a un par de minutos de casa.

Por un segundo parece perplejo, pero luego reacciona dándome un abrazo que me deja sin aire.

—No puedo creer que estés aquí, hija —dice en medio de un llanto violento, agrio, pero esperanzador.

Y entonces algo florece en mi interior. Un trozo gigante de mi corazón roto vuelve a su lugar y por un momento todo en mi interior cobra vida y me siento segura de nuevo, aunque soy consciente de que no dudará, porque el monstruo no duerme y me acecha, siempre lo hace.

Capítulo II

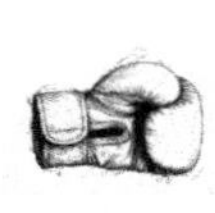

Anastasia

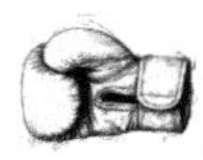

El tiempo suele volar cuando estás en el lugar correcto, y en los brazos que necesitas. Mis padres no se han cansado de pedirme perdón por cómo me trataron la última vez; yo tampoco he dejado de hacerlo, la culpa es carroñera y llevo años lidiando con ella. Así que los entiendo, pero ya les expliqué que no tengo nada que perdonarles. Siempre han sido unos padres maravillosos.

Mi padre nos invitó a cenar, pero aún es temprano, así que decidí venir hasta aquí. Lo necesito. Mis pies se arrastran hasta su tumba y en cuanto leo su nombre escrito, mi cuerpo pierde fuerza. Me siento en el suelo y dejo las flores que traje para él.

—Hola, hermano. Perdón por no haber venido antes a visitarte... Te extraño mucho, me siento tan sola. —Me sorbo la nariz—. Quisiera que estuvieras aquí conmigo..., pero sé que ya no puedes. —Me echo a llorar—. Tenías tanta razón y nunca quise escucharte, lo siento tanto, daría lo que fuera por ser yo y no tú.

Lloro todo lo que tengo dentro sintiendo que odio la vida que tengo ahora. Odio la vida sin él. Después de esa noche negra, todo cambió para mí y no hay forma de que vuelva a ser la chica de antes. Mi móvil suena un par de veces y el nombre de Diego aparece en la pantalla, lo ignoro porque necesito estar a solas con mi hermano. A veces se necesita una pausa para tomar fuerzas, y esta es la mía.

Unas horas después me encuentro con mis padres entrando a un restaurante de comida italiana. Es lindo estar de nuevo en familia, aunque siempre faltará una pieza. Miro mi móvil mientras esperamos la comida. Después de un par de búsquedas encuentro lo que quiero. Hay una pelea a las tres de la mañana. Anoto la dirección y pongo una alarma mientras veo cómo acomodan la comida en la mesa.

—Dime, hija, ¿tienes novio? —pregunta mi madre haciéndome espabilar—. Es que veo que miras mucho tu teléfono y estás muy guapa. Es normal que lo tengas.

Hago una mueca de asco porque de solo pensar en tener pareja me enfermo. Mi madre suelta una risa por mi cara.

—No, qué flojera tener un novio.

Mi madre mira a mi padre antes de reírse por mi respuesta y él se une a ella. La cena transcurre con tranquilidad y bromas. Llegamos a la casa y me despido de mis padres antes de entrar a mi habitación. Me acuesto para dejar el tiempo pasar y lo hace…

Siento que algo vibra en mi almohada, me remuevo y saco mi móvil, veo que es la alarma que programé. Me levanto con cautela y me visto con unos pantalones negros, sudadera y chaqueta. Abro la ventana por donde solía escaparme con mi hermano, salto al árbol y me deslizo con cuidado hasta llegar al suelo.

«Bien, aquí vamos de nuevo, Anastasia».

Me pongo un gorro negro y empiezo a caminar hacia la dirección. Treinta minutos después llego a un galpón abandonado. Miro cómo entra la gente por las puertas principales del lugar. Me escabullo con gran facilidad y me dirijo a donde está todo el mundo, la gente grita y bebe sin control. En ese momento alguien toca una bocina y se genera el silencio.

—Bienvenidos todos, la pelea comenzará ahora, las apuestas están cerradas —anuncia el organizador—. Él es uno de los mejores boxeadores de Madrid, afírmense bien, caballeros y señoritas, él es Roberto González.

La multitud grita como loca cuando ven entrar a un chico bastante alto y musculoso que tiene tatuajes en todo su pecho dándole un aire totalmente rudo y peligroso.

—Ahora prepárense, gente, porque es el rey de Madrid, muchas mujeres y hombres suspiran por él. El único e inigualable... Nicolás Ramírez.

Me quedo quieta mientras escucho los gritos que casi me ensordecen. Miro al que alguna vez fue el amor de mi vida, el mismo que me traicionó de la peor forma y rompió mi vida a la mitad. Aprieto mis manos en puños con todas mis fuerzas. «Respira, Anastasia, respira, por favor», me repito mentalmente para no ir a donde está y matarlo de una buena vez.

Las mujeres gritan desaforadas cuando lo ven entrar. Lo observo y noto que está mucho más musculoso, tiene algunos tatuajes en sus brazos, se pasa la mano por su pelo rubio dejándolo en punta y sonríe con arrogancia hacia su oponente.

La pelea comienza cuando suena la campana, no sé cuánto tiempo dura porque no puedo concentrarme en nada más que no sea él. Solo sé que el timbre suena anunciando que Nicolás salió ganador. Él sonríe con petulancia y saluda a todo el mundo. Cuando baja del ring lo veo caminar hacia donde estoy, pero retrocedo y me escondo detrás de la gente. Lo sigo con la mirada, pero se sigue acercando y me veo obligada a retroceder con premura, por lo que no me fijo y choco con alguien. De repente nuestras miradas se cruzan.

Sus ojos se expanden con sorpresa y yo retrocedo, empiezo a caminar hacia la salida a paso rápido.

—¡Anastasia! —grita Nicolás. Miro hacia atrás y veo que está atrapado en medio de la multitud que lo felicita—. Anastasia, espera un poco —insiste.

Levanto mi dedo medio en su dirección y...

—¡Púdrete! —le grito esperando que vea el odio tan profundo y feroz en mis ojos. Me giro sobre mis talones y reanudo mis pasos, ansiosa por salir de aquí.

¡Mierda, soy una estúpida! Ahora Nicolás sabe que estoy de nuevo en Madrid y vendrá una vez más a por mí para torturarme con sus malditos juegos mentales.

NICOLÁS

Capítulo 12

Anastasia

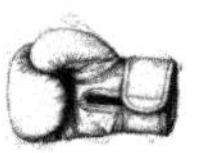

Bostezo por tercera vez, aún adormilada. Ni siquiera el desayuno me despertó. Atravieso la puerta de la oficina de mi padre y no tengo que ser un genio para saber de qué quiere hablar.

—¿Fuiste a una pelea? —pregunta en cuanto me ve.

—No, yo ya no peleo aquí, pero sí fui a ver una.

—¿Por qué saliste cuando sabes que ese hombre está suelto aún? Sé que fuimos malos padres contigo al no insistir tanto como lo hizo Alex y al dejarte sola por dos años, pero ahora quiero volver a protegerte.

—Eso está bien, papá, pero el problema es que ya no soy tu niñita, ya no vivo con ustedes y he aprendido a cuidarme sola en todo ese tiempo. —Él hace una mueca—. Te amo muchísimo, pero ese tiempo ya pasó, ahora soy una adulta.

—Lo siento, hija… —El dolor adorna sus ojos.

—No fue fácil salir adelante con diecisiete años, pero lo hice y aprendí a valerme por mí misma. Los extrañaba cada día y muchas veces quise volver, pero tenía miedo de que no me quisieran, por eso no lo hice —confieso con una triste sonrisa—. Pero bueno, eso ya quedó atrás.

—Eres una mujer muy fuerte, Anastasia. Estoy orgulloso de que seas igual que tu madre. —Me abraza—. Perdóname por alejarte de mi vida, ese tiempo jamás lo vamos a recuperar, pero sí podemos estar unidos de nuevo.

—Me parece una buena idea. —Me separo para verle la cara—. Porfa, no le digas nada a mi madre sobre mi escapada de anoche, sabes que se preocupa mucho. —Hago un puchero en un vil intento de convencerlo de lo que le pido.

Rueda los ojos.

—Solo por esta vez, pero por favor, Anastasia, no salgas de noche, es peligroso para ti —me advierte con una expresión completamente seria—. Ese sujeto sigue libre y no quiero que nada malo te pase.

—Te lo prometo, ¿qué te parece si hoy vemos una película?

—Me parece una excelente idea, ahora voy a seguir leyendo unos documentos del trabajo. —Se sienta frente a su escritorio que está lleno de papeles—. Ah, y de ahora en adelante yo pagaré tu universidad.

Sonrío y muevo mi mano para quitarle importancia porque yo sola puedo pagarla con mis peleas ilegales.

—No es necesario…

—Sí lo es, así que no quiero ninguna queja sobre mi decisión y tu dinero lo ahorras para ti. Además, quiero que te quedes en el apartamento que habíamos comprado antes de… lo que pasó. Ahora ve con tu madre —me ordena sin dejarme replicar. Resoplo y me voy a la cocina donde encuentro a la mujer que más amo cortando champiñones.

Me siento en el taburete frente a ella y veo que tengo un mensaje de Diego que me hace sonreír. Escucho el carraspeo de mi madre y alzo la mirada para verla.

—¿Quién te tiene suspirando y riendo? —pregunta con diversión.

—Nadie.

—¿Segura? Porque tienes un brillo especial en tus ojos —dice, cortando las zanahorias—. Yo creo que sí tienes a alguien importante en tu vida o lo estás conociendo.

Frunzo el ceño ante sus palabras porque es cierto que estoy conociendo a Diego y claro que él es algo especial, pero solo como amigos… ¡Joder! ¿A quién quiero engañar? Es claro que estoy teniendo sentimientos por ese chico, aun cuando lo quiera negar y ser fría con él.

—Tengo un amigo —respondo, apartándome un mechón de la cara—. Y sí, mamá, es superguapo, inteligente, carismático y lector.

Suelta una carcajada mientras le envío una rápida y cortante respuesta a Diego; no quiero tener sentimientos de nuevo, no quiero volver a enamorarme otra vez, y desde que lo conocí supe que él sería un peligro para mi corazón.

—¿Estás enamorada, Anastasia?

—¡No, mamá! —exclamo con horror—. Es solo mi amigo.

—Vale, vale, no me pegues, solo estaba bromeando —dice riéndose y sigue con su labor de cortar los vegetales—. Es mejor que no suspires tanto frente a tu padre porque ya sabes que es demasiado celoso contigo.

Siento un escalofrío en mi cuerpo porque tiene razón, mi padre es sobreprotector. En el pasado vivía intimidando a mis compañeros cuando venían a hacer trabajos del instituto a mi casa.

—Es un amigo y no estoy suspirando por nadie —me defiendo—. Y mi papá jamás va a conocer a mi novio.

—¿Entonces sí estás saliendo con alguien?

—¡No! Es un decir, por favor no tomes tan literal mis palabras. —Me cruzo de brazos, molesta, y ella se ríe aún más—. Ya veo que te gusta hacerme enojar y reírte de tu hija.

—¡Estás muy amargada! —sigue burlándose—. Hija, está bien que te guste algún chico. Eres joven, Anastasia, aún tienes mucho por vivir y es bonito enamorarse.

—Para mí no fue bonito, mamá. —Mi voz se tambalea por un instante—. No quiero volver a pasar por eso.

Sus ojos me miran con nostalgia y yo bajo la mirada. El amar a la persona equivocada me costó la vida de mi hermano y no estoy dispuesta a pagar un precio tan alto de nuevo. No voy a arriesgarme.

Necesito aire. Amo a mis padres, pero desde que llegué no me dan un segundo de respiro. Salgo de mi casa rumbo a una cafetería cercana y apenas doy unos cuantos pasos cuando un escalofrío me recorre la espalda. Miro hacia atrás y no veo a nadie. Empiezo a sentirme inquieta porque me siento observada, pero dejo escapar un largo suspiro convenciéndome de que tal vez solo estoy un poco paranoica después de haber visto a Nicolás. Llego a la cafetería y compro un café y un trozo de pastel.

Me siento en una mesa que tiene vista a la calle, saco mi libro *It* de Stephen King y comienzo a leer mientras me como lo que compré. Pasan unos veinte minutos cuando alguien arrastra una silla a mi lado. Bajo mi libro y tengo enfrente de mí a un hombre vestido de negro que me toma del brazo con fuerza.

—¡Suéltame, imbécil! —Me alerto intentando soltarme.

—Quieta, muñeca, no has cambiado nada, sigues siendo la misma —dice el hombre con voz rasposa.

Una voz que me suena, pero que no puedo recordar dónde la escuché antes. Miro a mi alrededor y el vendedor está atendiendo a otro tipo vestido de negro. Tiro de mi brazo de nuevo y esta vez sí consigo soltarme.

—¿Quién mierda eres tú? —pregunto furiosa.

—¿Ya no me recuerdas? —Ríe y su risa me cala los huesos cuando logro reconocerlo. Es uno de esos tipos que intentó... Sacudo los recuerdos, me pongo de pie e intento irme, pero el hombre me sujeta fuerte de la muñeca, tanto que se me escapa un gemido de dolor.

—Siéntate, aún no acabo contigo.

Niego con la cabeza y él ejerce más presión en mi muñeca, pero me aguanto.

Lo fulmino con la mirada.

—Suéltame o te juro que te irá muy mal.

—Te soltaré. Solo traigo un mensaje para ti. —Tensa aún más su agarre sobre mí, pero me aguanto el dolor. No dejaré que ellos me vean como una débil nunca más—. Ten cuidado, muñeca. Vigila tus pasos muy bien si no quieres acabar en una tumba como tu hermano —me amenaza.

Rompo su agarre mientras él sonríe y se levanta. Da media vuelta, listo para irse, pero tiro de su brazo para que me mire y lo encaro.

—No tengo miedo de ti ni de nadie —le aclaro y él parpadea, perplejo; de seguro esperaba que me quedara callada como antes—. Son tu grupo los que deben cuidar sus pasos porque voy por ustedes —le advierto antes de darle un empujón y pasar por su lado para salir de la cafetería.

Suelto un suspiro y camino a paso doble hacia la casa de mis padres, yo sabía que esto pasaría. ¡Qué tonta fui al ir a esa maldita pelea! Ahora están sobre aviso. Miro hacia atrás y veo que el hombre me sonríe con sorna. Trago grueso y le devuelvo el gesto levantando mi dedo del medio.

Tengo que comenzar a juntar todas las pruebas posibles, pruebas que sean tan contundentes que no puedan negarlo, que puedan acabar con ellos de una vez por todas. Llego a la casa en donde me encuentro con mis padres bailando tiernamente. Sonrío al darme cuenta de que estos días me he sentido completa y feliz junto a ellos. ¡Ojalá todo fuera tan sencillo! ¡Ojalá la realidad no fuera tan cruel como lo es!

Capítulo 13

Una hora después de despedirme de mis padres en medio de abrazos y llanto, el avión despega. Calculo que llegaré como a las ocho de la noche. Miro mi móvil y tengo muchos mensajes de mis amigos, los ignoro, no quiero hablar con nadie por ahora. Cierro los ojos e intento dormir para llegar más despejada al apartamento de Alejandra. Aún tengo una sensación de alegría en el pecho con los nuevos recuerdos que creé con mis padres. La despedida estuvo llena de llanto, bromas, sonrisas nostálgicas y un montón de «cuídate y llámanos».

Aterrizamos a la hora que imaginé y en menos de lo que esperaba estoy de pie frente a la puerta del lugar donde vivo. Mi bolso se me desliza por la muñeca cuando abro y suelto un gemido de dolor porque me quedó un moretón por culpa del sujeto de la cafetería. ¡Imbécil!

—¿En dónde has estado? —pregunta Alejandra apareciendo frente a mí—. Anastasia, me tenías preocupada, te llamé todo el fin de semana y nada. ¿Me quieres matar de un infarto? —Me abraza—. Por un momento pensé que me dejabas sola de nuevo.

Correspondo el abrazo con cierta culpa. Sé que fui un poco inconsciente al no decirle nada, pero de verdad se me olvidó y casi no tomé mi teléfono el fin de semana.

—Perdón, mi rubia bonita, necesitaba ir a ver a mi familia, estuve con mis padres. —Me aparto.

—¿Es en serio? Eso es genial, por fin arreglaron sus problemas, ¿cómo están ellos? —pregunta nerviosa—. Me imagino que se perdonaron por todo y que ahora volverán a estar unidos.

Me acerco más a ella y la guío a una esquina para que podamos hablar a solas con más tranquilidad, ya que en la sala de estar se encuentran Diego y Cameron con la televisión encendida, pero puedo sentir sus miradas sobre nosotras.

—Fue como antes, Ale. Estar con ellos me hizo sentir en casa de nuevo. Mi padre sigue siendo tierno y sobreprotector, y mi madre sigue siendo dulce y comprensiva.

Sus ojos se empañan porque ella me apoyó por meses y fue la que me aceptó en su casa cuando mis padres me corrieron, antes de irme con mi abuela; no sé qué hubiera hecho sin mi mejor amiga, creo que no estaría aquí.

—Me alegro mucho, Anastasia, mereces volver a ser feliz. Necesitas sanar tu corazón. —Se limpia las lágrimas y su expresión se endurece—. Pero joder, Ana, podrías haberme avisado, estuve preocupada estos tres putos días y Diego igual.

Abro la boca para disculparme, pero me callo cuando Cameron y Diego aparecen junto a nosotras. El primero le susurra algo en el oído a la rubia y luego se van con la excusa de ir a buscar algo a su habitación. El pelinegro y yo nos quedamos solos. Él es el primero en romper el silencio.

—Hola, chica rara, te escribí varios mensajes y apenas respondiste uno de manera cortante. —Hace un puchero—. ¿Podrías no ser tan fría conmigo y mi pobre corazón?

—Estaba ocupada.

Tomo mi bolso del suelo, pero me lo quita. Avanzamos por el pasillo y entramos a mi habitación cerrando la puerta detrás de mí. Me siento en mi cama y le doy una rápida mirada a Diego que va vestido todo de blanco, incluido el gorrito. Casi parece un chico bueno. Deja el bolso y viene a mi lado.

—¿En qué estabas ocupada? —Sus ojos me reparan.

—Estaba con mi familia, como te dije, tenía más de dos años sin verlos y quería estar todo el tiempo posible con ellos. —Sonrío—. Y todo gracias a un amigo que me dio un sabio consejo una madrugada mientras comíamos comida chatarra.

—Me imagino que ese chico debe ser muy inteligente, *sexy*, guapo y carismático para que tú sigas sus consejos —bromea y termino riendo. Extiende la mano y acaricia mi mejilla, pero me alejo porque no quiero que siga confundiéndome.

«Solo amigos, Anastasia, solo amigos».

Me acerco a mi closet y empiezo a sacar toda mi ropa y varias maletas porque me quiero mudar en estos días. Y mientras lo hago siento sus ojos sobre mí.

—¿Qué haces?

—Doblar mi ropa y guardarla dentro de una maleta —ironizo y él suelta una carcajada fingida que me hace reír.

—Sé el proceso de doblar la ropa y guardarla en una maleta, pero ¿por qué lo haces?

—Me voy.

—¿Qué? —Parece sorprendido. Se levanta de la cama y se acerca a mí—. ¿A dónde te vas?

—Me cambio de hogar. —Suspiro y me quito el pelo de la cara—. Mis padres me regalaron un apartamento; además, Alejandra necesita su espacio y ustedes son sus amigos; siento que estorbo aquí —miento, sé que jamás sería un estorbo para mi amiga, pero tengo terror de que algo le pase a ella, sobre todo ahora que Nicolás me ha vuelto a ver; sé que tengo el tiempo contado aquí.

Su mano viaja a mi barbilla y mis ojos conectan con los suyos.

—Tú no estorbas en ninguna parte, Anastasia. Además, me tienes a mí, y yo sí soy tu amigo —me asegura con una tierna sonrisa. Niego con la cabeza, me alejo de él y sigo doblando y empacando bajo su mirada. Me inquieta que no deje de observarme y decido dejar la ropa para después.

Saco otra maleta donde empiezo a guardar mis libros, lo que provoca que se mueva a ayudarme. ¡Dios! Necesito mantener a mis amigos a salvo. Es horrible esta situación, estoy cansada, ya es una rutina cada seis meses tener que estar de un lado a otro por una persona enferma que se obsesionó conmigo.

—Necesito estar sola —digo de repente y vuelvo a sentarme en la cama.

—¿Por qué?

—Es mejor así, soy un problema y mientras más sola esté, menos daño hago a la gente que amo. —Casi inconscientemente me acaricio la muñeca, justo donde está la marca que me dejó el agarre de ese hombre.

—Nadie es un problema, Anastasia. A menos que quiera serlo y no es tu caso. Tú eres una buena persona, un poco distante y recelosa, pero solo estás dolida con la vida al igual que yo; eso no te convierte en una mala persona.

—¿Yo, una buena persona? —dejo salir con sarcasmo—. Diego, baja de la nube en la que estás y abre los ojos. No sabes nada sobre mí, solo aléjate y estarás mejor.

Se acerca, pero justo cuando va a hablar, la puerta se abre y entran Alejandra y Cameron. La rubia avanza hacia nosotros y abre los ojos con sorpresa al ver toda mi ropa regada o en maletas.

—¿Por qué estás empacando tus cosas?

—Me voy, Alejandra. Mis padres tienen un apartamento para mí desde antes de que pasara todo y quieren que lo ocupe. Me pasaron las llaves este fin de semana, de hecho, te iba a avisar de esto.

—No quiero que te vayas. —Hace un pucherito que me saca una sonrisa.

—Yo tampoco, pero se los prometí; además, nos seguiremos viendo todos los días. Pero necesito mi espacio, yo no soy una persona a la que le gusta la fiesta como a ti y sé que te limitas un poco por mí. —Me acerco a ella y la abrazo—. Te amo, eres mi mejor amiga.

—Promete que seguirás viniendo a verme, por favor.

—Lo prometo, mi hermosa rubia.

Diego y Cameron se quedan a un lado hablando no sé de qué, mientras Alejandra me ayuda a ordenar lo que falta. Lo bueno es que no traje tantas cosas. Cuando tenemos todo listo, ella se retira con Cameron a su habitación. Pongo las maletas en la esquina y me lanzo a la cama. Me masajeo la muñeca y hago una mueca de dolor. Diego se acerca y se sienta a mi lado, toma mi mano y juega con mis dedos.

—¿Alguna vez te has enamorado?

Lo observo por un momento antes de cerrar los ojos y, pese a no verlo, puedo sentir cómo se mueve. Cuando mis párpados se levantan lo tengo tan cerca que no puedo ver nada más que no sean sus ojos cafés que brillan con ilusión.

—Sí, estuve enamorada, pero me traicionó de la peor forma —confieso con voz queda—. Comprendí que el amor es una mierda, que todas las personas tienen un precio y que no les importan los demás mientras consiguen lo que quieren.

Sus dedos alcanzan un mechón de mi pelo y lo enrolla con delicadeza. Me mira por un largo minuto antes de hablar.

—Yo nunca me he enamorado, pero siento que algo está cambiando dentro de mí y tiene que ver contigo, Anastasia. Estás haciendo cosas locas con mi corazón.

Por instinto me alejo lo más rápido posible de él. Me siento en la cama siendo consciente de que no puede ser, él no puede estar enamorándose de mí.

—No continúes por ahí, Diego...

—¿Por qué? ¿Tanto te molesta escuchar la palabra amor? —rebate sentándose a mi lado. —¿Por qué no podemos estar juntos?

—Porque no quiero, joder, me tienes harta —es lo primero que sale de mi boca, siendo presa del miedo—. Entiende que no puedo estar con nadie. Ya sufrí mucho, Diego, entre nosotros solo puede haber una amistad. No quiero hacerte daño.

No quiero lastimar a nadie y menos a él. Un alma atormentada puede reconocer a otra alma atormentada, y yo lo noto en Diego. Por eso me niego a que sea una víctima más de mis errores. Aún puedo salvarlo.

—Joder, Anastasia, no quiero otra mujer. Te quiero a ti, me tienes fascinado. ¿De verdad no te das cuenta de que ya me tienes?

—Diego, no va a pasar. —Me levanto de la cama con rapidez y me imita—. Tienes que irte.

—No quiero irme —contesta—. Quiero quedarme aquí contigo, bella.

Me quedo quieta, anonadada, mirándolo; él siempre me ha declarado sus sentimientos y admito que yo también siento algo más por él, pero no podemos estar juntos porque mi pasado pronto me va a alcanzar.

—Debes irte —repito. Se me acerca de nuevo y me toma de la cintura.

Mi respiración se altera mientras nos miramos desafiantes; su mirada es dulce y tierna; en cambio, la mía es de terror, de pánico.

—Seré sincero contigo, Anastasia. Desde el primer día que te sentaste a mi lado supe que tú tenías algo que de alguna manera me afectaba, y cuando hablamos me di cuenta de que tenías una chispa única. Y aunque al principio no lo tenía claro, sabía que tenía que conocerte para estar seguro si era cierto o no, y lo era... Era real, bella —confiesa—. Sé que tengo miles de defectos y una reputación no muy buena. También sé que he estado demasiado tiempo en la oscuridad, solo, pero tú eres una bonita luz que vino a alegrar mis días.

Abro los ojos, sorprendida por sus palabras. Él no pierde oportunidad y me acaricia la mejilla. Nuestras narices se rozan y me quedo quieta ante su gesto tan tierno.

—Mírame, Anastasia, ya me tienes aquí, estoy desnudando mi corazón por ti, por la chica más terca que he conocido en mi vida, pero también la más fascinante que he podido conocer, esa que no me deja de sorprender ni por un solo segundo.

Me quedo callada. Sus manos se aferran con más ímpetu a mi cintura y las mías se posan en su pecho. Ambos nos miramos con el deseo bailando en nuestras pupilas. Mis ojos captan el movimiento de su boca cuando se muerde el labio inferior... ¡Dios! Es tan *sexy*.

—Necesito besarte, Anastasia —dice con voz susurrante y mi sangre se convierte en lava hirviendo. ¿Desde cuándo mi corazón puede correr tan deprisa solo por la cercanía de un chico?

Capítulo 14

El tiempo parece ralentizarse mientras veo a Diego inclinarse hacia mí, mi pulso es un caos y mi cabeza parece nublarse. «Peligro», me advierte mi subconsciente y logro reaccionar girando mi cara; sus labios impactan con mi mejilla. Me mira sorprendido y me suelto de su agarre de la forma más sutil que puedo. Doy varios pasos hacia atrás para poner distancia entre nosotros.

—No, Diego, no hagas esto más difícil para mí. —Inhalo hondo—. A veces pienso que solo tienes un capricho conmigo —soy sincera, no es posible que esté enamorado de mí en tan poco tiempo—. Estoy segura de que solo estás confundido, ya se te pasará.

Su rostro se contrae, sus manos se escabullen en su pelo y tira de él mientras suelta un enorme suspiro de frustración.

—No eres ningún capricho para mí.

—Claro que lo soy, Diego. Y te diré la razón, soy la única chica que de cierta forma te ha dicho que no a una relación y que te ha rechazado directamente una y otra vez.

—Anastasia, no estoy jugando a nada. —Avanza en mi dirección y sostiene mi rostro entre sus manos—. Sé lo que estás haciendo, pero te demostraré que voy en serio, que jamás he fingido contigo. Por favor, no vuelvas a decir que tú eres un juego para mí, porque no lo eres.

—Diego... —Muerdo mi labio inferior—. Sé que soy complicada y como podrás notar, me cuesta confiar en la gente porque me han herido demasiado. No quiero que la persona que soy te afecte de alguna manera y mucho menos que me vuelvan a destrozar el corazón.

Su sonrisa se agranda y sus dedos acarician mi mentón.

—Coincido contigo, pero no quiero hacerte daño. —Su pulgar se sigue moviendo por mi piel—. Me gustas, Anastasia. Sé que soy un puto desastre y sé que es poco, pero es lo mejor que tengo para ofrecerte por ahora.

—Eres un desastre —confirmo con una sonrisa—, pero todo el mundo lo es, así que no te sientas especial —bromeo y una pequeña sonrisa aparece en sus labios.

—Soy un desastre, pero puedo aprender mucho de ti, mi bella. No me rendiré porque sé lo que siento y eso no lo pondré en duda por nadie, ni siquiera porque tú pienses lo contrario.

Me aparto y me cubro el rostro con las manos. El silencio se instala. No sé qué hacer respecto a él, me confunde mucho. A veces quisiera besarlo y decirle que yo también siento esta química entre los dos, pero tengo miedo de que mi pasado sea un puñal en su espalda.

—Me voy —dice y levanto la mirada. Está frente a mí con una expresión que no logro descifrar. Se acerca y deja un beso en mi frente que dura varios segundos—. Descansa, mi bella.

Cierro los ojos y escucho la puerta cerrarse. Diego, Diego… ¿Qué se supone que estás haciendo para que mis latidos sean tan violentos cuando estás junto a mí? ¿Qué se supone que voy a hacer con esto que parece casi inevitable?

Entro a la universidad corriendo y chocando con la mitad de los estudiantes, y cuando por fin pongo un pie en el salón, este está vacío. Joder, siempre pienso que llego tarde y nunca es así. Camino al último asiento y me derrumbo en la silla. Saco un libro y retomo mi lectura. Pasan unos minutos cuando siento un beso en mi mejilla justo antes de escuchar su voz.

—Hola, mi bella.

Lo miro y no puedo evitar que mis ojos lo repasen: viste pantalones rotos en la rodilla, de color negro, y una camiseta blanca.

—¡Hey! —Chasquea sus dedos frente a mi cara—. Sé que soy *sexy*, pero controla tus ojos. —Una sonrisa malvada nace en la curva de sus labios.

Niego con la cabeza y regreso la atención al libro entre mis dedos, pero escucho una silla arrastrarse, y no hay que ser un genio para saber que se ha plantado junto a mí.

—Te ves bonita leyendo, tus ojos brillan con pasión. —Lo miro de reojo—. Por cierto, ¿cómo estás?

—Estoy bien, ¿y tú? —Levanto la mirada de mi libro. El corazón me salta en el pecho cuando se acerca con una rapidez tan impresionante que no me da tiempo de reaccionar y sus labios vuelven a impactar en mi mejilla, esta vez el beso dura un poco más.

—¡Diego! —chillo, sorprendida.

Deja escapar una carcajada y se acerca hasta que su aliento roza mi cuello.

—Te voy a conquistar, Anastasia, te voy a sorprender todos los días. Te besaré siempre que pueda —dice con una enorme sonrisa.

Ruedo los ojos e intento retomar mi lectura, pero me es imposible. Sus ojos sobre mí me resultan inquietantes. Me giro molesta y noto que tiene la cabeza apoyada en una mano.

—¿Por qué me miras tanto? —exijo saber.

—¿Eh? —Parece perdido.

—¿Por qué me miras así? —repito y muerdo mi labio inferior para no reírme.

—Eres agradable a la vista.

—Imbécil —bromeo.

Sonríe aún más y arrastra mi silla más cerca a la de él. Intento parecer molesta, pero sigue con una sonrisa de bobo que, de alguna manera, siempre termina contagiándome. Intento ignorarlo, pero es casi imposible.

—Diego...

—Anastasia —dice imitando el tono de mi voz.

Cierro los ojos, cuento del uno hasta el diez y me masajeo la sien, estoy a punto de perder el control con él.

—¿Te sucede algo? —pregunta inocentemente mientras juega con un mechón de mi pelo entre sus dedos.

—No, nada. —Respiro de nuevo y dejo caer la espalda en la silla. Presiono un dedo en el tabique de mi nariz.

—¿Quieres golpear mi lindo rostro? —pregunta con un tono burlón, y asiento con la cabeza—. Agresiva, deberías besarme mejor. —Parece divertido.

Entrecierro los ojos y reanudo el conteo. ¡Dios mío! Ayúdame, por favor. El profesor entra y por fin empieza la clase. Ni siquiera me di cuenta cuando llegaron los demás estudiantes.

—Así que te cambias hoy —dice a mitad de clases. Me giro a verlo y está jugando con un bolígrafo entre sus dedos. Yo asiento—. ¿Quieres que te ayude con las maletas?

—No, gracias.

Hace un puchero.

—¿Por qué no?

—Me ayudarán los gemelos —contesto sin interés y vuelvo a concentrarme en mis apuntes.

Apoya la cabeza en su mano y casi puedo ver cómo su cerebro trabaja en busca de algún motivo para estar conmigo esta tarde. Empiezo a anotar lo que el profesor dice, pero él me observa tan fijamente que me pone nerviosa.

—¿Por qué huyes de mí?

—No huyo de ti.

—Claro que sí —replica.

—¡Claro que no! No eres el centro de mi universo, Diego.

Se lleva la mano al pecho como si mis palabras lo hubieran lastimado al tiempo que hace un puchero con sus labios.

—¡Oh, vamos, Anastasia! —exclama con una sonrisa, algunos compañeros nos miran de reojo—. No me estás poniendo fácil lo de conquistarte, ¿eh?

—¿Quieres callarte?

Miro mis apuntes, pero ya me he perdido. Tiro el lápiz y observo al susodicho que hizo que me retrasara en mis anotaciones.

—No —dice con una sonrisa bobalicona—. ¿Sabes? Creo que estás siendo algo gruñona en estos momentos.

—Solo contigo.

—Deberías relajarte un poco. No te voy a hacer nada que tú no quieras, Anastasia; pensé que eso ya había quedado claro. —Toma un mechón de mi pelo y lo enrolla en su dedo. Se le está haciendo costumbre—. No te besaré a menos de que tú lo hagas primero, estás a la defensiva en estos momentos.

—No estoy a la defensiva. —Me cruzo de brazos.

Una sonrisa burlona nace y se expande por sus labios al ver la posición de mis brazos. Enarca una ceja porque ambos sabemos que, sin importar mis palabras, mi cuerpo dice lo contrario.

Me mira por unos largos minutos antes de inclinarse hacia mí y besarme de nuevo en la mejilla. Abro los ojos y él suelta una carcajada que hace que toda la clase se centre en nosotros, incluso el profesor.

—Joven Rivero, ¿puede dejar de besar a su compañera? —Me hundo más en la silla ante sus palabras—. Guarde los besos para después.

El profesor vuelve a explicar, pero nuestros compañeros siguen mirándonos, los fulmino con la mirada y poco a poco dejan de prestarnos atención. Me giro hacia Diego que está recostado en su silla.

—¡Joder, Diego! —maldigo entre dientes.

—No te enojes.

—¡Déjame en paz!

Una risilla traviesa se cuela por mis oídos. Suspiro, agobiada. ¿A quién quiero engañar? En este momento ni siquiera puedo enfadarme de verdad con él. Sus bonitos hoyuelos pueden ser terriblemente encantadores. ¡Maldita sea! ¿Por qué tiene que ser tan...? ¡Dios!

Capítulo 15

Anastasia

Entro en el que es mi nuevo hogar con los gemelos, lo increíble de esta situación es que también viene Diego, pero no porque lo invitáramos, sino porque vivo en su mismo edificio; supongo que mis padres lo escogieron por la seguridad del barrio. El destino me está jugando una mala pasada, es como si de alguna manera quisiera que estuviéramos juntos.

—Tus padres se gastaron una pasta —dice Jonathan dando un silbido al ver el espacio de la sala de estar. Miro el apartamento y es de color blanco hueso; todos los muebles son blancos y negros dando un toque de elegancia al lugar. Dejo mis maletas en el suelo y miro el ventanal en donde puedo observar toda Barcelona; es una vista preciosa.

—Joder con tu nuevo hogar —dicen los gemelos al unísono. Suelto una risa porque amo cuando hablan al mismo tiempo como conectados mentalmente.

—Es demasiado caro. —Hago una pequeña mueca.

Mis padres tienen dinero y ambos son exitosos en sus trabajos, pero no me gusta que gasten tanto en mí, siempre me ha gustado luchar por lo que quiero, pero debido a lo que pasó el fin de semana, prefiero que la rubia esté lo más lejos de mí.

—¡Mierda! Tenemos que irnos —dice Javier—. ¿Estás segura de que no quieres ir a la fiesta, Anastasia?

—Sí. —Vuelvo a rechazar su oferta con una sonrisa.

Los gemelos y Jonathan se despiden de mí dándome un enorme abrazo y besos por toda la cara. Cierran la puerta y Diego y yo nos quedamos solos. Mis ojos van hacia él y noto que está mirando con curiosidad todo el espacio.

—Increíble —comenta con diversión, mientras mira una figura de porcelana.

—No te sorprendas tanto, se parece mucho al tuyo, aunque más pequeño. —Me siento en el sillón.

Camina a donde estoy y se sienta a mi lado.

—Me parece increíble como el puto destino quiere que tú y yo estemos juntos —dice con una sonrisa picarona chocando su hombro con el mío—. Creo que te está diciendo que te rindas y que seas mi novia bella.

Suelto una carcajada que me hace vibrar; no me imagino siendo novios, quiero decir, la mayoría del tiempo nos la pasamos peleando, aunque casi siempre de broma, y más de una vez le he querido golpear cuando me saca de mis casillas.

—Me alegra causarte tanta gracia. —Tira de un mechón de pelo—. Por cierto, te ves bellísima cuando ríes así —susurra con voz ronca cerca de mi oído.

No puedo evitarlo y comienzo a sonrojarme. ¿Qué me está pasando? Me pongo de pie, pero su mano envuelve mi muñeca con suavidad y tira de ella hasta dejarme sentada sobre su regazo.

—¿Podemos intentarlo?

Lo observo con una sonrisa y paso mis manos alrededor de su cuello. Me inclino hacia él y miro sus bonitos ojos café claro que tienen un cierto tono verde apenas perceptible ante la corta distancia.

—De momento solo amigos. No lo fuerces, Diego.

Sonríe ante mi respuesta y se inclina lo suficiente para que su nariz acaricie la mía en un gesto dulce.

—Mmm... ¿Solo amigos? —pregunta con sus dedos arrastrándose con delicadeza sobre mi pelo.

—Por ahora —respondo con una sonrisa traviesa.

Me levanto de su regazo y miro a mi alrededor. Amo mi nuevo apartamento y la vista es espectacular.

—Tienes una sonrisa irresistible, Anastasia. —Se incorpora y se planta frente a mí, a una distancia muy corta—. No dejes nunca de sonreír.

Sus palabras instalan una calidez en mi pecho, pero lo ignoro. Es lo mejor o me desviaré de lo que realmente importa. Con su ayuda, subimos mis cosas al segundo piso. Hay dos habitaciones y de inmediato sé que la que mis padres prepararon para mí es la que tiene la puerta blanco crema.

Sonrío al detallar la estancia: hay un escritorio, un librero, un closet, una cómoda y una cama enorme. Perfecta para mí.

—Es muy bonita.

—Gracias, pero no tuve nada que ver, aquí solo estás viendo el excelente gusto de mi madre. —Me muerdo el labio inferior—. Tengo hambre, ¿pedimos *pizza*, chico cursi? —Él sonríe al escuchar el apodo que le doy, al tiempo que saca su teléfono del bolsillo de su pantalón.

—Llamaré a la pizzería.

El delicioso sabor de la *pizza* baila sobre mi lengua, deleitando mis papilas gustativas. Miro de reojo a Diego que está concentrado devorando un trozo tras otro. Es extraño estar con él, aunque debo confesar que su compañía me gusta más de lo que yo misma quisiera admitir.

Me gusta ver al Diego simpático que es ahora, y no al imbécil arrogante que conocí al principio; supongo que lo juzgué muy rápido. No me di el tiempo de conocerlo.

—¿Por qué me miras tanto? —Su voz me saca de mis cavilaciones. Pestañeo varias veces.

—Me gusta estar contigo ahora —confieso con una tímida sonrisa.

Como respuesta, obtengo un beso fugaz en la mejilla, seguido de su brazo rodeándome. Apoyo mi cabeza en su hombro.

—A mí también, Anastasia. —Sonríe—. Siempre me ha gustado tu compañía.

—Es porque soy genial —bromeo.

—Bueno, tampoco te pases; sigues siendo terca y aún te noto algo a la defensiva. En serio, a veces no sé cómo acercarme a ti porque siento que en cualquier momento me vas a dar un puñetazo.

—¡Ja, ja, ja! Muy chistoso —digo con sarcasmo.

Mi teléfono me alerta sobre una llamada entrante de Luis. Sonrío.

—Hola, hola, aquí tu mejor boxeadora —contesto entusiasmada y escucho a Luis reír a través de la línea.

—Hola, hermosa, aquí tu mejor representante y amigo —bromea.

—¿Qué sucede?

Diego toma mi mano libre y empieza a jugar con mis dedos.

—Mañana, a las nueve en punto, en el mismo lugar, ¿puedes? —Su forma de hablar en clave me hace reír.

—Claro, nueve en punto.

—Vas a ganar mucho dinero, nena.

—Mmm... Vale, supongo que eso nos beneficia a los dos, ¿verdad? —digo, divertida. Lo escucho gritar un «sí» entusiasta—. Bueno, imbécil, nos vemos mañana.

Dejo mi móvil y noto a Diego mirándome con curiosidad.

—Tengo una pelea mañana, ¿quieres ir?

Su rostro se ilumina y sus hoyuelos aparecen en la curva de sus mejillas cuando una sonrisa se asoma entre sus labios.

—Me encantaría. —Acorta la poca distancia entre los dos y aparta un mechón de cabello de mi rostro—. Eres la chica de mis sueños, Anastasia. —Suspira—. Y te encontré.

Me quedo inmóvil por un par de segundos, pero sonrío. Sus labios se ven tan suaves. Me acerco con rapidez y le doy un breve beso, él me mira atónito.

—¿Sorprendido, guapo?

Pestañea varias veces y un instante después sus labios se curvan hacia arriba.

—Tú siempre me sorprendes, bella. —Lleva sus dedos a mi barbilla—. No lo dudes.

Me observa y sonrío de lado.

—¿Me puedes decir qué está pasando por tu cabecita? Puedo ver cómo se lidia una batalla dentro de ese cerebrito —dice sin apartar la mirada de mí, y no tengo idea de por qué, pero mis manos se elevan hasta su pecho.

Me muerdo el labio inferior y suspiro. No puedo negar que me estoy encariñando con él, que eso de tener una amistad cada día se siente más confuso. ¡Joder! Diego tiene razón, me gusta, pero también tengo terror de poner a todos en peligro. Quisiera ser más fuerte porque sé que falta poco para que todo estalle y él se entere de todo mi pasado, pero no estoy segura de si él me seguirá mirando de la misma forma en que me mira ahora.

—Tengo muchos demonios dentro de mí —le digo en un susurro.

—Todo el mundo tiene demonios en su interior, nadie en esta vida es un ángel, Anastasia. Yo también tengo los míos, y créeme que me torturan cada día, cada noche, pero sigo luchando para que no me devoren. De eso se trata, ¿no? De no rendirse.

—Diego…

—No dejes que tus demonios te ganen. Sé que podrás salir adelante. Los humanos somos fuertes y tú eres una muestra de ello, puedo verlo, puedo sentirlo.

—¿Quién eres? —pregunto anonadada.

—Soy el verdadero Diego, ya no me quiero esconder. Quiero que me conozcas, incluso con todos mis miedos y secretos. Quiero que me veas sin la máscara que uso para protegerme del mundo exterior y su crueldad.

Asiento varias veces.

—La vida es cruel —digo con voz queda, siendo consciente de que tiene razón.

—Lo es. —Toma mi mano y la guía a sus labios dejando un beso tierno—. Y mi corazón está bastante maltratado, y dolido con la jodida vida. Solo me quiero proteger de lo que hay allá afuera, pero contigo...

—Diego.

—Te estoy mostrando al verdadero Diego —repite.

Se inclina hacia mí y nuestras narices se rozan. Inhalo profundo

—Me da miedo que me cautives, chico cursi —confieso.

Se separa lo suficiente para que nuestras miradas se crucen y sus labios se estiran mostrándome su perfecta sonrisa. ¡Dios! ¡Qué guapo es!

—Yo quiero que tú estés cautivada por mí, bella. —Vuelve a inclinarse hasta que su aliento impacta contra mi oído. Inconscientemente, me llevo una mano al pecho y noto el retumbar caótico de mi corazón—. Porque tú ya me tienes así.

Trago saliva mientras él se endereza, acuna la mano que sigue sobre mi pecho y la lleva al suyo sin soltarme; su corazón late tan rápido como el mío. El calor me invade y soy muy consciente de su tacto cuando una ola eléctrica me cubre la piel.

—Quiero confiar en ti, Diego.

—Hazlo. —Nos miramos fijamente. Él se relame el labio inferior, mis ojos observan ese gesto y, de repente, siento unas ganas intensas de morderlo—. Yo confío en ti.

Miles de sensaciones se avivan en mi interior, confundiéndome aún más. Me da miedo pensar en el amor cuando mis dos relaciones anteriores me hicieron tanto daño. Él no es como ellos, pero tampoco metería las manos al fuego por alguien, eso lo aprendí dos años atrás. Pero hay algo que tengo claro y es que Diego se está metiendo en mi corazón, que afecta mis sentidos y que mi vida no parece ser la misma desde que nuestros caminos se cruzaron.

Capítulo 16

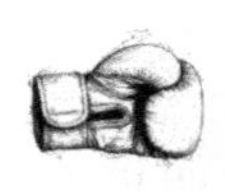

Anastasia

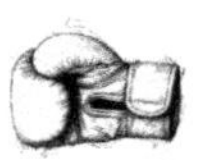

Sonrío a mi reflejo como aprobación a mi apariencia. Llevo unos pantalones negros, rotos, una blusa de tirantes verde. Tomo mis cosas y me apresuro para no llegar tarde a clases. Cuando salgo de mi apartamento, me topo con Diego, que está vestido todo de negro, incluso su gorro.

—Hola. —Se acerca y me da un beso en la mejilla.

—Hola, guapo. ¿Qué haces aquí?

—Me ofrecí a llevarte hoy, ¿ya lo olvidaste?

—¿Te enfadarías si dijera que sí? —Enarco una ceja, y él niega con la cabeza.

—¿Cómo dormiste en tu nuevo apartamento? ¿Apareció algún fantasma que te tire de la cama? Ya sabes que puedes ir a dormir conmigo.

—¡Eres imposible, Diego! No creo en los fantasmas y mi cama es lo bastante cómoda para mí. ¡Gracias!

—Eso a ti te encanta. —Se encoge de hombros—. Y la invitación estará siempre abierta solo para ti.

Cuando llegamos a la universidad, sus amigos ya lo están esperando. Alejandra me sonríe y levanta sus cejas de arriba abajo. Pongo los ojos en blanco.

—Nos vemos, Diego. Gracias por traerme.

—¿Por qué te vas? —Toma mi barbilla y sube el pulgar deslizándolo lentamente hasta mi labio inferior, deja una leve caricia sobre ellos y mi respiración se corta.

Reúno las fuerzas necesarias para apartar la mirada de sus ojos chispeantes y, al hacerlo, noto que sus amigos nos observan sin disimulo.

—Tengo cosas que hacer —contesto en un ligero tono—. Adiós.

Me separo de él, pero tira de mi mano y me da un suave beso en los labios. Abro los ojos por la sorpresa y una sonrisa se extiende por su rostro. Trago saliva.

—¿Ahora me puedo ir? —Enarco una ceja.

—Ahora sí te puedo dejar ir, pero piensa en mí, que yo te estaré pensando.

Suelto un suspiro, no me lo está haciendo fácil. Me estoy enamorando de él.

Me alejo a pasos firmes y camino a donde están los gemelos y Jonathan con varias emociones danzando en mi pecho, y una de ellas se debe a la pelea de esta noche. No sé por qué, pero hay algo que me dice que el monstruo está muy cerca.

Las horas se me pasaron volando entre clase y clase, estuve con Alejandra, quien insistió en ir a la pelea de esta noche con Cameron, no tuve más remedio que pasarle la dirección para que me dejara tranquila. Diego estuvo conmigo todo el rato y sus amigos lanzaron bromas sobre cómo antes nos odiábamos y ahora parece haber algo entre los dos.

—¿Estás nerviosa? —me pregunta Diego, mientras caminamos a su auto.

—¿Yo? —Sonrío autosuficiente—. Jamás, guapo. —Alzo la barbilla.

Lo próximo que siento es un beso fugaz en mi mejilla.

—Ya lo veremos, estaré ahí gritando tu nombre a todo pulmón en primera fila.

No puedo evitar reír ante su entusiasmo.

Mientras avanzamos, mis ojos se clavan demasiado tiempo en su perfil.

—¿Por qué me miras tanto, Anastasia?

—Eres agradable a la vista —contesto intentando imitar su tono de voz.

—Lo soy. Disfrútame, nena. Soy un espectáculo hermoso de ver. —Baja su mano por su torso, recalcando que tiene un cuerpo de infarto.

Suelto una carcajada.

Cuando llegamos a su todoterreno, me abre la puerta, pero antes de subir, noto que Bárbara me fulmina con la mirada.

—Diego, creo que alguien no te pierde de vista. —Apunto en donde está la chica, quien nos mira casi sin pestañear. Da miedo. Él gira la cabeza y frunce el ceño, ambos se miran fijamente. Diego suspira cansado y apoya la cabeza en el volante.

—¿Qué ocurre? —pregunto.

—Bárbara me tiene cansado; he intentado ser cortés y educado, pero no entiende que no quiero estar con ella de la forma en que desea. —Me mira un segundo antes de mirar a la pelirroja—. Anastasia, quiero estar contigo, pero ella me está acosando y no sé cómo decirle que no puedo ofrecerle ese tipo de relación.

Enciende el auto y lo pone en marcha en dirección a nuestro edificio.

—Tienes que darle tiempo, Diego. Está enamorada de ti y fuiste un imbécil con ella. Tú lo sabías y la usaste, ahora no te hagas la víctima, porque tú le diste esperanza e ilusiones —le aclaro, molesta. Gira bruscamente en una calle y se estaciona. Nos miramos a los ojos, desafiándonos con la mirada.

—Yo no le di esperanza. Ella sabía que la estaba usando porque no podía sacarte de mi cabeza. Sabía que estaba sintiendo cosas por ti. Ella sabía que quería estar contigo, pero tú no me dabas esperanza y aún no entiendo… no entiendo qué somos. Me confundes, Anastasia.

—¿Qué quieres de mí?

—Lo quiero todo de ti, mi bella. Quiero que seas mi novia, mi chica, mi mejor amiga y más. —Se inclina y apoya su frente contra la mía con los ojos cerrados—. Me rindo, eres mi hermosa rendición.

Nuestras narices se rozan y su pulgar acaricia mi mejilla con ternura.

—¡Joder, bella! Traté de resistirme a ti y ser solo amigos como me lo pediste, pero no pude; caí por ti. —Suspira—. Supongo que lo hice porque fuiste la chica que me desafiaba con sus palabras y actitud.

Toma un mechón y lo deja detrás de mi oreja. Sonríe, travieso.

—¡Mierda! Eres tan bella que me fascina verte cada segundo del día. —Sostiene mi mano y la guía a su pecho—. Ya me tienes, bella, ya tienes mi corazón.

Pestañeo varias veces para poder asimilar lo que acaba de decir. El músculo en mi caja torácica salta de emoción al escuchar sus palabras, pero otra parte de mí tiene miedo de volver a sufrir por amor. También tengo miedo por él, no quiero que corra peligro. Yo ya perdí a una de las personas que más amaba, y quizás sea el motivo por el que tomo una decisión radical, porque me niego… Me niego a que nadie más pierda la vida por intentar salvar la mía.

NICOLÁS

Capítulo 17

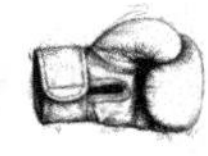

Anastasia

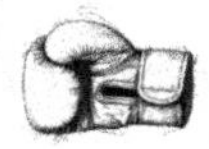

Se acerca despacio y cierra los ojos esperando el beso, uno que no llega. No quiero ser egoísta con otras personas y me duele el corazón en estos momentos por tener que poner una distancia entre nosotros, pero será lo mejor para ambos. Está decidido.

—No puedo, Diego. —Miro por la ventanilla un instante antes de volver a centrarme en él—. No puedo ofrecerte amor. Eres bueno y tienes lindos sentimientos, y eso solo significa una cosa para mí: tengo que alejarme de ti.

Su rostro se tensa a tal punto que pareciera que le acabo de dar un puñetazo. Me observa perplejo, no entiende por qué cambié de opinión tan rápido, pero no puedo ceder ahora. No ahora que mis demonios se están acercando y que sé que en cualquier momento él va a aparecer. No quiero que las garras de ese monstruo contaminen a las personas que me importan, y eso incluye a Diego.

—Me confundes, Anastasia. Acabo de decirte que me gustas, y mucho. Que eres la chica de mis sueños —dice molesto, confundido—. Estábamos bien hace un momento, ¿se puede saber qué te pasa ahora?

—No quiero una relación, Diego.

—¿Por qué? —insiste.

—Porque me estás pidiendo amor, cuando yo huyo de él. Lo siento, no quise darte ilusiones, Diego, pensé que solo estábamos tonteando —miento un poco. Una pequeña risa amarga sale de su boca, pero se diluye en la pesadez del aire. Tira de su pelo y me encara, furioso.

—Yo creí que era cruel, pero tú… tú eres cruel de verdad. Me ilusionaste. —Mira un momento al frente para luego mirarme de nuevo—. Me abrí a ti porque eres la única chica que me ha gustado lo suficiente para pedirle que fuera mi novia. Me has roto el corazón, Anastasia. —La rabia baila en sus pupilas, pero luego sonríe con un deje de sarcasmo—. Pero no te preocupes por mí. Fui un imbécil al ilusionarme contigo. —Sus manos se afianzan en el volante con tanta fuerza que sus nudillos se blanquean. Hago una pequeña mueca, pero sé que estoy haciendo lo correcto.

El motor ruge cuando lo enciende y vuelve a ponerse en marcha.

—No quiero estar más cerca de ti —dice con voz hostil. Asiento con la cabeza.

—No es nada personal, Diego, hueles a amor y a buenos sentimientos, y yo no…

—¡Ya no digas nada, Anastasia! De verdad que no quiero enojarme contigo. Solo quedémonos en silencio —me pide con voz rota; se aclara la garganta—. Tú ya me lo advertiste, pero fui yo el que no te hizo caso.

Me quedo callada, no tengo más que decir. Por suerte llegamos rápido a nuestro edificio y pronto me veo en mi habitación, sintiendo una extraña sensación en el cuerpo y recordándome que estoy haciendo lo correcto, que lo estoy protegiendo.

Los gemelos y Jonathan me recogieron para llevarme a la pelea, cuando llegamos al edificio abandonado en donde será el encuentro, veo a Alejandra, Cameron, Diego y Bárbara. Me acerco a ellos con los gemelos peleando, como siempre, y tomo una bocanada de aire para no matarlos.

Saludo de manera general y me obligo a no mirar a Diego.

Todo nos dirigimos a un pequeño cuarto que Luis arregló para mí. Tiro mi bolso al suelo y me siento en una silla. Un escalofrío me recorre el cuerpo, y lo noto, lo siento en el aire, él está cerca.

—¿Te encuentras bien? —pregunta Jonathan, preocupado. Se agacha para estar a mi altura—. ¿Quieres irte?

Lo miro fijamente y niego con la cabeza. Miro de reojo cómo los gemelos hablan con Alejandra y Cameron. Diego está muy cerca de Bárbara y ella sonríe sin parar. Ruedo los ojos casi de manera inconsciente.

Escucho la puerta abrirse. Jonathan se levanta de repente y un silencio espeso llena el pequeño cuarto. Mi cabeza se gira por inercia hacia la entrada y cada músculo de mi cuerpo se estira de la tensión que se acumula en un segundo por todo mi ser. Me levanto como un resorte, pero un pequeño mareo me golpea la cabeza. Hago acopio de todas mis fuerzas para no tambalearme. Un sudor frío se desliza por mi espalda y siento la garganta casi agrietada por su sequedad. Trago saliva, o al menos lo intento.

—Hola, amor —dice Nicolás con una sonrisa. Su voz inquietantemente suave se arrastra por mi piel como el filo de una navaja que acaba de salir del fuego. Me quedo quieta, pese a sentir el corazón a punto de saltar de mi pecho. Su expresión es relajada, y si no lo conociera, no habría podido adivinar el monstruo que esconde su cara de chico bueno.

—¡Eres un hijo de puta! —grita Jonathan antes de abalanzarse sobre él. Ambos caen al suelo en medio de violentos golpes. Los gemelos toman a Jonathan y los separan—. Vete de aquí, basura asquerosa.

—Aún sigues babeando por mi chica —replica Nicolás en el mismo tono que antes, poniéndome los pelos de punta.

Con su sonrisa ladeada, empieza a caminar en mi dirección. Me quedo paralizada sintiendo mi cuerpo sacudirse cuando imágenes de esa noche vienen a mi mente y la rabia burbujea dentro de mí. Apenas soy consciente de que Alejandra y Cameron forman una barrera para que Nicolás no pueda llegar a su objetivo; es decir, yo.

—Hola, Alejandra, sigues tan bella como la última vez que te vi. —Su sonrisa cínica se ensancha aún más.

—Aléjate de mi amiga o te juro que no respondo —grita Alejandra, molesta.

Diego me toma del brazo y me mira con preocupación. Pestañeo varias veces para no llorar y me suelto con cuidado de su agarre.

—Déjenme a solas con él, por favor.

El rubio sonríe con arrogancia y acorta la distancia entre los dos, pero yo me alejo con rapidez; una cosa es hablar y otra muy diferente permitirle invadir mi espacio. Jonathan tira de mi brazo y los gemelos niegan con la cabeza.

—No te dejaré con ese hijo de puta, ¿te volviste loca? —La voz de Jonathan suena afilada, certera.

—Sé lo que hago. Salgan todos, por favor. Necesito hablar a solas con él —le pido con firmeza. Diego me mira por un segundo, dudando, pero lo miro con dureza para que note que estoy decidida. Noto sus dudas, está desorientado y no entiende nada de lo que sucede, pero sus hombros se sueltan y resopla justo antes de pasar por mi lado con Bárbara.

—Anastasia...

—Sé cuidarme, Alejandra. Vete de aquí, ahora. Por favor.

—Estaremos afuera —dice Jonathan poco convencido, llevándose a Alejandra y Cameron, dejándome a solas con mi peor pesadilla.

—¿Qué mierda quieres? —pregunto y sus ojos me escanean de arriba abajo, un escalofrío recorre mi cuerpo. Quiero vomitar solo con su presencia.

—Eres tan hermosa, joder. —Se acerca con una rapidez casi inhumana y toma un mechón de mi pelo. Me alejo de él con asco.

—No me toques o te juro que no respondo —digo cabreada—. ¿Qué mierda quieres?

—Te quiero a ti —suelta, y su voz calmada y a la vez fría me estremece. Una sonrisa vuelve a nacer en sus labios, esa misma sonrisa que antes me quitaba el aliento y ahora me enferma—. El día que te vi en Madrid supe que seguías siendo el amor de mi vida.

Aprieto los puños con tanta fuerza que me duele. ¿Cómo mierda puede decirme esto después de todo lo que me hizo a mí y a mi hermano? Lo fulmino con la mirada, me acerco a él con odio y retrocede hasta que su espalda choca con la puerta.

—Vete de aquí, ahora —le exijo con la ira surcando por cada rincón de mi cuerpo—. Te amaba. ¡Por Dios que te amaba! —Lanzo un puño a la puerta—. Pero me traicionaste de la peor forma, me heriste como nadie, destruiste mi vida, ¿y ahora dices que aún me amas? Eres un psicópata. Solo me quieres como tu bonito trofeo, ¿cierto? Quieres que volvamos a nuestro juego enfermizo en donde tú disfrutas con mi dolor, ¿verdad?

Tomo con fuerza el picaporte y abro la puerta, haciendo que Nicolás se caiga hacia atrás. Me inclino y una pequeña sonrisa burlona aparece en sus labios haciendo pedazos el poco control que me queda.

—Acabaré contigo como tú lo hiciste conmigo. —El dolor y la ira se extienden por cada fibra de mi cuerpo. Lo tomo de la camiseta con tanta fuerza que se pone de pie. Aprovecho y lo empujo contra la pared—. Si te acercas a mí una vez más, no seré tan cordial contigo —le advierto y Jonathan me rodea de la cintura y toma mi mano.

—¡Suéltame, Jonathan! Lo voy a matar —grito con rabia. Los gemelos me miran e intentan controlarme hablándome. Mis ojos regresan a Nicolás quien apunta a su reloj con una mueca burlona. Un gruñido me araña la garganta—. Acabaré contigo, pedazo de mierda, y caerás por todo lo que has hecho.

—Volverás a mí, Anastasia, eres igual que yo. —Me guiña el ojo—. Suerte, mi hermosa boxeadora, aunque tú ya eres mi campeona. —Me mira por última vez antes de irse por el oscuro pasillo.

Cierro los ojos con fuerza e inhalo sintiendo mis pulmones arder. Antes amaba que me dijera esa palabra: "campeona" y ahora me envenena de ira escucharla. Nicolás sabe dónde atacar para hacerme daño y lo logró. Jonathan me lleva de nuevo dentro de la habitación y me sienta en la silla.

—Cariño, eso tuvo que doler —suelta Dylan y me señala la puerta—. Tu mano, ¿está bien?

Frunzo el ceño y me miro la mano, mis nudillos están sangrando. Jonathan me pone papel higiénico para que me limpie y se lo agradezco.

No veo a Diego, pero agradezco su ausencia, no quiero sus ojos escrutadores encima de mí, no puedo

embarrarlo del fango en el que llevo años metida.

—¿Qué mierda hacía aquí ese imbécil? —pregunta Alejandra, molesta, al tiempo que se agacha junto a mí para ayudar a limpiarme—. Te juro que lo odio.

—¿Tú qué crees? —Me levanto y saco de mi bolso una banda que envuelvo alrededor de mis nudillos—. A recordarme que soy una mierda de persona.

La puerta se abre y Luis entra con una sonrisa frotándose las manos en un claro gesto de emoción por la pelea. Algo me dice que, aunque no quiera, mi contrincante pagará las consecuencias de mi rabia.

Y sucede tal como lo pensé. Gané la pelea de forma aplastante. La gente me felicita, pero salgo a paso rápido junto a Luis, quien me entrega mi dinero.

Una lágrima rueda por mi mejilla como prueba de mi frustración cuando entro al cuarto donde están mis cosas. La puerta vuelve a abrirse y Alejandra camina en mi dirección y me abraza fuerte.

—Quédate conmigo, por favor. No quiero estar sola en ese apartamento.

—Siempre.

Ella asiente y me toma de la mano. Me despido de todos en cuanto salimos y me subo al auto de Cameron. Apoyo la cabeza en el hombro de Alejandra y siento sus dedos acariciando mi pelo.

—Duerme, te protegeré siempre —me susurra seguido de un beso en la frente.

Mi cuerpo se despoja de toda la tensión acumulada y mis párpados se vuelven pesados. Me quedo dormida. No sé cuánto tiempo transcurre cuando pestañeo varias veces y siento que unos brazos me rodean y me sacan del auto. No es hasta que me deja en mi cama que soy muy consciente de que es Diego y, por alguna razón, me siento tan segura a su lado que vuelvo a cerrar los ojos una vez más.

Las voces de Cameron y Diego se filtran por mis oídos como si fueran un par de ecos, y un instante después noto que el colchón se hunde y unos cálidos brazos me cubren.

—Te amo, amiga —dice Alejandra, y es lo último que escucho antes de caer en un sueño profundo. Uno que me arrastra lejos de mi oscura realidad.

Capítulo 18

Anastasia

Un calor sofocante se desliza por mi piel y el cosquilleo de una suave caricia en mi mejilla me alerta. Casi en contra de mi voluntad, logro despertarme, pero un par de ojos aparecen en mi campo de visión y un grito ahogado se lanza entre mis labios por el susto. Sus manos viajan a mis caderas afirmándome para que no me caiga de la cama.

—¡Estás loco, Diego! —Me llevo una mano al pecho por la impresión—. ¿Qué haces aquí? ¿En dónde está Alejandra?

—Se fue. Me pidió que te cuidara porque no quería que te quedaras sola. —Se separa de mí y se pasa una mano por el pelo.

—Estoy bien, puedes irte, no quiero que sigas perdiendo el tiempo conmigo. —Me acuesto de nuevo en el colchón y miro mi mano, sigue algo morada e hinchada, me duele, pero es soportable.

Me paso la palma por la cara. ¡Qué vida de mierda tengo! Diego se sienta a mi lado y me mira con esa mirada intensa que me pone muy nerviosa, y que encima me hace sentir mal por negar mis sentimientos hacia él. A veces me pregunto si de verdad me voy a prohibir todo en esta vida por mi pasado.

—¿No te ibas a alejar de mí? —pregunto con tristeza.

—Quería asegurarme de que estuvieras bien, pero… —Arruga las cejas—. ¿Solo eso tienes para decirme, Anastasia? —inquiere con un tono de voz duro, frío.

—Sí. —Tomo aire—. Es mejor para los dos que mantengamos las distancias.

—¿Te das cuenta de que vienes diciendo eso desde el día en que nos conocimos? Aunque ambos sabemos que no podemos mantenernos alejados, pero está bien, me alejaré de ti y te daré el tiempo que necesitas para que recapacites y aceptes que tienes sentimientos por mí.

Sus palabras reverberan en las paredes, o tal vez lo hacen en mi pecho, pero no digo nada, tampoco tengo tiempo para hacerlo, porque se da la vuelta y sale de mi habitación. Ojalá también lo hiciera de mi vida, por su bien.

Toco la puerta del apartamento de Alejandra, espero unos segundos y esta se abre dejando a la vista a la persona que me mira y frunce el ceño, el mismo que luego le da una bonita sonrisa a mi compañero.

—Hola, Anastasia y Dylan —dice Diego con un tono alegre—. Adelante, Alejandra está en la sala de estar con los demás.

Paso por su lado sin mirarlo mucho para no darle rienda suelta a mis emociones, y, como casi siempre, el apartamento de la rubia está lleno de gente; muchos son compañeros de sus clases a los que había visto con ella antes, y a otros no los conozco de nada, se nota que mi amiga es muy popular.

—Menuda fiesta, corazón —dice Dylan con una sonrisa. Me acerco a Alejandra, Cameron, Bárbara y sus otros amigos. Diego se reúne al instante con nosotros.

—Vinieron —dice Alejandra con emoción.

—Vine —digo imitando su voz.

Saludo a todos los presentes y me mantengo un rato compartiendo con ellos y Dylan, como siempre, es el rey de la fiesta con sus encantos y sus malos chistes.

—Amorcín, acompáñame a fumar. —Me sonríe el mencionado.

—¿No puedes ir solo? ¿Acaso te vas a perder? —Levanto una ceja.

Él sonríe mientras junta sus manos en forma de súplica, y antes de contestar, ya me está arrastrando hacia la terraza en donde, por suerte, no hay nadie más. Me siento en el piso y Dylan me imita. Miro hacia adentro y Diego me observa con detenimiento. Siento un movimiento a mi lado y, cuando volteo, Dylan está sacando un porro de marihuana. Sacudo la cabeza; en general mis amigos casi no fuman, pero en algunas fiestas sí lo hacen y Dylan suele ser uno de ellos.

—Necesito relajarme un poquito, Amorcín —dice, y me río—. ¿Qué te ocurre?

—Estoy bien, es solo que a veces pienso que… soy un desastre de persona.

Él suelta una carcajada antes de darle una calada a su porro. Hago una mueca de asco y muevo la mano para quitar el humo de mi cara.

—Como tu amigo de años tengo el derecho de confirmártelo, eres un desastre de persona. —Me da un empujón.

—Pero, aun así, no puedes vivir sin mí.

—Ese chico, Diego. —Apunta al susodicho, quien frunce el ceño porque se da cuenta de que mi amigo lo apunta con el dedo. Tomo su mano y se la bajo con rapidez porque es de muy mala educación señalar a la gente.

—¡Dylan! —lo reprendo—. Que se dio cuenta de que lo estabas apuntando, ¿no puedes disimular un poco?

—No. —Suelta una risa—. Yo necesito brillar y si voy a hablar de alguien más, mínimo que se dé cuenta —bromea. Lo miro con los ojos muy abiertos. Es oficial, mi amigo perdió el último tornillo que tenía en la cabeza.

—Tu ego es increíble. —Ruedo los ojos y luego miro al cielo estrellado.

—Trato siempre de superarme, sabes que es mi meta de todos los días. —Me giro a verlo y me guiña un ojo, no puedo evitar reírme por sus palabras—. Pero cambiando de tema a algo no tan espectacular como yo... —Estallo en una carcajada—. ¡Oye, tonta! —Tira de un mechón de mi pelo—. Déjame hablar… Ese chico: Diego, se le nota que quiere algo más contigo, ¿y sabes qué? Me pregunto muchas cosas.

—¿Tú piensas? —inquiero con sarcasmo. Bufa y me echa el humo en la cara.

—Joder, Dylan.

—¿Te gusta Diego? ¿Quieres algo más con él? Como tu amigo te digo que hacen una bonita pareja, pero... —susurra más despacio, me rodea con su brazo y me lleva a su pecho— tú y yo nos veríamos mejor juntos.

—¡Ja, ja, ja!

—Responde, Amorcín, no seas tímida —insiste. Mis ojos vuelven a Diego, quien no nos quita los ojos de encima mientras se lleva el vaso plástico a los labios.

—Puede —respondo encogiéndome de hombros.

—¡Puede! —Se emociona.

Arrugo las cejas ante su entusiasmo.

—Estás loco, me voy adentro. —Me levanto, pero él me agarra de la mano y me sienta de nuevo—. ¡Hey, imbécil! ¿Qué te pasa?

Dylan me saca la lengua y se pone en pie con apremio. Entra al salón y pone el seguro. Abro más los ojos cuando lo veo caminar con pasos decididos hacia Diego.

—¡Dylan! —grito—. Lo voy a matar, es un maldito chismoso —digo en voz alta, aunque nadie puede escucharme.

Mi instinto asesino emerge cuando lo veo hablar de forma bastante animada con Diego. ¡Ese idiota! Empiezo a golpear la ventana para que me dejen entrar, pero nadie me escucha por lo fuerte de la música.

Doy un paso atrás al ver que Diego se dirige en mi dirección. Se detiene frente a Alejandra, se inclina hacia ella y hablan por un momento. Luego esta se levanta y cierra las cortinas del ventanal.

—Oh, grandioso, mi culo se está congelando aquí —mascullo de mala gana. Vuelvo a sentarme en el suelo siendo consciente de que en algún momento Dylan tiene que volver. Yo misma lo voy a matar. La ventana se abre de repente, me levanto deprisa y camino decidida, pero me topo con el duro torso de Diego.

—Está cerrado —dice con voz gruesa.

Levanto la mirada y entorno los ojos.

—Quiero irme.

—No podrás escapar de mí. Estamos solo tú y yo. —Su voz sale ronca pero suave. Sus manos se enganchan a mi cintura, atrapándome—. Hablemos, Anastasia.

—Diego, tengo frío y quiero irme. Además, creo que tú y yo no tenemos nada de qué hablar, te recuerdo que te ibas a alejar de mí.

Me observa por un segundo antes de abrazarme con fuerza ignorando mis palabras. Me quedo quieta.

—¿Qué estás... haciendo? —pregunto con la voz entrecortada.

—Te abrazo porque no quiero que te enfermes, pero necesitamos hablar. —Me acaricia la espalda regalándome de su calidez, luego se separa un poco, pero no me suelta—. Primero que nada, ya te lo he dicho como mil veces: aunque intentemos mantener la distancia, no funciona, nosotros no podemos controlar esto. Míranos, Anastasia, volvimos a estar juntos en una fiesta de Alejandra.

Me mantengo en silencio y solo lo miro.

—Y, en segundo lugar, iba a mantener mi promesa de alejarme de ti, pero tu amigo llegó diciendo que sientes algo por mí, es por eso que te quiero preguntar algo y quiero que seas sincera conmigo.

Achico los ojos y lo miro con atención. Sus dientes aprisionan su labio inferior, un gesto que no me pasa desapercibido y que, de hecho, me hace querer ser yo quien muerda ese labio. ¡Dios!

—¿Te gusto, Anastasia?

Su pregunta me noquea por un segundo. Luego pongo mis manos en sus brazos y me aparto solo un poco para intentar ver dónde está Dylan, pero las cortinas me lo impiden.

—Lo voy a matar. Ese imbécil me traicionó —gruño, molesta.

Diego afianza una mano en mi mentón y hace que lo mire de nuevo.

—¿Te gusto? —repite con una voz tan ronca que me provoca un pequeño suspiro y una sonrisa crece en sus labios.

Se inclina más hacia mí y nuestras miradas se conectan. Dejo salir el aire siendo consciente de que de verdad me gusta. No quiero negarme a sentir amor por alguien porque lo merezco, y aunque tengo terror de que mis demonios lo alcancen y lo lastimen, algo dentro de mí me empuja a querer luchar por lo que siento por él. Estoy cansada de prohibirme cosas y merezco volver a sonreír.

Me muerdo el labio inferior sin poder apartar los ojos de él. Es perfecto, no puedo seguir negándolo; y está decidido, voy a protegerlo de las sombras que me persiguen y no voy a dejar que nadie lo toque nunca. Haré todo lo que esté en mis manos para que jamás se entere de mi pasado y que seamos solo nosotros dos, sin lastres que nos lastimen.

—Puede —confieso con una pequeña sonrisa.

—Puede —repite con esa jovial sonrisa que utiliza siempre que necesita ser arrebatadoramente encantador y salirse con la suya.

—No quiero tener sentimientos, Diego.

Él suelta una risa antes de pasar un dedo por mis labios.

—Yo tampoco quiero tener sentimientos, Anastasia, y menos por ti. Porque eres la única chica que me puede romper el corazón. Mi mente me dice que me aleje de ti lo antes posible, pero estos estúpidos sentimientos me dicen: «no te alejes de ella» —dice con voz ronca, y a continuación me levanta con agilidad, logrando que por inercia mis piernas se enrollen alrededor de su cintura justo antes de que me lleve contra la pared y mi espalda toque la superficie plana y fría.

—Podemos intentar entonces no tener sentimientos, Diego —propongo con una sonrisa traviesa y recorro el contorno de sus labios con mis dedos.

—Me parece una estupenda idea. Tú no quieres sentimientos y yo tampoco —dice inclinándose sobre mí y quedándose dolorosamente cerca de mi boca sin llegar a rozarla—. Te odio.

—El sentimiento es mutuo. —Sonrío contra sus labios, y entonces lo veo en sus ojos, lo siento en mi pecho, ese calor envuelto en deseo, esas ganas que flotan en el aire y amenazan con consumirnos.

Capítulo 19

Con sus manos acunando mi rostro, sus labios se ciernen sobre los míos y me besa... Diego me besa con una brusquedad deliciosa que incendia mi cuerpo. Me aferro con fuerza a sus brazos, respondiendo el beso con las mismas ganas con las que me lo ofrece. Sus manos se deslizan hasta mi cadera. Su lengua invade mi boca robándome un gemido que lo hace jadear. Atrapa mi labio inferior y lo succiona antes de morderlo.

Rodeo su cuello con mis brazos y lo atraigo de nuevo hacia mí para besarlo con rabia por todo lo que me hace sentir casi en contra de mi voluntad. No quería volver a caer por alguien, pero aun así aquí estoy, volviendo a sentir.

—Anastasia —susurra con voz aterciopelada, recorriendo mi mejilla con sus labios carnosos, desatando fuego en las zonas más sensibles.

Y entonces vuelve a atacar, vuelve a besarme y nuestras lenguas danzan juntas en un baile de odio, pasión y deseo. Se separa solo para dejar pequeños besos en mi cuello.

—Mi bella. —Su voz ronca y *sexy* recorre cada parte de mi cuerpo y me estremezco—. Salgamos de aquí —pide y asiento.

Entrelaza nuestras manos antes de tocar tres veces el ventanal en donde Alejandra asoma la cabeza y, por instinto, deshago el agarre.

—¿Todo bien? —pregunta la rubia con un tono de diversión.

Miro a otra parte porque tal vez ella nos vio. Diego posa una mano en mi cintura y asiente con la cabeza; su expresión es indescifrable.

—Sí, todo está bien, mi querida Ale; como siempre, ha sido un honor venir a tu apartamento, pero nosotros nos vamos, le daré un aventón a la bella, ¿verdad?

Miro a Alejandra, que lleva una sonrisa en la cara. Me quedo inmóvil, pero Diego me pellizca la cadera y me hace dar un respingo

—Sí, yo... Tengo frío y estoy cansada. —Me acerco a la rubia y le doy un beso en la mejilla—. Nos vemos mañana, guapa.

—Tienes que contarme todo. —Me da un abrazo antes de dejarme entrar. Me despido de todos y me dirijo con pasos decididos a Dylan, quien está coqueteando con una chica.

Le doy un golpe en el hombro que lo hace volverse hacia mí. Me sonríe ampliamente y mete las manos en los bolsillos de su pantalón.

—Adiós, imbécil. —Me acerco más a él—. Me las vas a pagar —lo amenazo en un susurro para que solo él me escuche, pero mis palabras lo hacen sonreír.

—Ya me agradecerás esta noche —susurra de vuelta—. Espero que tengas una noche movidita. —Se aparta y lo veo levantar las cejas de arriba abajo con malicia.

—¡Imbécil!

Diego posa una mano en mi espalda baja y se despide de Dylan. Vuelvo a mirar a mi amigo y sigue con su maldita sonrisa. Le doy una mirada acusadora y le levanto mi dedo del medio; es un chismoso.

Entramos en el ascensor y miro a mi acompañante de reojo. Suelto un suspiro al mirarlo, es perfecto el imbécil y lo sabe. Deja salir una risa vibrante.

—Me gustas mucho —dice, y antes de que pueda responder, tira de la manga de mi chaqueta, obligándome a caminar ridículamente rápido hacia él, hasta que choco contra su pecho. Desliza una mano debajo de mi camiseta, acaricia mi vientre plano y va subiendo hasta llegar muy cerca de mis pechos. Aguanto la respiración.

—Me vuelves loco, Anastasia. Jamás había sentido esto, y sé que suena cliché, pero es verdad —murmura con voz ronca, y sus labios cálidos acarician la piel de mi cuello justo antes de besarlo, provocando que mi cuerpo arda por dentro.

¡Soy una maldita hoguera!

Entramos al apartamento de Diego, quien me acorrala contra la pared sin perder tiempo. Lleva una de sus manos a mi mejilla y me acaricia. Mi respiración enloquece.

—¿Nerviosa? —pregunta con una sonrisa presuntuosa.

Niego con la cabeza. Él sonríe autosuficiente. Toma mi cabello en un delicado puño y deja el primer beso en mis labios, el segundo en mi mentón, el tercero en mi garganta y pierdo la cuenta cuando su boca se desplaza hasta mi cuello prestándole especial atención. Cierro los ojos con fuerza y unos cuantos suspiros se me escapan entre los labios. ¡Dios!

Retrocede con el mismo recorrido y vuelve a incorporarse hasta detenerse en mi cabello inspirando mi aroma. Me estremezco. Vuelve a acunar mi rostro entre sus manos y me mira un momento como si no pudiera creer que esté con él. Pega su boca a la mía y su lengua se abre paso con ímpetu. Mis manos parecen reaccionar por fin y se plantan en su pecho para acariciar su firme torso.

—Diego… —Su nombre me sale casi en un jadeo y, como respuesta, rompe el poco espacio entre los dos y frota su dureza contra mí. Sus manos viajan a mis muslos y, sin previo aviso, me levanta. Mi pulso se acelera y mis piernas no protestan, todo lo contrario, rodean su cadera.

Sus pies se mueven hasta sentarse en un sofá, llevándome consigo en su regazo. Me separo de él despacio, intentando controlar mi respiración. Noto sus labios hinchados y paso mi pulgar por ellos.

—Eres preciosa. —Sus ojos están dilatados—. ¿Eres real? ¿Estás aquí o solo estoy soñando con una erección? —pregunta con su jovial sonrisa descarada.

—Diego. —Me acerco a él con una sonrisa coqueta—. ¿Acaso has tenido fantasías sexuales conmigo?

Sus manos en mi cintura me guían en un movimiento de atrás adelante, creando una fricción perfecta entre nuestros cuerpos. Me dejo llevar y reacciono en consecuencia siguiendo el ritmo. Se me escapa un gemido.

—Anastasia… —me da un beso fugaz—, tú eres mi jodida fantasía. Te deseo en todas las posturas que mi pervertida mente ha podido imaginar —suelta con descaro, seguido de una contrastante sonrisa inocente.

—Pervertido —digo antes de besarlo—, pero... tengo algo que confesarte.

Sus ojos me escanean mientras me acerco más a él sintiendo mis mejillas calentarse.

—Dime, Anastasia: ¿por qué te has sonrojado tanto? —pregunta intrigado.

Me muerdo el labio inferior mientras lo miro. Llevo una de mis manos a los mechones negros que caen en su frente y juego con ellos. Es hermoso y tengo que ser sincera con esta parte de mí porque aún no me siento lista. Suspiro.

—Soy virgen —confieso en voz baja.

Lo observo esperando que estalle en una risa o que diga algo estúpido, pero solo se queda callado por un par de minutos poniéndome nerviosa. Le doy un golpe en el hombro para que me diga algo. Pestañea varias veces.

—Virgen, ¿eh? —Sonríe—. No lo hubiera pensado, ya sabes, hace un momento te frotabas contra mí sin piedad, cariño —dice burlón.

—Tampoco soy una santa, Diego. —Mis manos suben y bajan por su pecho, despacio—. Solo llegué a… ya sabes, masturbaciones y un poco más con mis otras parejas, pero nunca lo he hecho.

Gruñe por lo bajo y echa la cabeza hacia atrás por unos segundos antes de mirarme con los ojos oscurecidos.

—¡Dios mío! —exclama excitado.

—No estoy lista aún —confieso con seriedad.

Si no me entregué a Nicolás cuando lo amaba con todo mi corazón, no me siento muy segura de hacerlo con él.

—Te esperaré todo el tiempo, no soy tan pervertido, Anastasia —bromea con una sonrisa coqueta—. ¿Duermes conmigo? —propone jugando con mechones de mi pelo.

—¿Solo dormir? —pregunto. Él asiente y yo me acerco a su oído—. ¿O podemos divertirnos un rato? —Muerdo con suavidad el lóbulo de su oreja y vibra bajo mi cuerpo.

—¡Joder! Quiero hacer muchas cosas sucias contigo.

Me inclino y estampo mis labios contra los suyos. Mis caderas cobran vida propia y empiezan a moverse con cadencia, haciéndonos soltar gemidos producto de la excitación. Me muerde el labio y gruño palabras incoherentes.

—¡Mierda! —farfulla con la respiración agitada, sin dejar de mirarme. Sus dedos se clavan en mis caderas y mi corazón se desboca aún más—. ¡Dios, Anastasia! Mejor vamos a mi cama.

Me levanta con facilidad y empieza a caminar a su habitación. Mis dedos se escabullen entre sus suaves hebras.

—¿Te gusta mi pelo?

—Sí, es lindo —admito sin dejar de acariciarlo.

Me pierdo tanto en su mirada llena de lujuria, que apenas soy consciente cuando me deja sobre su cama. Se aparta un poco para mirarme, pero el deseo me mata, así que tiro de su camiseta y lo atraigo hacia mí.

—No pienses tanto, Diego.

—No pienso, solo te observo. No puedo creer que por fin estés en mi cama —dice con voz jadeante—. Joder, te deseo tanto y estoy tratando de no comportarme como un animal contigo, Anastasia

—Eres lindo, pero no tengas miedo, Diego. Santa no soy. —Le guiño un ojo y me incorporo lo suficiente para sacarme la chaqueta y la camiseta, todo bajo su atenta mirada.

Lo veo tragar saliva y sonrío mientras tomo el dobladillo de su camiseta y se la saco por la cabeza con su ayuda. Las comisuras de sus labios se elevan y un suave empujón de su parte hace que caiga de espaldas sobre el colchón. Mis piernas se abren y no tengo que indicarle nada cuando ya está en medio de ellas.

—Perfecta —susurra—. Serás mi jodida perdición, Anastasia, me tienes en tus manos —dice antes de besarme con intensidad. Sus manos acarician mis pechos por encima del sujetador y no puedo evitar que mi respiración se convierta en un desastre.

Sus labios empiezan a repartir besos por todo mi cuerpo, sus manos exploran mis suaves curvas. Me deleito en cada una de las sensaciones que me provoca. Las puntas de sus dedos rozan el borde de mi sujetador y tiemblo de anticipación. No tarda en quitármelo de encima y exponer mis pezones erguidos. De repente se queda quieto, no parece que respire mientras mira la desnudez de la parte superior de mi cuerpo. ¡Hombres!

—Tienes unos pechos perfectos —dice con una sonrisa traviesa.

Empieza a hacer cosas espectaculares en mi cuerpo, amasando mi pecho izquierdo y besando el derecho. De mi boca salen incoherencias y gemidos. ¡Cómo me gusta!

Vuelve a mis labios y los acaricia con los suyos. Nuestras lenguas se encuentran y danzan gustosas. Una de sus manos sigue descendiendo hasta llegar al inicio de mi pantalón y, con una habilidad increíble, desabrocha el botón. Siento la calidez de su palma colándose entre mis bragas y, sin titubear, sus dedos rozan el punto exacto en el que una mujer puede enloquecer.

—Jo-der… —gimo sintiendo sus dedos hacer magia sobre mi zona sensible.

Uno de sus dedos resbala sobre mi humedad y mi espalda se arquea cuando lo introduce en mi interior.

—Die... go…

—Eres bellísima. —Introduce otro dedo con sigilo y comienza a moverlo en círculo—. ¿Te hago daño? —pregunta mirándome.

—Está… perfecto. —Me muerdo el labio inferior casi al mismo tiempo en que su boca se cierra en uno de mis pezones y lo succiona con vehemencia. Los movimientos de sus dedos se apremian y un gemido rasposo se arrastra por mi garganta; soy recompensada con su lengua presionándose sobre mi pezón. ¡Santo cielo! Sus manos crean magia y me lo demuestra cuando me arranca un orgasmo alucinante y caótico. ¡Por Dios!

Cierro los ojos e intento calmar mi respiración una y otra vez. Cuando lo logro, levanto los párpados y veo a Diego mirándome con deseo.

—Eres… ¡Joder! Es fascinante ver cuando te corres.

Sonrío complacida, lo empujo hacia un lado y me siento en su regazo.

—Tu turno, guapo.

—Soy todo tuyo, Anastasia. —Me acaricia la mejilla.

Paseo mis manos por su torso duro y bien marcado. Una de ellas desciende al cierre de su pantalón. Me deshago de ese pequeño obstáculo para llegar a mi objetivo. Lo miro y me desplazo para que pueda ayudarme a bajar su pantalón y bóxer; lo hace.

—Es grande —digo con una sonrisita.

Suelta una risa grave y me guiña un ojo.

—¡Basta de juegos! —susurro.

Mi mano rodea su erección, esparzo el líquido preseminal por la punta rosada y empiezo a subir y a bajar a un ritmo lento pero constante. Lo escucho gruñir y veo sus ojos girarse por el éxtasis.

—¡Eres una diosa! —Me detengo a mirarlo. Se ve tan… *sexy*. Abre los ojos, toma un puñado de mi cabello y me besa de tal manera que apenas respiro—. No… no pares —dice sobre mis labios y me obligo a reaccionar. Retomo el movimiento de mi mano, ahora un poco más rápido.

Mis labios vuelan a su cuello, ansiosos por besarlo. Y lo hago, beso su piel caliente, saboreo su sudor, su aroma. Beso su torso mientras mi mano acelera el ritmo. Tiembla bajo mi contacto y sus roncos gruñidos son mi única advertencia antes de que se corra sobre mis dedos. Sonrío al ver su rostro envuelto en una nube de placer. Me inclino y le doy un último beso antes de apartarme para ir al baño y limpiarme.

Cuando vuelvo, ya está limpio y trae otro bóxer. Se acerca a mí y planta sus manos en mis hombros, empujando hacia atrás, doy varios pasos hasta que me topo con el colchón. El deseo en sus ojos me hace vibrar por dentro.

—Acuéstate, aún no hemos acabado.

Obedezco su orden y su definido cuerpo se aplasta contra el mío. El beso llega rápido e intenso. Nuestras lenguas se enredan y bailan al ritmo de la lujuria. Enredo mis dedos entre su pelo y lo acerco aún más a mí. Me embriago de su sabor, de sus ansias, de las mías. Sus dedos se enroscan en uno de mis pezones en un pellizco suave que lo deja aún más erguido y necesitado.

—Anastasia, tengo que probarte —dice con voz gutural haciendo descender su caricia hasta la abertura de mis pantalones.

—Dios…

Estoy temblorosa y excitada. De pronto, sus dientes se aferran a mi clavícula y gimo de placer.

—¡Oh, joder! ¡Mierda, Diego!

—¿Acabas de decir «joder y mierda»? —suelta divertido con mi reacción, marcando con su aliento la piel que ya ha dejado enrojecida para luego dejar un pequeño beso.

—Es culpa tuya y de tus habilidades sexuales —lo acuso con una sonrisita.

Como toda respuesta, agarra mi sexo a través de la delgada tela de mis bragas y empuja sus dedos hacia el interior, provocándome.

Suelto un gruñido y parpadeo varias veces porque estoy demasiado excitada. ¡El maldito sabe lo que hace! ¡Me va a volver loca! Aprieto los muslos con fuerza, incapaz de pronunciar ninguna palabra coherente, mientras clavo las uñas en sus brazos.

—Dime que sí —me tienta, repitiendo el movimiento y absorbiendo mi grito con su boca.

—¡Mierda, sí!

Su expresión cambia de repente antes de darme un beso tierno en la frente que casi me hace soltar una carcajada.

—No vamos a llegar más lejos de donde tú quieras, Anastasia, lo digo en serio. Voy a esperar a que estés preparada y segura de que realmente quieres hacerlo conmigo.

¿Cómo puede ser tan lindo?

Asiento con la cabeza y lo beso una vez más. Al poco tiempo, su boca desciende hasta mi mandíbula besándome de forma deliciosa, y luego va bajando despacio hasta alcanzar con delicadeza la cima de mis pechos.

Vuelve a lamer y estira uno de mis pezones a la vez que masajea el otro, repartiendo un cosquilleo que me hace suspirar. Pero no se detiene ahí; sus caricias avanzan tocando toda mi piel y luego, inesperadamente, hunde dos dedos en mi sexo, estimulando el punto exacto que me hace enloquecer y gritar su nombre de nuevo.

Todo mi cuerpo arde; nunca me había sentido así. Exhalo un gemido de intenso placer. De pronto, detiene sus caricias, su otra mano comienza a bajar hasta llegar a mi cadera y noto cómo se aparta y toma posición entre mis piernas, levantándome un tobillo hasta la altura de su rostro. Sus dientes lo rozan incitándome y a la vez produciéndome una descarga eléctrica en toda mi piel.

Tiemblo ante la deliciosa tortura.

—Quédate quieta, bella.

Apenas logro entender lo que me dice, estoy perdida en las sensaciones y mis manos se cierran sobre las sábanas. Noto cómo va subiendo con suavidad, arrasando con la poca estabilidad que me queda, marcando primero la cara interna de uno de mis muslos y luego el otro dándole pequeños besos que hacen que mi respiración se corte por las ansias.

De repente, se separa de mí y me mira con diversión, se sitúa de modo que su cabeza acaba frente a mi ombligo, donde deja un húmedo beso. Me guiña el ojo justo antes de desplazarse y hundir su boca entre los labios de mi sexo; mi espalda se arquea como respuesta.

—¡Jesús! —exclamo, atontada, perdida entre las emociones avasallantes.

Una oleada de intenso placer sacude mi cuerpo cuando la punta de su lengua toca mi clítoris. Las sensaciones son incluso más intensas que las que sentí un rato atrás y su lengua deslizándose por mi sexo me hace delirar una y otra vez. ¡Mierda, tiene experiencia!

Clavo mi mano en su nuca, atrayéndolo aún más hacia mi sexo, exigente, y él me complace haciéndome vibrar con cada toque. El fuego besa mi piel con pericia mientras él me come hambriento. ¡Joder!

Suelto tremendo suspiro cuando, un minuto después, alcanzo otro orgasmo arrasador. Ahora mismo, mi cuerpo es una gelatina y no puedo hacer nada más que suspirar y seguir respirando para vivir.

Una sonrisa aparece en mi cara.

—¿Anastasia? —musita.

—¿Q-qué?

—Estás preciosa —dice poniéndose a mi altura y depositando un nuevo beso cálido y tierno sobre mi boca que me tranquiliza de inmediato—. A dormir, mi Anastasia.

Me abraza firme, cálido, y vuelvo a soltar un suspiro que lo hace emitir una risa ronca. Nos miramos fijamente y pasa un dedo por mi labio inferior.

—Pensé que me odiabas —susurra.

—Aún te odio —bromeo—, pero también me gustas. —Juego con varios mechones de pelo rebelde que caen en su frente—. Tengo una especie de amor-odio por ti, aunque no sé si va ganando el amor o el odio. ¿Por cuál lado debería irme? —pregunto. Achica sus ojos y lo miro con una sonrisa.

Me da un beso suave antes de responder.

—Yo opino que... —Se pasa una mano por la barbilla pensando en su respuesta—. Que tú deberías amarme con locura. Soy una persona muy ardiente y *sexy* para que tú no me ames. —Me guiña el ojo de forma juguetona.

Sonrío mientras acaricio su mejilla.

—Yo creo que me voy por el odio. —Me doy la vuelta con dramatismo y me cubro hasta arriba con la gruesa sábana—. Gracias por los orgasmos, guapo.

Sus brazos me rodean por detrás y sus labios empiezan a dejar un rastro de pequeños besos en mi hombro. Mi piel los recibe gustosa.

—Solo me quieres para tu placer.

Lo miro de reojo con una sonrisa ladeada.

—Me has pillado —bromeo.

Su carcajada me vibra en el pecho.

—Te pones tontita conmigo, ¿eh? —Me muerde el lóbulo de la oreja y un pequeño gemido abandona mis labios—. Adoro ese sonido y quiero escucharlo más seguido —declara con voz ronca.

—¿Tontita? Mira quién lo dice —bufo e ignoro la última parte de su declaración.

—Yo no me pongo tontito como tú. —Afianza su brazo en mi cintura—. Al contrario, me pongo más ardiente, *sexy* y más guapo —dice con orgullo.

Empujo hacia atrás para separarlo de mí, sin éxito.

—¡Dios mío! Déjame respirar que tu ego se está robando todo el aire en la habitación. —Aprieto los labios para no romper a reír.

Su aliento en mi cuello me indica que sonríe mientras me abraza con más fuerza. Suspira.

—Vamos a dormir, mi bella. —La suavidad de su voz me mima y me dejo ir entre sus brazos. En el calor de su piel, en lo embriagante de su aroma, en el "quizás" que parece elevarse cada vez que está junto a mí.

Capítulo 20

Escucho la madera crujir bajo unos pasos y me remuevo en mi cama. Siento la presencia de alguien en mi cuarto y abro los ojos de golpe. El terror se apodera de mí cuando esos ojos azules se cruzan con los míos. Mi cuerpo entra en tensión cuando lleva un dedo a su boca indicando que me quede callada.

—Hola, Darling —me saluda con una enorme sonrisa—. ¿Pensabas que no te iba a encontrar, Anastasia?

Un arma se clava en mi cabeza. Intento moverme, pero hace más presión en mi frente y lágrimas gruesas comienzan a caer por mis mejillas. Se sienta a mi lado, toma un mechón de mi pelo y se lo lleva a la nariz.

—¿Por qué no me dejas en paz? —susurro sin dejar de llorar. Él me limpia las mejillas como si nada—. Tienes una orden de alejamiento, no puedes... No puedes estar aquí.

Suelta una pequeña risa burlona que me pone los pelos en punta, o tal vez es la caricia que deja en mi pierna la que me sobresalta; no quiero que me toque.

—Un papel inútil no va a lograr que me aleje de ti. —Toma mi barbilla entre sus dedos. Me remuevo para que me suelte, pero logro lo contrario, ejerce más presión sobre ella—. Tenemos un juego muy entretenido tú y yo. Un juego que no me apetece abandonar. Me estimula espiarte a la distancia, y luego, cuando llego a mi apartamento, me masturbo pensando en ti. ¿Te gusta saber lo mucho que me pones?

Suelto un pequeño sollozo que se corta a medio camino cuando se inclina y deja un suave beso en la esquina de mis labios. Asco, siento asco.

—Por cierto, no creo que un psicólogo te ayude a superar todo lo que has pasado. —Su risa es ligera, y a la vez tan pesada y fría—. ¿Crees que podrás olvidar todo lo que hemos vivido juntos con un profesional? Lo dudo mucho. Ya has visto a dos de esos idiotas en diferentes ciudades, y aún sigues temblando de miedo por mí.

No respondo; el miedo me silencia, me tortura.

—Eres mía, Anastasia... Mía y de nadie más.

Doy un pequeño salto de la cama, perdida, desorientada. Inhalo profundo cuando me doy cuenta de dónde estoy. Me limpio las lágrimas mientras observo cómo Diego duerme profundo. Vuelvo a acostarme y me paso un rato reuniendo todas mis fuerzas para apartar ese recuerdo de mi mente. Cuando lo logro, me dejo caer en los brazos de la noche que aún no termina.

Alguien reparte besos por toda mi cara. Me remuevo bajo el acto y pestañeo varias veces para despertar. Una caricia en mi estómago me hace girar la cabeza para encontrar a Diego junto a mí con una sonrisa en los labios. Se ve tan guapo recién despierto. No le doy tiempo a decir nada, me levanto con rapidez y voy al baño, hago mis necesidades y me lavo los dientes con mi dedo y crema dental.

Corro hacia la cama y me lanzo sobre el colchón. Su risa divertida reverbera en mi pecho y su calor se cierne sobre mí cuando su boca toca la mía con un beso largo y perezoso. Una de mis manos se alza sobre sus hebras y la otra se desliza sobre su torso duro. Me levanta con facilidad y me sienta encima de él. Tomo su cara entre mis manos, chupo su labio inferior y luego lo muerdo con ganas. Abre la boca y me da acceso a su lengua. La mía la acaricia, la envuelve.

—Buenos días, mi bella —susurra contra mis labios antes de volver a besarme calentando mi piel.

—Buenos días, guapo. —Sonrío.

Me dejo caer a su lado, la cama está calentita y no me quiero levantar, pero él no tarda en atraerme a su pecho.

—¿Quieres que te cuente un secreto? —pregunta, acariciando mi pelo.

—Tengo que pretender que me interesa, ¿verdad? —Enarco una ceja y una sonrisa enorme aparece en sus bonitos labios.

—Te ves jodidamente preciosa en mi cama, durmiendo conmigo, eres un sueño hecho realidad —confiesa en un susurro ronco. Hay un brillo en sus ojos.

—¿Cuánto tiempo me has deseado? —pregunto con diversión.

—Desde el momento en que te vi. —Sonríe y su mano comienza a subir por mi espalda—. Desde ese día te empecé a desear y mientras más te conocía, más me gustabas. ¿Sabes? Me dolía cada vez que me rechazabas, de verdad que me lastimaba. —Frunce el ceño y pone un mechón detrás de mi oreja—. Pero no me arrepiento ni por un segundo de sufrir todos esos rechazos porque ahora estás aquí, Anastasia. Eres fantástica, divertida, inteligente y bella, y con todas esas cualidades no podía dejarte escapar. Eres mi sueño hecho persona.

Yo asiento varias veces, lo que hace que Diego ría.

—¿Qué?

—Nada, es solo que es interesante lo que dices, y quisiera decir lo mismo, pero al principio me dabas algo de miedo por lo insistente que eras; aunque confieso que soy una persona terca y me costó admitirme a mí misma que me gustabas, así que ya te puedes imaginar por qué me costó tanto admitirlo ante ti. —Acaricio su abdomen y noto cómo se tensa bajo mi contacto—. Me gustas, Diego, y mucho.

Un suspiro de alivio sale por su boca mientras juego a dibujar en su piel. El movimiento de mis dedos se detiene cuando un pensamiento se instala en mi cabeza. No puedo contarle sobre mi pasado, pero debería ser sincera sobre mi renuencia a sentir. Levanto la cabeza para encararlo, él me devuelve la mirada.

—Diego, yo amé profundamente a alguien hace un tiempo —confieso y arruga las cejas. Suspiro y me incorporo cruzándome de piernas; él me imita—. Lo amé tanto que me cegué. Él me traicionó de una forma horrible, me destruyó en un segundo, es por esa razón que me aterra el amor.

Su mirada se queda sobre mí por unos segundos antes de tirar de mi mano y hacer que me siente en su regazo. Sus brazos me acogen con fuerza y, casi por instinto, escondo mi rostro en su cuello aspirando su delicioso aroma. Y por tonto que parezca, sus dedos acariciando mi espalda me trasmiten una seguridad que llevaba años sin sentir.

—Y ahora él disfruta con mi dolor —susurro con la voz rota.

Me separo despacio y pestañeo varias veces para no llorar. Cada vez que hablo sobre ese monstruo se me hace un nudo en la garganta, no porque lo siga queriendo; todo lo contrario, lo odio, aunque también hay algo que siento hacia él y que no puedo evitar: miedo.

—Yo antes era feliz, Diego. No siempre estuve a la defensiva con todo el mundo. —Esquivo su mirada—. Antes amaba la persona que era, pero ahora... Ahora yo solo sigo adelante. De eso se trata la vida, ¿no? —La tristeza envuelve mi pequeña sonrisa.

Su pulgar se desliza por mi mejilla izquierda limpiando una lágrima solitaria. Eso llama mi atención haciendo que vuelva a encontrarme con sus ojos. Me estremezco ante todas las emociones que danzan en sus pupilas.

—Mi familia murió —musita. Cierra los ojos y noto cómo su pecho sube y baja con violencia—. Fui el único que sobrevivió.

Sus palabras impactan en mi pecho y las piezas rotas de la tristeza aguda en sus ojos parecen encajar. No puedo ni imaginar su dolor. Me acerco y lo abrazo con fuerza. No sé qué decir, porque ¿qué se le dice a alguien que ha perdido todo? ¿Qué se le dice a una persona a la que el destino le arrancó de las manos a sus seres más queridos? No creo que existan palabras suficientes, porque para mí, cuando se trata de mi hermano y el horror que he padecido, no las hay.

—Estamos rotos, Anastasia —afirma con una voz tan baja que apenas lo escucho. Lo abrazo más fuerte y sus labios me responden con un beso en el cuello—. Pero contigo ya no me siento incompleto —dice, y su aliento choca sobre mi piel.

Su declaración me deja con el corazón encogido. Trago saliva. No debería sentir miedo con sus palabras, después de todo, se supone que quiero volver a sentir, ¿o no? ¡Dios! Ni yo misma me entiendo, el lío que hay en mi cabeza me sobrepasa.

—Sin sentimientos, Diego. —Beso su mentón.

—Sin sentimientos, Anastasia —repite con un tono bajo que me resulta tan sensual hasta el punto de sentirme mareada. ¿Pero qué me pasa? No sé si es consciente de lo que me provoca, pero tampoco me da tiempo a pensar más cuando estampa sus labios contra los míos. ¡Dios! En un par de segundos sus manos me giran hasta que mi espalda toca el colchón y él se sitúa justo en el espacio entre mis piernas. Acaricia mis muslos.

—¿Me romperás el corazón?

Atrapo mi labio inferior entre mis dientes por un instante.

—Soy un desastre de persona, Diego, no me hagas esa pregunta. —Desvío la mirada, pero me toma la barbilla.

—¿Me romperás el corazón? —repite.

—No quiero hacerlo —confieso. Suspira y me acaricia la mejilla con la nariz—. Y tú, Diego… ¿Me destruirás?

Las comisuras de sus labios se elevan levemente justo antes de empezar a repartir besos en toda mi cara.

—Todo lo contrario, Anastasia, quiero cuidarte —susurra cuando se detiene en mi boca.

—Eres tierno —digo con un toque de diversión. Rueda los ojos antes de estampar sus labios contra los míos y presionar su erección contra mí, lo que me hace soltar un gemido.

—No soy tierno, bella. En estos momentos quiero ser un puto salvaje con tu cuerpo —dice con la voz algo grave.

—Mmm... Me parece que sí lo eres —confirmo con una sonrisa burlona.

Apoya su frente sobre la mía y no soy capaz de ver nada más que no sea sus hermosos ojos café que me vuelven loca, y esos labios…, esos labios que saben cómo elevarme muy alto.

—Mmm... No sé si tengo que preocuparme por cómo me estás mirando en este momento, Anastasia. —Arquea una ceja, divertido.

—¿Cómo se supone que te estoy mirando?

—Como si me quisieras comer a besos, pero también como si quisieras pegarme un puñetazo —suelta, y una carcajada se arrastra por mi garganta, ronca, verdadera.

—¿Te había dicho antes que tienes una sonrisa irresistible para mí? —agrega y me observa—. Me fascina ver tu sonrisa, no tienes idea de la tranquilidad que me das.

Pestañeo varias veces, en serio no me creo que nunca haya tenido novia cuando sabe decir las palabras correctas para ser un buen novio. No entiendo por qué finge con todo el mundo algo que no es.

—¿Seguro que eres Diego? —pregunto asombrada.

—Este soy yo. El verdadero Diego. —Suspira—. Contigo jamás he fingido quién soy, bella, y me gusta que solo tú me conozcas.

Me besa, su lengua me invade, sus manos acarician mi piel, su contacto me quema y la vida en sí, bajo su cuerpo, me resulta diferente, real; como si, por un momento, volviera a ser yo de nuevo.

Capítulo 21

Anastasia

Una promesa, eso le hice a Diego después de comer la deliciosa comida que me preparó —sin duda tiene muchos talentos—. La promesa de volver a él. De regresar a sus brazos aunque sea a la una de la madrugada, y es que tuve la sensación de que no me dejaría salir y que seguiría comiéndome a besos si no lo hacía. Aunque no voy a negar que tener sus labios sobre los míos es una delicia.

Miro la pantalla de mi móvil y leo el mensaje de Javier donde me dice que está a punto de llegar. Me muerdo el labio inferior y miro el galpón abandonado donde se va a presentar Simón. Es una maldita locura estar aquí.

Decido no esperar y entro con cuidado, me apoyo en la pared para guiarme; las luces están opacas. Escucho unas voces en el cuarto de fondo, me acerco lo que más puedo y me agacho, llevándome una mano al pecho cuando reconozco la voz de Nicolás.

—Querido hermanito, todavía sigues enamorado de mi chica —dice, y mi corazón parece a punto de salir corriendo, lo que contrasta con mis pies que parecen pegados al piso.

—Ella nunca debió fijarse en ti —replica Simón. Frunzo el ceño—. Yo puse mis ojos en ella.

—Eres patético y un mal hombre. Te enamoraste de la chica de tu hermanito. —Noto la maldad en cada una de sus palabras y, sobre todo, en la suave risa que deja salir.

Aprieto los puños con el odio recorriendo mis venas. ¡Lo detesto! ¿En qué momento me enamoré de alguien como él? ¿En qué momento se convirtió en una persona despreciable?

—¡Tú fuiste! —gruñe Simón—. Yo la conocí primero y estábamos bien juntos. Tú te metiste entre nosotros con tus manipulaciones, la engañaste. ¡Eres un hijo de puta! —Doy un pequeño respingo cuando escucho algunas cosas caer.

—Ella es mía, imbécil. —La voz de Nicolás suena agitada.

—No es tuya y menos después de todo el daño que le hiciste. Ella te odia... —El rugido de un golpe en alguna superficie me alerta y me pongo de pie, pero me quedo inmóvil en el mismo lugar—. Aléjate de ella o te juro que...

—¿O qué, hermanito? Dilo —lo reta.

—Te mato, no dejaré que la vuelvas a lastimar y menos para tus cosas retorcidas. Ahora lárgate —grita Simón. La puerta se empieza a abrir y maldigo por dentro.

«¡Mierda, mierda!»

Retrocedo rápido, pero con cautela.

Noto otra puerta y me arriesgo a entrar. Un momento después escucho un azote; asumo que él se ha ido. Salgo del diminuto espacio y miro hacia la puerta en donde se encuentra Simón.

«Soy una estúpida», me digo cuando ya estoy girando la manilla. Me adentro en la habitación y me lo encuentro sentado en una silla, con el pelo rubio en punta y vestido de blanco.

—Lárgate de una puta vez antes de que te mate —dice sin levantar la vista mientras aprieta las manos en puños.

Me apoyo en el marco de la puerta y lo observo por unos instantes, está desalineado. Trago saliva recordando que antes éramos amigos y algo más, lo conocí porque era el mejor amigo de mi hermano y me enamoré cuando lo vi la primera vez en mi casa. ¿Por qué demonios tuve que toparme con los hermanos Ramírez? Ambos marcaron mi vida, aunque claro, nadie se compara con Nicolás, él es un monstruo.

—¿Me vas a pegar? Porque creo que te ganaría en una pelea.

Su cabeza se levanta de forma abrupta y sus ojos sorprendidos e incrédulos se topan con los míos. Levanto una ceja hacia él y doy varios pasos para adentrarme más en la estancia.

—Sorprendido, ¿eh?

Sacude la cabeza y sale de su estupefacción poniéndose de pie.

—Tú nunca dejas de sorprender. —Una sonrisa ladeada aparece en su boca.

Me desplazo por la habitación, no tiene gran cosa, solo es un viejo depósito donde se espera que empiecen las peleas ilegales.

—Soy una caja de sorpresas —digo con sarcasmo—. ¿Me amabas? —pregunto sin titubear.

—Anastasia, yo… —Se pasa una mano por su pelo despeinándolo aún más, sus ojos me esquivan y su cobardía me enfada.

—¿Me amabas? —repito con más firmeza.

—Sí —confiesa y sus ojos se encuentran con los míos—. Yo nunca te he olvidado, fue amor a primera vista cuando te vi en la casa de tus padres.

—Qué cursi, Simón —bufo—. ¿Por qué nunca me lo dijiste? Por lo que recuerdo, siempre dejaste los sentimientos fuera de lo que teníamos.

No olvido todo lo que pasé junto a él y esos recuerdos son agrios, dolorosos.

—Porque te enamoraste de mi hermano. Tus ojos solo eran para él. —Se deja caer en la silla de nuevo, cansado.

Me siento en la silla que tiene al lado. Nos quedamos callados por unos segundos más antes de que yo conteste.

—Las personas no elegimos de quien nos enamoramos, Simón.

—Supongo, pero todos los días me pregunto algo… —Lo miro de reojo—. ¿Qué hubiera pasado si me hubieras elegido a mí?

Hago una mueca. La realidad es que daría cualquier cosa por no haber conocido a Simón, y mucho menos a Nicolás. Levanto la mirada al techo unos segundos. Jamás me he planteado esa pregunta.

—No lo sé, supongo que mi vida no sería un caos.

—Perdóname, Anastasia, yo... Ese día intenté llegar a ti, pero solo pude sacarte de ahí y llevarte a un hospital. Tu hermano confió en mí, era mi amigo, pero yo no pude... —Su voz se rompe y desvía la mirada.

No puedo evitar que un par de lágrimas solitarias escapen de mis ojos. Duele cada vez que hablan o hablo de mi hermano. Duele. Es una herida abierta que parece contaminarse con su mención. El aire abandona mis pulmones y la rabia se impone ante la injusticia. Él no debió morir esa noche.

—No llores —me pide Simón. Trago el nudo en mi garganta y me limpio la humedad en mis mejillas—. No pude ayudarlo, mi hermano me puso una trampa y yo... —gruñe, molesto; de seguro recordando ese momento.

—No te culpes, Simón. Tu hermano está enfermo, ambos lo sabemos. Y creo que nunca te lo dije, porque me dolía siquiera verte, pero gracias por lo que hiciste por mí —digo con honestidad.

—Te entiendo, Anastasia. Para mí también fue difícil. Intenté volver a verte, pero desapareciste. —Suelta el aire con brusquedad—. Te juro que odio a mi hermano, odio lo que te hizo —sus palabras salen teñidas de rabia e impotencia.

—Supongo que tenemos algo en común.

—Tú y yo sabemos que tenemos más cosas en común, Anastasia —me recuerda con una pequeña sonrisa traviesa en los labios, desconcertándome por el cambio drástico de nuestra conversación.

—No lo creo, cambié.

—No tanto, aún sigues aquí conmigo.

Se inclina hacia mí y me levanto con brusquedad.

—¡Simón! —le advierto, incómoda y molesta.

—No me volverás a dar otra oportunidad, ¿verdad?

—No puedo… Jamás podría. Tú eres hermano de la persona que asesinó a mi hermano; además, hace años que no siento nada por ti. —Antes de que termine de hablar, él se levanta de su silla y se acerca.

—No soy como él. —Lleva una mano a mi mentón. Pongo los ojos en blanco—. Sabes que conmigo todo sería mejor.

Suelto una risa amarga.

—Sé que no eres como ese monstruo, pero tu hermano acabó con mi vida. Mi corazón está en pedazos y cuando te miro solo puedo pensar en esa noche. Fuiste mi ángel y te lo agradezco, pero duele verte, Simón. Duele mucho. —Me deshago de su agarre y camino con dirección a la puerta, pero una de sus manos me detiene con un agarre suave.

—Entonces, Anastasia, ¿qué haces aquí?

—No tengo por qué contestar. —Me quito su mano de encima.

—¿Qué haces aquí? —Se acerca un poco más—. Si tanto te duele mirarme, ¿qué haces aquí? Me confundes.

—No es mi intención, Simón, pero lo que hago aquí es de mi incumbencia.

—También la mía, ¿que no entiendes que mi hermano está obsesionado contigo y que quiere...? —Se interrumpe a sí mismo. Yo me cruzo de brazos.

—Continúa —le pido—. ¿Qué quiere Nicolás?

—Nada bueno. Aléjate de él, Anastasia.

—¿No me lo vas a decir?

—Solo aléjate de él. Sabes cómo es y no se detendrá hasta que vuelva a tenerte —me advierte y gruño de rabia. Él se acerca de nuevo, retrocedo y termino acorralada contra una pared—. No permitiré que te ponga una mano encima. No mientras yo esté vivo.

—No necesito guardaespaldas para que me protejan. —Le doy un empujón—. Acabaré con él.

—Es peligroso, Anastasia.

—No le tengo miedo, Simón.

Paso por su lado y me dirijo a la puerta. Él me toma de la mano y me entrega una pequeña tarjeta.

—Mi número, puedo ayudarte como siempre, Anastasia. Tengo unos amigos policías aquí en Barcelona en los que confío.

—Gracias, nos estamos viendo. —Abro la puerta y lo miro por encima de mi hombro—. Suerte en tu pelea de hoy.

Salgo del galpón abandonado, miro a todas partes y camino rápido a donde se encuentra Javier apoyado contra la puerta de su vehículo. Guardo la tarjeta en el bolsillo porque, no mentiré, las palabras que dijo Simón llamaron mucho mi atención.

—Me encanta cómo se ve el color negro en ti —me dice Javier con una sonrisa.

—Pienso lo mismo.

Nos subimos a su auto y avanzamos. Miro a Javier mientras conduce y sonrío. Durante el camino conversamos de lo que hablé con Simón y de la discusión que tuvo con su hermano, y mi corazón, aún roto, se alegra de tener a los gemelos y a Jonathan en mi vida. Con ellos no tengo secretos y, de alguna manera, se siente bien saber que no estoy del todo sola.

Capítulo 22

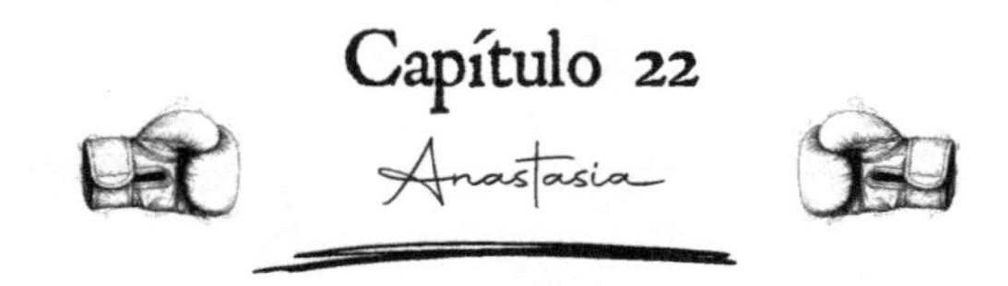

Me bajo del auto de Javier y entro en el ascensor. Observo mi celular, son las dos de la mañana. «¡Ups!, muy tarde, Anastasia». Camino un poco insegura al apartamento de Diego. Toco una vez y la puerta se abre despacio dejando a la vista a un Diego sin camiseta, mostrando su perfecto torso y la brillante tinta de sus tatuajes en su brazo izquierdo.

Abro la boca para decir no sé qué, pero tira de mí, cierra la puerta y me aprisiona contra ella. Lo miro con sorpresa por un segundo antes de sentir la colisión de sus labios contra los míos. Me toma un instante salir de mi estupor, y entonces le correspondo. Lo beso con deseo y rabia porque me estoy dando cuenta de que mis sentimientos por él van creciendo muy rápido. Y eso me jode porque el amor, pese a ser hermoso, de cierta forma, te hace débil.

—Te extrañé —me susurra con voz ronca.

Lo beso una vez más. Lo beso urgida, necesitada de su contacto, de su calidez. Me alza y mis piernas rodean su cadera mientras empieza a subir las escaleras. Cuando llegamos a su cuarto, se sienta conmigo en la cama con mis manos enganchadas a su cuello.

—Diego. —Sonrío contra su boca—. Estoy cansada.

—Yo igual. Solo te estaba esperando, pero mañana tú y yo todo el día en mi cama haciendo travesuras —me dice con su tono pícaro.

—Me parece una excelente idea. —Le guiño un ojo.

Me levanta y me deja en el suelo, me quita la chaqueta. Me entrega una de sus camisetas y camino al baño para cambiarme. Me lavo los dientes con un cepillo del que me he apropiado. ¿Cuándo llegué a este punto? Cuando estoy lista, salgo del baño y me dirijo directamente a la cama.

Apoyo mi cabeza en su pecho y cierro los ojos porque en verdad estoy agotada.

—¿Me contarás algún día tus secretos y tus miedos? —pregunta de repente.

El aire se atasca en mis pulmones por una fracción de segundo, luego inhalo y exhalo antes de responder.

—No es fácil para mí hablar sobre mis miedos y secretos, duele hablarlo en voz alta porque me hace abrir esa herida que intento cerrar. Algún día te lo contaré, Diego, pero por ahora no; lo prefiero así.

—Entiendo, eso puede ser devastador y me hace pensar que has sufrido aún más de lo que puedo ver en tus ojos. —Hace una pausa y me toma la barbilla entre sus suaves dedos para que lo mire—: Pero también me hace pensar que eres peligrosa.

—¿Crees que soy peligrosa? —pregunto, atónita.

—Sí —susurra sobre la piel de mi rostro y me estremezco por completo.

—Te dije que te alejaras de mí, Diego. Que estar conmigo no te iba a hacer bien —le recuerdo con un hilillo de voz.

—Pero lo hace, Anastasia. Tú me haces sentir bien. Además, para mí eres peligrosa, pero solo porque tengo miedo de que rompas mi corazón. Jamás me había interesado tanto por una mujer como lo estoy contigo. Entiéndeme, Anastasia, mi corazón se destruyó cuando mi familia murió y me costó muchos años sanar.

—Diego —musito con tristeza—. Yo también tengo miedo, pero no quiero pensar en el futuro o en el pasado. Solo importa el presente. —Tomo su cara entre mis manos—. Prometo cuidar tu corazón.

Me mira por un momento y un brillo en sus ojos me acelera el corazón. Sonríe.

—Eres cursi, bella, pero tienes razón. Nos cuidaremos el uno al otro y nos apoyaremos en las buenas y en las malas, porque eso hacen las parejas.

—Soy peligrosa —insisto y su cara enseguida se ensombrece.

—No lo eres, entiende eso. Eres una mujer que ha sufrido mucho, pero eso no te hace peligrosa.

—Tú no sabes nada —digo con un tono molesto, e incluso arrogante, que no pasa desapercibido para él, porque parece evaluar mi reacción.

—Entonces déjame conocer más de ti. —Lleva su mano a mi pecho, justo encima del músculo que late allí; me quedo quieta—. Permíteme conocerte, Anastasia, déjame entrar en tu corazón.

Trago saliva y me giro de golpe cubriéndome hasta arriba con las sábanas. No quiero hablar de eso, no ahora. Tal vez él no se da cuenta, pero me está pidiendo demasiado y no sé qué tanto podré ofrecerle.

—Solo inténtalo, Anastasia —suplica en mi oído mientras pega su pecho a mi espalda. No respondo y, un instante después, lo escucho suspirar cansado—. Buenas noches, bella.

Algo me despierta y no estoy segura de qué es hasta que veo a Diego caminar de un lado a otro. Sin notar que he despertado, arrastra una silla y se sienta con los hombros caídos y la cara entre las manos.

Observo el reloj que marca las tres y dos minutos de la madrugada. Me muevo con cuidado y me acerco a él.

—Diego —lo llamo y apenas reacciona—. Estoy aquí.

Me siento en su regazo y lo abrazo con determinación.

—Perdón, no quise despertarte —dice cuando me separo. Levanta un poco la mirada y noto lo rojos que están sus ojos.

Aprieto los párpados y apoyo mi frente contra la suya.

—No me pidas perdón. Estoy aquí para ti.

—No me dejes solo, por favor, Anastasia —me ruega con voz trémula.

Mi corazón se rompe cuando tomo su rostro entre mis manos y veo el dolor y la pena nadando en su mirada. Una lágrima recorre su mejilla y la atrapo con mi dedo.

—Me duele verte sufrir, no lo mereces —susurro.

—Extraño mucho a mi familia. —Me abraza con fuerza mientras esconde su rostro en mi cuello—. Me siento tan solo. Jamás volveré a ver cómo mi padre besaba de sorpresa a mi madre cuando llegaba del trabajo, o a los mellizos cantar canciones infantiles. Jamás volveré a escuchar los regaños de mi madre al verme rodeado de tantas chicas, y tampoco escucharé a mi padre diciendo que está orgulloso de mí, y me duele porque ellos no merecían ese final. Eran buenas personas y no merecían irse tan rápido.

No logro contenerme y rompo a llorar con él, y es que no me quiero ni imaginar lo que siente al perder a toda su familia, cuando yo perdí a mi hermano y siento que me ahogo con su ausencia.

—Sé que ellos estarían orgullosos de ti. —Limpio sus lágrimas y contengo las mías; su respiración empieza a tranquilizarse—. Eres maravilloso, Diego. Te mereces lo mejor del mundo. Para mí siempre serás el ángel que ha traído felicidad de nuevo a mi vida, y lo digo completamente en serio.

Tomo su mano y la pongo en mi pecho, donde mi corazón late a toda prisa por él. Sus ojos se abren, sorprendido.

—Eres luz en mi vida, Diego.

Me mira por unos segundos, como si me evaluara.

—¿Cómo quieres que no me enamore de ti si tú me haces sentir completo? —pregunta en un susurro—. Siento que nosotros encajamos a la perfección, es como si estuviéramos hechos el uno para el otro.

Cojo aire y lo suelto. Acaricio su rostro y me inclino hasta que nuestros labios se juntan en un beso lento y tierno, lleno de emociones que aún no consigo nombrar. Cuando nos separamos, une su frente a la mía y me rodea con sus brazos como si no quisiera dejarme ir nunca.

—Tal vez deberíamos volver a dormir —propongo.

Él asiente con la cabeza. Tomo su mano y lo guío hasta la cama, nos acostamos en silencio, abrazados.

—Tengo miedo. —Su voz apenas es audible.

—Estoy contigo. No te dejaré caer en estos momentos.

—No quiero volver a tener esa pesadilla por esta noche... —Se aprieta más contra mi cuerpo.

—No tengas miedo, Diego. Duerme, te protegeré de los malos sueños, estoy contigo. —Dejo un beso en su mejilla.

No me contesta, pero posa su cabeza en mi pecho y me abraza aún más fuerte; mis manos empiezan a acariciar su pelo y pronto su respiración se hace más calmada, lo que me indica que se ha quedado dormido. Ladeo la cabeza y lo miro. Hasta durmiendo se ve muy guapo.

Suspiro.

—Aún te sigo odiando, pero solo porque estás haciendo que mi corazón cada día se vuelva más loco por ti. —Beso su frente y me pregunto cómo es posible que mientras más lo conozco, más crecen las sensaciones burbujeantes en mi interior. ¿Cómo es posible que cada vez que lo miro veo tanta luz cuando mi vida está invadida de sombras?

Capítulo 23

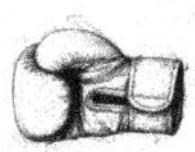

Anastasia

El sudor me recorre la espalda mientras escucho las notificaciones de mensajes en mi móvil. Me ha tomado por sorpresa que Diego me pidiera que entrenáramos juntos, pero lo he disfrutado bastante. Decido irme a las duchas del gimnasio antes de revisar quién me escribe, pero en cuanto salgo, noto que es Dylan el chismoso quien me habla.

Dylan

Hoy día tengo fiesta, Amorcín, ¿vienes?
P.D.: Serías una pésima amiga si no vienes.
10:32 a.m

Anastasia

Cariño, tú siempre tienes fiesta.
P.D.: ¿Seguro que eres hombre? Porque eres muy dramático.
10:33 a.m

Dylan

Mira que eres buena para evadir el tema. Tú solo contéstame: ¡Sí, voy a tu fiesta!
P.D.: Seré feliz y te dejaré tranquila para que sigas follándote a Diego, aunque me estés engañando, Amorcín.
10:34 a.m

No puedo evitar que una sonrisa aparezca en mi cara, es inevitable cuando tienes un mejor amigo que es un payaso y que tiene un don para hacer reír a las personas.

Anastasia

Está bien. Iré a tu fiesta y así me dejarás en paz.
P.D.: Yo no te engaño.
10:36 a.m

Levanto la mirada y observo a mi alrededor, pero Diego aún no sale. ¡Y dicen que las mujeres tardamos en bañarnos o arreglarnos! Mi celular vuelve a vibrar en mis manos.

Dylan

Ya sabía que no me fallarías. Empieza a las diez de la noche, ven sexy.
P.D.: Te amo, Amorcín.
10:45 a.m

Sonrío al ver su mensaje y un instante después escucho un carraspeo.

—Eres bellísima, pero cuando sonríes eres… ¡Dios! Cuando sonríes eres preciosa.

Levanto la mirada y veo a Diego con una sonrisa traviesa. Me pongo en pie y me acerco a él.

—Tú eres guapo. —Me pongo de puntillas y mis manos rodean su cuello.

—No solo soy guapo. —Me toma de la cintura—. Soy increíblemente ardiente, *sexy* y un gran cocinero —susurra para que nadie más pueda escucharle.

Pongo los ojos en blanco.

—Claro, muchachote, tienes innumerables y variadísimos encantos, ¡qué tonta de mí!, se me estaba olvidando que eres como un chocolate andante y que todo el mundo te quiere comer —me mofo de él, y le doy un pequeño empujón por el hombro.

Me sonríe con su arrebatadora sonrisa, me da un pequeño pellizco en la cadera y luego una palmada en el trasero.

—¡Oye! —exclamo atónita, y se encoge de hombros como si nada hubiera pasado. Y, cuando menos lo espero, se inclina y deja un beso en mis labios. No puedo evitarlo y sonrío. Es un tonto encantador.

Tiro mi bolso a una esquina de mi habitación. Me acerco a Diego y le doy un empujón que lo hace retroceder y toparse con mi cama. Se sienta en el borde y yo me subo a su regazo. Mis manos alcanzan su pelo mientras él cierra los ojos con fuerza.

—¡Mírame! —Le doy un pequeño beso en los labios.

—Anastasia, no juegues conmigo —me advierte con un gruñido ronco.

—¿Por qué no me miras? —Empiezo a darle besos por toda la cara, provocando que sus manos se afiancen en mi cintura y comience a mover mis caderas hacia adelante y hacia atrás—. Diego, estás... —No alcanzo a terminar.

Sus ojos se abren de par en par, revelando sus pupilas dilatadas.

—Estoy muy caliente, Anastasia. —Se relame los labios—. Estoy caliente desde que te vi entrenar, y no me ayuda mucho que te sientes encima de mí. Despiertas a mi amigo con mucha facilidad.

Suelto una carcajada sin dejar de mirarlo. No puedo creer que ahora estemos aquí, después de todo nuestro tira y afloja, pasando tiempo juntos y viendo si funcionamos o no.

—Te odio, Anastasia. —Me da un beso en una esquina de mis labios—. Y mi cuerpo igual por todo el dolor que le causas.

Me guiña un ojo y abro la boca para decir algo, pero me roba las palabras con un ardiente beso. Cierro los ojos y me dejo llevar por todas las maravillosas sensaciones que me regalan los labios de este chico guapo y arrogante que poco a poco se está metiendo en mi vida y corazón.

Rozo su nariz con la mía, pero él se aparta y me da pequeños besos por toda la cara mientras sus manos comienzan a subir mi camiseta, dejando al descubierto mi sujetador. Asiento con la cabeza y sus dedos poco a poco van subiendo por mis pechos. Se cierran sobre ellos sacándome un pequeño gemido.

Su sonrisa traviesa se agranda, pero no pierde tiempo, la calidez de su boca desciende por mi cuello dejando pequeños besos húmedos. Aprieto los ojos y ladeo la cabeza para darle mejor acceso, al tiempo que sus manos continúan con las caricias en mis pechos.

En poco tiempo nos vemos semidesnudos, con la sangre corriendo deprisa y el deseo arañándonos la piel. Se detiene con la respiración agitada y me escanea con descaro. Frunzo el ceño cuando sonríe y se muerde el labio inferior, una expresión ajena al deseo que veía hace un momento.

—Te contaré otro secreto, Anastasia.

—Otra vez tengo que fingir que me interesa, ¿cierto?

Su sonrisa se ensancha y toma un mechón entre sus dedos.

—Antes de ti pensaba que la magia no existía, y ahora es todo lo que veo cuando te miro. Gracias por cambiar mi visión, Anastasia.

Mi corazón se acelera al escuchar sus palabras.

—Eres un chico muy cursi y ardiente, una combinación peligrosa.

Él sonríe de lado haciendo que se le marquen los hoyuelos, antes de que sus manos tomen con ímpetu mis caderas.

—Basta del Diego tierno, ya tuvo su momento por hoy —bromea.

Suelto una risa, porque solo él podía arruinar sus momentos cursis con una de sus malas bromas.

—¿Debería preocuparme que te dividas en diferentes "Diego"?

Mueve mis caderas y frota su dureza contra mí. Lo miro y no me puedo creer que lleve una sonrisa inocente.

—Un poco —murmura contra mi cuello, mordisqueando mi piel. Sus manos descienden a mi trasero al mismo tiempo en que empuja la pelvis, presionando nuestros sexos; ambos soltamos un gemido.

Sus manos ascienden por mi espalda y se detienen en el broche de mi sujetador. Con suma facilidad se deshace de la prenda, dejándome totalmente expuesta. Trago saliva cuando se lleva un pecho a la boca y comienza a lamerlo mientras masajea el otro.

—Mmm..., Diego, eso es... —comienzo a tartamudear y él como respuesta a mis palabras jadeantes, mordisquea mi pezón, lanzando una punzada de placer a todo mi cuerpo. Gimo mientras me estremezco. Mis manos se enredan en su pelo y tiro de él sin poderlo evitar.

Toma mi cintura y con un movimiento hace que mi espalda toque el colchón. Sus manos van directo al cierre de mi pantalón y termina sacándomelo de un tirón.

Se cierne sobre mí y no pierde tiempo al momento de tomar mi pierna, enredarla en su cadera y presionar su pelvis contra mi sexo, haciendo que se me escape un suspiro.

—Eres mi hermosa fantasía, Anastasia, superas todas mis expectativas —me susurra antes de besarme y volver a mover su pelvis.

El contacto de su lengua con la mía es tan placentero que me eriza la piel. Mis músculos arden de deseo, al igual que cada parte de mi anatomía.

—Me vas a asfixiar con tus palabras tan cursis —bromeo riendo cuando me separo, y él se me queda mirando un segundo antes de reírse también.

—¡Dios!, Anastasia, matas estos momentos, de verdad. —Lleva sus dedos a mis costados y empieza a hacerme cosquillas, haciendo que me retuerza de la risa.

—¡Basta, por favor! —suplico riéndome, e intentando detenerlo.

Poso mi mano en su pecho y poco a poco comienzo a deslizarla hasta que llego a donde quiero. Meto las manos dentro de su bóxer, pero él toma mi muñeca y niega con la cabeza.

Recarga su frente contra la mía y yo emito un suspiro.

—Quiero escuchar tus gemidos —dice excitado, y su mano viaja a mi entrepierna, acunando mi sexo, justo antes de que dos de sus dedos se resbalen en mi interior y su pulgar empiece a tocar mi punto de deseo.

Sus dedos giran dentro de mi sexo, haciendo que muerda mis labios mientras mi cuerpo se mece sobre las llamas en las que me hace arder. El fuego aumenta cuando sus besos húmedos se deslizan por mi estómago y por mi vientre bajo, hasta que su aliento choca justo por encima de mi intimidad.

—Estás muy húmeda, y solo para mí —susurra con voz ronca. Abro los ojos y veo su sonrisa juguetona. Sin previo aviso, le da una pequeña lamida a mi vagina, para luego cubrirla con su boca; su lengua toca mi clítoris y sus dedos vuelven a hundirse en mi interior con más vehemencia.

—Diego..., joder... Eso... No... —un montón de incoherencias comienzan a salir de mi boca.

La combinación de sus dedos moviéndose con vigor en mi entrada y su lengua prestándole especial atención a mi clítoris es dolorosamente placentero. Tomo con fuerza su pelo, presionándolo más contra mí. Siento su pequeña risa, pero estoy tan perdida en mi nube de placer, que no me importa. Sigo deleitándome en la avidez de su lengua, en cada entrar y salir de mí. Mi cuerpo vibra, mis músculos se tensan.

Se separa un poco y deja un par de besos en la parte interna de mis muslos.

—¿Te vas a correr? —pregunta cuando empiezo a perder el control de mi cuerpo. Asiento sin ser capaz de pronunciar palabra—. Hazlo, mi bella —me susurra con voz rasposa.

—¡Dios! —jadeo y lo veo cernirse de nuevo sin que su mano deje de hacer su trabajo.

—Eso es, Anastasia, córrete. —Me muerde el lóbulo de la oreja y siento cómo una corriente eléctrica me cubre todo el cuerpo.

Empuño las sábanas y aprieto mi sexo contra sus dedos cuando el placer me sobrepasa, cuando caigo en picada sobre un orgasmo. Un gemido salvaje brota de mis labios mientras mi cuerpo se vuelve laxo. Diego me besa y una sonrisa bobalicona aparece en mi boca. ¡Es oficial, este chico sabe lo que hace en el sexo!

Tardo un par de minutos en salir de la bruma de sensaciones mientras Diego deja suaves caricias en mi vientre. Cuando por fin logro enfocar y lo miro, noto su sonrisa victoriosa, pero no solo eso, también es bastante visible la erección que lleva entre los pantalones. Lo empujo y me siento sobre sus muslos. Una expresión de sorpresa aparece en su rostro, pero enseguida es reemplazada por una de esas sonrisas tiernas que me encantan.

—Diego, quiero intentar algo contigo... —Siento mis mejillas arder solo de pensarlo. Esquivo sus ojos.

—¡Hey! —Toma mi barbilla para que lo vuelva a mirar—. Escúchame, tú puedes intentar lo que sea conmigo, Anastasia, soy tu pareja, no tengas vergüenza.

—Está bien, yo... quiero hacerte sexo oral —suelto sin anestesia.

—¡Anastasia! —exclama Diego con un tono juguetón y le doy un pequeño puñetazo—. Me vas a quitar lo virgen —bromea.

Niego con la cabeza y arrastro mi mano por sus abdominales hasta el inicio de su pantalón. Me deshago del cierre bajo su atenta mirada. Le doy unos golpecitos para que se levante y le saco el pantalón junto con el bóxer. Su pene salta ante mi vista y, con delicadeza, lo envuelvo con mi palma.

—Dios, Anastasia, ¿estás segura? —pregunta con voz agitada.

—Sí.

Un par de suspiros se le escapan cuando mi mano comienza a subir y bajar lentamente por su falo. La imagen de un Diego excitado es una maravilla que hace latir mi entrepierna. Me inclino para estar a la altura de su erección y cuando levanto la vista me encuentro con su mirada ansiosa y oscurecida, misma que contrasta con las caricias suaves que empieza a dejar en mi mejilla.

—Tienes que metértela despacio, y ten cuidado con tus dientes —me indica con paciencia y asiento.

Observo su erección y veo que tiene una pequeña gota preseminal, paso mi lengua y lamo la humedad deleitándome con su sabor. Lo escucho soltar un gemido ronco y en reacción muevo mi mano despacio sobre su pene.

—¡Dios! —sisea y las caderas le tiemblan ligeramente. Se le acelera la respiración con cada caricia y su abdomen sube y baja ante mis ojos.

Cuando lo oigo maldecir, meto gran parte de su longitud en mi boca y deslizo mi lengua de abajo arriba provocando que sus dedos se enreden en mi cabello. Rodeo el glande con los labios antes de sacarlo para tomar algo de aire y seguir con la tarea, levanto la mirada y noto que me está observando con fascinación, y no sé por qué, pero eso me acelera más el pulso. ¡Me gusta! Vuelvo a meterlo en mi boca y dibujo círculos delicados con mi lengua.

Noto cómo sus dedos se tensan en mi pelo, pero después lo vuelve a soltar: se está conteniendo. La tensión de su cuerpo se extiende hasta el mío a través de nuestras caricias. Sus caderas vuelven a sacudirse cuando introduzco poco a poco su pene hasta donde puedo; lo saco cuando siento que me estoy ahogando.

—Lo… ¡joder! Lo estás haciendo bien —me alienta casi sin aire.

Me la vuelvo a meter, y esta vez empuja un poco sus caderas y comienza a entrar y salir resbalando sobre mi lengua. Sus movimientos son marcados, rítmicos, y puedo sentir su miembro palpitar en mi boca mientras me aferro a él con el calor de mi lengua y mis paredes húmedas.

—¡Joder, Anastasia!, estoy a punto —grita sacándolo.

Lo tomo en mi mano y comienzo a masturbarlo con un ritmo acelerado. Se inclina y me da un beso largo y profundo que me roba el aire. Su cuerpo se sacude, su respiración se vuelve errática, mi corazón late acelerado y su gruñido muere en mi boca mientras tiembla y se corre en mi mano. Ruedo a su lado y nos quedamos quietos por minutos intentando tranquilizar nuestra respiración. Miro el techo y no puedo evitar que una sonrisa aparezca en mi rostro.

—¿Ya te he dicho que eres bellísima? —susurra acariciando mi brazo.

—Sí, también me has dicho que soy la chica de tus sueños —le recuerdo, jugando con un mechón negro de su pelo.

Él levanta su pulgar.

—Exacto, mi bella.

Dejo salir una risa, me levanto y entro al baño. Me lavo las manos y levanto la cabeza encontrándome con mi reflejo.

Me quedo observándome, algo sorprendida al ver a una Anastasia que ya no está asustada por sentir, y que tampoco quiere dejar de hacerlo porque ese chico que está acostado en su cama es maravilloso. Sonrío cuando me doy cuenta de que la Anastasia que me devuelve la mirada es feliz de nuevo.

De pronto, escucho una melodía que reconozco: *I Wanna Be Yours* de Arctic Monkeys. Unos brazos me rodean y Diego aparece en el reflejo. La imagen de nosotros juntos, abrazados y desnudos, es preciosa. Y asumo que él también lo piensa porque sus hoyuelos parecen más marcados que nunca.

Alzo una ceja cuando empieza a cantar en mi oído:

—Los secretos que he guardado en mi corazón son más difíciles de ocultar de lo que pensaba. Quizás solo quiero ser tuyo. Quiero ser tuyo, quiero ser tuyo —canta mientras me acaricia el abdomen.

No puedo evitar sonreír.

—Esta canción te la dedico porque yo quiero ser solamente tuyo, mi bella. —Me da un beso en el hombro desnudo—. Creo que con esto ya tenemos suficiente.

Acaricio su brazo sin dejar de mirarlo en el espejo.

—Es una canción muy bonita y es todo tu estilo de cursi —me burlo con una sonrisa.

—Deja de arruinar los momentos románticos —me pide serio, pero falla porque una sonrisa se forma en sus labios—. ¿Tienes que ser tan fría?

—¡Qué sensible! —Me muerdo la esquina del labio inferior—. Gracias por la canción, de verdad que es muy bonita —confieso y me giro entre sus brazos para mirarlo a los ojos—. Tú también me gustas mucho. De hecho… —trago saliva—, tengo sentimientos muy fuertes por ti —admito con el corazón desbocado.

Noto cómo se paraliza. Su respiración parece detenerse por un segundo. Tal vez porque no se esperaba que lo confesara ahora, mirándolo a los ojos y con tanta certeza. Yo tampoco lo planeé, solo le he dado rienda suelta a mi corazón.

—Anastasia. —Lleva una mano a mi mentón y me observa sorprendido—. ¿Con sentimientos? —dice, mirándome con una intensidad que me recorre el cuerpo, y con una sonrisa tierna que hace relucir esos hoyuelos que tanto me gustan.

Yo asiento, se acabó lo de sin sentimientos. Toma mi mano y la lleva hacia su corazón, que late como un caballo sin riendas.

—Con sentimientos, Diego.

Apenas termino de hablar cuando toma mi cara entre sus manos y me besa como solo él lo sabe hacer. Me besa con una mezcla de ternura, cariño, deseo y amor… ¡Dios! ¿Y si su amor me queda grande? Despejo esos pensamientos y me concentro en su lengua acariciando la mía, en sus manos aferradas a mi piel.

Nos separamos en busca de aire y no puedo evitar quedarme mirándolo con mis manos en su pecho.

—Tienes esa mirada de tontita que solo pones cuando me miras a mí —dice, recuperando esa sonrisa divertida que casi siempre carga.

Pongo los ojos en blanco y sonrío de lado.

—Claro, claro.

—Enojona, admite que conmigo te pones tontita y que no puedes evitarlo. —Sus labios se curvan—. No me hagas un puchero, aunque te ves muy tierna.

Lleva su índice a mis labios y lo muerdo con fuerza.

—Salvaje —bromea—. Pero vamos, admítelo —insiste como un niño pequeño.

Lo miro divertida.

—¿Qué tengo que admitir? —pregunto acariciando su nuca. Ni siquiera entiendo en qué momento dejó de importarme estar desnuda y expuesta ante él.

Se inclina y deja un suave beso en mis labios.

—Quiero que digas esto —se aclara la garganta y se muerde el labio un instante para aguantar la risa—: yo, Anastasia Evans, admito que Diego Rivero tiene el poder de hacer que me ponga tontita cuando estoy a su alrededor, porque él es un hombre demasiado ardiente y *sexy*.

Una carcajada salta de mis labios, mientras él hace un puchero y finge estar enojado.

—¡Enloqueciste! —exclamo entre risas.

—Dilo y te juro que no te molesto más.

Niego con la cabeza y me separo para irme a la ducha.

—No diré eso, ahí te quedas, bombón. —Avanzo solo un paso cuando vuelve a tomarme por la cintura y atrapa mi boca en un beso corto pero intenso.

Frunzo el ceño cuando nos separamos y noto esa sonrisa traviesa en su cara, esa que pone cuando está a punto de decir cualquier tontería.

—¿Qué? —inquiero, desconfiada.

Doy un respingo cuando empieza a gritar como loco.

—¡Con sentimientos, Anastasia! ¡Con sentimientos!

Abro los ojos aún más de la impresión, quedándome pasmada.

—¡Estás demente! —digo por fin, saliendo de mi estupor.

—Tú me tienes así. —Me aprieta contra su cuerpo—. No pares de hacerlo, porque me haces feliz, bella. Tú me haces jodidamente feliz —dice sobre mis labios.

Mis manos rodean su cuello.

—Promete que no vas a volver a esconder quién eres —le pido y me sonríe de lado—. El mundo merece conocerte, Diego.

—Aún no me siento listo para mostrar mi verdadero yo, me da un poco de miedo ser juzgado por los demás. Por ahora, me abro solo contigo —confiesa y suspiro, entendiendo su posición.

—Estaré a tu lado en cada paso, no lo dudes.

—Me gusta cómo suena eso.

Nos abrazamos. Nos fundimos en ese sentimiento que cada día crece entre los dos. No tengo ni idea de en qué momento caí ante los encantos del chico que alguna vez consideré un imbécil, pero lo hice. Y no me arrepiento porque me hace feliz, porque estar a su lado vale la pena, y por eso voy a luchar por él, voy a cuidarlo de todos, incluso de las sombras que arrastro de mi pasado. Esas que no terminan de difuminarse por más que lo intento.

Capítulo 24

Entro a mi habitación con un enorme cuenco lleno de palomitas y bebida para ver la siguiente película, después de la fiestecilla de anoche, hemos decidido tener un maratón de películas. No queremos salir.

La fiesta. Algo me decía que no teníamos que ir y aun así fuimos, y la pasamos superbién, el problema fue después, cuando eran las seis de la mañana y Dylan no quería parar la fiesta, incluso cuando ya había ido dos veces la policía y a la tercera nos querían llevar detenidos por causar ruido.

—¿Lista para ver tu película?

Me recuesto en el respaldo de la cama, a su lado, y no pierde el tiempo en rodearme con su brazo y atraerme a su pecho.

—No. No me gusta esta película porque lloro mucho. —Hago un puchero.

Él me mira divertido por mi reacción.

—Yo quiero verla, quiero saber por qué una estúpida película hace sufrir tanto a mi chica —murmura con una sonrisa ladeada porque parece que el imbécil me quiere ver llorar—. Si lloras te doy permiso de limpiar tus mocos en mi camiseta —se sigue burlando.

Suelto una carcajada y tomo mi ordenador, busco entre mis películas favoritas y le doy *play* a *Un amor para recordar.*

«¡Dios mío, por favor, no me hagas llorar tanto!»

—Esta película es un clásico cliché —digo con una sonrisa—. Es obvio que él se iba a enamorar de Jamie, es hermosa.

Diego me mira por un momento antes de voltear a ver a la pantalla. Los minutos empiezan a desfilar mientras la historia avanza. Cierro los ojos cuando Jamie le dice a Landon que está enferma. Joder, no puedo evitar que mis ojos se empañen de lágrimas.

—Odio esta película por ser tan jodidamente hermosa, en serio, siempre que la veo me rompe el corazón —digo entre enojada y triste.

—Estás muy sentimental, Anastasia. —Me aprieta el muslo—. Sé cómo te puedo animar después —dice maliciosamente.

Ignoro su insinuación y decido responder la primera parte de su frase.

—¡Oh, vamos! —exclamo con una sonrisa y no puedo evitar emocionarme—. Este es el típico cliché de las historias de amor entre la chica inocente y el malo, pero aquí hay un cambio sincero de Landon, e intentó cumplir cada uno de sus sueños. —Suspiro—. Y Jamie no se merecía ese final.

—No llores, Anastasia. —Me abraza y besa mi sien.

—No puedo evitarlo... —Resoplo cuando escucho que Landon le pide matrimonio a Jamie—. Voy a llorar, Diego, es tu culpa.

—Recuérdame jamás ir al cine contigo —dice con sorna y le pego un codazo—. ¡Salvaje!

Lo miro por un segundo, antes de darle un pequeño beso. Me concentro de nuevo en la pantalla de mi ordenador. Un rato después, cuando termina la película, dejo escapar el aire; adoro esta historia y no me canso de verla, pero siempre lloro.

—«Nuestro amor es como el viento, no puedo verlo, pero sí sentirlo» —cito la frase que dice al final de la película, que es una de mis favoritas—. Es preciosa esa frase. ¿Qué te pareció? ¿Fue muy predecible para ti?

—No está mal, es una historia muy linda y puedo entender a Landon cuando se enamoró de Jamie, él se dio cuenta de que era la chica indicada y me pongo en sus jodidos zapatos. —Se acerca y me acaricia la mejilla. Asiento al entender su punto.

Me levanto de la cama y me estiro un poco, pues pasar todo el día en cama viendo pelis también es agotador. Me peino con los dedos mi largo cabello castaño con ondas.

—Eres bellísima —dice, haciéndome voltear a verlo—. Me estoy enamorando, bella.

Su rostro se tiñe de rojo, avergonzado por su confesión. Sonrío y me acerco a él porque es cursi y eso me gusta, aunque no se lo diré.

—Gracias, pero tú no te quedas atrás, ángel. —Tiro de un mechón de su pelo.

Envuelve su mano en mi muñeca y tira de mí para que me siente en su regazo. Me quedo embobada mirando su perfecto rostro, sí, definitivamente cae en la categoría de un ángel; un chico malo pero tierno y cursi.

—Perdón, Anastasia, pero ¿escuché bien? —Toma una de mis manos y la entrelaza con la suya—. ¿Me llamaste ángel? —pregunta con diversión.

—Tal vez… Eres muy guapo y me parece que caes en esa categoría, así como Patch —bromeo recordando unos de los primeros libros juveniles que leí.

Él pestañea varias veces, desconcertado.

—¿Categoría de ángel? ¿Patch?

—Sí, ya sabes, hombres perfectos: jodidamente *sexys*, calientes y que siempre están diciendo cosas románticas. Cuando duermen se ven aún mejor, porque se ven inocentes, pero a la vez ardientes —termino de hablar con una sonrisa de boba.

Me mira por un segundo, antes de soltar una ruidosa carcajada que lo hace estremecerse. Me abraza con más fuerza sin dejar de reír. De repente, su frente cae sobre mi hombro.

—¡Oh, oh, oh! Estoy viendo a mi Anastasia tontita —dice aún con las comisuras curvadas hacia arriba—. Categoría de ángeles, ¿es en serio?

—¡Oye! —exclamo con una sonrisilla—. Siéntete muy afortunado, no cualquiera cae en esa categoría.

—¿Es en serio? —repite. Suspiro de frustración y me levanto de su regazo. Camino hacia mi librero y saco el libro de *Hush Hush*, me devuelvo y se lo extiendo.

—Toma. —Me mira un segundo y luego a mi libro—. Vamos, tómalo, no te va a morder. Fue una de mis primeras lecturas, tenía doce años cuando lo leí, así que le tengo mucho cariño.

No me lo veo venir, pero tira de mi mano tan rápido que me deja tendida en mi cama. Sonríe con malicia mientras me echa una mirada intensa. Mi respiración se altera. Sus labios se ciernen sobre los míos en un beso lento, pero codicioso. Su lengua acaricia la mía con una calidez embriagante, justo antes de que sus dientes atrapen mi labio inferior en una mordida suave.

Tomo aire cuando se separa y apoyo el libro contra su pecho.

—Tú léelo —digo con una sonrisa inocente.

Se separa, recibe el libro y empieza a hojearlo. Y yo, casi sin dame cuenta, me quedo embobada mirándolo. ¡Dios! Es un hermoso espectáculo. ¿Cómo puede realizar una acción tan simple como mirar un libro y verse tan ardiente y guapo? Ahora entiendo por qué todas las chicas lo desean. Él ni siquiera se esfuerza en ser *sexy*, le sale natural.

El tiempo pasa y sigue concentrado leyendo, pero noto que una sonrisa se extiende por su rostro. Sabía que le iba a gustar.

Una hora después, tiene su cabeza apoyada en mi estómago mientras continúa su lectura. Cierro los ojos por unos minutos, o eso creo, cuando empiezo a sentir los labios de Diego en mi mejilla.

—Despierta, Anastasia. —Su voz se oye lejana, pero clara. Abro los ojos y lo veo sentado junto a mí, mirándome—. Te están llamando.

Me pasa mi móvil y un escalofrío me recorre cuando miro un número desconocido reflejado en él. Me levanto de la cama y salgo de mi habitación.

—¿Quién eres? —pregunto con desconfianza.

—Soy Simón, tenemos que vernos hoy, ¿puedes a las dos de la mañana? —pregunta tan rápido que apenas lo puedo entender.

Me alejo aún más de la puerta de mi habitación y entro en la otra que está vacía.

—Simón —digo frustrada—. Si es algún truco para pasar más tiempo conmigo o algo por el estilo, olvídalo.

—¡Que no! —exclama con voz dura—. Tenemos que vernos, quiero mostrarte algo importante sobre mi hermano. Además, quiero presentarte a mi amigo el policía.

—No puedo hoy, tengo mejores cosas que hacer.

—Anastasia, es importante —emite un suspiro—. ¿Puedes mañana a las cinco?

—Simón, no confío en ti.

—Solo quiero ayudarte, es urgente que nos veamos.

Me muerdo el interior de la mejilla meditando sus palabras, pero no terminan de convencerme. No quiero arriesgarme así sin más.

—Mira, te aviso si puedo, adiós. —Corto la llamada y salgo encontrándome a Diego cruzado de brazos y con el ceño fruncido.

—¿Qué me ocultas, Anastasia? —pregunta serio.

—Nada.

—Nada —repite molesto—. ¿Me crees idiota? Te viniste a encerrar a esta habitación para que no escuchara tu conversación, ¿por qué? ¿Tan grave son tus secretos y miedos que no puedo saber nada de ti?

Camino de nuevo a mi habitación sintiendo sus pasos detrás de mí.

—¿Por qué no confías en mí? —pregunta con el enfado tiñendo su voz—. ¿Por qué eres tan misteriosa? Sé que te dije que no te iba a presionar y lo mantengo. Pero, por favor, Anastasia, me preocupas. —Suelta un bufido y me toma de la cintura—. Mírame, Anastasia, estoy aquí contigo. Confía en mí, por favor.

Lo miro por un segundo, antes de deshacerme de su agarre, frustrada.

—Diego, por favor, no te metas; es mi vida. Y es mejor que estés lejos de esto, es por tu bien. —Le doy la espalda.

—Vale, no me meto. —Hay decepción en su voz. Lo miro de reojo—. Eso significa una cosa para mí. —Se posa frente a mí—. Que no pertenezco a tu vida, Anastasia, tú no me quieres en ella, solo quieres pasar un buen rato conmigo.

Trago saliva al ser consciente de la desilusión que está naciendo en sus pupilas.

—Para las mujeres solo soy un buen polvo, ¿verdad? Soy el chico sin compromiso. Me duele que tú pienses así de mí, que solo me estés utilizando para entretenerte. Eso me rompe el corazón, pensé que íbamos en serio.

El músculo en mi pecho se hace pedazos al darme cuenta de que él piensa eso, porque yo no lo veo así, solo que no quiero que se mezcle con mi pasado turbulento. Tomo aire e intento acercarme, pero da un paso atrás.

—Supongo que, después de todo, yo mismo me busqué esa reputación, pero pensé que íbamos por un buen camino. Soy un imbécil.

—Diego, yo no...

—Tú solo me quieres para una relación banal, ¿cierto? —insiste—. Recuerda, cariño, sin sentimientos —dice con amargura.

Y antes de que pueda asimilar lo que dijo, pasa por mi lado a toda prisa, dejándome petrificada por un momento. Sacudo la cabeza y voy detrás de él. No puedo dejarlo así, ha sacado todo de contexto. Lo alcanzo antes de que salga de mi apartamento.

—Diego, espera un poco, por favor. —Frunce el ceño mientras se cruza de brazos—. No te cuento de mi vida porque está jodida y quiero mantener lo nuestro limpio. Tengo demonios que aún debo enfrentar, pero tengo que hacerlo sola, porque es parte del pasado y tú eres mi presente.

Lo veo tragar saliva, mirándome, pero sin decir nada.

—Tienes que confiar en mí. No quiero que te involucres en algo de mi pasado, solo pensemos en el ahora, por favor.

Me acerco a él, me pongo de puntillas y rodeo su cuello con mis brazos.

—Confía en mí —le pido en un susurro.

—Confío en ti, Anastasia, solo que tengo miedo de que estés en peligro. —Sus ojos brillan con emociones contenidas—. También me aterra dar todo de mí y que tú no lo estés haciendo. No quiero que me rompas el corazón; no lo hagas, por favor —me suplica.

Mi corazón se contrae ante lo que veo en su mirada y las implicaciones de sus palabras.

—Diego, yo confío en ti, pero necesito mantenerte al margen de mi pasado, porque si te enteras de él, lo más probable es que rompa tu corazón —admito.

—¿Qué es lo que escondes, Anastasia? ¿De qué huyes?

Me muerdo el labio inferior y sacudo la cabeza.

—La persona que me llamó antes era el mejor amigo de mi hermano y quería mostrarme algo importante, pero no confío en él —suelto de repente.

Pestañea varias veces y asiente.

—Mi hermano murió por salvar mi vida. —Cierro los ojos con fuerza—. Fue mi culpa que muriera.

Sus brazos me rodean con firmeza y yo me aferro a su camiseta como si mi vida dependiera de ello.

—No es tu culpa, bella. —Acaricia mi espalda y besa la coronilla de mi cabeza en un gesto confortante.

Claro que fue mi culpa, pero aún no me siento preparada para contarle a Diego cómo sucedieron las cosas; aún me cuesta asimilar que mi hermano murió y que mi exnovio me traicionó, y todo para alcanzar su objetivo.

Me separo de él y entrelazo mi mano con la suya para guiarlo al sofá.

—Quiero que confíes en mí. —Nos sentamos—. Pero no siempre te contaré lo que hago, porque, como te dije antes, tengo demonios del pasado a los que debo enfrentarme yo sola.

—Confío en ti, Anastasia, pero no necesitas dar esa pelea sola. Podemos hacerlo juntos.

Lo observo fijamente y me quedo callada. Antes muerta. No dejaré que él se involucre en esto, no dejaré que nadie jamás le toque un solo pelo y menos Nicolás, y si tengo que seguir mintiéndole sobre mi pasado, engañarlo y evadir sus preguntas, lo haré.

¡Soy lo peor! Lo sé. ¿Cómo puedo mentirle en la cara y seguir viéndolo a los ojos? Esos ojos que solo me miran con amor.

«Es por su bien», me repito una y otra vez tratando de calmarme, y esperando que, si se entera, entienda mis motivos. Tal vez sea demasiado ilusa aferrándome a su amor, pero no estoy dispuesta a dejarlo ir, no puedo.

Capítulo 25

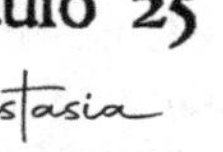
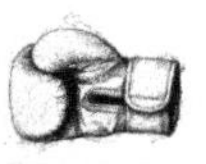

Por fin acabaron las semanas de exámenes. Esas en las que casi no pude pasar tiempo con Diego y mis amigos. Pero, pese a todo, me siento bien con el resultado de todos mis esfuerzos. Ahora estamos aquí, entrando a un pequeño restaurante vegetariano. Diego se sienta a mi lado y me rodea con su brazo, me acerco a él y le doy un beso en la barbilla.

—¿Qué me recomiendas comer? —pregunta.

—¿Te apetece una lasaña? Es muy rica —digo mirando el menú, lo observo de reojo y asiente.

La mesera, una chica rubia de pelo corto, se acerca y se queda embobada mirando a Diego. Sacudo la cabeza y él sonríe al ver la expresión en mi cara.

—Buenas tardes. ¿Ya saben lo que van a pedir? —pregunta con una sonrisa coqueta sin dejar de mirarlo.

Él me mira por un momento antes de pedir. La chica pestañea varias veces hacia mi chico mientras se pone un mechón de pelo detrás de la oreja.

La mesera se aleja con una enorme sonrisa. Lo observo de reojo y niego con la cabeza porque sé que lo está haciendo a propósito. Sé que quiere verme celosa, pero no lo va a conseguir, nunca he sido ese tipo de chica.

—¿Te ocurre algo? —pregunta, exhibiendo las curvas de sus labios.

—No, solo tengo hambre y sueño. Tengo que recuperar mis horas de descanso porque casi no dormí en dos semanas —explico, aunque eso él lo sabe bien, casi ninguno de nosotros durmió por los exámenes.

Apoyo mi cabeza en mi mano, miro a la ventana y observo cómo la gente pasa, ajena a nosotros. Él estira su mano, toma un mechón de mi pelo y comienza a enrollarlo en su dedo.

—Eres tierna cuando estás celosa —me provoca.

—No lo estoy —digo tratando de sonreír, lo que hace que se ensanche su sonrisa—. Eres muy predecible, mi chico cursi, de verdad que tengo mucho sueño y hambre.

Me rodea con sus marcados brazos y me estrecha contra su pecho. Besa mi sien con una sonrisita que me hace rodar los ojos. Suspiro y mis párpados descienden sin que pueda evitarlo, pero doy un respingo cuando siento un tirón en mi pelo.

—No te quedes dormida, mi bella —me susurra, al tiempo que alza mi barbilla para que lo mire—. Y no tienes por qué estar celosa, te quiero a ti.

La camarera se acerca de nuevo, haciéndole ojitos a Diego, y deja nuestras bebidas. Por suerte se va de inmediato, mientras yo me quedo idiotizada mirando a una hermosa familia que entra al lugar.

—Anastasia, ¿te puedo preguntar algo? —dice un minuto después.

—Claro —digo distraída jugando con el salero que hay en la mesa.

—¿Por qué nunca hablas de tus padres o de tu familia?

Volteo a verlo, encontrándome con su mirada curiosa y atenta.

—Mmm... No sé, nunca me lo habías preguntado. —Entrelazo mi mano con la suya—. Mis padres son de Madrid y son maravillosos, son los mejores padres que pude pedir, y mi hermano... —Suelto un suspiro y cierro los ojos—. Fue el mejor hermano que pude tener. Era más que eso para mí; era mi mejor amigo, mi entrenador y mi compañero de aventuras. Él me enseñó todo lo que sé en las peleas. Era el mejor de Madrid y juntos éramos imparables —digo con una sonrisa, volviendo a mirarlo. Él me sonríe de lado.

—Se ve que fue una persona increíble. —Me acaricia el pelo—. Tus ojos brillan cuando hablas de él.

—Lo admiro mucho y siempre estoy pensando en él; puedo sentirlo conmigo cada día, sé que suena estúpido lo que digo, pero...

—No es estúpido, Anastasia —me interrumpe—. Yo también lo siento con mi familia. Ellos también eran increíbles, mis padres estaban tan enamorados y mis mellizos eran hermosos. —Hace una mueca—. Yo era el mayor de mis hermanitos. Mis mellizos ahora tendrían doce años. Ellos eran un terremoto juntos, amaba a esas bestias. —Se queda callado un momento antes de negar con la cabeza—. Pienso cada día en mi familia.

Sus palabras me encogen el corazón. Me acerco, le doy un beso en la mejilla y lo atraigo hacia mí en un abrazo en donde intento demostrarle lo mucho que me importa.

—Diego, me duele verte así. —No quiero imaginarme el dolor que siente él, porque... ¡joder!, perdió a toda su familia. Yo no sé qué haría sin mis padres, pero, en cambio, él pudo salir adelante—. Eres la persona más fuerte que he conocido en mi vida. Eres tan bueno.

Me aparto para enfrentar su mirada triste.

—Solo he aprendido a vivir con el dolor, al igual que tú, y no siempre fui así, ya te lo dije antes, hubo una época donde estaba lleno de rabia y dolor, quería tomar venganza por mi propia mano.

Asiento.

—Supongo que ambos hemos podido con el dolor. —Dejo salir el aire.

Posa una mano en mi barbilla y me mira fijamente; en sus labios aparece una hermosa sonrisa.

—Aún no se me olvida que estás celosa —bromea tratando de cambiar de tema.

—No eres mi persona favorita en estos momentos. —Hago un puchero.

Se inclina y me da un suave beso. Miro hacia el frente y veo como la mesera se acerca a nuestra mesa con la lasaña, parece tener ojos solo para Diego. Estoy segura de que ni siquiera nota mi presencia cuando deja nuestros platos en la mesa.

—Si necesitas cualquier cosa, me avisas —vuelve a coquetear con Diego.

Lo observo y él frunce el ceño.

—Gracias —dice un poco molesto. Yo suelto una pequeña carcajada y la mesera me mira con los ojos muy abiertos—. ¿No quieres nada más, amor? —dice marcando la última palabra.

Miro a la chica, quien se está comenzando a sonrojar. Me aclaro la garganta dispuesta a jugarle una pequeña broma.

—Solo una cosa. —La encaro lo más seria que puedo—. Que no mires a mi novio como si te lo fueras a comer, se puede desgastar —bromeo, aunque ella no parece darse cuenta.

La cara de la rubia se torna más roja, mientras que Diego se muerde el labio inferior para aguantarse la risa.

—Oh, perdona... Yo pensé que eran amigos —dice avergonzada.

Sonrío y me encojo de hombros.

—¡Nah! Normal, aún no entiendo cómo lo soporto. —Sigo con la broma.

La chica se ríe y él me da un pellizco en la cadera que me hace dar un respingo.

—Bueno, perdón y buen provecho —dice la rubia antes de irse a paso rápido.

Diego sonríe, travieso. Pongo mis manos en sus mejillas y se las apretujo. Cuando las suelto están un poco rojas.

—No hagas eso, Anastasia, me duele —se queja acariciándose el rostro.

Sonrío.

—Llorón. —Le saco la lengua y tomo un pedazo de lasaña.

El almuerzo transcurre entre bromas sobre todas las chicas que lo miran. No me puedo creer que siempre llame la atención. Vale, sí que me lo creo. Es muy guapo. Pero entonces pasa... El silencio nos absorbe mientras él me mira con fijeza. Arrugo las cejas.

—¿Qué pasa?

—Eres bellísima. No tengo palabras para describir cómo me haces sentir, y sé que si lo intentara no podría porque me haría un lío —declara en un susurro. Me quedo callada y aprieto los labios porque no sé si besarlo o reírme por lo cursi que es. Sonrío cuando se pasa una mano por el pelo en un claro gesto de nerviosismo.

—Te estás ablandando, muchachote.

—Solo soy sincero contigo.

Mis manos vuelan a sus mejillas y lo veo cerrar los ojos. Acaricio su barbilla y noto un leve rastro de barba. Abro la boca sin saber qué decir, pero las palabras salen como si llevaran tiempo formándose sobre mi lengua, justo para ver la luz en este preciso instante.

—La vida se ve realmente hermosa cuando tú sonríes, Diego, sobre todo la mía, no dejes jamás de sonreír para mí.

Sus labios se curvan en una preciosa sonrisa.

—Nos estamos volviendo cada vez más cursis con el transcurrir de los días que pasamos juntos —musita sobre mi oreja con un tono de diversión al que ya me ha acostumbrado; porque así es Diego, le gusta bromear a pesar de tener un pasado doloroso.

Hago un gesto con la mano quitándole importancia, lo que provoca que suelte una carcajada.

—¿Lo vas a negar?

—No sé de qué hablas, yo no soy cursi; además, era decirte esa frase, uniéndome a tu estilo, o correr muy lejos de ti. —Me encojo de hombros—. Entonces escogí la primera opción.

—Eres mala, y repito, me quitas mis momentos románticos.

Sonreímos porque ambos sabemos que, a pesar de ser tan diferentes, encajamos a la perfección. Quizás sea una tonta por plantearme siquiera un futuro junto a Diego, cuando el pasado sigue siendo un lastre amarrado a mis tobillos, pero aquí estoy, diciendo tonterías que me salen del pecho y atesorando cada una de las sonrisas que él me ofrece.

Capítulo 26

Después de llegar tarde a la universidad porque no me quería despertar, como siempre, por fin salgo de clases y sonrío al ver a Diego esperándome. No pierde tiempo en tirar de mi mano y abrazarme.

—¿Cómo te fue, bella? —pregunta acariciando mi mejilla.

—Aburrida, pero supongo que bien —digo y me da un beso fugaz.

Toma mi mano y avanzamos por el pasillo hasta el exterior, donde nos encontramos a los gemelos y Jonathan esperándome. Dylan se acerca a Diego y chocan sus puños.

—Ya veo que no se han separado desde que yo los junté —bromea Dylan.

Lo fulmino con la mirada, aún no se me olvida que fue un chismoso, pero en realidad lo agradezco.

—Cállate, perra —finjo estar molesta.

—Pensé que Diego te mantendría relajada, pero veo que sigues siendo tan amargada como siempre, cariño —me molesta. Le pego un puñetazo de broma y él me da un beso en la mejilla.

Saludo a Javier y a Jonathan. Diego me imita y no pasa mucho tiempo para que Alejandra y Cameron se unan a nosotros y terminemos todos sentados en el pasto.

—Ya decía yo que no iba a durar mucho —le reclama Javier a Jonathan—. Me debes pasta, hermanito. —Javier estira su mano hacia Dylan, quien refunfuña antes de depositar un billete en la mano de su gemelo.

—¡Serán perras las dos! —apunta Jonathan—. Apostando de nuevo por mis relaciones. —Jonathan achica sus ojos y mira fijamente a los gemelos.

—No lo veas de esa forma, Amorcín, tómalo como un voto de confianza. Yo sí creo que puedes durar más de una semana con una chica, aunque dudo que se te quite lo puto —bromea Dylan.

Miro a Alejandra y ambas estallamos en carcajadas.

—Yo no tengo fe, eres demasiado mujeriego —rebate Javier con una sonrisa.

—¡Hey, déjenme en paz! —Se molesta Jonathan—. Me gustan demasiado las mujeres para estar solo con una de ellas, todas merecen compartirme.

—¡Oh, cállense! Ustedes tres son unos libertinos, no sé por qué lo niegan tanto, uno se hace más inocente que el otro —digo mirando a Javier, quien abre la boca y se lleva una mano al pecho, mientras todos los demás ríen.

—Disculpa, ¿pero me estás tirando una indirecta? —Se hace el indignado; no puedo evitarlo, se me escapa una carcajada—. Porque me siento ofendido, y solo defiendes a Jonathan porque es tu favorito. —Suelta un bufido.

Pongo los ojos en blanco.

—Créanme que los amo a los tres o no los aguantaría tanto.

—Ustedes cuatro nunca van a cambiar, ¿verdad? —pregunta Alejandra, apuntándonos.

—¡No! —respondemos los cuatro a la vez.

Lo que hace que todos se rían. Diego me abraza y esconde su cara en mi cuello.

—Tienes unos amigos increíbles —susurra.

—Son los mejores hermanos que pude pedir —confirmo. Miro como Dylan bromea con Javier diciendo que él es el gemelo más guapo y así empiezan de nuevo a pelear.

Son un caso, pero los amo. Y, por un momento, me permito recordar que pese a todo lo horrible que ha pasado en mi vida, soy afortunada de tener personas como ellos a mi lado.

Sonrío y niego con la cabeza mientras pelean. Pero entonces el tiempo se detiene y mi sonrisa se rompe cuando lo veo a la distancia. Pestañeo varias veces y sacudo la cabeza para comprobar si es real, pero cuando vuelvo a enfocar, su figura ya no está. Un escalofrío me recorre el cuerpo y una pesadez me aplasta el pecho. ¿Fue real? ¿Nicolás estaba ahí, espiándome, siguiéndome los pasos?

—¿Qué pasa? —me pregunta Diego tomando mi rostro entre sus manos.

Trago saliva y me obligo a sonreír.

—Nada. —Le doy un beso fugaz y toda preocupación se desvanece de su rostro, aunque todo en mi interior está invadido de un terror que apenas me deja respirar.

Está cerca… Ese monstruo está cerca y aún no sé con exactitud cómo voy a escapar de sus garras. ¡Dios! Otra vez no.

Cuatro días después:

La sensación que me dejó ver a Nicolás, haya sido mi imaginación o no, sigue latente en mi cuerpo, pero me las he arreglado para reprimirlas, no quiero ser presa del miedo. Me acerco al todoterreno de Diego, quien está recostado en su capó con lentes de sol. Me acerco con sigilo para que no note mi presencia y cuando estoy lo suficientemente cerca, pongo mis manos en su pecho y grito:

—¡Buuh!

Da un salto y cuando vuelve a caer se golpea la cabeza contra el capó. Abro los ojos de par en par al escuchar el golpazo. Eso tiene que haber dolido.

—¡Joder! —Lo veo llevarse la mano a donde se pegó, frotándose.

—Perdón... No pensé que te iba a asustar tanto —digo preocupada.

—¡Dios! Creo que casi me partí la cabeza, no hagas eso, Anastasia.

—Lo siento —me disculpo avergonzada, pero cuando me doy cuenta de que una sonrisa nace en sus labios, no puedo contenerlo y dejo escapar una risa.

—Bueno, que sepas que si de ahora en adelante me comporto más imbécil y más tonto que nunca, es por tu culpa, porque creo que mataste todas mis neuronas con ese golpe —bromea.

Engancho mis brazos en su cuello y beso sus labios despacio. Disfrutando del sabor de su boca, de la calidez que me trasmite, de la sensación vibrante que se apodera de mis sentidos con el sensual vaivén de nuestras lenguas. Cuando me aparto lo veo sonreír como bobo.

—Me parece que ya estás más que tontito. Parece que el golpe te afectó rápido.

—Cierto.

Ambos sonreímos, pero me aparto cuando mi móvil vibra notificándome de un nuevo mensaje de Luis. Nos subimos al auto mientras voy leyendo.

Luis

Pelea para hoy. ¿Entras?
P.D.: Di que sí, lol.
14:31 p.m

Sonrío emocionada por la idea.

Anastasia

Sabes que cuentas conmigo.
P.D.: Sigues siendo un imbécil, ¿verdad?
14:32 p.m

Mi teléfono vibra enseguida mientras Diego se pone en marcha en dirección a nuestro edificio.

Luis

Niña estúpida, me insultas,
pero aun así te quiero.
14:32 p.m

Anastasia

Lo sé, también te quiero, nos vemos hoy.
Adiós, tarado.
14:33 p.m

Le doy enviar y no puedo evitar mi emoción. Diego lo nota y me mira de reojo con curiosidad.

—Adivina… ¿Quién crees que tiene una pelea hoy?

Dobla a la izquierda y se detiene en el semáforo que está en rojo.

—Mmm... No sé, tal vez Dylan. —Se pasa una mano por la barbilla—. ¿O Jonathan? —pregunta con diversión.

Le doy una palmada en el brazo.

—¡Oh! Claro, ya sé quién es: Alejandra —bromea. Frunzo el ceño y me mira de reojo antes de fijar su vista a la carretera para volver a conducir—. O puede ser la chica más hermosa que mis ojos hayan visto alguna vez. ¿Sabes algo, mi bella? Ella me encanta. Su forma de ser es increíble y enigmática, y admito que me fascinó desde la primera vez que la vi.

Se detiene en otro semáforo y me mira.

—Quiero pensar que ella también siente lo mismo que yo.

Suelto un suspiro agudo que se escuchó más como un gemido. Él sigue observándome.

—Eso no lo dudes, estoy segura de que a ella también le encantas —confirmo, y veo el alivio en sus ojos.

Diego, Diego, Diego…, ¿por qué tienes que ser tan lindo?

Las voces gritan mi nombre mientras avanzo con seguridad a través del muro de personas. Diego me da un suave beso antes de separarme de él, pero entonces lo siento… Un escalofrío me araña la piel y mi corazón da un salto violento dentro de mi pecho. Mis ojos se pasean por la multitud con desesperación, pero mis pies se detienen cuando veo a alguien con su complexión y estatura en una esquina del ring. Sin embargo, es de noche y no puedo estar segura.

¿Estaré alucinando? El hombre tiene una postura relajada y, por el ángulo, me da la impresión de que me mira. Mi corazón se acelera y la boca se me seca en un dos por tres. Luis se acerca y me da un suave empujón que me hace reaccionar.

La algarabía se levanta cuando me presenta y, pese a sentir una extraña sensación en el cuerpo, me concentro en mi oponente. Es una chica de piel morena y el cabello muy negro.

Cuando suena el estridente silbato que da inicio a la pelea, voy directo a la morena y lanzo el primer puñetazo que impacta en su mejilla derecha. Su respuesta llega de inmediato con un golpe que encaja en la esquina de mi labio. Reacciono lanzando dos más que logra esquivar con facilidad, y no se amedrenta, sino que contrataca. Soy rápida y logro moverme antes de que me alcance. Vuelvo al ataque y esta vez logro impactar contra su pómulo, desequilibrándola por un momento, tiempo que aprovecho para encajarle uno más en la barbilla.

La chica se tambalea un poco y soy ágil a la hora de golpearla un par de veces más, sacándole sangre de la boca y la nariz. Ella reacciona y tira otro golpe, pero me agacho. Aprovecho su baja defensa y arremeto con otro golpe que impacta en su estómago, doblándola en el acto.

Se recupera y vuelve por mí, pero soy más rápida y esquivo con agilidad. Regresa con un segundo ataque y esta vez alcanza mi barbilla. El impacto retumba en mis oídos, pero me estabilizo y bloqueo otro asalto con mi antebrazo.

La euforia colectiva nos rodea, escucho mi nombre por todos lados, incluso el de mi contrincante, pero estoy concentrada en la pelea. Tomo aire y me mentalizo para ganar sin más titubeo. Ladeo mi cuerpo, planto bien los pies en el suelo, me impulso y ataco sin ninguna contención. Estrello mis puños una y otra vez contra ella sin darle tregua. No descanso hasta que la derribo. Intenta incorporarse, pero no puede, así que Luis hace tocar la bocina dando por finalizada la pelea.

La adrenalina corre por mi sangre, tengo el pulso acelerado, la chica me dio batalla. Se nota que tiene experiencia.

Diego grita mi nombre y salgo del ring empujando a mucha gente para llegar a donde está. Cuando lo alcanzo, me abraza antes de darme un beso y hacerme girar.

—Diego, bájame por favor —le pido, pero niega y me levanta hasta llevarme encima de su hombro. Luis se acerca corriendo hacia mí—. Diego, detente, ahí viene Luis.

Por suerte me hace caso y me deja en pie.

—Felicidades, guapa. —Luis me entrega mi dinero, seguido de un beso en la mejilla.

—Gracias, amigo.

Me despido de Luis, y luego Diego y yo caminamos al camerino. Una vez allí, toma mi bolso y avanzamos hacia la salida de emergencia. No quiero quedarme un momento más en este lugar, pero me detiene cuando estamos fuera.

—¿Qué pasa?

—Eres maravillosa, mi bella, creo que me enamoré cinco veces más de ti al verte en el ring. ¡Dios mío! Eso fue asombroso, y hasta me pone un poco caliente que seas tan ruda y *sexy* en el boxeo.

—Tienes que dejar de leer tantos libros, Diego, a veces pienso que eres de mentira. —Suelto un bufido antes de que una pequeña sonrisa traviesa comience a aparecer en sus labios.

—Otra vez arruinando mis momentos románticos, mi bella.

—Tú eres mi chico cursi y *sexy*, así que todos los días tienes estos momentos. Ya me estoy acostumbrando a tu lado romántico, y me gusta —confieso y sacude la cabeza con una sonrisa.

Nos subimos a su auto y me pongo el cinturón. Espero a que encienda su todoterreno, pero no lo hace. Cuando volteo a verlo, me encuentro con que me mira con fijeza. Frunzo el ceño.

—¡Me encantas! ¿Vale?, me encantas y siento que estoy jodido, que no puedo detener lo que siento por ti y tampoco quiero hacerlo porque soy feliz. Tú me haces feliz, Anastasia —dice muy serio, sin ningún tono de burla o arrogancia.

Trago saliva sin poder abandonar sus ojos. En ellos se reflejan los sentimientos de los que habla, y también la incertidumbre. Una pesadez se instala en mi pecho, recordándome que él merece la verdad, al menos una parte, así que decido ser lo más honesta posible sin ponerlo en peligro. Suspiro y tomo fuerzas para hablar.

—Yo me enamoré cuando tenía quince años, lo amé con todas mis fuerzas, pero era muy ingenua, me costaba mucho ver la maldad en las personas, supongo que siempre esperaba lo mejor de los demás —confieso con una triste sonrisa—. Era feliz, Diego. Era feliz porque estaba convencida de que tenía el novio perfecto, pero él me traicionó, me utilizó de la peor manera para pagar una deuda. El chico al que amaba asesinó a esa Anastasia llena de vida y alegría.

Él pestañea varias veces y yo juego con mis dedos, nerviosa. Lo veo abrir la boca, pero no le doy oportunidad de hablar.

—Si nada hubiera pasado, si siguiera siendo esa chica llena de vida y risueña, yo me hubiera enamorado de inmediato de ti, Diego, pero ahora me cuesta confiar en las personas y sonreír, aunque te confieso que tu paz y tu amor me hacen recordar que estoy viva y que es bonito sentir de nuevo.

»He estado muchos años en terapia y me han ayudado a sanar, incluso creo que por fin estoy lista para volver a abrirme al amor; como dijo mi terapeuta: cada persona es diferente, y sería estúpido meterlos a todos en el mismo saco.

Suspiro y relajo los hombros. Diego me regala una sonrisa tenue, toma mi mano y me da un beso en el dorso.

—Yo me enamoraría de ti una y otra vez sin dudarlo, mi bella, eso no lo pongas en duda jamás. —Acaricia mi rostro—. Y entiendo que ahora estés renuente a sentir, que hay heridas que tardan en sanar, pero sé que vas a llegar a amarme tanto como yo te amo. Sé que puedo ganarme una entrada completa a tu corazón. —Sonríe—. De hecho, estoy seguro de que voy por muy buen camino.

Me inclino y alcanzo sus labios en un beso casto.

—Lo estás, Diego, lo estás.

Sus ojos brillan de emoción mientras mi corazón se encoge en mi pecho. Diego es demasiado bueno para mí, demasiado dulce. Y yo, pues ciertamente soy hermosa, lo sé, pero pareciera que llevo conmigo espinas y temo que cada una de ellas se claven en su alma y termine por lastimarlo. No se lo merece y lucharé con uñas y dientes para impedirlo.

Capítulo 27

Anastasia

Han pasado casi cuatro meses desde que Diego y yo empezamos nuestra relación. Hemos aprendido a conocernos —Diego es más comunicativo, yo no tanto—, a darnos espacio para estar con nuestros amigos y cada día estamos mejor. Eso me gusta. Sin embargo, hay algo que no me deja en paz: el miedo. Desde hace semanas vengo viendo a Nicolás en todas partes, o eso creo. Ya no estoy segura de nada, excepto del terror que me escala por todo el cuerpo al imaginarlo cerca, acechándome entre las sombras. ¡Dios! Tal vez estoy siendo paranoica.

Además, hay algo que me preocupa y es que he descubierto que Diego tiene la misma pesadilla casi todas las noches, o algo así. Me confió que en sus sueños ve las luces de un camión y después siente que cae en un vacío hasta que se despierta a las tres de la mañana. Su propia mente lo tortura con ese horrible accidente y me duele porque él no se merece revivir ese momento, ese dolor, nadie en este mundo se lo merece, excepto quizás Nicolás.

Todo esto me tiene estresada, tal vez por eso acepté la invitación de salir a divertirme cuando no tenía muchas ganas. Además, Diego parecía ilusionado.

Llegamos a la barra de la discoteca en donde se encuentran Alejandra, Cameron, Bárbara y un chico que acompaña a esta última. Saludo a todos y ella me fulmina con la mirada cuando Diego me da un beso en la mejilla. Supongo que aún me odia y dudo que podamos ser amigas; de hecho, Diego preguntó si me molestaba que siguieran teniendo una amistad y dije que no porque confío en él.

—¿Tienes sueño aún, mi bella? —me pregunta mi novio.

—Sí, quería dormir veinticuatro horas y lo sigo prefiriendo en estos momentos. Que sepas que esto solo lo hago porque sobreviví a mi primer semestre en la universidad y por ti —grito sobre la música y él me atrae a su pecho—. Además, tú no me ibas a dejar dormir y serías capaz de traerme en pijama.

Su dedo recorre mi barbilla mientras me mira con diversión.

—Eres muy dormilona, bella. Tienes que festejar que aprobaste tu primer semestre con muy buenas notas. Estoy orgulloso de ti. —Noto el brillo en sus ojos al pronunciar cada palabra.

—Gracias, Diego. —Suspiro con dramatismo—. Aunque yo quería seguir durmiendo, estoy cansada —confieso, pero no le digo que una sensación extraña sigue instalada en mi pecho. No le digo que un horrible presentimiento me corroe por dentro y que está mal… Que siento que estar aquí está mal.

—¡Que comience la fiesta! —grita Cameron y brinda con Diego.

La rubia tira de mi mano y me abraza con fuerza.

—¡Pensé que no llegarían nunca! —chilla Alejandra sobre la música.

Pongo los ojos en blanco.

—Ya llegué, no me demoré tanto.

—Claro que sí, ¿acaso estaban follando antes de venir? —pregunta con una sonrisa ebria.

Se lleva la botella a la boca y le doy un empujón que hace que se atragante con su cerveza y comience a toser. No puedo evitarlo y me echo a reír. Ella me da una mirada de muerte.

—¡Estúpida! ¿Me quieres matar? —Sigue tosiendo.

—Eso te pasa por ser chismosa, no se pregunta eso. ¿Acaso yo te pregunto cuando lo haces tú con Cameron?

La rubia sonríe con sorna y se acerca más a mí.

—Si quieres te lo digo —dice encogiéndose de hombros. ¡Asco!—. Tú y Diego se ven tan lindos juntos, aún no puedo creer que ya sean cuatro meses.

—Yo tampoco. —Río divertida—. Es decir, yo quería una amistad y él no. ¿Cómo demonios llegamos a esto? —pregunto con mi mano en la barbilla, haciendo que Ale suelte una carcajada.

—Era obvio. Diego babea por ti. Desde el primer día vi su interés en ti, pero pensé que solo estaba jugando como siempre. Jamás pensé que vería un Diego feliz y enamorado de la vida.

—Yo también babeo por él —declaro con diversión—. Diego es increíble, tierno y romántico, y me tiene un poco tontita, pero no se lo digas o alimentará su ego.

Ambas reímos.

—Me encanta verte feliz de nuevo, amiga. —Apoya sus manos en mis hombros y me mira fijamente—. Eres una buena persona, mereces cosas increíbles y él es el chico indicado.

—Creo que estás un poco ebria.

Cuando se aparta se tambalea, comprobando que está bastante tomada.

Un brazo rodea mi cintura y sonrío al reconocer su agarre, su tacto, su perfume. Me giro en los brazos de Diego, pero termina arrastrándome hacia la pista de baile.

Su mano firme en mi cintura y su sonrisa coqueta me aceleran el corazón. Acaricio su cuello con delicadeza y me acerco hasta alcanzar sus labios y dejar un beso suave que poco a poco se vuelve intenso. Chupa mi labio inferior antes de morderlo y robarme un pequeño gemido.

Nos separamos y empezamos a bailar al ritmo de Dua Lipa. Unos minutos después se unen Alejandra y Cameron. Bailamos sumiéndonos en cada canción, mientras Diego me canta al oído y me besa cada vez que tiene oportunidad. Y por un rato me olvido de todo y me permito disfrutar de cada roce, de cada movimiento, de cada sonrisa, de cada mirada llena de emociones que nos regalamos. Unas cuantas canciones después, volvemos a la mesa en donde está Bárbara y su acompañante.

—¡Otra ronda de tragos! —grita Cameron.

Todos beben menos yo. De repente vuelvo a sentir esa maldita presión en el pecho. Miro en todas las direcciones buscando algo sospechoso, pero solo veo gente bailando y pasándolo bien. Diego me ofrece un trago y lo tomo algo dudosa.

—Solo uno —me habla muy cerca con un tono bastante alegre por el alcohol.

Sonrío y desvío la mirada un instante, entonces lo veo y las garras del terror se clavan en mi carne con crudeza. Nicolás baila con una chica rubia y, como si pudiera notar mis ojos sobre él, ladea la cabeza y nuestras miradas se cruzan. Un grito ahogado se me escapa de entre los labios. «¡No, no, no puede ser!», me repito un par de veces.

Diego lleva una mano a mi mentón, haciendo que lo mire. Está frunciendo el ceño. Obviando ese hecho, vuelvo a girar en busca del monstruo que me persigue, pero ya no lo veo. ¿Qué mierda me pasa? Estoy enloqueciendo. Tal vez el agotamiento me esté jugando una mala broma.

—¿Qué sucede? —pregunta Diego—. ¿Te sientes mal?

Trago saliva y niego con la cabeza varias veces.

—Necesito ir al baño —digo apresurada.

Su mano se afianza en mi muñeca cuando intento pasar por su lado.

—¿Quieres que te acompañe? Estás pálida. —Estira la mano y acaricia mi mejilla—. Si quieres nos vamos. Tal vez no debimos salir del apartamento.

Cameron le pasa un trago y él lo toma ofreciéndole media sonrisa. Y entonces me doy cuenta de que la está pasando bien, así que niego con la cabeza para no arruinar su diversión con mis problemas.

—Estoy bien. Solo tengo mucho calor y necesito ir al baño —digo, pero Diego no parece convencido, así que intento sonreír—. Estaré bien, nada me sucederá por subir al segundo piso —bromeo.

Él asiente, se acerca a mí y me da un beso corto. Camino a través de la pista para poder llegar a la escalera. Me rasco el cuello sin dejar de sentirme observada. Miro a todas partes, pero solo veo a la gente inmersa en su mundo y disfrutando.

Suspiro cuando por fin entro al baño. Me apoyo en el lavamanos y me observo en el espejo. Luzco algo pálida. ¿Por qué carajos me estoy imaginando a Nicolás en cada esquina? ¿Me estoy volviendo loca o qué? No entiendo nada. Respiro varias veces para tratar de controlarme. Necesito tener la mente fría.

Cuando salgo del baño me siento un poco más tranquila, al menos hasta que una mano me agarra del cuello con fuerza y me azota contra la pared. Abro los ojos de la impresión y me encuentro a mi peor pesadilla con una sonrisa malvada. Por instinto, mi mano se aferra a su brazo, empujándolo para que me suelte, pero hace todo lo contrario y aprieta con más ímpetu, dificultándome el paso del aire.

Su sonrisa y su mirada fría me estremecen, sé que lo hizo a propósito, que jugó con mi mente para asustarme y destrozar mis nervios, pero me niego a darle gusto. Tomo todo el aire que puedo y me concentro en el odio que siento por él.

—Hola, amor, ¿me extrañaste? —Afloja su agarre en mi cuello y me acaricia la mejilla—. Eres tan hermosa. ¡Joder! ¡Cómo me pones con solo mirarte!

Apenas termina de hablar, estampa su asquerosa boca contra la mía, pero no le doy acceso. Aprieto los ojos con fuerza sintiendo náuseas solo por su contacto. ¡Lo odio! Él suelta un gruñido que suena más como un animal que como una persona.

—¡Suéltame, pedazo de mierda! —Intento escapar, pero me retiene con una sonrisa burlona.

—¿Me temes, cariño? —habla cerca de mis labios—. ¿Sabes algo? Tu cara de miedo me recuerda a esa maravillosa noche oscura. Me excita recordar el terror en tus ojos, la manera en que tu cuerpo temblaba mientras los demás hombres tocaban tu piel dispuestos a tenerte en contra de tu voluntad. Por fin la increíble Anastasia, la peleadora más grande de Madrid, había caído junto con su hermano. Su reinado había sido destruido por su querido novio; es decir, yo.

—Eres un hijo de puta —grito con rabia. ¿Cómo puede ser tan cruel?

—Cariño, tienes que entender que fueron negocios que me hicieron pagar una deuda y ganar mucho dinero, aunque, como siempre, mi querido hermano arruinó mis planes salvándote. Simón el santo siempre siendo tu ángel guardián, ¿verdad, Anastasia? Considérate afortunada porque eras la primera y fui lento, pero créeme que ahora no lo soy. —Sus palabras y la frialdad con la que las dice me recorren todo el cuerpo.

—¡Eres una mierda! —Me armo de valor y le entierro las uñas en el brazo, pero, pese a su gemido de dolor, no me suelta. De hecho, vuelve a sonreír con arrogancia.

—Estás jugando con fuego, cariño. Ah, mi querida Anastasia, siempre estás intentando sacar lo peor de mí, ¿verdad?

Su mano hace más presión contra mi cuello y sus labios siguen curvados en una sonrisa. Entonces lo recuerdo, todo esto es un juego para él y yo también puedo aprender a jugar.

—Te duele verme feliz de nuevo, ¿verdad? —Aflojo mi agarre en su brazo y sonrío como si no me faltara el aire—. Te duele que sea más fuerte y que ya no me afecten tus trucos de mierda, ¿cierto?

Su expresión se endurece por un segundo, le han afectado mis palabras, pero luego sonríe con malicia y se aprieta contra mi cuerpo.

—Tú eres mía y de nadie más. —Se acerca demasiado a mí, dándome la oportunidad que necesito.

Aprieto los puños y levanto mi rodilla impactando con sus partes nobles. Su mano abandona mi cuello y su cuerpo se dobla hasta que cae al suelo del dolor. Me cierno sobre él y rodeo su cuello con ambas manos. Quiero matarlo, quiero acabar con esta mierda y hacerle un favor al mundo deshaciéndome de esta escoria humana.

Mi respiración es un caos, la suya también por la presión de mis manos. Es una bestia... Nicolás es una bestia que nunca me dejará en paz. Y lo odio tanto como le temo, pero, por suerte, hoy me he dado cuenta de que mi odio siempre le ganará a mi miedo.

—Vas a caer, Nicolás. Vas a pagar por todo lo que has hecho —le aseguro, y el hecho de que sonría me enfurece tanto que termino estampándole un puñetazo en la cara que le borra la sonrisa—. Mírame, pedazo de mierda, no te tengo miedo porque ya me destruiste. ¡Mírame! —grito hecha una fiera—. Tú creaste a esta nueva Anastasia, una más fuerte que no le teme a nada, ni siquiera a un monstruo como tú.

Aprieto más su cuello y su respiración se vuelve más pesada mientras sus manos presionan mis brazos, pero no lo suelto y la falta de aire le está afectando más de lo que quisiera demostrar. Sería tan fácil apretar un poco más y ver como deja de respirar. Podría ver cómo poco a poco sus ojos se apagan, pero no, yo no juego así de sucio.

—Sería tan fácil acabar contigo como tú acabaste con mi vida y la de mi hermano. —Sonríe con maldad y trago saliva—. Sería tan sencillo ejercer un poco más de presión y arrancarte el último aliento. —Hago más presión en su cuello.

Él deja salir una risa que es interrumpida por mis dedos clavados en su tráquea, pero, aun así, se relame los labios como si lo disfrutara. Está enfermo.

—Vamos, Anastasia…, ambos sabemos que no eres capaz de hacerlo. —Nos miramos fijamente—. No tienes… No tienes las agallas de matarme, cariño —se burla.

Mis manos se tensan aún más en su cuello y la diversión desaparece de su rostro cuando empieza a toser por falta de aire.

—Ahora no eres tan fuerte, ¿verdad? No eres nadie sin tu gente que te cuide la espalda, porque mírame. —Me observa con ira mientras mi pulgar acaricia su mejilla—. Puedo matarte ahora y nadie te extrañaría. Has hecho tanto daño a inocentes que, si te matara, el mundo me lo agradecería.

Respiro varias veces para controlar mi odio, para no empuñar las ganas que tengo de acabar con él y este maldito infierno de saberlo detrás de mí como una puta sombra, para no cometer un error con el que no puedo cargar; para no asesinarlo.

—No vales la pena —murmuro. Sacudo la cabeza y suelto su cuello—. Pero recuerda bien estas palabras, Nicolás: Acabaré con tu vida. ¡Te lo juro!

Se pone de pie y tose en medio de una risa escalofriante. Mi corazón da un salto contra mis costillas cuando me doy cuenta de que parece un psicópata. Me trago el miedo y doy un paso adelante. Sus ojos se entrecierran en mi dirección.

—Un día me dijiste que yo era tu ángel, pero ahora tu ángel se convirtió en tu demonio personal. —Sonrío mientras que su expresión es indescifrable—. No eres el único que puede jugar en las sombras.

Me separo de él y bajo al primer piso a toda prisa. Me acerco al lugar donde estábamos, pero solo se encuentra el chico que acompaña a Bárbara. Le pregunto sobre mis amigos y me señala la pista. Miro mi móvil, sé que tengo poco tiempo para salir de aquí antes de que Nicolás envíe a por mí a la gente con la que siempre anda.

Con los nervios a flor de piel, camino rumbo a la pista, pero sin dejar de mirar a todas partes. Necesito sacar a todos de aquí antes de que sea tarde. Cuando avanzo me doy cuenta de que están disfrutando mucho. Ale y Cameron bailan manoseándose sin disimulo. Mientras que Bárbara y Diego bailan con bastante entusiasmo. Están tan concentrados en lo que hacen que ni siquiera notan mi presencia.

Es demasiado. Todo esto es demasiado en una sola noche. Pestañeo varias veces para no llorar, y de alguna forma, mis ojos van directo al segundo piso en donde Nicolás habla con cuatro hombres. Él se acerca a la barandilla y pasea la mirada por todo el lugar. Trago saliva cuando reconozco al hombre a su lado, es el mismo que me amenazó en Madrid.

Me llevo una mano al pecho sintiendo una sensación aplastante. Vuelvo a mirar a Diego y a Bárbara bailando, y de pronto soy consciente de que él necesita esto. Necesita una chica sin un pasado turbio y lleno de secretos. Necesita una chica que pueda serle completamente sincera. Tengo que dejarlo ir y no seguir exponiéndolo al peligro. Diego ya ha sufrido mucho y no merece más caos en su vida. Y duele, ¡joder! Duele darme cuenta de que estará mejor sin mí.

Miro de nuevo a Nicolás, que aún me busca entre la gente.

Tengo que salir de aquí.

Mis pies se mueven en dirección a la salida, pero logro captar el momento exacto en el que Nicolás me señala y sus hombres empiezan a correr hacia mí. Un escalofrío me recorre, pero no dejo de avanzar. Me abro paso entre la multitud a punta de empujones.

Estoy a nada de empujar a un pequeño grupo cuando alguien me toma del brazo. Mi corazón se detiene por un segundo, pero logro reaccionar y levanto la mano empuñada, lista para defenderme, cuando veo la cara de Simón. No me da tiempo de preguntar nada, me arrastra fuera de la discoteca y me mete a su auto.

—Joder, Anastasia, ¿estás loca? —grita Simón y empuja el pie contra el acelerador. Pestañeo varias veces hacia él. Simón aprieta con fuerza el volante, tanto que sus nudillos se ponen blancos.

—Supongo que sí. —Trato de bromear, intentando relajar el ambiente tan tenso que se ha formado.

Cierro los ojos y me dejo llevar por el silencio. Mi corazón aún sigue acelerado, por lo que tomo unas cuantas bocanadas de aire. Estoy tan cansada que me mantengo con los ojos cerrados hasta que estaciona.

—¿Por qué estacionas aquí? —Miro por la ventanilla y noto que estamos a unas cuadras de mi edificio.

—No quiero llevarte a casa aún.

Suspiro y lo miro.

—¿Qué hacías en la disco?

—Ya te había dicho que estoy siguiéndole los pasos a mi hermano. Te prometí que iba a cuidarte de él y lo haré.

—Gracias por sacarme de allí. Parece que de verdad eres mi ángel guardián.

Una suave sonrisa nace en sus labios. Estira la mano y acaricia mi mejilla, pero me aparto.

—No sé si seré tu ángel, pero te pondré a salvo, Anastasia —promete sin dejar de sonreír.

Exhalo.

El tiempo transcurre entre anécdotas de lo malos que éramos en la pista de hielo, y de cómo siempre terminaba derribándolo y yo cayendo encima de él.

Suelto una carcajada cuando lo escucho quejarse y luego frunzo el ceño cuando me doy cuenta de que me mira con atención.

—¿Qué? —inquiero.

—¿Qué nos pasó, Anastasia? —pregunta con un tono completamente serio.

—La vida, Simón. Eso nos pasó.

Sonríe con tristeza, y lo noto, él también tiene heridas y yo más que nadie sé cuán difícil son algunas para curarse. Supongo que todos tenemos nuestras propias sombras, nuestras cicatrices y alguna que otra espina clavada en el alma.

Capítulo 28

A veces la vida nos atropella y nos arrastra a lugares a donde no quisiéramos estar, y es justo donde me encuentro ahora. En el punto de mira de un depredador y en un auto, al lado del hermano de ese monstruo. Y lo sé, no son iguales, cuando miro a Simón no veo sombras ni siento temor, pero, en definitiva, no es el lugar donde quisiera estar.

—No entiendo nada, estábamos bien juntos y después mi hermano... —Aprieta las manos en el volante y suspira con frustración.

—Solo pasó, me enamoré de Nicolás. —Desvío la mirada. Me siento incómoda hablando sobre mi desastroso pasado—. No tengo otra explicación, jamás quise hacerte daño. Además, solo estábamos tonteando, Simón, no era nada serio.

—¡¿Nada serio?! —Me mira incrédulo—. Para mí sí era serio y te recuerdo que iba a pedirte ser mi novia y que me arriesgué mucho por ti. Oculté nuestra relación a mi mejor amigo por tus miedos, bonita.

—No seas cínico, Simón. Te vi muchas veces coqueteando con chicas y besándolas frente a mí, e incluso te las llevabas a los camerinos para tener sexo con ellas, y todo eso cuando estábamos tonteando, por lo tanto, jamás fue algo serio. Y ambos teníamos miedo de lo que iba a decir mi hermano, no solo era yo. —Suspiro agobiada—. Nicolás estuvo ahí para mí y no andaba refregándome sus conquistas en la cara como tú, ¿lo recuerdas?

—¡Dios! Fui un imbécil, pero yo pensé que estabas bien con lo que dijimos de ser libres y que podíamos estar con otras personas.

Me recuesto en el asiento e inhalo. Es cierto que llegamos a ese acuerdo porque yo sabía que él no quería tener nada serio conmigo, pero me gustaba tanto que acepté todo lo que en ese momento él pudiera darme, lo cual ahora me parece muy patético.

—Simón, lo de nosotros fue entretenido, fácil y sin complicaciones, y sí, en cierta forma me tuviste, pero eso cambió hace tiempo. Ambos éramos muy jóvenes y cometimos muchos errores.

—Sí, pero...

—Será mejor que me lleves a casa. Mis amigos deben estar preocupados por mí —lo interrumpo. Necesito espacio para pensar qué voy a hacer. Nicolás sigue respirándome en la nuca.

Lo escucho suspirar cansado, pero por suerte acata mi petición y me lleva a mi edificio.

—Veo que tengo un comité de bienvenida —bromeo cuando veo a Diego, Cameron y Alejandra esperándome en el pasillo con caras de angustia.

Tres pares de ojos se clavan en mí, sorprendidos.

—¡¿Dónde estabas?! —grita Alejandra, y la pregunta se repite en los labios de mi novio y el suyo.

—Tranquilos, tuve una emergencia. Los gemelos tuvieron algunos problemas con unas chicas y fui a salvar sus traseros —miento—. Los busqué, pero no los encontré. Jonathan prácticamente me arrastró fuera de la disco.

Abro la puerta de mi apartamento y entro seguida de ellos. Caminamos hacia los sillones y nos sentamos. Me masajeo la sien porque estoy exhausta y lo peor es que sé que no podré dormir porque me aterra la idea de que él pueda entrar aquí.

—Esos dos siempre metiéndose en problemas —dice Alejandra, divertida.

—Ya sabes que sin mí ellos no son nada. —Pongo los ojos en blanco—. Perdón por asustarlos, pero mírame, estoy aquí sin ningún rasguño. —Miro a Diego de reojo, quien me observa con detenimiento. ¿No me cree?

—Pensé que te había pasado algo —sigue mi amiga.

—Hablas como si hubiera alguien cazándome —bromeo, aunque sí que hay un malnacido siguiéndome—. Fue un largo día, me voy a dormir, pueden quedarse aquí; ya es tarde.

Por suerte, todos están de acuerdo. Subimos las escaleras e instalo a mis amigos en la otra habitación antes de que Diego y yo entremos a la mía. No le doy tiempo a decir nada, tomo mis cosas de aseo y mi pijama. Me doy una ducha rápida y cuando salgo, lo veo sentado en la cama. En cuanto me ve se pone en pie y viene a mí. Sus manos se van directo a mi cintura y su mirada dulce pero intensa se cruza con la mía.

—¿Te encuentras bien? —pregunta preocupado.

—Sí —miento de nuevo. Estoy cabreada, me siento impotente y lo único que quiero es desaparecer y que esto acabe—. Solo estoy cansada, quiero dormir dos días seguidos —bromeo.

—¿Algún día dejarás de ser tan misteriosa y guardar tantos secretos? —inquiere y esquivo su mirada—. Supongo que no. —Suspira.

—Es parte de mi encanto. —Rodeo su cuello con mis brazos y le ofrezco una sonrisita coqueta—. Además, te encanta que sea así, es lo que mantiene nuestra relación más interesante.

—Oh, creo que otra vez te estás poniendo tontita.

—Que no me pongo tonta, eres un mal novio.

Suelta una carcajada y se aparta. Se quita la ropa quedándose solo en bóxer y mis ojos, casi inconscientemente, van al espectáculo que es su cuerpo. Sonríe al notar que lo miro y me extiende la mano para que nos acostemos juntos. Lo hacemos abrazados.

—¿Me quieres, Anastasia? —pregunta sin rodeos. Levanto la cabeza de su pecho para mirarlo y veo su mirada tierna sobre mí. Asiento incapaz de encontrar mi voz.

Es obvio que lo quiero, pero no sé si estoy haciendo lo correcto al seguir con él poniéndolo en peligro, sobre todo después de lo que pasó esta noche. Estoy segura de que Nicolás ya sabe de su existencia. Me descuidé demasiado y por poco me atrapan, fui una tonta y tengo mucho miedo. Otra vez estoy reviviendo mis pesadillas y de nuevo no me siento segura en ninguna parte.

—Yo te quiero, Anastasia, contigo me siento completo. No lo olvides nunca, ¿vale?

—Vale.

Se inclina y me da un suave beso que correspondo con los sentimientos a flor de piel. Nos quedamos así, quietos. Su respiración se va calmando hasta que se queda dormido, pero yo no puedo conciliar el sueño. Me aterra solo imaginar que Nicolás puede estar dentro de mi apartamento, listo para el ataque. O peor, que vuelva a utilizar a mis seres queridos para lastimarme. Sabe que Alejandra es como mi hermana y temo por su seguridad. Mi móvil vibra en mi mesita de noche y me aparto de Diego con cuidado de no despertarlo. Miro la pantalla y veo que es una llamada entrante de Simón.

Cojo aire mientras salgo de la habitación y cierro despacio a mi espalda.

—Hola —digo en un susurro bajando la escalera.

—Anastasia, te voy a preguntar algo y quiero que seas sincera conmigo. —Lo escucho suspirar—. ¿Quién es Diego?

Mis pies se paralizan, mi respiración se altera y de repente siento la boca seca.

—¿Por qué lo preguntas?

—Porque Nicolás puso a uno de sus hombres a vigilarlo. Hizo lo mismo con todos tus amigos. Ha echado mano de sus influencias con sus socios. Quiere secuestrar a Alejandra porque sabe que con eso te tendrá en sus manos. Escúchame bien, Anastasia, mi hermano está tramando algo, te van a atrapar, tienes que irte por ahora.

—Pero es que…

—Sabes que es obsesivo, y ahora mismo está decidido a tenerte consigo. Si te tiene ubicada, no se va a detener.

Niego con la cabeza. «Otra vez no, por favor. No me puede estar pasando de nuevo». No puedo aguantar más y comienzo a llorar. ¿Por qué me tiene que pasar esto? Quiero gritar, llorar y romper todo a mi paso. Mi espalda choca contra la pared al final de la escalera y me deslizo hasta derrumbarme en el suelo. No sé cuánto tiempo podré seguir escapando de él.

—¿Cómo sabes todo eso? —pregunto, pero no dejo que me conteste antes de continuar—: No puedo irme y dejar a mis amigos aquí sin más, correrán un peligro mayor —sollozo limpiándome las lágrimas que escapan sin control.

—Tengo a alguien adentro, te quiero ayudar, confía en mí. Tus amigos estarán bien, estoy hablando con unos amigos policías y estamos poniendo agentes vigilando a cada uno de ellos. Créeme que no eres la única que anda detrás de Nicolás —suelta un gruñido y sé que enciende su auto cuando escucho el motor rugir.

»Lo estoy siguiendo, Anastasia. Tienes que escapar de él, es mucho más peligroso de lo que te imaginas, créeme cuando te digo que tienes que irte por ahora hasta que las cosas se calmen. Lo conoces, sabes que todo esto es un juego para él y mientras estés cerca, no dejará de asediarte y torturarte con las personas que quieres hasta tenerte entre sus manos. —Suspira con pesadez y de fondo escucho la voz de alguien más, pero no sé lo que dice—. Te prometo que tus amigos estarán a salvo y sabes que yo cumplo con mi palabra.

—Pero Simón…

—Anastasia, solo será un tiempo hasta que se distraiga con algo más y podamos encontrar pruebas para detenerlo.

Cierro los ojos con el dolor danzando en mi pecho y recuerdo cómo dos años atrás Jonathan y los gemelos me decían las mismas palabras: «Vete, escapa de él, es peligroso». Recuerdo que los tres me abrazaron fuerte antes de subir al tren. En ese momento apenas tenía el dinero de mis peleas y no sabía en dónde esconderme, estaba sola. No quería seguir exponiendo más a Alejandra y a mis abuelitos.

Me aclaro la garganta y aprieto el celular contra mi oreja:

—Está bien, confío en ti, pero ¿qué hago? ¿A dónde me voy? No tengo un plan, Simón —sollozo.

—Por ahora toma un poco de tu ropa, dinero y todo lo que creas necesario para ti. Te veo en el aeropuerto y te pondré a salvo —gruñe una maldición y escucho cuando frena de golpe—. Compra un pasaje para Sevilla.

—Vale. —Apenas me sale la voz. Subo con el alma hecha pedazos y veo a Diego durmiendo profundamente. Entro a mi closet y saco una maleta en donde me apresuro a guardar todo lo que necesito.

Media hora después tengo todo listo para volver a huir, menos mi corazón; él sigue aferrándose al chico que duerme y que tengo que dejar para que el monstruo no le haga daño.

—Perdóname, Diego. Sé que cuando despiertes me vas a odiar con todas tus fuerzas porque no vas a entender nada. Al final creerás que jugué contigo y romperé tu corazón. —Me limpio las lágrimas—. Pero lo hago para que estés a salvo, me descuidé y te puse en peligro. No me quiero ir, pero tengo que hacerlo.

Me acerco a él y le doy un beso suave en la frente.

—Te quiero, Diego, lamento no habértelo dicho con palabras cuando estabas despierto. Jamás quise ponerte en peligro, es por esa razón que antes de ti no había estado con nadie, porque mi pasado siempre me alcanza. —Tomo un poco de aire y lo dejo salir despacio—. Prometo cuidarte desde la distancia, no dejaré que nadie te lastime más.

Me levanto de la cama y dejo la carta que escribí bajo su móvil. Salgo con sigilo de mi habitación, camino a donde se encuentra Alejandra y Cameron, y deslizo la nota debajo de la puerta.

—Perdóname de nuevo por volver a ponerte en peligro, soy la peor, pero solucionaré toda esta mierda, solo que por ahora tendrá que ser desde lejos. Lo siento tanto —susurro con la voz rota, aunque no pueda escucharme.

Tomo mis cosas, llamo un taxi y una hora después ya tengo mi boleto en mano esperando embarcar. Me siento mal, no me puedo creer que haya permitido que Nicolás se acercara tanto. Me distraje y ni siquiera vi venir este golpe.

—Anastasia —grita Simón. Levanto la mirada y veo que viene corriendo hacia mí—. Lo detendremos juntos.

Lo miro fijamente.

—Voy a acabar con él —afirmo con la rabia fluyendo por todo mi cuerpo.

—Acabaremos con él, juntos. —Me toma de la mano y deja un beso en mi frente—. Cuídate mucho, te llamaré todos los días y te estaré mandando información. Toma las llaves de mi apartamento.

Tomo sus llaves y las guardo. Me limpio las lágrimas que caen por mis mejillas.

—Gracias por ayudarme.

—Te protegeré, hace unos años no lo pude hacer, pero ahora sí. No dejaré que te siga lastimando.

Asiento con la cabeza, tomo mi maleta y camino hacia la fila para abordar. Él me mira por última vez. Creo que por ahora lo mejor es ser paciente y mantenerme al margen por un tiempo. Me limpio las lágrimas que siguen saliendo sin que pueda evitarlo, y es que me destroza el alma tener que volver a huir y abandonar a las personas que amo, y todo por él; por un desgraciado que se ha obsesionado conmigo hasta convertirme en su presa. ¡Maldito Nicolás! Algún día vas a pagar todo lo que has hecho.

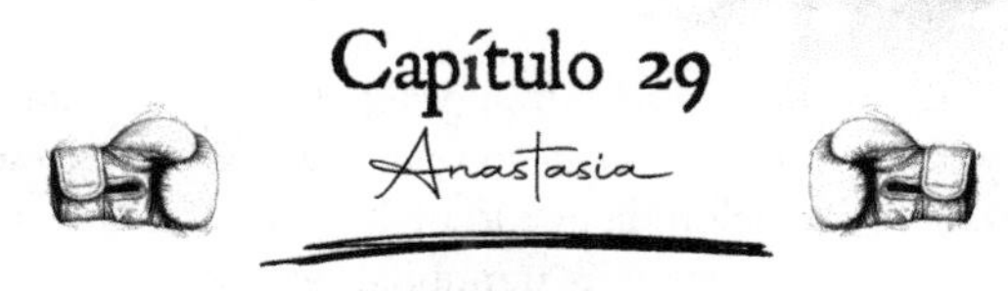

Capítulo 29

Anastasia

Un mes después

La imagen de Diego ebrio mientras Cameron, Alejandra y Bárbara intentaban contenerlo en ese parque donde los seguí; acompañada de la escena que me dejó asqueada —aunque también me hizo sonreír— cuando seguí a los gemelos y a Jonathan hasta un bar donde usaban sus encantos contra tres chicas, me acompañan mientras corro sin parar a través de un pequeño bosque, en donde ya he seguido muchas veces a Nicolás hasta su pequeña casa de madera en medio de la nada, a las afueras de Barcelona.

Se supone que tendría que estar en Sevilla, tranquila en el apartamento de Simón, pero no puedo. ¿Cómo podría estar ahí descansando cuando puse en peligro a toda la gente que amo, de nuevo? Él siempre ha sabido cuál es mi punto débil.

A lo lejos veo los faroles de los autos que vienen acompañando a Nicolás, corro aún más rápido sintiendo que el corazón se me va a salir del pecho, pero necesito conseguir más pruebas. Cuando por fin llego cerca de la casa, me apoyo contra un árbol para poder recuperar un poco de aire.

Me tardo un momento en controlar lo suficiente mi respiración para escalar por las ramas y tener mejor vista. Mi cuerpo se tensa de manera automática cuando veo a Nicolás hablando con los dos hombres de trajes finos. Enciendo mi cámara y comienzo a grabarlo porque la cabaña tiene enormes ventanales, un grave error de su parte, pero supongo que al estar en medio de la nada pensó que nadie lo seguiría hasta aquí. Ya he venido tres veces a este lugar y él no lo ha notado. He recolectado muchas pruebas para atraparlo, pero tampoco ha sido fácil y mucho menos suficiente, es bueno eliminando las huellas de sus crímenes.

Tomo con más seguridad mi cámara porque tengo la mano congelada por el frío; el invierno se está acercando. Suelto un gruñido cuando veo que toman asiento y un tercer hombre se acerca con una botella de vino para servirles, es el mismo malnacido que me amenazó en Madrid.

Diez minutos después salen de la cabaña con dos chicas, evidentemente drogadas. Nicolás las empuja y los dos hombres las toman por los brazos, llevándoselas en diferentes autos de lujo. Nicolás se queda ahí sonriendo hasta que los ve desaparecer y luego entra de nuevo a su casa. Paro la grabación y me quedo mirando por los ventanales. Él solo está sentado usando su ordenador.

—¿Qué le hiciste a esas chicas? —mascullo llena de rabia e impotencia, aunque sé que no obtendré respuesta.

Me bajo del árbol y me alejo a pasos lentos. Cuando estoy a una distancia prudente para que no pueda verme o escuchar mis pasos, me echo a correr a toda prisa para salir del bosque. Me subo a la moto que alquilé y acelero hasta alejarme de la boca del lobo sintiéndome horrible por no poder ayudar a esas chicas.

Acelero con emociones violentas recorriéndome la sangre, y es que, aunado a la impotencia que siento, recordar a Diego en estado de ebriedad me mata y me hace demasiado consciente de que le hice pedazos el corazón y que, aunque lo hice para protegerlo, no tengo perdón. Él no merece sufrir y por mi culpa lo está haciendo.

Mi único consuelo es que Simón cumplió su palabra y mis amigos están protegidos por agentes, y también me consuela que Alejandra me vio, o eso espero, cuando pasé por su lado con la intención de que lo hiciera pese a estar camuflajeada. Ojalá que al saberme bien pueda estar más tranquila, porque ella también se veía algo demacrada. ¡Dios! Estoy lastimándolos por culpa de ese monstruo. ¿Cuándo mierda acabará esto?

Tres días después:

Alguien toca la puerta del apartamento y me sobresalto. Veo por la mirilla para percatarme de quién es y luego abro para encontrarme a Simón con una botella de tequila y varios limones. Ruedo los ojos y me hago hacia un lado para que entre.

—Soy genial —es lo primero que dice con una sonrisa—. Tú y yo nos vamos a emborrachar para pasar las penas juntos.

Desaparece en la cocina y me siento en el piso del cuarto de estar en donde dejó la botella. Regresa con dos vasos y algunos limones cortados, se sienta a mi lado y me da un beso en la mejilla. Lo observo y anda vestido todo de blanco haciendo que sus ojos azules resalten aún más.

—¿Está mal que me sienta tan sola?

—Ya no estás sola, me tienes a mí, bonita. —Me guiña el ojo y sirve el tequila.

—Gracias por estar conmigo.

—Siempre estaré aquí mientras tú quieras.

Me pasa mi vaso y brindamos juntos, me lo llevo a los labios y me lo tomo de un trago; el líquido me quema la garganta, pero no me importa, hoy quiero olvidar todos los problemas que tengo.

El tiempo vuela en medio de tragos, chistes malos y sonrisas tontas. Al menos hasta que él suelta la pregunta:

—¿Cómo te enamoraste de mi hermano?

Volteo a verlo, impresionada por el giro de la conversación. Doy otro trago antes de contestar.

—¿Recuerdas ese día que peleamos en tu casa? Fue en esa fiesta que diste por tu cumpleaños. Estaba molesta contigo porque me estaba enamorando de ti, pero tú no estabas muy interesado en mí, solo me veías como tu capricho. —Intenta hablar, pero yo lo fulmino con la mirada para que se calle—. Me dolió ver cómo te enrollaste con dos chicas frente a mí porque yo, ingenuamente, era exclusiva para ti. Aunque sé cuáles fueron nuestras reglas. En fin, subí molesta al segundo piso y caminé una y otra vez por el pasillo hasta que sentí la mirada de alguien.

Cierro los ojos y tomo un enorme suspiro al recordar ese maldito momento que arruinó mi vida.

—Ahí lo vi, estaba con una sonrisa tierna, con su pelo despeinado y sin camiseta. Me quedé quieta mirándolo porque lo encontré hermoso. Recuerdo que me preguntó: «¿Qué haces aquí tan sola, hermosa?». Y le conté que había peleado contigo, entonces me dijo que tú eras un imbécil, que yo era demasiado para ti. Me recordó lo asombrosa que era.

Tomo otro trago antes de continuar.

—Ese día nos quedamos hasta al amanecer hablando, me pareció tan sorprendente que ese chico guapo solo tenía ojos para mí y eso me hizo sentir muy especial. Esa noche me pidió mi número y me acompañó hasta mi casa en donde nos besamos, y ahí comenzó nuestra historia, me enamoré de ese Nicolás divertido y misterioso que le veía el lado positivo a la vida, no del demonio que es ahora —termino con una sonrisa triste. Miro de reojo a Simón, quien sigue en silencio, mirándome.

—Así que por eso cambiaste de un día para otro conmigo. —Hace una mueca—. Hasta que te vi un día besándolo, no supe que de verdad te había perdido. Sentía tantos celos de mi hermano, porque tú solo tenías ojos para él. Aunque ni siquiera supe cómo empezó lo de ustedes, siempre te alejabas de mí cuando intentaba hablarte. ¿Por qué? Sé que fui un idiota, pero…

—Lo hice porque no quería que Nicolás se sintiera inseguro. Él jamás me prohibió verte, pese a saber lo que hubo entre nosotros. Aunque si soy honesta, lo hice por mí. Tú me confundías, Simón. Contigo experimenté muchas cosas fuertes y no me hacía bien estar cerca de ti. ¿Alguna otra pregunta?

—Sí, aquí va: ¿te enamoraste de mí?

—No, pero sentí muchas cosas fuertes hacia ti.

—Joder, eso duele.

Nos quedamos callados hasta que estira su mano y me acaricia la mejilla.

—Hemos crecido, Anastasia; yo no soy un adolescente con las hormonas revueltas y tú no eres esa chica de mirada dulce e inocente. Ambos hemos cambiado para bien, te miro y solo puedo ver a una mujer hermosa, guerrera, fuerte y *sexy* que puede volver loco a cualquier hombre.

—Estás coqueteando conmigo, ¿verdad? —Enarco una ceja. Sonríe de lado y se pasa la mano por la cabeza, alborotando su pelo rubio y, por alguna razón, eso lo hace lucir más guapo.

—Un poco —confiesa con una sonrisa que me contagia.

El alcohol empieza a correr más deprisa por mis venas mientras, gracias al cielo, los temas se vuelven más banales. Cuando me doy cuenta, la botella se ha acabado y me siento tan achispada que me río hasta de ver un mosquito pasar.

—No te miento, me he vuelto un santo —afirma sacándome una carcajada. No me creo que no tenga novia o se esté ligando a varias chicas al mismo tiempo.

—Sigues siendo un descarado, Simón.

Sacude la cabeza y se inclina hacia mí, tanto que no puedo ver nada más que el azul de sus ojos. Su mano acaricia mi mejilla y no me muevo.

—Me sigues encantando, Anastasia —dice seguro. Miro sus labios y me doy cuenta de que él está haciendo lo mismo.

Trago saliva porque esto está siendo incómodo para mí.

—Simón, yo…

—Solo déjate llevar, bonita. —Toma mi mano y la pone en su corazón.

Se acerca aún más y nuestras narices se rozan mientras pasa su dedo por mis labios. Niego con la cabeza porque ese gesto me recuerda tanto a Diego. Antes de que pueda reaccionar, su boca está sobre la mía y mi cuerpo me traiciona siguiendo el beso. Es como antes, como esa Anastasia rebelde y fiestera que participaba en carreras y peleas ilegales, esa a la que le gustaba Simón. Él siempre ha sido ese chico que me orilla a cometer locuras y a no pensar en las consecuencias de las mismas. Tira de mi mano y hace que me siente en su regazo. El gesto me hace reaccionar separándome de él. Esto es una locura; no puedo hacer esto otra vez. Ya cometí ese error cuando era una adolescente de casi quince años y la pasé muy mal, no voy a vivir eso de nuevo.

—¿Qué pasa? —pregunta, parándose del sillón.

—No. Yo… no puedo, Simón.

—¿Por qué? ¿Porque aún sigues queriendo a Diego?

Soy honesta y asiento. No he podido dejar de pensar ni un solo día en él, en sus chistes malos, en lo vanidoso que es, en sus besos… Lo extraño mucho y me duele no poder estar junto a él, abrazarlo y decirle lo importante que es para mí.

—Yo te amo, Anastasia, desde hace casi cinco años; y lo entiendo, fui un imbécil cuando estuvimos juntos, pero era joven y con las hormonas revueltas. No sabía lo que quería, pero ahora sé que te quiero a ti.

—Pero yo ya no te quiero... Amo a Diego. Joder, amo a Diego y nunca lo hubiera dejado. Si no hubiera sido por Nicolás, seguiría con él —confieso.

—Eso es mentira. —Toma mi cara entre sus manos con desespero—. Sigues sintiendo algo por mí, el beso me lo indica. Lo amas a él, está bien, lo entiendo, pero sigues sintiendo cosas fuertes por mí. —Niego con la cabeza—. Eso es lo que tú crees. Demuéstralo, Anastasia, bésame.

Su petición me molesta porque conozco mis sentimientos, pero aun así tomo su camiseta y lo atraigo a mi boca. Lo complazco, lo beso mientras él me toma de la cintura, pero no siento la electricidad que recorre mi cuerpo cuando es Diego quien me devora los labios. Me separo cuando intenta apretarme contra sí.

—Si sintiera cosas fuertes por ti, sé que ese beso se hubiera alargado o me hubiera hecho perder la cordura. Lo siento, pero amo a Diego y eso nadie lo va a cambiar. —Me siento en el sillón—. Estoy mareada pero no borracha, Simón.

—Sí sabes que no dejaré de conquistarte, ¿verdad?

—Te quiero, pero como amigo. Tienes que comprender que ya no soy la adolescente que se fijó en ti, y si no lo entiendes nuestra amistad no va a funcionar. Mi único objetivo en estos momentos es atrapar a tu hermano, con o sin la policía. No tengo tiempo para sentimientos y mucho menos para recordar una vieja historia de amor que no funcionó.

Se sienta a mi lado y me pasa un brazo por los hombros.

—Eso lo entiendo y por ahora me conformaré con lo que decidas darme. Siempre esperaré por ti, bonita.

Me quedo callada, no quiero hablar más, ya me siento bastante mal con los besos. Tal vez soy un poco dura con él, pero no quiero ilusionarlo porque, aunque no estoy con Diego, mis sentimientos por él siguen intactos, y si tengo que mantenerme lejos para que esté a salvo, lo haré, porque a veces el amor se trata de eso, de hacer sacrificios por las personas que amas, aun cuando a ti te esté matando por dentro.

Capítulo 30

Anastasia

Tres meses después

Gotas de sudor recorren mi espalda y mi cara mientras corro sin parar por las calles de Sevilla. Me detengo cuando llego a una pequeña plaza en donde varias personas más están caminando, comiendo o haciendo ejercicio como yo. Respiro profundo una y otra vez hasta que mi respiración se vuelve normal. Abro mi botella de agua y le doy un sorbo mientras me siento en una banca.

Mi celular vibra avisándome de un correo de la universidad sobre los trabajos que tengo que entregar en unos días más. Reviso mi Instagram con la nueva cuenta que creé y veo cómo Diego sube una historia con Bárbara, Alejandra y Cameron.

Niego con la cabeza y salgo de la aplicación más rápido de lo que entré. Me pongo en pie y comienzo a caminar de nuevo hacia mi apartamento. Mi móvil vuelve a vibrar, pero esta vez con una llamada entrante. No dudo en contestar cuando veo que es mi madre.

—Hola, hija, ¿cómo estás?

—Hola, mamá. Bien, aquí en la universidad —miento porque mis padres siguen pensando que estoy en Barcelona.

Cuando me fui esa noche solo le conté a los gemelos y a Jonathan, ellos saben a qué atenerse y saben cómo cuidarse. A Alejandra no le quise decir nada porque era lo mejor para ella.

—Me alegro, hija. Te extraño mucho —dice con voz de niña. Mi madre siempre hacía esa voz para que le hiciéramos caso en todo y lo lograba.

—Pero mamá, si fui a visitarlos el fin de semana pasado. —Sacudo la cabeza—. Te estás poniendo pesada.

—Una madre siempre va a extrañar a sus hijos, Anastasia. Aunque tengas cincuenta años, siempre serás mi niña —dice, y dejo escapar una risa.

—Pronto iré de nuevo, mándale un saludo a papá y dile que lo amo, y a ti igual, corazón de abuelita —digo con un tono de broma.

—También te amo, hija. Cuídate, por favor.

Corto la llamada y entro a mi edificio. Me acerco al conserje y él me sonríe. Es un adulto mayor muy amable y carismático. En estos meses he aprendido a respetarlo.

—Buenos días, señorita Anastasia. ¿Cómo estuvo su paseo matutino?

—Muy bien, aunque un poco cansado. —Esbozo una sonrisa—. ¿Hay algo para mí?

El hombre asiente, busca mi factura de los gastos comunes y me la entrega.

—Usted sabe que en un mes más me voy, ¿verdad? —pregunto.

—Claro que sí, señorita, ese día podrá hacer tranquila la mudanza, si lo necesita.

—No, solo traje mi ropa, muchas gracias —me despido del hombre y subo las escaleras.

Abro la puerta del apartamento y noto algo raro, el ambiente ha cambiado y me doy cuenta de inmediato de que no estoy sola. Me adentro con cuidado en la estancia y me concentro en los ruidos que provienen de la cocina. Camino despacio y suelto un grito cuando me topo con Simón.

Él se ríe mientras que yo me llevo una mano al pecho.

—¡Joder, Simón! —grito alterada.

Él sigue riendo con descaro. Le pego en el hombro cuando pasa por mi lado. Lo sigo con la mirada y lo veo dejar el pan en la mesa que, hasta ahora, me doy cuenta de que está puesta.

Retira una silla para mí y me extiende la mano. La tomo y me siento.

—¿Qué haces aquí? —pregunto.

—Quería ver cómo estabas y también quería entregarte esto. —Saca unos papeles de su mochila y me los entrega—. Son pruebas, léelas con mucha calma y guárdalas. Estamos juntando muchas más para acabar con Nicolás. Hasta ahora la mayoría son circunstanciales e insuficientes para que permanezca en la cárcel. No podemos arriesgarnos a ponerlo en sobre aviso. —Se aclara la garganta y me mira fijamente—. Sé lo que has estado haciendo...

Sé a qué se refiere. Dejo los documentos a un lado y me concentro en él.

—¿Y qué quieres que haga, Simón? Estoy reuniendo información como tú, no puedo esconderme la vida entera. Sí, he estado vigilando a Nicolás, pero ambos sabemos que necesitamos muchas más pruebas contundentes y necesito ayudar.

Me mira de forma reprobatoria y resoplo porque sé que no puedo ocultarle nada.

—No puedo estar aquí escondida viendo como tú y tus amigos policías hacen todo el trabajo, y lo agradezco, pero también es mi pelea. Deja de tratarme como si fuera una frágil mujer porque no lo soy. —Suspiro—. También sé que no debo ir a ver a mis amigos, pero necesito verlos con mis propios ojos para saber que siguen con su vida y que están bien —termino de hablar.

Se sienta a mi lado, toma mi mano y le da un suave apretón.

—Sabes que me preocupo por ti y que no quiero que nada malo te pase. Tampoco puedo encerrarte, pero por favor, ten cuidado.

—Lo tengo. Ni siquiera se han dado cuenta, ellos siguen con sus vidas y es raro... —Hago una mueca porque he visto a Diego tan cerca de Bárbara y me duele, no puedo evitarlo—. Es raro no poder darles un abrazo y tener que limitarme a observarlos desde lejos.

Toma mi barbilla entre sus dedos.

—Eres fuerte, Anastasia, queda poco para que vuelvas. Mi hermano está concentrado en otros planes en Madrid, pero solo estará tranquilo unos meses y es ahí en donde tenemos que atacar.

—Eso me aterra aún más —admito.

No fue fácil dejarlo todo de un momento a otro y desaparecer por meses, pero también es difícil volver cuando ellos ya se han acostumbrado a mi ausencia, sobre todo Diego, que parece volver a su vida normal, a la que tenía antes de mí.

—Estaré ahí apoyándote, Anastasia. Y ahora come que te hice un rico desayuno.

—Gracias. —Agarro su mano—. Gracias por acompañarme en uno de mis momentos más solitarios y oscuros.

—Es un honor ser tu compañero en esta etapa oscura de tu vida —bromea y después se pone completamente serio—. Mi amigo Harry quiere conocerte.

Mi corazón da un vuelco.

—¿Por qué? Sabes que no confío del todo en los policías, y me da miedo que algunos de ellos estén trabajando para los jefes de Nicolás, tienen mucho poder.

—Ellos son de mi confianza.

—Pero no de la mía, Simón. Yo no olvido cómo actuaron esa noche los policías corruptos, no me pidas que entregue mis pruebas a ellos —contesto con molestia—. Me dieron la espalda.

Él hace una mueca y toma mi mano.

—¿Confías en mí, Anastasia?

Me quedo callada varios segundos y desvío la mirada.

—Responde —me exige.

—Sí, pero en ellos no.

—Yo sí lo hago, son mis amigos y te pido que les des un voto de confianza. Esto no es una película donde tú eres la heroína. Te estás metiendo en un mundo muy peligroso y dudo que tú, con diecinueve años, puedas detener a hombres importantes que se dedican a la política en el día y en la noche a la trata de personas. —Lo fulmino con la mirada, pero no se inmuta—. Soy realista, bonita, y no puedes hacer nada porque ellos te van a atrapar antes de que siquiera puedas acercarte.

Me quedo callada porque tiene razón. Nicolás solo es un peón en este juego de tablero, solo es un chico que engaña y manipula a las chicas con su cara bonita para después secuestrarlas.

—Te repito: no eres la única que quiere atrapar a estas personas —dice con sinceridad—. Confía en mí, por favor.

Suelto un largo suspiro.

—Está bien.

—Espero que te guste mi lindo desayuno.

Una hora y media después estoy bañada y con la cabeza a punto de explotar con tanta información que he leído en los papeles que trajo Simón. No puedo creer que Nicolás haya hecho tantas cosas horribles y, lo peor, que apenas haya prueba de ello. Necesito que esto acabe ya.

Dejo salir el aire de mis pulmones y levanto la mirada, encontrándome con los ojos de Simón sobre mí.

—¿Qué pasa? —inquiero curiosa.

—Eres hermosa.

Sé por dónde seguirá esta línea de conversación, así que lo paro.

—Simón, sabes que mis sentimientos pertenecen a…

—Lo sé —resopla.

Seguimos un rato más revisando los documentos, dejando notas en los que nos parecen importantes. Miro el reloj y parpadeo varias veces cuando me doy cuenta de que son la seis. Me estiro mientras veo a Simón tomar una llamada. Cuando cuelga, ya estoy guardando todos los papeles en una carpeta. Estoy exhausta.

—Tengo que irme.

Asiento y lo acompaño a la puerta del apartamento. Antes de irse sus brazos me rodean con fuerza y sus labios dejan un beso en mi mejilla.

—Cuídate mucho, por favor. Te estaré llamando, como siempre.

—Gracias por estar aquí conmigo, sin ti me hubiera vuelto loca.

—Te hice una promesa y la cumpliré. —Me mira un segundo antes de volver a hablar—. Nos vemos en unos días más.

—De acuerdo.

Cierro la puerta y apoyo mi frente en ella preguntándome por qué todo tiene que ser tan complejo. Estoy en un momento de mi vida muy inestable en todos los sentidos, sobre todo mentalmente. Quizá por eso me siento tan bien junto a Simón, aunque soy consciente de que no puedo dejarme llevar, de que no puedo darle cabida en mi corazón de forma más íntima. Amo a Diego, y pese a que sé que no podemos estar juntos, me duele cada vez que sube una historia con Bárbara. No sé si están juntos, pero con solo imaginarlo algo se revuelve en mis entrañas. ¡Dios! ¡Cómo lo extraño!

Tomo un profundo respiro y me acerco a la ventana en donde tengo una vista perfecta de Sevilla. Quisiera decir que la voy a extrañar, pero no, me muero por llegar a Barcelona, incluso si tengo que afrontar todos mis miedos y demonios de una vez por todas. Y lo haré… Lo haré aunque me aterre.

Me miro en el reflejo del ventanal y noto que mi pelo está muy largo, me llega hasta la cintura y me gusta, me hace ver diferente. Me siento en la terraza y recibo una notificación de Alejandra, de nuevo sube una foto de nosotras dos juntas cuando teníamos dieciséis años. Miro la descripción de la foto:

«No entiendo cómo fue que un día desapareciste de mi vida. Quiero que sepas que te amo y que te espero aquí con los brazos abiertos hasta que vuelvas. Solo una llamada, un mensaje, un me gusta para saber que sigues conmigo».

Mi corazón se rompe, pero no puedo darle ningún tipo de señal, tengo que ser cuidadosa con los pasos que doy. Esa noche tuve que tomar la decisión más difícil que he tomado alguna vez. Tuve que dejar a las personas que quiero atrás por su bien. Mi cercanía los ponía en peligro y ahora que voy a regresar sé que no será nada fácil. Aún no estarán del todo a salvo, pero estoy segura de que todo está a punto de terminar. Nicolás está distraído en otras cosas, debo aprovechar para volver y, junto a Simón y sus amigos, terminar de hundirlo hasta que no pueda defenderse y salir victorioso. No puedo negar el hecho de que me pone nerviosa que Nicolás sepa que Diego existe, pero si lo mantengo a raya estará bien.

Resoplo, agobiada, y me paso las manos por el rostro. A veces me parece inverosímil que tenga que vivir esta vida de mierda por esa escoria humana. ¡Maldita la hora en que se cruzó en mi camino!

Un zumbido llama mi atención, es mi antiguo móvil vibrando en un cajón. Suspiro y voy hasta él. Cuando lo tengo en la mano mi corazón da un latido violento. Es una llamada perdida de Diego, que acompaña a las otras tantas de Alejandra. Antes Diego me llamaba una y otra vez, pero con el paso de las semanas se cansó y cada vez llamó menos; al final dejó de hacerlo, hasta ahora.

Apago el teléfono y lo meto en mi maleta, es lo mejor. Luego, con mi móvil nuevo, llamo a Dylan y me paso más de una hora poniéndome al día con él, con Javier y Jonathan.

Cuando termino la llamada, noto una notificación de un nuevo *post* en la cuenta de Alejandra. Subió otra foto mía. Voy a sus historias y una sensación amarga se posa en mi boca cuando veo que hay una foto de ella y Cameron junto a Bárbara y Diego en el patio de la universidad, estos últimos me parecen muy juntos.

No puedo evitarlo y me voy al perfil de Bárbara. Su última publicación es una foto de ella y Diego besándose, y en la descripción dice:

«Este chico hermoso que ven aquí hoy me preguntó: ¿quieres ser mi novia? Y mi respuesta fue un rotundo: ¡Sí!».

Joder. Eso sí que duele. Mi estómago se contrae y una sensación de malestar se me instala en todo el cuerpo. Él siguió adelante y está bien, era lo que yo quería, ¿verdad? Pero no significa que no me duela, sobre todo ahora que regreso en un mes y que tendré que verlos juntos.

«Tienes que ser fuerte, Anastasia, concéntrate en acabar con Nicolás», me repito.

—Tengo que sacarte de mi corazón, así como tú lo hiciste, Diego —susurro a la nada—. Tengo que olvidarte.

Con la promesa de sacarlo de mi corazón y de no permitir que Nicolás lastime a mis amigos, me dispongo a realizar los trabajos que tengo que entregar en la universidad online. Tiempo, es cuestión de tiempo para volver y que todo acabe.

Capítulo 31

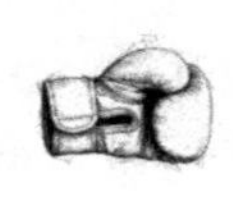
Anastasia
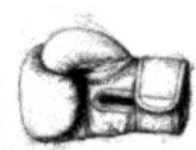

Por fin llegó mi último día en Sevilla, en unas horas más tengo que tomar el vuelo hacia Barcelona y tendré que retomar mi vida sin quitar el ojo de mi objetivo: acabar con Nicolás.

Un sinfín de emociones me asaltan. Por una parte, estoy aterrada de ver a Diego, y por otra, mi corazón no puede evitar alterarse ante la idea. Sin embargo, sé que no puedo cometer el mismo error y bajar mis defensas.

Ayer mandé todos los trabajos que debía y ya solucioné el poderme reincorporar a la universidad presencial, en donde, por fin, podré volver a ver a mis gemelos, Jonathan y Simón. Tengo tanto que agradecerle a este último, pero no quiero confundir las cosas. Mi corazón tiene dueño, aunque es hora de arrancarlo de las manos de Diego y recuperarlo.

Estoy emocionada por volver, tengo tanto por hacer y una de esas cosas es reunirme con Simón y sus amigos agentes que llevan el caso de Nicolás. Sigo sin creer que tenemos tantas pruebas y que ya pronto esta horrible pesadilla llegará a su fin.

Miro mi móvil aún en mi mano. Hace apenas un momento que terminé de hablar con los gemelos. Quedaron en recogerme en el aeropuerto. Suspiro, sé que, como les prometí a ellos, debo llamar a Ale y hablar con ella. Me comprime el corazón que esté triste por mi culpa.

Mi teléfono vibra con un mensaje de Simón informándome que me recogerá el lunes. También me informa que su amigo quiere verme y que pasará por la universidad si acepto.

Tecleo un poco y le envío un mensaje mostrándome algo dudosa sobre su amigo, pero al final termina convenciéndome. Simón no me ha dejado sola y confío en él.

Suspiro y aprieto el aparato en la mano. Ha llegado el momento. Marco el número de mi amiga y contesta casi al instante.

—¿Hola?

—Soy yo —digo y me muerdo el labio inferior, nerviosa. La línea se queda en silencio y conociéndola sé que está en *shock*—. Tengo que explicarte muchas cosas, sobre todo de esa noche en la que desaparecí.

La escucho hablar con otras personas antes de notar el cierre de una puerta.

—Anastasia, ¿estás bien? —pregunta con voz trémula.

—Estoy bien, Ale... Perdón si te asusté. Sé que te debo una explicación y cuando lo haga, espero que me comprendas. Yo… Yo no quería irme.

—Te escucho, Anastasia.

—Esa noche apareció Nicolás —empiezo y ella suelta un jadeo de sorpresa—. Peleamos, como siempre que nos vemos... Las cosas se calentaron mucho entre nosotros. Yo lo amenacé y él a mí. En fin, no podía estar más en Barcelona sabiéndolo cerca. No podía estar en la misma ciudad y respirando el mismo aire que él.

—¿Por qué no me dijiste lo que pasó? Solo me dejaste una maldita nota que decía que estabas bien. Si no es porque te conozco y sé que sueles hacerlo hubiese llamado a la policía. Sabes que estoy aquí y nunca me cuentas…

—Lo sé... Es solo que si te lo contaba hubieras hecho todo lo posible porque no me fuera. No quería preocuparte.

—Pero no he hecho otra cosa, Anastasia. Vivo preocupada por ti.

—Lo siento, de verdad lo siento. —Me dejo caer en la cama—. Pero tampoco quería estar en Barcelona con él. Siento que no cabemos en la misma ciudad y estoy segura de que él me estaba vigilando.

—Es un enfermo. —Alejandra deja escapar un suspiro—. ¿En dónde estás ahora?

—En Sevilla, pero vuelvo mañana. Me fui porque lo necesitaba; necesitaba alejarme de todos y respirar —miento.

—Sabes que no me sorprende esto, ¿verdad? —Juego con mi pelo mientras la escucho—. Has estado en tantos lugares estos últimos años que no me sorprende. Pero quiero que sepas que sé que me estás ocultando muchas cosas de lo que pasa entre tú y Nicolás.

—No te puedo mentir, ¿verdad?

—No puedes porque eras feliz. Diego te hacía feliz y tú volvías a sonreír, eras de nuevo tú. Volvías a ser esa Anastasia enamorada de la vida.

Me paso una mano por la cara y me muerdo el labio inferior antes de contestar:

—Te prometo que no me pasará nada. —Miro a mi alrededor—. Voy a estar mejor que nunca.

—Eso ya lo sé. Eres la mujer más fuerte que he conocido, pero… ¿algún día me contarás qué fue lo que te pasó realmente ese día?

Nos quedamos en silencio por un momento que me parece eterno. Al menos hasta que ella se rinde sabiendo que no voy a contestar y decide romper el silencio.

—No quieres preguntar por él.

—¿Diego? —Asumo.

—Sí, él está bien, pero tienes que saber algo, Anastasia.

Me levanto de la cama y camino hacia donde está mi ordenador encendido. Observo la foto en donde salgo con él, sonriente. El brillo en mis ojos es innegable y la sonrisa de Diego parece iluminarlo todo. Me llevo una mano al pecho sintiendo esa sensación extraña que me invade cada vez que la veo. A veces quisiera volver a ese día, a ese momento, pero es imposible. Arruiné todo por culpa del bastardo de Nicolás. Suelto el aire y elimino la imagen. No puedo cambiar las cosas, así que lo mejor es dejarlo atrás. Necesito olvidarlo.

—Sale con Bárbara, ¿cierto?

Tarda en responder, pero lo hace lanzando una daga que veía venir, pero que duele igual.

—Sí, y es difícil para mí porque eres mi mejor amiga, mi hermana, pero Diego…

—No pasa nada, Ale. Supongo que está bien. —Ella comienza a divagar y me estreso—. Alejandra, no me afecta. Entiendo que son tus amigos y si ellos están juntos es porque se quieren; fin del cuento.

—Pero, Anastasia…

—Estoy bien. Cada uno tomó caminos distintos y eso está bien —digo con frialdad. Aunque el dolor se expande como lava ardiente bajo mi piel.

—¿Pero no lo extrañas?

Claro que lo extraño cada jodido segundo, pero nadie tiene que saberlo. He aprendido a fingir que estoy bien, puedo volver a hacerlo.

—No. Lo olvidé —sigo mintiendo—. Tengo que terminar de empacar mis cosas. Debo colgar.

—Te amo. —Su voz sale suave pero firme—. Mañana me darás un enorme abrazo, ¿verdad?

—Claro, te daré el mejor abrazo del mundo mundial.

—¿Porque me amas?

—Porque te amo. —Sonrío—. Adiós, rubia bonita.

Suelto el aire como si hubiese llevado rato conteniéndolo. Tiempo. Solo es cuestión de tiempo para tener que ver a Diego con Bárbara. Ella me restregará su amor en la cara porque me odia. Tengo que ser firme y mantener a Diego lejos para que Nicolás no lo lastime; mientras, yo seguiré haciendo todo lo que esté en mis manos para destruirlo, para acabar con ese monstruo de una vez por todas.

Miro la foto en las redes sociales de Diego y me pregunto: ¿por qué no puedo olvidarlo?, ¿por qué sigue dentro de mi corazón?, ¿por qué no puedo odiarlo como al inicio?, ¿por qué tuve que enamorarme de él?

¡Qué jodido es el puto amor! Nunca volveré a enamorarme.

Capítulo 32

Camino por el aeropuerto de Barcelona, buscando a tres de mis personas favoritas en este mundo, pero no los veo en ninguna parte. Frunzo el ceño, miro mi reloj, son las diez de la noche y aún no llegan. Genial, me dejaron plantada. Me siento en una banca y pongo un mechón de mi largo pelo detrás de la oreja.

Saco mi móvil para preguntarles si van a venir o no para pedir un Uber, pero una voz me detiene.

—Disculpe, señorita, ¿está esperando a tres chicos *sexis* y ardientes? —Escucho la voz de Dylan. Miro a mi lado y ahí está con una enorme sonrisa—. Hola, Amorcín.

Sonrío y me lanzo a sus brazos. Javier y Jonathan se unen a nuestro abrazo y no puedo evitar reír porque se siente tan bien tenerlos de nuevo junto a mí. Los extrañaba demasiado, estos cuatro meses sin ellos fueron demasiado silenciosos y aburridos.

—Estás más hermosa, ¿cómo puede ser eso posible? —bromea Jonathan, tomando mis maletas.

—Tú tampoco estás mal. —Le guiño un ojo.

—Tu pelo está larguísimo, me encanta, nunca te lo había visto tan largo. —Javier tira de un mechón haciéndome gruñir.

—Hoy día estás de tocón. —Le doy un golpe en la mano y él sonríe encogiéndose de hombros—. A mí igual, me gusta cómo me queda —confieso.

Entre risas y abrazos nos subimos en el auto y nos ponemos en marcha a mi apartamento a ritmo de *Radio Ga Ga* de Queen. En el camino compramos muchas *pizzas* y bebidas.

Cuando llegamos a mi piso me sorprendo de que todo está en perfecto orden. Me vuelvo a ver a los chicos y ellos se encogen de hombros.

—Queríamos que todo estuviera limpio para ti, estaba lleno de polvo —dice Javier.

—Son los mejores, ¿les dije que los extrañé mucho? —Hago un puchero y todos ríen ante mi intento de ser tierna.

—Nosotros a ti, Amorcín —dice Dylan pasándome un brazo por los hombros para conducirme al sofá, en donde Jonathan me recibe con los brazos abiertos.

Las *pizzas* no tardan en ser devoradas en medio de una ruidosa charla sobre lo que hemos hecho estos últimos meses. Como siempre, las bromas no faltan, y de nuevo me siento en casa. Mis amigos son mi hogar. Son ese espacio seguro al que sé que siempre puedo volver. Y, aunque he tenido una vida de mierda desde aquella noche amarga, cuando el hermano de Simón arruinó mi vida, hay algo que agradezco, y es tener a estos tres tontos encantadores como amigos y a mi rubia hermosa como una hermana. Supongo que algo bueno debía darme la vida después de lastimarme tanto.

No sabía que extrañaba tanto la universidad hasta que puse un pie en ella. Las emociones me recorren el cuerpo mientras salgo de mi última clase del día.

Sonrío al ver a Dylan esperándome afuera, corro hacia él y me estampo contra su cuerpo en un abrazo de muerte.

—Estás muy cariñosa, Amorcín —bromea riendo.

Estoy a punto de decirle que de verdad lo extrañé, cuando me paralizo, al igual que el chico que está a solo unos pasos de mí. La sonrisa de Diego se desvanece mientras pasan los segundos. Bárbara, a su lado, tiene la boca ligeramente abierta de la impresión, mientras que mi corazón se desboca en mi pecho ante su imagen. Ante la imagen de la persona que amo, pero que ya no puedo tener.

—¿Anastasia? —Mi nombre en sus labios sale en un susurro y me estremezco casi de manera inconsciente. Su mirada me cala los huesos, pero no tanto como el hecho de que rompa la distancia y tome mi rostro entre sus manos como si quisiera percatarse de que soy real, de que su cabeza no le está jugando una mala pasada—. Estás aquí —dice, esbozando un amago de una sonrisa que me desconcierta.

Inhalo aire y me obligo a reaccionar. Doy un paso atrás y me alejo de su tacto.

—Hola, Diego; hola, Bárbara —saludo amable. Como si el contacto de sus palmas en mis mejillas no hubiese alterado mi pulso, como si ver a Bárbara enlazando sus manos posesivamente con las suyas no me revolviera el estómago.

—Hola, Anastasia. —La voz de Diego sale más ronca y su acompañante ni siquiera abre la boca, solo me mira con desprecio.

El brazo de Dylan en mi hombro me hace recordar su presencia, pero no puedo decir nada. El ambiente es asfixiante. Se siente como si el aire se hubiera condensado en cuestión de segundos. Y por más que quiera mantenerme firme, no puedo evitar sentirme incómoda bajo el escrutinio de la parejita.

—¡Anastasia! —grita Alejandra antes de que se me lance encima y casi nos mande al piso a las dos—. ¡Estás aquí! —chilla emocionada.

—Sigo viva —respondo con ironía recibiendo con gusto su efusivo abrazo.

Cuando se aparta, Cameron me envuelve entre sus brazos.

—¿En dónde carajos estabas? Pensé que te habían matado —bromea.

Abro los ojos y miro a Alejandra, quien está fulminando con la mirada a su novio, pero hago un gesto con la mano quitándole importancia.

—Por ahí —digo encogiéndome de hombros—. Viviendo la vida loca, ya sabes, drogas, fiesta y mucho más. —Sonrío, pero mi cuerpo es más que consciente de que la mirada de Diego sigue clavada en mí. ¿Por qué carajos me mira tanto?

Miro mi móvil y aún no tengo respuesta de Simón, supongo que viene manejando y por eso no puede contestar mi mensaje. Doy un respingo cuando Ale toma mi brazo y me aleja del pequeño grupo, aunque lo agradezco.

—¿Cómo estás? —pregunta seria.

—Estoy bien, rubia. Aunque me siento un poco rara —admito—. Todos me miran como si fuera un fantasma.

Sonríe.

—Eres un fantasma encantador, eso es todo. —Sostiene mis manos—. Estoy feliz de que estés aquí. La soledad no es buena para nadie, Anastasia, eso te hace ser más débil.

—Me gusta la soledad, Alejandra, y no me hace débil, al contrario, me hace más fuerte, pero tú y yo vemos el mundo de forma distin...

De repente, siento cómo alguien me toma de la cintura. Reacciono soltándome del agarre a toda velocidad, lista para defenderme; mi mano queda suspendida en el aire cuando veo de quién se trata.

—Tranquila, Anastasia —dice Simón con una sonrisa. Alejandra suelta un jadeo ahogado—. Hola, Alejandra, mucho tiempo sin verte. Casi cuatro años, ¿verdad?

—Sí —contesta con frialdad.

Él pasa su brazo por mi hombro y levanto la vista porque estas muestras de cariño en público no me gustan para nada, y al parecer a mi amiga tampoco porque me fulmina con la mirada y regresa con el grupo.

Resoplo y me doy la vuelta para ver a Simón, quien sonríe.

—Creo que Alejandra me odia —dice y enarco una ceja.

—¿Tú crees? —ironizo.

Suelta una carcajada y me toma de la cintura.

—Te extrañé —me susurra al oído—. ¿Estás bien?

—Muy bien. —Intento alejarme, pero me lo impide.

—¿Cómo estás, Anastasia? —pregunta de nuevo—. Dime la verdad o no te soltaré.

—Bien, solo estoy un poco cansada por el viaje. —Me mira con intensidad, instándome a seguir hablando. Suspiro—. También me agobia no poder ser sincera con nadie, en fin, tampoco quiero ser tan dramática —intento bromear.

Él me observa fijamente y pone un mechón de mi pelo detrás de la oreja.

—Anastasia. —Toma mi barbilla y hace que nuestros ojos conecten—. Conmigo nunca has tenido que fingir. Estuve ahí y vi lo que estaba haciendo mi hermano, te conozco. Si quieres llorar hazlo, si quieres golpearme hazlo, si quieres gritar hazlo, pero no finjas conmigo.

—Gracias, pero lloriquear no acabará con esta maldita pesadilla, atrapar a Nicolás sí.

Desvío la mirada, furiosa solo de pensar en ese maldito enfermo, cuando me doy cuenta que Diego nos observa con postura tensa, ignorando a Bárbara que parece parlotear. Por instinto me suelto de Simón, que se percata de lo mismo que yo. Suspira mientras yo me despido de todos. La bilis se me sube a la garganta cuando Bárbara lo besa en cuanto me acerco.

—¡Adiós, parejita! —digo jovial, aunque tengo ganas de ahorcarlos a los dos y ni siquiera sé por qué. Bueno, sí que lo sé, pero me niego a admitirlo.

No espero a que me respondan, avanzo hasta el auto de Simón. Una vez dentro, el silencio es sepulcral. Mi mirada viaja a donde están Diego y Bárbara muy sonrientes. Algo me araña en el pecho y termino cerrando los ojos intentando relajarme. ¿A quién quiero engañar? Me duele ver a la persona que amo con alguien más.

—Solo intentémoslo, si no sale bien, seguiremos siendo amigos. —Sus palabras me hacen abrir los ojos y mirarlo.

—No quiero lastimarte, Simón. Sabes que lo…

—Sí, lo sé, lo amas a él —hace un ademán con la cabeza hacia donde está Diego—, pero te conquistaré —dice antes de encender el auto y ponerse en movimiento.

Ni siquiera le respondo, es obvio que no entiende la magnitud de mis sentimientos, solo espero que no sea demasiado tarde cuando lo entienda, que no termine con el corazón destrozado, justo como yo lo tengo.

SIMÓN

Capítulo 33

Anastasia

Miro la hora en el reloj de mi mesita de noche y son las siete de la mañana; me sorprende estar despierta a esta hora, siempre he sido muy perezosa cuando se trata de dormir, pero la noche fue horrible y volvieron las pesadillas; pensé que habían quedado en el pasado. He estado pensando en buscar ayuda profesional porque no quiero volver a esos pensamientos tan oscuros.

Me estiro en la cama y tomo mi móvil para ver el mensaje que indica la luz parpadeante.

Simón

Lo siento, pero mi amigo no puede en la tarde. ¿Crees que puedas reunirte con él un rato en la mañana? Te quiere tomar declaración.
P.D.: Dime que estás despierta.

06:59 a.m

Ruedo los ojos y le respondo. Nos ponemos de acuerdo para que su amigo me pase a recoger en un rato más. Tomo mis cosas, me ducho y me arreglo lo más rápido que puedo. Me visto con unos pantalones blancos, una camiseta negra que me llega hasta el ombligo y una chaqueta negra de cuero. Me hago el delineado en los ojos y me pongo corrector para cubrir mis enormes ojeras.

Miro la hora y son las 7:50. Mierda, mierda. Tomo mi mochila y corro hacia el ascensor. Las puertas se abren y mi pecho se comprime cuando veo a Diego besando a Bárbara. Cierro los ojos un segundo y luego los saludo cortésmente. El móvil me suena con una llamada de Simón y no lo pienso para contestar:

—Ya me desperté. Voy bajando, sabes que soy puntual —digo poniendo los ojos en blanco. Siento que refunfuña a través de la línea y suelto una risa.

—Llamaba para comprobar que tu lindo trasero estaba fuera de la cama, mi amigo ya debe estar esperándote. Otra cosa… —emite un largo suspiro—. Mi amigo es un poco coqueto, espero que no caigas en sus encantos.

—Oh, genial, otro baboso como tú —bromeo. Se queda callado y puedo jurar que tiene el ceño fruncido—. Deja de hacer berrinches y no te preocupes, sabes que no soy fácil de conquistar. Adiós, Simón.

Salgo del ascensor y veo a un sujeto apoyado en una moto de policía. Me quedo quieta haciendo que Diego y Bárbara choquen conmigo.

El tipo es enorme, debe medir casi dos metros, es moreno, con ojos verdes y pelo castaño con ondas. Muy guapo.

—Anastasia Evans, ¿verdad? —pregunta el poli y yo asiento—. Soy Harry Oviedo. Vamos, tenemos que irnos, tengo solo un rato.

—¿Conoces a este tipo? —pregunta esa voz que tanto extraño y me giro para mirarlo. Error, los recuerdos juntos intentan alcanzarme en cuanto me encuentro con su mirada, pero contengo la respiración un segundo y me reprimo.

—No, pero tengo...

—Y una mierda, no te vas a ir con él —me interrumpe y abro los ojos por la impresión, mientras Bárbara me fulmina con la mirada—. Te vienes con nosotros.

—No, me voy con él porque tengo asuntos importantes que hablar. Puedes irte, Diego, sé cuidarme muy bien sola.

—Puedo llevarte yo —rebate sin disimular su enfado, como si su novia no existiera.

Nos miramos fijamente, retándonos, y el corazón me vibra en el pecho al percatarme de que la maldita electricidad que tuvimos sigue intacta, incluso en medio de la pelea y la rabia que irradian sus pupilas. Pero él tiene novia y yo me tengo que mantener alejada de él. Doy un paso hacia atrás.

—No. Me voy con él.

Miro al atractivo policía que mira la escena con curiosidad.

Diego le susurra algo a Bárbara, me mira con una mirada de muerte y luego camina hacia el auto de su novio. Cuando pretendo irme, su mano firme se cierra en mi muñeca y me atrae hacia él. Trato de soltarme, pero...

—¿Este chico te está molestando? —me pregunta el policía.

Niego con la cabeza.

—¿Me puedes dar unos minutos a solas con él? —le pido y él asiente. Diego no pierde el tiempo y nos aparta para darnos privacidad.

Me suelto de su agarre. Ya no quiero que me toque.

—¿Qué quieres? —lo enfrento.

—Una explicación, eso es lo que quiero, una maldita explicación de lo que haces de nuevo aquí.

—Voy a clases y tengo un apartamento aquí, Diego.

Se tira del pelo y niega con la cabeza. No puedo evitar mirar hacia donde se encuentra Bárbara observándonos con atención.

—Tú sabes bien a lo que me refiero, quiero una maldita explicación.

—No hay mucho, me fui y punto, supéralo —miento—. Adiós, Diego, vete con tu novia.

—¿Sabes qué? Tienes razón. —Me encara haciéndome notar su aliento—. Me voy con mi novia, la que no me miente, me quiere, confía en mí y es honesta, no como tú. —Pasa por mi lado chocando su brazo con mi hombro.

Eso dolió y no me refiero al golpe, sino a sus palabras. Lo veo subir a su todoterreno y darle un beso en los labios a su novia antes de partir. Mis ojos se empañan y pestañeo varias veces para no llorar. Respiro hondo y me acerco al policía que me observa con los brazos cruzados.

—Vaya, eso ha sido... interesante. ¿Va todo bien? —pregunta y asiento—. Bien. Es hora de irnos.

Unos minutos después, nos encontramos en una cafetería para desayunar y hablar, un lugar extraño para una declaración, pero ni siquiera pregunto porque sigo con el mal sabor de boca por las palabras de Diego.

Algo que me sorprende es que Simón tenía razón, Harry es bastante coqueto y no deja de decirme lo hermosa que soy, al menos hasta que se pone en modo serio y empieza a hacer preguntas que abren heridas profundas. Le cuento cómo conocí a Nicolás, cómo me enamoré de él y traicionó mi confianza. Cómo le arrebató la vida a mi hermano delante de mí, junto a otras siete personas, mientras yo estaba encadenada sin poder hacer nada. Cómo me vendió por millones de euros a siete hombres para que me violaran, cómo ese monstruo me clavó las garras en el corazón y destrozó mi vida. Dejo salir todo hasta que el dolor me asfixia, las lágrimas corren y mis fuerzas se agotan.

—No puedo más, te lo conté todo —digo mirándolo con odio por haberme hecho revivir el pasado de una forma tan cruda.

—Lo siento, Anastasia, es mi trabajo hacer estas preguntas, pero ya con esto tenemos tu declaración.

Me limpió las lágrimas mientras él me observa fijamente.

—¿Por qué me miras así?

—Porque te admiro, eres valiente. Has sufrido mucho, pero aun así sigues con tu cabeza bien en alto. —En ese momento dejan nuestro desayuno en la mesa, pero yo ya no tengo hambre—. Jamás dejes que ningún hombre te quite eso.

Asiento sin dejar de mirarlo. No lo conozco, pero confío en Simón. Y espero que Harry no me decepcione y haga su trabajo.

Siendo honesta, agradezco que Harry me haya traído a la universidad o hubiese llegado tarde. Me bajo de su moto y miro de reojo el entorno.

—¿Me das tu número, por favor? Te daré el mío —dice y enarco una ceja—. Es por si tienes información nueva sobre Nicolás o por si estuvieras en peligro.

—Está bien. —Le doy mi número y él me da el suyo—. Gracias por el desayuno.

Aunque no haya podido comer nada.

—Gracias a ti por dar tu declaración, es importante para atrapar a Nicolás.

Hago un gesto de afirmación con la cabeza y me doy la vuelta para entrar al campus, pero me detengo un segundo cuando veo a Diego apoyado en su todoterreno, fumando. ¿Cuándo comenzó a fumar? Reanudo mis pasos e intento pasar por su lado sin más, pero me toma del brazo.

—¿Qué haces con ese tipo?

—¿Qué haces aquí?

—Te esperaba, tenemos mucho de qué hablar. —Suelta el humo y yo observo a todas partes—. No huyas y respóndeme la pregunta —dice leyéndome el pensamiento.

Suspiro y me suelto de su agarre.

—Asuntos con él, y no tenemos nada que hablar, Diego.

—Asuntos con él —repite, y me suelta el humo en toda la cara, furioso—. Te recuerdo que eras mi novia, joder, eras mi novia.

Me quedo callada y aprieto mis labios.

—Ya te acordaste, ¿eh?, ¿lo recuerdas, Anastasia? —me grita y mis pies reaccionan dando un paso atrás.

—Tú mismo lo acabas de decir: era tu novia. Lo nuestro terminó hace más de cuatro meses, Diego.

La rabia y el dolor chispean en sus ojos y, mierda, me duele porque es mi culpa.

—¿Por qué desapareciste? ¿Por qué vuelves ahora pegada a ese imbécil que llamas Simón? ¿Por qué mierda te niegas a darme una explicación? ¿No me lo merezco? —Trago saliva sin poder apartar la mirada de la suya—. Te llamé por un mes todos los malditos días, horas y minutos; nunca contestaste. ¿Por qué?

—¿Qué ganas con saberlo? —pregunto en un susurro.

—Porque me destruiste, Anastasia. Me destruiste cuando te fuiste. —Su voz es suave, pero cargada de ira.

Se acerca y toma mi barbilla entre sus dedos, mi corazón se acelera al sentir de nuevo su tacto.

—Dime, ¿te duele verme feliz de nuevo con alguien más? Después de que tú me destruiste por completo, ¿te duele que vuelva a sonreír?, ¿te duele no ver tu obra de destrucción hecha cenizas?

Sus palabras se sienten como golpes que van directo a mi corazón, pero me niego a llorar. Me deshago de su agarre e intento pasar, en vano, porque vuelve a tomarme y tira de mí estampándome contra su cuerpo. El aire se queda atascado en mis pulmones por la impresión. Este no es el Diego que conocí. ¿Yo le hice esto? ¿Por qué no puedo hablar? Aunque, ¿qué voy a decir de todos modos?

Su rostro está tan cerca que casi puedo sentir su aliento, pero algo se quiebra en mi interior cuando una sonrisa amarga se forma en sus labios antes de volver a hablar.

—Supongo que tenías razón cuando me advertiste que no me convenías, pero fui tan idiota que no te hice caso. —Me aprieta contra su cuerpo y mis ojos se empañan, pero no puedo decir nada. Sacude la cabeza—. Parece que al final sí era cierto, no sabes amar y yo solo fui tu puto experimento.

Sus palabras queman y siento que me está destrozando por dentro, porque él no sabe nada. No tiene una puta idea de todo lo que hago para protegerlo y, aunque me duele, él merece ser feliz con alguien más, es por eso por lo que no intento defenderme.

Levanta la mano y acaricia mi mejilla de forma suave, algo que contrasta con el enjambre de emociones violentas que revolotean en sus ojos.

—Aléjate de mí, Anastasia —susurra con la voz más fría que alguna vez le escuché y apenas soy capaz de asentir—. Aléjate de mí y no vuelvas a joder mi puta vida. —Deja caer la mano de mi mejilla y me suelta del brazo. Da un paso atrás con la mirada nublada de tantos sentimientos que me estremezco—. Te pedí que no me rompieras el corazón y lo hiciste. Eso no podré perdonártelo.

Y si pensé que sus palabras no podían ser más hirientes, me equivoqué porque siento que me hago pedazos al sentir el desprecio del chico que amo. Pasa por mi lado y me deja rota. Otra vez siento que mi mundo se vuelve mierda y no sé qué me duele más, si mantenerlo lejos de mí o todo lo que me dijo.

Respiro hondo y me limpio la lágrima que rueda por mi mejilla. Tengo que ser fuerte, tengo que fingir que no pasa nada y que me importa una mierda estar separada de la persona que amo.

Las horas transcurren con normalidad: entro a clases y hago todo lo que se supone que tengo que hacer; hablo con mis amigos y sonrío, lanzo bromas con ellos y me guardo mis sentimientos al ver cómo Diego y Bárbara se besan frente a mí y suben fotos a su Instagram mostrando al mundo lo mucho que se quieren. Y así pasa cada puto día de la semana, volviéndose una maldita rutina donde tengo que fingir, sonreír, bromear y tomar apuntes.

La única persona con la que puedo hablar es con Simón, quien se la ha pasado estudiando para unos exámenes importantes, pero aun así me llama todas las tardes para hacerme reír y que no me preocupe tanto.

«¿Sería posible enamorarme de Simón?», me pregunto mientras miro por última vez el mensaje que mandó, que es una foto de él haciendo cara chistosa. Tal vez así las cosas serían más fáciles.

Capítulo 34

Anastasia

Me rasco el cuello y camino de un lado a otro por mi apartamento esperando que Simón me avise de su llegada. Siento que me ahogo, no quiero ir allí, pero debemos tener más pruebas si queremos que el monstruo y todos lo que lo acolitan caigan. La policía no va solo por Nicolás, sino también por los peces más grandes y por eso aún no lo arrestan. Estoy aterrada porque vamos a invadir su casa y me da miedo que nos atrapen.

Por suerte hoy tiene una pelea importante de boxeo, así que será el momento perfecto para entrar a su casa. No sé cómo lo hizo Simón, pero tiene una llave del lugar. Me dijo que tenía a alguien dentro, pero aún no me dice quién es.

Simón

Bonita, estoy abajo.
11:34 a.m

Sonrío y tomo mi mochila, en donde llevo guantes, cámara y linternas, todo lo que creo necesario para entrar sin dejar rastros. Salgo de mi apartamento y entro al ascensor, encontrándome con Diego. El impacto de verlo siempre me aturde, pero ya soy experta en ocultar mis emociones. Trago saliva y lo saludo, consiguiendo la ignorada del siglo.

Siento un pinchazo atravesándome el alma. Está cumpliendo su palabra de alejarse de mí y duele, joder, duele. Sin embargo, en cierta forma me alivia, no quiero que nadie le haga daño a él o Alejandra, lo que me hace pensar que tengo que estar más encima de ella; la ventaja de vivir en el mismo edificio de Diego es que puedo vigilarlo desde cerca.

Me resigno a su indiferencia y me sitúo lo más lejos posible con la espalda pegada a la pared y los ojos cerrados, pero, de repente, siento que el ascensor frena con brusquedad. Miro a Diego y me doy cuenta de que presionó el botón de emergencia. Frunzo el ceño y abro la boca para preguntar qué pasa, cuando lo tengo encima.

—¿Sabes algo, Anastasia? —La furia titila en sus pupilas cuando apoya los puños a cada lado de mi cabeza, acorralándome—. Cuando te mudaste aquí me sentía feliz porque tenía más posibilidades de pasar tiempo contigo y conquistarte, pero ahora odio que vivas aquí. Joder, lo odio.

Mi cuerpo entra en tensión y mi corazón tiembla de dolor y rabia. Puedo entender que se siente herido y molesto, que le rompí el corazón y que está lleno de emociones desgarradoras, yo también estaría igual en su lugar, pero me he mantenido lejos como me lo pidió, ¿y aun así quiere que me vaya del lugar que mis padres compraron para mí? Eso no va a pasar.

—Odio que estés aquí de nuevo frente a mí. —Inclina la cabeza dejando su rostro cerca del mío—. Odio tener que verte en mi universidad. Odio que seas amiga de mi mejor amigo. Odio que vivas en el mismo edificio que yo. Odio toda esta maldita situación contigo. Mucho. No quiero verte, pero el puto destino nos sigue juntando a la fuerza.

Me trago las lágrimas que quieren salir y me aparto de su jaula dándole la espalda. Estiro la mano y presiono de nuevo el botón para poner en movimiento el ascensor. No quiero seguir escuchando cuánto me odia.

—No sé por qué volviste, Anastasia —susurra en mi oído detrás de mí. Un escalofrío me recorre la piel—, pero ojalá nunca hubieras vuelto.

Mis ojos se empañan sin que pueda evitarlo y agradezco que las puertas se abran. Veo a Simón esperando afuera y avanzo de forma automática hacia él. Ansiosa por alejarme de la crueldad que, al parecer, yo misma desperté.

—¿Qué te hizo ese imbécil, bonita? —pregunta cuando llego a él.

—Nada que no pueda soportar. —Trato de sonreír.

—Recuerda que mientras esté yo aquí, no permitiré que nadie te haga daño. —Me da un beso en la frente.

—Estoy bien, Simón.

—Me da miedo que sigan lastimándote y que se lleven todo de ti, Anastasia —dice mirándome a los ojos con tanta sinceridad que me da miedo.

—Se nos hace tarde.

Nos subimos a su auto y nos ponemos en marcha hacia el aeropuerto. Durante todo el vuelo me cuenta cómo le fue en sus exámenes, que ya eran los últimos que le faltaban para titularse de abogado. Me hace bien verlo emocionado por ese logro, se lo merece.

En medio de la noche, vemos a Nicolás salir con tres hombres y una mujer rubia que debe tener unos veinte años. Nos tomamos unos momentos más hasta asegurarnos de que se marcharon.

—Momento para lucirnos, bonita —me dice Simón.

Nos bajamos del auto y cruzamos la calle hasta las rejas. Empezamos a trepar sin problemas y saltamos al pasto.

—Seamos rápidos, cuidadosos y no dejemos huella —me indica serio y asiento con la cabeza.

Toma mi mano y corremos hacia el patio trasero de la casa, saca una llave de su bolsillo y abre la puerta utilizando un pañuelo. Yo abro mi mochila y saco los guantes, la cámara y las linternas. Ambos nos preparamos y entramos en la casa, pero nos quedamos quietos por un minuto para ver si hay alguien o algo.

—Tú arriba, Anastasia. Yo revisaré aquí y el sótano —me dice.

Asiento y subo las escaleras con cautela. La verdad es que es una casa muy bonita y pulcra. Cuando llego arriba entro en cada una de las habitaciones, pero la mayoría están vacías, hasta que alcanzo la del fondo y un escalofrío se arrastra por mi columna vertebral. Es su habitación. Termino de entrar y lo primero que llama mi atención es una foto nuestra de cuando teníamos dieciséis años.

Observo la imagen sintiéndome ajena a lo que veo. En ella parecemos felices y el amor es evidente en mi mirada. ¡Qué idiota fui!

Dejo la foto donde estaba, aun cuando quiero hacerla añicos, y reviso la estancia sin encontrar nada que pueda ayudarnos. Salgo sintiéndome frustrada.

Bajo las escaleras y busco a Simón, pero no lo encuentro. Cuando veo que hay luz proveniente del sótano, bajo sigilosamente y suelto un grito de horror al ver la pared llena de fotos mías, de Diego, Alejandra, de los gemelos, Jonathan y Simón. Incluso de Diego conmigo, y de Diego con Bárbara.

—No grites, bonita. —Se acerca a mí y me acaricia la mejilla—. Seamos rápidos, saquemos fotos y dejemos todo intacto, ¿vale?

Consigo asentir en medio de la sensación horrible que serpentea bajo mi piel y acato su orden tomando fotos. Necesito salir de aquí.

Me acerco a la mesa que tiene un cuchillo clavado y noto que la afilada punta traspasa una foto de Diego donde salimos juntos caminando. Respiro profundo. Quiero dejar de ser un maldito amuleto de mala suerte, estoy condenando a todas las personas que quiero.

Camino por la estancia. Miro a Simón que está sacando fotos a un álbum y me doy cuenta de que muchas de las chicas son boxeadoras, incluso hay algunas con las que he peleado.

—Nicolás está vendiendo a chicas —dice Simón de manera distraída. Como si solo fuera un pensamiento en voz alta.

—Así es. Las droga y las golpea para que estén totalmente sumisas para el comprador.

—¿Cómo lo sabes?

—Por las veces que lo seguí.

Hace un resoplido de molestia y sigue en su tarea mientras yo rodeo la mesa y me agacho frente a un mueble, lo abro y descubro armas, bates de béisbol, martillos y cadenas. ¿Qué es esto?

—Últimas fotos y nos vamos —me dice Simón.

—Por favor, quiero irme.

Solo cuando estamos en el avión siento que por fin puedo respirar.

Como le pedí, Simón me deja en casa de Alejandra. Subo a su piso y cuando estoy a punto de tocar, me llegan dos mensajes seguidos a mi antiguo móvil.

DESCONOCIDO

Hola, mi campeona. Te echo mucho de menos. ¿Tú me extrañas? Porque yo ansío tenerte cerca, tocarte, impregnarme de tu aroma, besar tus labios y por fin estar dentro de ti. Sé que a ti también te apetece, sin embargo, por ahora tendremos que esperar, estoy preparando todo para que tú y yo tengamos nuestro final feliz. ¿Te gusta la idea? Porque yo no veo la hora de probar tu piel y hacerte mía. Porque eres mía, Anastasia, solo mía. No lo olvides o lo pagarás muy caro.

12:45 a.m.

Por cierto, vigila a tus amigos, sobre todo a la rubia, sería una pena que le pasara algo.

N.

12:45 a.m.

Apoyo mi espalda en la pared y cierro los ojos. ¿Por qué me tortura de esta forma? ¿Qué fue lo que le hice? Mi único error fue amarlo. Me limpio las lágrimas con rabia porque sé que lo hace para torturarme y hacerme sentir culpable, y lo soy porque debería haberme matado a mí y no a mi hermano. Toco con fuerza la puerta de la rubia; necesito verla y comprobar que está bien. La puerta se abre y un Diego sonriente me recibe, pero su sonrisa se borra en cuanto nota que soy yo.

—¿Puedes llamar a Alejandra, por favor? —le pido en voz baja, pero sin entrar.

—¿Estás bie…? —Sacude la cabeza como si se lo pensara mejor, luego asiente y le grita a Alejandra antes de darme la espalda.

La rubia se asoma e intento sonreír, pero me sale más una mueca. No tengo que decir una palabra para que me envuelva entre sus brazos y me deje hundir mi cara en su cuello.

—¿Qué te pasa, Anastasia? —pregunta preocupada.

Nos dejamos caer sentadas al lado de la puerta

—Es solo que se va acercando la fecha en que mi hermano murió. Siento que cada día es más difícil sin él.

Veo sus ojos empañarse justo antes de que vuelva a abrazarme con más fuerza y me acaricie la espalda, y lloro… Lloro por la ausencia de mi hermano; lloro por haber tenido que renunciar al chico al que amo; lloro por ella, porque tengo miedo de que algo malo le pase. No podría soportarlo.

—Alex estaría orgulloso de ti, Anastasia. Eres tan fuerte y estoy segura de que no le gustaría verte así —dice con la voz rota—. Yo también lo extraño cada día.

—Soy detestable. —Me aparto y trato de limpiarme las lágrimas que caen por mis mejillas.

—No lo eres, Anastasia, mírame. —Toma mi rostro entre sus palmas—. Eres una buena persona a la que le ha tocado pasar por cosas jodidas, pero no eres detestable. Hay bondad dentro de tu corazón y te has convertido en una mujer fuerte y maravillosa. Estoy segura de que darías la vida por las personas que amas y ¿sabes lo que significa eso? —Me quedo callada mirando sus ojos azules—. Que eres una de las personas más increíbles y nobles que hay en este mundo.

—Tampoco te pases. —Apoyo mi cabeza en la pared.

—Te amo, tonta. —Sonríe.

—Te amo, rubia tonta. —Suspiro—. Si ves a Nicolás cerca de ti, aléjate. Ni siquiera se te ocurra hablar con él. ¿Me lo prometes?

—¿Me vas a contar algún día lo que pasa en tu vida? —pregunta y desvío la mirada. Deja caer los hombros y me ofrece una sonrisa triste—. Si con eso te quedas más tranquila, te lo prometo.

Suelto un suspiro de alivio.

—Están investigando la muerte de mi hermano —digo de repente. De cierta forma es verdad.

Su cabeza se gira en mi dirección bruscamente.

—¿De verdad?

—Sí.

—Tu hermano merece justicia. —Entrelaza nuestras manos—. Sé sincera conmigo, Anastasia. ¿Esto traerá algo de paz a tu vida o te lastimará más y se seguirá llevando otros trozos de tu alegría?

Miro un momento al techo y luego a ella.

—Me traerá más paz —digo al fin—. La vida fue tan injusta con él, no merecía morir, yo debí hacerlo.

Ella se tensa a mi lado y se separa de mí.

—¿Cómo que debiste morir tú? Él no lo merecía, pero tú tampoco. Escúchame muy bien, Anastasia, la vida es una perra injusta que nos hace sufrir mucho. A veces recibiremos golpes tan fuertes que nos derribarán, pero tenemos que levantarnos y seguir adelante. Y sé que ya lo has hecho, pero tienes que seguir haciéndolo. De eso se trata esto, cariño. De no rendirse.

Abro la boca para hablar, pero Cameron aparece asomando la cabeza.

—¿Todo bien, chicas? —pregunta, pero antes de contestar continúa—. Vamos adentro, todos están en la fiesta.

—Me duele la cabeza, prefiero irme. —Me pongo en pie.

—Quédate con nosotros —me pide mi mejor amiga haciéndome ojitos.

—Estoy cansada y en serio me duele…

—Por favor, te doy una pastilla que será el santo remedio. —Junta sus manos y me hace un puchero.

Suelto un largo y fingido suspiro cuando me doy cuenta de que no podré escaparme de ella. Entro y evito mirar a todos mientras me dirijo a la terraza y la rubia va en busca del analgésico, pero es imposible evitar ver a Diego besando a su novia. El dolor de cabeza incrementa y me dan ganas de vomitar por la maldita escena.

El viento me abraza cuando salgo al exterior. Me estremezco. Apoyo mis manos en la barandilla y miro hacia el vacío, y entonces sucede… Un oscuro pensamiento se instala en mi cabeza. Solo tengo que saltar al vacío y esto acabaría. Acabaría con lo de esconderme y fingir con el mundo, acabaría con poner en riesgo las vidas de las personas que amo. Todo sería más fácil si dejo de respirar, pero sería una maldita cobarde y mi hermano jamás me lo perdonaría. Él siempre dijo que era una guerrera y no pienso defraudarlo.

Me limpio las lágrimas con rabia por todo lo que el malnacido de Nicolás me robó, y sigue robándome. Volteo cuando noto una mirada sobre mí, y no me sorprende que Diego me observe, parece tener siempre los ojos sobre mí. Aunque ya no es como antes, ahora están llenos de emociones crudas.

Veo a Alejandra venir, sonriéndome. Y me juro que no permitiré que borren su sonrisa o que la lastimen. Ella no será otra víctima más de mis errores.

Capítulo 35

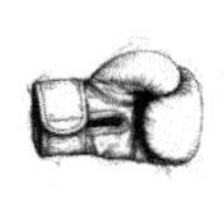
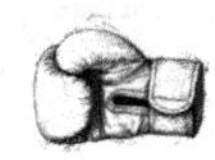

Anastasia

Otro lunes de mierda. Estoy muy segura de que odio los lunes como todo el mundo. Presiono de nuevo el botón del ascensor porque se está demorando y mi Uber ya está esperándome en la calle. Las puertas se abren y me encuentro a Diego. ¿Por qué carajos seguimos coincidiendo?

—¿No me vas a saludar, Anastasia? —pregunta con una sonrisa que me desconcierta.

Entorno los ojos, confusa. En serio no lo entiendo, me habla como si estas semanas no hubiese estado dirigiendo su odio hacia mí, como si no hubiese sido un idiota.

—Depende, si voy a recibir tu trato ofensivo no lo haré. No pienso seguir tolerando tu actitud. Tengo mis límites y ya los sobrepasaste.

Da un paso hacia mí, pero mantiene una distancia prudente que agradezco.

—Me he comportado muy mal contigo y lo siento. Pero espero que comprendas que es difícil para mí no tener respuestas a todas las preguntas que me dejaste cuando te fuiste sin siquiera despedirte. —Toma aire y lo suelta—. Supongo que me impresionó más de lo que debería el volver a verte.

Asiento con la cabeza porque soy muy consciente de que, aunque no fue mi intención, le hice daño, y todo lo que me ha dicho han sido las heridas hablando por él. No lo culpo, el dolor a veces nos lleva a ser impulsivos, yo lo sé bien, aunque no pienso seguir tolerando su inmadurez.

—Tratemos de llevarnos bien. —Me ofrece una sonrisa tenue.

Lo observo y me tomo el tiempo de detallarlo bien, lleva una camiseta blanca de mangas largas y pantalones negros con rotos en la rodilla. Sus facciones siguen siendo igual de hermosas y sus ojos siguen siendo tan atrapantes como siempre, aunque ya no brillan como antes, y por un momento me odio por haberle arrebatado esa chispa a su mirada.

Me aclaro la garganta cuando me doy cuenta de que él también me está escaneando.

—Tu novia me odia, pero supongo que podemos ser educados el uno con el otro.

Suelta una risa y yo enarco una ceja sin entender qué le causa gracia.

—Sí, Bárbara siempre te ha odiado. —Se encoge de hombros—. Me alegro de verte de nuevo, Anastasia. —Toma mi mano y le da una suave caricia que eriza mi piel y desboca mi pulso. Por inercia, retiro mi mano con rapidez, y lo nota… Sé que lo nota.

Aprovecho que las puertas se abren y prácticamente salgo corriendo. Cuando por fin me veo en el Uber, no puedo evitar pasar las yemas de mis dedos donde Diego dejó una caricia; no me puedo creer que solo su contacto me afecte tanto. ¡Dios! ¿Algún día dejaré de quererlo?

Llegar a la universidad y sumergirme en las horas de clases me ayuda para disipar a Diego de mi cabeza, y también el terror de saber a Alejandra en peligro.

Cuando estoy saliendo del salón, mi móvil vibra con un mensaje y sonrío al ver de quién se trata.

Simón

Ya llegué, te espero para ir a comer algo rico.
14:15 a.m

Anastasia

Está bien, nos vemos.
14:16 a.m

Casi sin darme cuenta, me veo detrás de Diego y Bárbara, quienes van peleando. Sé que no debo escuchar, pero me resulta imposible no hacerlo, por lo que termino descubriendo que su tema de discusión soy yo. ¡Madre mía!

Alejandra llega a mi encuentro zampándome un beso en la mejilla y regalándome una sonrisa. Alcanzo a ver a Simón apoyado en su coche y no dudo en acercarme a él junto a mi amiga.

—Hola, par de guapas —nos saluda sonriente—. ¿Quieres venir a comer con nosotros? —le ofrece Simón a la rubia y ella asiente, lo que me emociona—. Puedes invitar a tus amigos —continúa y reprimo una maldición cuando me doy cuenta de lo que eso implica.

Alejandra se entusiasma y le cuenta a los demás, así que terminamos todos reunidos en un bonito restaurante, lo que no logro entender es cómo mierda terminé sentada entre Diego y Simón. Parece que la vida me juega una estúpida broma.

El almuerzo transcurre con tranquilidad, Simón lanza bromas con Alejandra sobre cuando estábamos en el instituto, pero yo apenas asiento cuando me preguntan algo. No tengo ánimos de hablar del pasado.

El contacto de unos dedos sobre mi mano me hace girar y bajar la mirada para encontrar la de Diego entrelazada con la mía. ¿Por qué me hace esto? Por un instante me quedo aturdida, pero logro reaccionar, me deshago de su agarre y me levanto con la excusa de ir al baño. No puedo tenerlo tan cerca. Me lastima.

Me apoyo en el lavamanos y me echo agua en la cara. Necesito que no me afecte su cercanía. Necesito olvidarme de él. Necesito que mi puto corazón deje de latir con tanta fuerza cuando me sonríe o me toca. ¡Por Dios! ¿Qué me pasa?

—¿Estás bien? —Doy un salto al escuchar su voz. Levanto la mirada y veo a Diego con una expresión neutra apoyándose contra el marco de la puerta del baño.

—No, pero lo estaré. —Estoy tan agotada emocionalmente que me recuesto en la pared y deslizo mi espalda hasta sentarme en el suelo. Él frunce el ceño.

El silencio se instala entre los dos por unos segundos, hasta que lo rompe.

—Estoy enloqueciendo, Anastasia. Ya no puedo con esto, necesito respuestas. ¿Por qué te fuiste? ¿En dónde estabas? ¿Por qué volviste?

Suspiro con pesadez.

—Me fui porque quería irme, Diego. Era necesario para mí, pero volví porque vivo aquí y tenía que seguir con mis estudios.

Nos quedamos callados una vez más, y me observa tan fijamente que estoy segura de que está analizando mis palabras.

—¿Simón es tu novio? —suelta de repente.

Abro la boca y la cierro de nuevo. Respiro varias veces e intento calmarme. Es él quien está con alguien más y me hace este tipo de preguntas, tiene agallas.

—No es tu incumbencia —termino por decir. Se tensa aún de pie.

—Claro que sí, te recuerdo que estabas conmigo y de la nada desapareciste. Me dejaste solo por cuatro meses y resulta que cuando hago a Bárbara mi novia, llegas de nuevo a mi vida a causar caos y más daño.

—Diego, no te estoy pidiendo que termines con Bárbara, de hecho, te felicito y espero que seas feliz. —Me incorporo.

—Que sea feliz… —repite con el dolor adornando cada palabra—. Mírame, Anastasia, mírame y dime si me ves feliz con ella. —Asiento por inercia, solo quiero que esto acabe—. No sabes nada, te conté que puedo ser un perfecto mentiroso y actuar como si amara a alguien, pero ¿sabes con quién no puedo fingir? Contigo. —En dos segundos lo tengo frente a mí tomando mis hombros—. Mierda, no puedo verte cerca, por más que lo intento no puedo controlar mis sentimientos hacia ti y créeme, ahora mismo gana mi odio.

—Diego…

—Esta mañana me levanté y me propuse superarte. Me propuse no hacer más preguntas y solo intentar perdonarte, pero no puedo… Me destruiste, Anastasia. No puedo pretender que somos amigos, que no me desgarra por dentro saberte cerca y a la vez tan lejos, que no me hiciste mierda cuando me abandonaste. Lo siento, joder, no puedo. —La rabia y el dolor tiñen su voz—. ¿Dónde está mi Anastasia, mi bella? No te reconozco.

El impacto de sus palabras se cuela hasta mis huesos, estremeciéndome. Intento pasar por su lado, pero me lo impide con la firmeza de su cuerpo, y entonces, en contra de mi voluntad, una lágrima se desliza por mi mejilla. Ojalá pudiera decirle la verdad, pero no puedo hacerlo. Trago saliva e intento recomponerme.

—Nunca he sido otra persona, Diego. —Lo miro fijamente con el dolor punzando en mi pecho—. Pero si quieres desquitarte conmigo, hazlo. Vamos, grítame, dime que soy la peor persona que has conocido en tu vida.

Me suelto de su agarre, pero no corro, ya no más.

—Te diré algo, Diego, no hay final feliz para nosotros como en los putos libros. Estuvimos juntos y fue un sueño, gracias a ti aprendí muchas cosas y te lo agradezco, pero ahora ambos tomamos caminos separados. —Mi voz sale fría. Sus ojos se empañan y a mi corazón le sale una grieta más—: Tienes que seguir con tu vida sin mí, como lo has hecho en estos últimos meses, porque esta es nuestra realidad, tú estás con Bárbara y yo... yo camino en dirección contraria a ti.

Él sacude la cabeza con el rostro húmedo. Toma un mechón de mi pelo y lo deja detrás de mi oreja. Cuando las yemas de sus dedos alcanzan mi mejilla en una suave caricia, me armo de valor y lo detengo sosteniendo su muñeca.

—Vamos, Diego, saca ese odio que sientes por mí —lo aliento. Tal vez así pueda dejarme atrás—. Vamos, desquítate conmigo. —Las lágrimas emergen con más fuerza de sus ojos y también de los míos.

—¿Qué mierda quieres que te diga? ¿Que te odio? —pregunta con voz trémula—. Lo hago, Anastasia. Te odio porque no puedo dejar de amarte. —Da un paso atrás y se limpia el rostro—. ¿De verdad crees que puedo seguir con mi vida cuando te veo frente a mí? ¿Cuando veo a la chica que me destruyó y que intento olvidar? Me prometiste que no me romperías el corazón y echaste esa maldita promesa a la basura. Me destruiste. —Un nudo se forma en mi garganta y por más que quiero no puedo detener mis lágrimas—. ¿En serio crees que puedo seguir adelante sin ti?

No sé a dónde se ha ido mi voz, así que solo desvío la mirada, al menos hasta que toma mi mano y la guía a su corazón.

—¡Pues no! —exclama—. Y eso duele, porque te pienso cada jodido día, mi mente me tortura con nuestros recuerdos, Anastasia. —Todos mis sentidos despiertan por completo cuando su mano acaricia mi mejilla—. Todas las noches me preguntaba qué hice para que te alejaras de mí. Me dejaste solo y perdido. El alcohol fue la única solución para no recordarte, pero estando borracho te recordaba con más claridad.

»¿Aún crees que te olvidé, Anastasia? —pregunta en un susurro—. Te odio porque mis sentimientos por ti solo han crecido y no te lo mereces, no te mereces ninguno de mis sentimientos.

Una punzada de dolor me atraviesa el corazón. Sus palabras son tan crudas que me hacen trizas por dentro. Él no se merece que lo haya abandonado, yo no me merezco tener que renunciar a él para mantenerlo a salvo de mi exnovio psicópata.

Cierro los ojos y…

—¡Mírame, joder! —grita tomando mi rostro para que lo haga—. Dime por qué no puedo sacarte de mi cabeza. —Apoya su frente sobre la mía—. ¿Por qué no te puedo olvidar? ¡Joder! Necesito hacerlo… Yo… Necesito besarte de nuevo y correr el riesgo de lo que eso significa.

Nuestras miradas se encuentran y algo en mi interior se estremece cuando noto sus pupilas dilatadas. Trago saliva y él se humedece los labios antes de que su mano se pose en mi espalda baja y me lleve contra su pecho.

—Necesito besarte, Anastasia, necesito hacerlo aunque tu boca me vuelva a condenar a ti —susurra en mis labios y el tiempo parece detenerse.

¿Qué estoy haciendo? ¿Por qué mi cuerpo tiembla entre sus brazos? ¿Por qué no lo detengo mientras lo veo inclinarse hacia mí? ¿Por qué?

Capítulo 36

Anastasia

Me cuesta respirar mientras sus dedos acarician mi mejilla. Mi corazón parece a punto de salirse de mi pecho. Me muerdo el labio inferior con la piel ardiendo, porque, aunque soy consciente de que probar de nuevo sus labios me volverá adicta a él una vez más, lo deseo con todo mi ser. Deseo ese beso, deseo sentir la calidez de su lengua contra la mía. Es un error, lo sé, pero no puedo detenerlo.

—Voy a besarte, Anastasia —susurra rozando su nariz con la mía.

Y entonces pasa, sus labios se ciernen sobre los míos y mis dudas salen disipadas. Mi cuerpo reacciona por inercia arrimándome más al suyo, con mis brazos rodeando su cuello casi con desespero. Sus dedos se clavan en mis caderas mientras nuestras bocas se mueven al compás. Nuestras lenguas se encuentran con movimientos suaves pero intensos, necesitados.

Mi piel arde mientras siento que cada herida de mi alma desaparece en su boca, con el calor de sus labios envolviéndome, sumergiéndome en sentimientos que, por un momento, no puedo reprimir. Me sacio con su cercanía, con la delicia que es sentirlo tan mío aunque no pueda tenerlo… Pero entonces el hechizo se rompe cuando recuerdo justo eso, que lo nuestro es imposible. Me separo de golpe y lo empujo.

—No vuelvas a hacer eso. Tienes novia, Diego, entiende que lo nuestro acabó.

—Anastasia, por favor… —Un par de lágrimas se deslizan por sus mejillas.

—Por favor tú, Diego. Solo… Solo déjame atrás, estarás bien sin mí.

La ira vuelve a estallar en sus ojos ya enrojecidos.

—¡No sabes nada! —ruge—. Tú no tienes ni puta idea de todo lo que pasé esperándote. Vigilando casi todos los malditos días la puerta de tu apartamento porque seguía creyendo que era una broma, porque me negaba a pensar que te habías ido de mi lado. Fui un estúpido, lo sé, pero quería pensar que no me dejarías así como así.

Toma mi barbilla para que no desvíe mi mirada; apenas puedo ver por las lágrimas que intento contener.

—Yo solo intenté seguir con mi vida sin ti, Anastasia, como todo el mundo me decía. Te llamé mil veces y nunca contestaste. ¿Por qué? —Sacude la cabeza—. Te hubiera esperado, ¿sabes? Solo necesitaba que me dijeras: «Espérame, Diego, volveré a ti», pero nada. —Sonríe con amargura comprimiendo mi corazón—. ¿Acaso fui un mal novio? ¿Te estaba asfixiando con mi amor?

—Por supuesto que no, Diego…

Apoya su frente contra la mía y sus manos van a mi cuello con su pulgar acariciando mi piel. ¿Esto es una forma de morir lentamente?

—No te olvidé, Anastasia. Solo aprendí a vivir con el dolor de no verte, solo acepté que no volverías, pero jamás dejé de pensar en ti. —Suspira—. Si estaba haciendo algo mal, debiste haberme dicho y hubiéramos buscado una solución juntos. Si necesitabas tiempo sin mí, te lo hubiera dado.

Mis ojos se empañan ante sus palabras. ¡Dios! Él no hizo nada malo, solo tuvo la mala suerte de conocerme. Tengo ganas de abrazarlo y decirle toda la verdad, pero no puedo, tengo terror de las consecuencias. Solo de pensar en las imágenes que tiene Nicolás se me encoge el corazón.

—Diego, no lo hagas más difícil, por favor —susurro con la voz rota.

Abre la boca para decir no sé qué, pero la puerta se abre y casi por inercia nos separamos. Una muy enojada Bárbara entra rabiando y viene directo a mí, hasta que Diego la agarra de la muñeca con firmeza, pero con cuidado de no hacerle daño.

—¡Suéltame! ¡Maldita sea! ¡Los vi! Los vi besarse y escuché cada maldita palabra, Diego —grita. Se deshace del agarre de su novio y se concentra en él—. ¿Cómo pudiste hacerme esto a mí? Te amo, Diego, y a la tercera semana vuelves a sus brazos como un imbécil.

—Bárbara, para.

—No. Me lastimaste, siempre he estado aquí para ti. Siempre he esperado que me des algo de tu amor, pero recibo migajas por culpa de ella. —Me apunta con rabia.

Desvío la mirada limpiándome el rostro. Sé que en parte esto es mi culpa por haber regresado, pero ella no tiene idea de nada y no voy a pasar mi vida huyendo solo por sus inseguridades. Ya me escondí mucho tiempo y ahora vengo a recuperar mi libertad.

—Bárbara, tú sabes lo que yo siento por...

—Eres un imbécil. —La pelirroja lo empuja interrumpiendo sus palabras—. Pero no te culpo, yo fui la estúpida que insistió en esta relación porque pensaba que la estabas olvidando.

—Tú lo sabías, siempre lo supiste, así que no me eches la culpa de todo porque una relación es de dos y en la nuestra siempre fui sincero —replica Diego, molesto.

—Yo... Pensaba que... —Bárbara me mira con rabia acercándose a mí—. Te odio, me quitaste a Diego. Todos estábamos bien sin ti y volviste para qué... ¿Hacernos daño? Por dentro te estás riendo, ¿verdad?

Mi pulso se acelera cuando la veo levantar la mano, pero reacciono a tiempo empuñando su muñeca antes de que impacte contra mi rostro. Nadie más me pondrá una mano encima.

—No volví para hacer tu vida miserable, bájale un poco a tu puto ego. —La suelto apartándola de mí—. Y si fuera tú cuidaría tus movimientos, no voy a tolerar tus berrinches.

Él la atrae a su pecho, pero ella se remueve y comienzan una pelea campal, y conociéndolo como lo hago, sé que está perdiendo la paciencia. Es imposible no notar lo mal que está su relación y lo insegura que es Bárbara.

Debería salir de aquí y darles privacidad, pero mis pies parecen pegados al piso; además, yo soy uno de los temas de discusión. ¿No?

—Estoy harta de verte correr detrás de esa desgraciada.

—¡Ya basta de tantas peleas! —explota Diego—. Sabes que ni siquiera se trata de Anastasia, sino de tus patéticos celos y peleas absurdas. Sí, me equivoqué al pedirte que fueras mi novia cuando no te amo, pero es algo que ya sabías. Y tienes razón, esto no va para ningún lado, es mejor que terminemos.

—Eres un... Te odio, Diego —gruñe Bárbara y me mira por última vez—. Pero te odio más a ti, perra. —Se limpia las lágrimas y sale del baño azotando la puerta.

Ambos suspiramos casi al mismo tiempo, y cuando intento dar un paso, Diego lo da primero y toma mi rostro en sus manos.

—Jamás he dejado de pensar en ti, Anastasia. —Se inclina de nuevo hacia mí e intento retroceder, pero su agarre no me lo permite—. Mira lo que has causado, solo bastó verte un segundo para entender que mi corazón no te ha olvidado ni un poco y que en estos cuatro meses sin ti todo lo he hecho mal.

—Yo no..., Diego —tartamudeo.

Me deshago de sus manos en mi rostro e intento pasar por su lado, pero me detiene rodeándome la cintura. Trago saliva por la cercanía.

—Tenemos que hablar, Anastasia. Me lo debes. —Su aliento roza mis labios y mis manos se tensan en su pecho.

Él tiene razón, se lo debo, pero…

—No puedo, Diego, ahora no puedo… —Lo empujo y me suelto, pero sus dedos se cierran en mi muñeca.

—Lo entiendo. —Suspira y clava sus hermosos ojos en mí—. Te espero en mi apartamento, necesitamos hablar con calma sobre las cosas. ¿Irás? —pregunta, pero no soy capaz de emitir una sola palabra.

Me suelto y me dirijo a la puerta, pero antes de salir lo escucho.

—Te espero, Anastasia.

No miro atrás, siento que no tengo aire en mis pulmones y necesito salir de aquí para poder respirar. Paso por la mesa y casi arrastro a Simón fuera del restaurante. Al parecer todos están al tanto de lo que ha pasado y no me molesto en dar explicaciones, solo me largo junto a Simón con la esperanza de que la pesadez en mi pecho desaparezca.

Después de pasarme el resto de la tarde con Simón escuchando sus constantes comentarios sobre lo que siente por mí, luego de recordarle lo que siento por Diego y conversar sobre las pruebas que tenemos contra su hermano, entro a mi apartamento agotada, pero no lo suficiente para que mi estómago no gruña. Me preparo algo rápido de cenar y mientras me siento a comer, las palabras de Diego empiezan a retumbar en mi cabeza: «Te espero, Anastasia». «Me lo debes».

Tal vez debería ir y hablar con él, pero no puedo. No tengo la suficiente energía para lidiar con sus preguntas, ahora mismo ni siquiera puedo lidiar con el volcán de sentimientos que azotan en mi interior. Termino de cenar y me voy a la cama luego de ponerme mi pijama. Tomo mi móvil y reviso mi Instagram, y, como una conspiración del destino, veo que Diego subió una publicación.

"Sin sentimientos entre tú y yo".
Te sigo esperando.

Intento escribir algo, pero lo borro. Lo intento una, dos, tres veces hasta que me rindo y bloqueo el móvil. Suspiro cansada, sé que es lo mejor para ambos, sobre todo para él, pero el dolor de la distancia entre los dos no disminuye con los días, todo lo contrario.

Capítulo 37

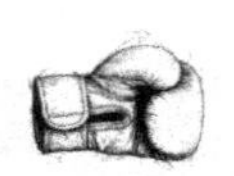

Tiempo. Solo necesito algo más de tiempo para que esto acabe y deje de sentirme vigilada en todo momento. No puedo quitarme esta maldita sensación de que alguien me observa. ¿Cuándo mierda veré a Nicolás tras las rejas? ¿Cuándo dejaré de sentir las garras de ese monstruo atravesándome el pecho?

Los siguientes tres días pasan volando y prácticamente me la paso escondiéndome de Diego. Lo veo varias veces intentando acercarse a mí, pero soy ágil y me alejo casi corriendo. De lo que no puedo escapar es de la tristeza en sus ojos cada vez que me alejo, y lo odio, odio la sensación en el corazón porque no lo merece, pero ahora no puedo ofrecerle nada. Tengo miedo, aunque intento ser valiente, tengo un miedo atroz de que algo le pase por mi culpa.

En el cuarto día no tengo tanta suerte. Mientras camino hacia la entrada de la universidad, veo a Diego cuando ya está frente a mí. Intento escapar, pero es inútil, su mano sostiene la mía, mandando electricidad por todo mi cuerpo.

—Anastasia —susurra con la voz ronca. Me quedo quieta—. Ya deja de huir de mí, no entiendes que me lastima verte hacerlo. ¿No te parece suficiente haberme hecho pedazos el corazón cuando te fuiste?

Las palabras mueren en mi boca cuando veo a los gemelos y a Jonathan acercándose. Suspiro de alivio.

—¡Amorcín! —grita Dylan con una sonrisa.

—Necesitamos hablar a solas. Deja de huir de mí, por favor —me susurra Diego, luego deja un beso en mi pelo y se aleja.

Miro de reojo y veo que me echa una última mirada antes de entrar a la universidad. Dylan me abraza con fuerza.

—Por primera vez me alegra verte —bromeo con el susodicho.

—Amorcín, me rompes el corazón, se supone que eres mi hermana pequeña y que sin mí no puedes vivir. —Hace un puchero y sonrío al ver lo lindo que se ve. Javier le da un puñetazo.

—Para eso me tienes a mí, llorón. —Le pasa un brazo por los hombros y si no los conociera tan bien, sería casi imposible diferenciarlos.

Jonathan me abraza tan fuerte que me levanta del suelo y empieza a dar vueltas.

—Bájame, idiota, me estás mareando —me quejo riendo.

Se detiene y me deja en el suelo, pero vuelve a abrazarme cuando me tambaleo. Javier lo empuja y me rodea con los brazos.

—Me toca a mí.

—Bastardo celoso —dice Jonathan.

Pongo los ojos en blanco e intento soltarme, pero entonces se me vienen encima los tres.

—Pero ¿qué les pasa hoy? Parecen pegotes. No soy un peluche para que me abracen tanto. —Me salgo de sus garras casi a las malas. ¡Por Dios!

—Te abrazamos todo lo que nosotros queramos. —Dylan me saca la lengua y gruño cuando me alborotan el pelo—. ¡Amargada!

Los tres se cruzan de brazos y me sonríen. Es oficial, se volvieron aún más tontos.

—Están actuando igual, creo que necesitan pasar tiempo separados, ¡dan miedo!

Los cuatro nos reímos y termino yendo a mis clases con mejor humor. ¡Cómo quiero a ese trío de idiotas!

Estoy sentada en mi puesto recogiendo mis cosas en mi última clase del día, cuando escucho su voz.

—Día complicado, ¿eh? —Mi cuerpo se tensa cuando lo siento detenerse frente a mí.

—¿Qué haces... aquí? —pregunto mirando a todas partes, y me sorprendo cuando me doy cuenta de que estamos solos. ¿Cuándo salió todo el mundo?

—Ya te lo dije, tenemos que hablar.

—Diego…

—¿Estás con ese chico? —pregunta de pronto. Desvío la mirada sin ser capaz de decir nada—. Supongo que es un sí —dice con un deje agrio.

—Es suficiente, Diego, no tengo por qué darte explicaciones.

—Joder contigo, ¿en serio fue tan fácil olvidarte de mí? —Me mira con rabia y trago duro—. ¿Cómo puedes ser tan cruel conmigo? —Se sienta a mi lado.

—No intento ser cruel contigo, Diego, es solo que ambos tomamos caminos diferentes; Simón y yo nos conocemos, él me entiende y… —Me interrumpe con un golpe seco en la mesa que me hace respingar.

Vale, decir que Simón me conoce mejor que él y que me entiende fue un golpe bajo, pero es que no sé cómo hacer para que Diego se aleje de mí. Siento una mano invisible en el cuello cuando estoy cerca de él, porque lo sé, lo estoy condenando y puedo escuchar esa voz en mi cabeza diciendo: «Eres una asesina, Anastasia, estás sentenciando a más personas a que mueran por ti».

—¡Cállate, maldita sea! —gruñe con los dientes apretados—. Tú jamás me contaste nada, y lo poco que me dijiste fue porque te estaba presionando, así que no te atrevas a decir esa mierda porque yo quería entenderte, pero cómo diablos lo hacía si no me contabas nada de tu vida o de tus miedos.

Me quedo callada y miro por la ventana. Siento cómo pega su silla a la mía.

—No dirás nada, ¿verdad? Siempre había pensado que eras una mujer que enfrenta los problemas, pero veo que me equivoqué. Te he estado esperando todas las noches para que me des tus motivos, pero huyes como una cobarde.

Frunzo el ceño y me giro molesta hacia él. El corazón me da una voltereta en el pecho cuando noto que está tan cerca que no puedo ver más que sus ojos. Trago saliva y me obligo a reaccionar.

—No soy cobarde, Diego. ¿Qué quieres de mí? ¿Por qué no puedes seguir con tu vida? —Empuño su camiseta y tiro de ella.

Lejos de lo que pienso, lleva sus dedos a mis manos y las acaricia. Mi piel reacciona y los vellos de mi nuca se ponen en punta. Y, como si el mundo me odiara, él lo nota y una sonrisa perfecta aparece en sus labios.

—¿Nerviosa? —pregunta con voz ronca.

—Yo... no… —tartamudeo con las mejillas encendidas. ¡Dios! Hace calor.

—Tu cuerpo no miente, bella, sigues sintiendo lo mismo que yo —me susurra al oído—. Deja de huir de mí.

Agacho la mirada y me suelto de su agarre.

—¿En dónde está mi Anastasia rebelde, contestona y peleadora? —pregunta con tristeza.

«Muriendo lentamente».

Me limpio una lágrima que se desliza por mi mejilla y él toma mi barbilla haciendo que lo mire.

—¿Qué sucede contigo?

—Nada, Diego, déjalo así, por favor.

¿Qué no se da cuenta de que me duele tenerlo tan cerca y no poder besarlo y abrazarlo? Me duele verlo y tener que callarme todo lo que siento, me duele no poder acariciarlo y decirle que estoy enamorada de él.

—Por favor, dime qué hice mal para que huyeras así de mí. —Niego con la cabeza—. Por favor, ¿qué error cometí para que te alejaras de esa forma? Sé que cometí errores y lo siento, Anastasia, lo siento mucho. Si hice algo mal puedo cambiarlo.

Me muerdo el labio inferior y sacudo la cabeza.

—No hiciste nada, Diego. El problema… El problema es mío —digo con la voz entrecortada.

Mi antiguo móvil vibra y veo que me ha llegado un mensaje de un número desconocido. Es una foto; la abro y ahogo un grito. Es una imagen de Alejandra, Cameron y Diego. Siento esa mano invisible apretándome más el cuello.

—¿Quién te mandó esa foto? —pregunta Diego, curioso. Ni siquiera me había dado cuenta de que él también la está mirando.

Me levanto de la silla, pero me bloquea cuando ve mi intención de irme.

—Fue Alejandra —miento. Me toco el cuello porque me pica la piel.

Él frunce el ceño cuando ve mis manos temblando, toma la que está libre y la cubre con las suyas dándole calidez. El móvil vuelve a vibrar y me suelto de Diego para tener más privacidad.

DESCONOCIDO

Alejandra siempre es tan hermosa, ¿verdad, cariño? Y ese chico es tan joven, tiene tanto por vivir. Ah, mi querida Anastasia, tú siempre fijándote en boxeadores, son tu debilidad, ¿o no?

10:01 a.m.

No puedo evitarlo, mis ojos se empañan porque, aunque cualquiera pudiera pensar que es un mensaje inofensivo, yo puedo ver la amenaza en cada palabra, y es precisamente esa la razón por la que no puedo estar cerca de Diego.

—Tengo que irme —digo apresurada tomando mis cosas.

Tengo que hablar con Simón y saber qué más falta para poner a su hermano en la cárcel, cada día tenemos más pruebas y necesito con urgencia volver a mi vida tranquila. Fui una estúpida cuando fui a esa pelea en Madrid, solo hizo más intensa su obsesión por mí.

—No te dejaré salir de aquí hasta que me digas qué pasa contigo. ¿Por qué te miro y ya no veo a la Anastasia que me cautivó?

—Las personas cambian, Diego —bufo, molesta—. Y lo siento si te decepciona cómo soy ahora, pero soy humana y tengo problemas como todas las personas. No puedo aparentar que estoy bien o sonreír como hipócrita, me cansé de este maldito juego.

Él sonríe.

—Y ahí está, mi bella.

Ruedo los ojos y me acerco a él; lo tomo de la camiseta.

—¿Por qué tienes que hacerlo tan complicado, Diego? ¿No te das cuenta de que me lastima tenerte tan cerca y no poder hacer nada?

Me mira sorprendido.

—¿Y crees que a mí no me duele?

—Tengo que mantenerte alejado de mí. No lo entenderías, Diego.

Nuestras narices se rozan, nos desafiamos con las miradas. Mi respiración se altera, toma mi mano y la guía hacia su corazón que late a un ritmo violento.

«Solo un beso, solo un beso, Anastasia», pienso.

Él cubre mi boca con la suya de manera posesiva, haciéndome perder la poca cordura que me quedaba. Empuja insistentemente su lengua hasta que ya no puedo negarme más y se abre paso con éxito, hundiéndola más adentro, buscando la mía una y otra vez. Intento frenar, pero Diego me provoca hasta que cedo y el músculo en mi pecho se calienta y, por alguna razón, sus manos acariciando mi espalda, su lengua danzando con la mía y el calor de su cuerpo pegado al mío, parecen aliviar mi dolor y disminuir la carga sobre mis hombros.

Me empuja contra la pared y me toma con fuerza de la cintura. Mis manos rodean su cuello y lo atraigo más a mí, ansiosa por más. Me alza empotrándome con una fuerza animal que hace que pierda mi autocontrol. Retrocede unos pasos y se sienta en una silla conmigo encima, luego toma mis caderas y empieza a moverlas creando una perfecta fricción entre nuestros cuerpos que me hace soltar un gemido y morder su labio inferior.

Él se echa un poco hacia atrás para que podamos tomar aire, pero no aparta sus manos ni un segundo de mí.

—Anastasia, por favor, estamos hechos para estar juntos y tú lo sabes, ¿verdad? Deja de huir, cometí errores y actué mal contigo cuando regresaste, pero sigo esperando por ti —susurra con voz ronca.

Lo miro con fijeza y niego con la cabeza. ¿Por qué se disculpa si todo esto es mi culpa por tener tantos secretos?

—Te sigo queriendo, Anastasia, y con mayor intensidad… joder, y eso duele. Siento que mi corazón me traiciona porque debería odiarte, pero no puedo, ¿cómo podría hacerlo? Solo tengo que mirarte para saber que jamás podría odiarte, aun cuando yo mismo lo quise creer.

—Es que yo… —Me muerdo el labio inferior—. No puedo.

Me levanto de su regazo y tomo mis cosas. Diego me observa con atención. Empiezo a caminar hacia la salida, pero me devuelvo, tomo su cara y vuelvo a perderme en el mundo cálido que me regalan sus labios, en las sensaciones maravillosas que invaden cada célula de mi cuerpo cuando su lengua entra en contacto con la mía. ¡Joder! Lo quiero tanto. Me aparto y lo miro a los ojos con todas las fuerzas que logro reunir.

—¿Qué pasaría si te digo que no me quería ir de tu lado? ¿Qué pasaría si te digo que lo hice por motivos mayores que no puedo decirte?

Se levanta de la silla y se planta frente a mí.

—Te perdonaría, Anastasia, me tienes aquí. —Rompe el mínimo espacio que quedaba entre los dos—. Me tienes aquí como siempre, mi bella.

—Eso suena bonito.

Me giro para irme porque estoy a punto de llorar, pero él toma mi mano dejándome quieta.

—¿Quién te está haciendo daño?

Me quedo sin aliento, pero me obligo a mirarlo. Me destroza el corazón ver la preocupación en sus ojos.

—No es a mí directamente, me lo hacen de otra forma, pero duele más que si me lo hicieran a mí; no puedo ser egoísta, Diego.

—Supongo que no me lo contarás, ¿verdad?

—Supongo que me conoces bien después de todo. —Me acerco a él y acaricio su mejilla mientras admiro su hermoso rostro—. Lo solucionaré, Diego, solo necesito tiempo. Lo prometo.

Me alejo a toda prisa porque estoy a punto de decirle la verdad, y aunque en algún momento planeo hacerlo, no es el momento. Todos los días Nicolás se vuelve más peligroso y sé que no podré sostener esta mentira por mucho tiempo más. Tarde o temprano tendré que contarles todo, pero aún no estoy preparada. Espero estarlo cuanto antes.

Javier estaciona su auto frente a mi edificio y me despido de mis amigos con una sonrisa. Veo cómo su auto se aleja cuando noto una figura al otro lado, mirándome.

Algo gélido me recorre las venas cuando se quita el sombrero y hace un leve asentimiento con una sonrisa tétrica en los labios. ¡Lo conozco! Es el mismo que me amenazó en Madrid. Salgo de mi estupor cuando lo veo avanzar para cruzar la calle y lo sigo hasta que lo alcanzo y lo enfrento.

—¿Qué diablos haces aquí? —pregunto con el odio y la rabia atascados en mi garganta.

—Eres preciosa, Anastasia —es lo primero que dice—. Es de parte de Nicolás.

Trago grueso.

—Vete o te juro que no respondo.

Me agarra del brazo tan fuerte que suelto un grito de dolor. Tira de mí y me lleva consigo hasta terminar de cruzar la calle. Me suelto y miro en varias direcciones, entonces mi cabeza se nubla cuando veo a Diego con las compras del supermercado y me doy cuenta de que no me está vigilando a mí sino a él.

—Solo quiero entregar un mensaje de parte de Nicolás. —Se aclara la garganta sin dejar de lado esa maldita sonrisa burlona. Saca una nota del bolsillo con su mano enguantada y me la entrega.

No quiero quitarle los ojos de encima, pero no puedo evitar tomar el maldito trozo de papel y leerlo.

Hola, preciosa. Ya pronto nos veremos, pero antes necesito **que** hagas algo **por mí. Lo** harás, ¿cierto? De ahora en adelante **te mantendrás alejada de mis negocios** si no quieres **que** algo trágico le pase a **tu** boxeador.

Cuida **tus** pasos, Anastasia, **no** sigas condenando a **más** personas, piensa en **tu querido** hermano, está en **una tumba** gracias a **ti. N**.

Me quedo callada con ganas de darle un puñetazo, pero no soy idiota y sé que no es conveniente.

—Es mejor que te vuelvas a Sevilla y te quedes ahí, ya sabemos que haces esta visita todos los meses —agrega.

Me giro para encararlo, pero él ya se está alejando a paso doble. No tarda en subirse a una camioneta negra y largarse. Me paso las manos por el rostro, frustrada. Estoy harta de tanta mierda.

Camino hacia mi edificio y le envío un mensaje a Simón y Harry contándoles el encuentro con este hombre que aún no puedo identificar más que de vista. Al menos Nicolás piensa que sigo en Sevilla, eso es una pequeña ventaja por el momento, aunque conociéndolo sé que pronto se enterará de que he vuelto a la cuidad.

Entro a mi piso y me dejo caer en el sofá. Suspiro y me quedo mirando un punto fijo en el techo porque no quiero llorar. No quiero ser débil, he pasado por tanto que no quiero darle el gusto a ese monstruo de derramar más lágrimas por su culpa.

El móvil me suena y contesto la llamada de Harry. Me dice que viene de camino, pero estoy exhausta, así que lo convenzo de vernos mañana como habíamos quedado para conocer a la detective Muñoz, sin embargo, me informa que ella salió de viaje por un imprevisto, pero que la reunión sigue en pie, sobre todo ahora. Tengo que entregarle la nota, aunque sé que no servirá de nada.

Aprieto los puños y me remuevo en el sofá. Se supone que no tendría que haberme enamorado de Diego cuando sabía que lo podía condenar al maldito juego sádico en el que estoy envuelta, pero aun así volví a caer en el amor. Volví a enamorarme perdidamente de alguien que solo me ha demostrado que el amor es bonito, puro y genial cuando te enamoras de la persona indicada.

Tampoco puedo decir que mi relación con Nicolás fue tóxica porque no lo fue, era la típica relación de adolescentes de manitas sudadas en donde comenzábamos a experimentar con nuestros cuerpos. Nicolás era perfecto, me hacía sonreír y rara vez perdía la paciencia o se enojaba, creo que eso fue una de las cosas que más dolió, que el golpe fue de la peor forma porque ni siquiera lo vi venir hasta que el desgraciado impactó en mi vida y la hizo pedazos. ¡Lo odio!

Capítulo 38

DETECTIVE MARIEL

Parque Nacional de la Sierra de Guadarrama, Madrid.

Cuando mi hermano José me llamó hace más de veinticuatro horas para que lo ayudara con mi punto de vista en un caso, nunca imaginé que ya estando en Madrid lo llamarían para informar el hallazgo de un cadáver en un parque, pero aquí estoy, observando el cuerpo completamente desnudo de una joven mujer; no debe tener más de veintitrés años y al parecer el cuerpo fue arrastrado por la corriente del lago. Esto es inusual, según el expediente que me mostró José, anterior a este han aparecido dos más con edades similares.

—Nadie vio nada, Muñoz —comenta el oficial Giménez a mi hermano—. Solo los dos niños que estaban jugando cerca del río y sus madres que hicieron la llamada.

Me acerco un poco más para examinar la marca alrededor de su cuello, una evidencia de estrangulamiento, pero hay más… Frunzo el ceño cuando me doy cuenta de algo, utilizaron algún líquido químico que borró cualquier huella. Miro a mi alrededor, esta es una de las paradas más conocidas del parque nacional, muchos turistas hacen *picnic* o se toman fotos aquí. Ojalá esos pobres niños que vieron el cadáver no queden traumatizados.

—El asesino es muy inteligente. El cuerpo lleva en estado descomposición quizás dos semanas, pero no lo sabremos bien hasta que hagan la autopsia —murmuro y José asiente en acuerdo.

—Quiero que tomen fotos de la escena del crimen —agrega este.

Oyarzún, la compañera de mi hermano, llega con documentos de chicas desaparecidas y con el informe. Él lo abre y empieza a hojearlo.

—Se dedicaba a la prostitución igual que las otras dos víctimas. Fue arrestada dos veces por consumo de drogas. —Nos hace saber Oyarzún; seguido de una mueca—. No tenía padres, era de un orfanato, por lo tanto, nadie va a reclamar su cuerpo.

Estiro la mano y hojeo su expediente. Mi hermano y yo nos miramos al darnos cuenta de que tiene razón, las tres víctimas no tenían familia y se dedicaban a vender su cuerpo para mantener sus vicios en las drogas, lo que las convierte en las víctimas perfectas porque nadie va a denunciar sus desapariciones; en estos tres casos fueron otras compañeras quienes denunciaron su ausencia.

—¿Crees que fue el proxeneta quien las mató? —pregunta Oyarzún.

Niego con la cabeza.

—No, fueron estranguladas; dos de forma manual y la otra con cordones de zapatos. Las primeras dos víctimas fueron abusadas sexualmente y creo que ella también, es casi el mismo *modus operandi.*

—¿Acaso hay un asesino serial suelto? —vuelve a cuestionar y esta vez es José quien le contesta.

—Aún no puedo decirlo con certeza, pero esto no es una casualidad. Tenemos que hacer una investigación sobre el círculo cercano a cada una de ellas, debemos saber si alguna de las chicas vio algo sospechoso.

La mujer sacude la cabeza.

—Jefe, ellas no van a querer cooperar con nosotros y usted lo sabe bien, nos odian.

—Van a tener que ayudarnos porque, si no lo hacen, van a haber más víctimas —asegura José, molesto.

Me pongo unos guantes y me acerco de nuevo al cuerpo de la chica.

—¿Por qué están todas desnudas? —pregunta Oyarzún una vez más. De verdad me alegro de que no sea mi compañera. Sus preguntas pueden resultar exasperantes.

—Quitarles la ropa y deshacerse de los cuerpos desnudos es degradante. Sería humillante cuando los encontraran. Esto indica que no tiene consideración con sus víctimas, al contrario, disfruta con la idea de desvalorizarlas incluso después de la muerte.

—¿Entonces estamos buscando a un asesino sin piedad? ¿Un psicópata? —pregunta la mujer. Yo trago saliva algo perturbada por la idea, pero esta vez es mi hermano quien responde con voz tensa.

—Me temo que sí.

Una extraña sensación me recorre la columna y no sé por qué, pero algo me dice que apenas es el comienzo. ¿Por qué carajos hay tantos dementes en este puto mundo?

Capítulo 39

Apenas siento el sudor sobre mi piel caliente cuando lanzo otro golpe. Mi contrincante se tambalea, pero estoy tan furiosa que no lo pienso y vuelvo al ataque plantando los pies y lanzando otro puñetazo que impacta en su mentón. Estoy cegada por el odio. Sigo sin poder creerme lo que me mostró Luis cuando llegué a esta pelea. No puedo entender que el maldito enfermo de Nicolás me tenga en su lista como una de sus peleadoras: «Anastasia-Inhabilitada», dice la puta lista y me cabreo más.

Por suerte no le avisé a mis amigos para que vinieran conmigo a la pelea. No tendré que darles cuenta de por qué tengo tanta rabia. Además, estoy harta de sentirme asfixiada por la culpa. Daría todo por quitarles el puto blanco que tienen en la espalda por ese monstruo.

Un golpe en la mejilla me saca de mis cavilaciones, me estremezco, pero me recupero rápido lanzando, no uno ni dos, sino tres golpes seguidos que la mandan al suelo de espalda. Parece desorientada cuando le pide a Luis que pare la pelea.

Suspiro aliviada. Boxear siempre me ayuda a drenar la ira y hoy no ha sido la excepción.

Ayudo a la chica a ponerse de pie, le pido disculpas si fui muy brusca, pero parece entenderlo. Me despido de Luis, quien me acompaña a tomar un taxi y me recuerda que está para mí si lo necesito. Le agradezco, pero sin la más mínima intención de ponerlo en peligro a él también.

Estoy tan cansada que cuando llego a casa, me ducho, voy a la cocina por un vaso de agua y me lanzo al sofá. No puedo sacarme a Diego de la cabeza, pero el agotamiento me vence y termino dormida en el salón.

Unos cuantos azotes en la puerta me sobresaltan tanto que termino cayendo de forma abrupta en el suelo. Abro los ojos de la impresión y no veo más que mi lindo piso. ¿Pero qué…?

Los golpes en la puerta siguen y me obligan a salir de mi estado somnoliento. Tomo mi móvil y veo que son las tres de la madrugada. ¿Quién carajos será? Me froto los ojos y me acerco a la puerta. Miro por la mirilla y apenas veo unos pies enfundados en un pantalón de chándal que reconozco. No veo a la persona porque está sentada contra la puerta, pero sé quién es.

Tiro de la manilla y la figura cae a mis pies.

—Diego —susurro acercándome a él.

—Anastasia… —Se sienta y me mira con los ojitos apagados. Mi estómago se comprime—. Perdón por despertarte, pero te necesito... —dice con la voz rota.

Me acerco y lo tomo de la mano haciendo que se ponga en pie para guiarlo al sofá. Parece angustiado.

Nos sentamos uno al lado del otro, o pretendo hacerlo cuando tira de mí hasta dejarme sentada en su regazo. Su aliento en mi cuello me hace temblar.

—¿Puedes abrazarme, por favor? —Se le rompe la voz y a mí el corazón al escucharlo; sé que sus malditas pesadillas lo atormentan.

Y entonces lo abrazo y esconde su rostro en mi pecho. Acaricio su cabello mientras el tiempo corre y suspiro de alivio un rato después cuando noto que su respiración se estabiliza. Me aparto un poco, pues por más que quisiera, no podemos quedarnos aquí y en esta posición.

—Diego —lo llamo y levanta la cabeza—. Tengo sueño, quiero…

—No quiero estar solo...

—No te voy a dejar solo. Ven, vamos. —Me levanto de su regazo y tomo su mano. Subimos las escaleras y entramos a mi habitación, nos quedamos a oscuras, solo con algunos rayos de la luna entrando por la cristalera de mi ventana.

Diego pasa por mi lado y se deshace de su camiseta robándome un suspiro, lo que lo hace sonreír. Se mete a mi cama y me hace una señal para que me acerque. Me quito el suéter y me quedo con mis pantalones cortos de pijama y sostén deportivo antes de tumbarme a su lado.

Me toma de la cintura y me mira fijamente, yo desvío la mirada y miro al techo. Me abraza con fuerza y apoya su cabeza en mi pecho.

—No estoy con Bárbara, le pedí perdón porque jamás quise lastimarla. Aunque fui sincero con ella, sé que cometí un error.

Su confesión me hace incorporarme en la cama y él me imita.

—Diego, ¿por qué no le das una oportunidad?

Frunce el ceño.

—¿Te das cuenta de lo que estás diciendo? —Su voz suena dolida—. No quiero estar con ella. ¿Qué es lo que te preocupa? ¿Por qué mierda me pides eso?

Bajo la mirada hacia mis manos y me muerdo el labio inferior.

—Claro, claro, se me olvidaba que tienes novio. —Posa su mano en mi barbilla y hace que lo mire—. ¿Qué diría tu querido novio si supiera que te besaste conmigo y que ahora estoy contigo en tu cama?

—¿Me estás amenazando? —Enarco una ceja.

—Por supuesto que no, solo me lo cuestiono. —Sus manos se tensan en mi cintura y luego de un suspiro su expresión se relaja un poco—. ¿Te gusta correr peligro, Anastasia? —Sus dedos acarician mis caderas. Deja un corto beso en mi mentón y luego una de sus manos se desliza a mi pecho y lo aprieta. Se me escapa un gemido mientras sus labios se curvan con una sonrisa orgullosa. Su rostro se hunde en mi cuello y no tardo en sentir la humedad de su boca sobre mi piel. Cierro los ojos, pero los abro de golpe cuando, en un movimiento rápido, me sube sobre su regazo, haciéndome notar lo duro que está. ¡Dios mío!

—Puedes sentirme, ¿verdad? —Toma mis caderas con ímpetu y comienza a moverme de adelante hacia atrás, frotando nuestros cuerpos—. ¿Te gusta esto? —Su voz parece cada vez más enronquecida. Soy incapaz de respirar bien, su tacto me quema, el pecho me arde, mi piel es una hoguera que ruega por más. Entonces todo el control se va a la mierda y no puedo evitarlo, mis labios se estrellan sobre los suyos. Lo beso con ansias y me recibe con las mismas ganas. Su mano se cuela por mi pantalón de pijama y me acaricia por encima de mis bragas, jadeo.

—Estás mojada solo por mí, bella. —Chupa mi labio inferior antes de morderlo y arrancarme un pequeño gruñido de éxtasis.

Saca su mano, me toma de ambas mejillas y vuelve a besarme. Nuestras lenguas danzan juntas, al tiempo que mis manos se enganchan en su cuello con una sola certeza, no quiero dejarlo, al menos no por esta noche.

—Eres mía —susurra sobre mi boca, volviendo a besarme con más fuerza.

Sus manos viajan a mis pechos y una corriente me atraviesa la piel cuando los masajea. Tiro de su cabello, él gruñe. De repente, mi móvil comienza a sonar, pero lo ignoro. Sin embargo, no parece que vayan a dejar de insistir. Nos separamos a regañadientes y es él quien me alcanza el aparatejo, pero en el proceso ve el nombre de quien me llama y su cara se contrae; es Simón.

Me mira fijamente y niega con la cabeza. Contesto porque es extraño que Simón me llame tan tarde y me preocupa que Nicolás le haga algo. Además, no he hablado con él desde que le envié el mensaje sobre la nota de Nicolás, cosa muy rara de parte de él.

—Simón.

—Anastasia... —dice con la voz agitada—. ¿Por qué no puedo sacarte de mi cabeza? Todos los días me pregunto por qué no te puedo olvidar, pero luego recuerdo lo que vivimos y *¡boom!*, me doy cuenta de que no podría olvidarte jamás.

Me levanto de la cama, pero no salgo de la habitación.

—Simón, ¿estás borracho?

—Tal vez, un poco... —emite una risita ebria—. No puedo seguir fingiendo que solo quiero ser tu amigo.

Suelto un suspiro y me paso la mano por la cara. Me agota que Simón vuelva a sacar ese tema. ¿Hasta cuándo seguirá con lo mismo?

—Simón, deberías ir a dormir. ¿En dónde estás?

—En mi casa, solo, borracho y con el corazón roto por ti. —Le escucho una risa amarga.

—Solo acuéstate y mañana nos vemos.

—Mmm, vale —acepta—. Me darás un beso al menos, ¿verdad? —bromea con un tono juguetón que me hace rodar los ojos. Miro de reojo a Diego, quien me observa con cautela.

—Solo acuéstate, adiós.

Corto la llamada y, como si fuera un botón, el rostro de Diego se relaja. Me hace señas para que me acerque a él y lo hago. Vuelve a tirar de mí hasta volver a recolocarme en su regazo. Nos miramos unos segundos y puedo ver en sus ojos la batalla que libra en su interior, parece no saber si amarme u odiarme.

—Te quiero, ¿lo sabías? —Su voz sale matizada—. No tienes ni idea de cuánto te deseo, y odio hacerlo de la forma en que lo hago porque me condena más a ti. Te pienso cada segundo y no me arrepiento de estar de nuevo aquí contigo, porque, como te lo dije una vez, estar a tu lado jamás se ha sentido mal, al contrario, se siente bien y eso me gusta.

Lo miro casi sin pestañear mientras que por dentro mi corazón da un salto de felicidad, pero ¡joder!, odio no poder estar con él, odio no poder tomar su mano frente a todo el mundo o besarlo, o incluso decir que creo que estoy muy enamorada de él y que tenía razón en que me pongo tonta cuando estoy a su lado.

—Diego. —Mis manos van a su pecho y empiezan a dejar caricias sobre su piel—: Recuerda que sin sentimientos.

Toma mis muñecas y me quedo quieta mirándolo.

—Te estás quemando en este juego, Anastasia. —Nos gira dejando mi espalda contra el colchón—. Te gusta el peligro. Corramos juntos ese peligro, bella.

Toma mi pierna y me hace rodear sus caderas. Lo hago gustosa. Empuja su pelvis haciendo que su erección se presione contra mí. Suelto un ronroneo, él sonríe y acerca su boca a mi oído.

—Sin sentimientos, Anastasia —susurra, antes de tirar del lóbulo de mi oreja mandando electricidad por todo mi cuerpo. Cierro los ojos y trato de controlar mi respiración, que en estos momentos es un desastre.

—Diego, te deseo... —Trago saliva—. Quiero hacerlo.

Me observa un momento y luego me besa con calma. Sus labios se deslizan por los míos perezosamente y luego acaricia mi mejilla con la punta de la nariz.

—Anastasia, no tienes que…

—Quiero hacerlo, quiero que seas el primero.

—¿Estás segura? Porque si lo hacemos ya no hay vuelta atrás, piénsalo bien…

—Quiero que seas tú, Diego, solo tú.

Vuelve a mirarme como si intentara asegurarse de que lo digo en serio. Lo empujo hasta dejarlo tendido a mi lado. Me muerdo el labio inferior y me le subo encima.

—Estoy muy segura de dar ese paso contigo. —Le doy un beso suave sobre sus pectorales. Levanto la mirada y noto que me está mirando. Sonrío traviesa y entonces todas las dudas en su mirada se despejan. Tira de mí y me besa con esmero.

Vuelve a girarnos para quedar en medio de mis piernas. Lo rodeo con ellas y vuelvo a sentir su dureza contra mi intimidad. El calor me invade, sus labios en mi cuello me hacen estremecer.

Su boca se desplaza por todo mi rostro de forma cariñosa, pero a la vez intensa. Mis manos van a su espalda desnuda y se siente increíble su piel cálida contra mis dedos. ¡Dios! Lo quiero, lo necesito, y aunque tenga que renunciar a él, esta noche solo somos nosotros dos.

—Anastasia… —jadea mi nombre sobre mis labios y vuelve a besarme. Su lengua choca con la mía y mi piel se aviva aún más.

—Diego —susurro cuando nos separamos por falta de aire.

Sus labios no se apartan de mi piel, todo lo contrario, desciende despacio por mi mentón mientras se apoya con una mano y la otra me acaricia las costillas. Cuando su boca desciende hasta mis pechos y se las ingenia para escabullirse bajo la tela de mi sostén deportivo, siento que todo se puede ir a la mierda. Su lengua juega con uno de mis pezones, endureciéndolo, y mi espalda se arquea en respuesta.

Lo escucho gruñir algo y se aparta para deshacerse de mis pantalones y mis bragas. Me mira por un momento, prendado de mis suaves curvas. Mi cuerpo se remueve sobre la cama, ansioso de su contacto. Sonríe y se cierne sobre mí. Alcanza mis labios casi al instante en que siento sus dedos resbalar por la humedad entre mis piernas. Gimo y me retuerzo. Uno de sus dedos alcanza mi interior, seguido de un segundo que me saca un jadeo.

Tiro de su cabello, me arqueo y muerdo sus labios, me apropio de ellos, hambrienta de él. Gruñe gustoso.

Un tercer dedo se une a la fiesta realizando círculos sobre mi clítoris, mi corazón golpea con fuerza contra mi caja torácica. Un montón de emociones me alcanzan: placer, ansias, nervios y ganas de quedarme en sus brazos para siempre.

—Córrete para mí, bella. —Aumenta el movimiento de sus dedos, mordisquea mi labio y emito un profundo gemido.

Y entonces lo complazco, nos complazco. Mi cuerpo se estremece, el corazón me tambalea en el pecho con latidos rebeldes y un orgasmo me golpea robándome el aire, noqueándome deliciosamente.

—Eres bellísima —musita mientras mi cuerpo da una última sacudida sobre sus dedos.

Una pequeña sonrisa se extiende en mis labios y él me imita. Deja un beso más en mi boca y se aparta para buscar un preservativo en su billetera.

La boca se me seca cuando lo veo sacarse el pantalón y el bóxer. Me encanta su cuerpo, la textura de su piel, su olor y esa mirada brillante que aparece en sus ojos cuando los posa en mí con amor, como ahora.

Se acerca, deja el condón a un lado y se dedica a quitarme el sostén por los brazos y la cabeza. Debería sentirme demasiado expuesta al verme completamente desnuda, pero no puedo hacerlo porque me veo perdida en esa mirada chispeante y llena de deseo que me escanea de arriba abajo. Maldice por lo bajo.

—Eres… Dios, eres perfecta, Anastasia. —Se inclina y me devora los labios con desespero. Lo recibo estrellando mi lengua contra la suya y enterrando mis dedos entre las hebras de su cabello. ¡Me encanta!

Suspira cuando se aparta, clava las rodillas en el colchón y se masajea la erección antes de deslizar el látex por toda su longitud.

Suelto un gemido sin poder apartar la mirada. Se ve tan *sexi*. La tensión en sus músculos me hace querer tocarlo, acariciarlo, sin embargo, cuando se inclina y me besa, recuerdo que va a pasar y los nervios me invaden. ¡Mierda! Eso seguro va a doler.

—Bella, tranquila, soy yo. Mírame, por favor —susurra como si leyera mis pensamientos.

Acaricia mis labios con los suyos e intento relajarme.

—Sigo esperando por ti, bella. —Deja un beso en mi cuello—. Sigo queriéndote. —Deja otro en mi clavícula—. Mis sentimientos por ti son más fuertes que antes. —Uno más en el medio de mis pechos al mismo tiempo en que su dureza roza mi entrada—. ¿Lo sabes?

Asiento, siendo incapaz de encontrar mi voz. Sus labios se cierran sobre uno de mis pezones y mi abdomen se contrae levemente. De nuevo siento ese dedo sisear en mi interior y otro estimulándome. Trago saliva, pero un pequeño gimoteo se me escapa de la garganta.

—¡Por Dios! —gruño cuando siento que mi orgasmo empieza a formarse en mi pelvis, y entonces lo siento, la punta de su dureza entrando en mí, despacio. Suelto un pequeño grito casi de manera inconsciente.

—¿Estás lista, Anastasia? —pregunta con voz ronca.

—S-sí —jadeo.

Baja su rostro al mío y con su nariz acaricia la mía para luego trasladarse a mi mejilla y posterior a ello hacia mi mentón. Luego presiona sus labios suavemente sobre los míos para besarme con lentitud.

Llevo mi mano a su cuello para acercarlo más mientras abro mi boca esperando que profundice el beso, acepta el reto y toma el mando de un beso salvaje, frenético. Se hunde solo un poquito más dentro de mi sexo y muerdo su labio ahogando un grito, pero no por mucho tiempo porque cuando se hunde un poco más, una punzada de dolor me atraviesa y suelto un grito que lo detiene.

Cierro los ojos con fuerza y noto sus labios de nuevo en mi piel. Siento su lengua recorriendo mi cuello, la base de mi garganta, hasta volver a revolotear en mis pezones. Eso me ayuda, pero aun así se siente extraño, invasivo.

—¿Quieres que me salga? —dice jadeando. Pequeñas gotas de sudor recorren su frente. Niego con la cabeza—. Joder, bella, te va a doler un poco. Dime si no quieres y me detengo, ¿vale?

—V-vale —apenas me sale la voz.

Sus caderas se mueven cuando vuelve a empujar. Un nuevo grito escala por mi garganta sin que pueda detenerlo. ¡Jodida mierda! ¿Esto debe doler tanto? Pero Diego es paciente, generoso, amable cuando me besa con ternura para aliviar mi dolor. Lo hace por un par de minutos, permitiéndome relajarme de nuevo, y cuando logro acostumbrarme a tener la mitad de su miembro adentro, yo misma muevo mis caderas para tenerlo por completo en mi interior. Suelto un chillido y me quedo quieta. Él respira con dificultad, echa la cabeza hacia atrás y vuelve a llenarme la cara de besos cálidos. Definitivamente no me equivoqué con él.

El tiempo pasa mientras acaricia mis caderas, pero sin movernos. Cierro los ojos, lo siento caliente y grande, pero poco a poco me voy relajando. No puedo decir que es lo más cómodo y que la sensación de tenerlo en mí es placentera porque no. Por instinto, balanceo mis caderas de forma suave para rozar mi puñado de nervios en busca de aliviar un poco el ardor.

—¡Joder! Es mejor que todas mis fantasías —gime agarrándome de las caderas, conteniéndose por unos momentos.

Comienza a moverse lento y puedo ver que hacerlo es tortuoso para él, pero consigue que el dolor se calme y que emita varios gemidos, aunque sigue siendo un poco invasivo tener algo dentro de mí por primera vez.

—¿Te gusta, Anastasia? —pregunta agitado.

—Me gusta, Diego. —Muerdo su oreja haciendo que gruña y que sus dedos se claven con más ímpetu en mi piel.

—¿Puedo moverme un poco más rápido?

Yo asiento y no pierde tiempo para hacerlo, hostigando ese punto de deseo entre mis muslos. Se está conteniendo, puedo verlo en el temblor de su cuerpo mientras el mío vibra.

Lo atraigo a mi boca y lo beso, presa de emociones que dominan mis sentidos. Los movimientos cada vez se hacen más rápidos y provocadores. Se aparta, toma una de mis piernas y la enreda en su cadera. Las embestidas resurgen con mayor fuerza, prendiendo llamas de placer que aumentan de tamaño como un mar impetuoso que me arrasa desde las puntas de mis pies y me sacude entera.

Grito su nombre un par de veces y suelto unas cuantas palabras incoherentes. No sé en qué momento he empezado a moverme, pero ahora lo hago y nuestros cuerpos se mueven a un ritmo desquiciado.

Las gotas de sudor recorren nuestra piel, nuestros aromas se funden y el olor a sexo ambienta el aire. ¡Dios! Es tan perfecto. Me vuelve a besar y mis manos se enredan en su cuello atrayéndolo más a mí, ansiosa porque cada parte de él encaje con las mías. Me separo de él y succiono la piel de su cuello, intentando dejar una marca. Porque es mío, al menos por esta noche es mío.

—¡Joder! Eres… Mierda… Voy a correrme, bella —gruñe, embistiendo con mayor intensidad.

—No pares, por favor.

Baja su mano y acaricia mi clítoris con sus dedos, logrando llevarme al clímax en segundos. Mi espalda se curva, mis dedos se clavan en su piel, mi sexo se contrae y una ola de inmenso placer se alza por todo mi cuerpo sacudiéndome y empujándome a alzar la pelvis, hasta dejarme sumida en un estado de embriaguez total.

Enrolla mi otra pierna y acelera sus embates. Entra en mí unas cuantas veces más hasta llegar a su propio placer. Su cuerpo cae sobre mí, pero sin aplastarme, y me acaricia el pecho con su nariz. Estoy consumida y derretida aún por el placer. No puedo más. Sin duda esta es una de mis mejores decisiones. ¿Así se siente tocar el cielo?

Un momento después se retira con cuidado, se saca el condón, le hace un nudo y lo tira en el pequeño basurero que tengo al lado de mi mesita de noche. Tomo la camiseta de Diego y me la pongo. Él hace lo mismo con su bóxer.

Se vuelve a acostar a mi lado y me rodea con los brazos atrayéndome a su pecho.

—Gracias por dejarme ser el primero —susurra y besa mi frente.

—Fuiste el correcto.

Él suelta un suspiro y me abraza con más fuerza, y entonces, por un momento, siento que sus brazos son mi hogar, que todo está bien y que la pesadilla por fin se ha acabado, pero es solo una fantasía, una ilusión fugaz, una burbuja que mañana se romperá y nos empujará por caminos separados.

Capítulo 40

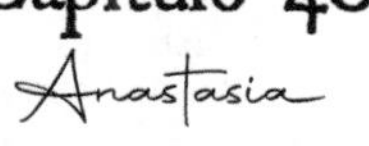

Anastasia

Me despierto con mucho calor y con un aliento cálido chocando con mi cuello. Me aparto un poco para ver a Diego profundamente dormido. Su brazo reposa sobre mi estómago y sentir su palma sobre mi piel me hace rememorar todo lo que vivimos hace solo algunas horas. Mi corazón da un salto en mi pecho.

Sí, tal vez sea un error porque temo la reacción de Diego cuando le diga que seguiremos como estábamos, alejados, pero no me arrepiento porque lo amo.

Sé que estoy siendo cobarde en estos momentos, pero por ahora tengo que mantenerlo lejos hasta que todo termine, aunque me asusta que Diego termine odiándome de verdad. No podría con ello.

Suelto un gruñido y me cubro la cara con las manos con unas ganas terribles de llorar, de gritar y de golpear a Nicolás una y otra vez, falta poco para acabar con esto, pero siento que contarle a Diego es exponerlo aún más y no quiero. Lo siento removerse a mi lado y noto cómo algo va creciendo dentro de la única prenda que lo cubre.

—Diego... —Trato de liberarme de su pierna, que ahora está entrelazada con las mías.

—Mmm... No quiero —se queja con voz ronca.

Se acurruca más contra mí y me reiría de su reacción si no sintiera que empiezo a romperme por dentro con lo que tengo que decirle.

—Despierta, por favor —digo, moviendo su hombro.

Levanta la cabeza y me mira confundido. Evito sus ojos, no quiero romper su corazón porque lo que pasó anoche fue algo especial para nosotros, ambos pudimos sentir lo mucho que aún nos queremos y eso duele, quema.

—Buenos días —dice con una sonrisa que poco a poco se borra al ver mi cara.

—Tienes que irte —susurro con la voz rota.

Intento no mirarlo, pero me es imposible no notar que aprieta la mandíbula mientras se separa despacio y me dedica una mirada incrédula.

—¿Es en serio? —pregunta y no puedo responder.

El dolor empieza a apuñalarme desde dentro.

—¿Te arrepientes, Anastasia? —Lo miro y luce impotente; su expresión empieza a tornarse feroz.

Trago duro y me siento en la orilla de mi cama.

—No me arrepiento —soy sincera—, pero…

—¡¿Pero qué?! —Alza la voz con rabia.

—Diego… —intento hablar, pero no me deja.

—Anastasia, ¿qué es lo que te pasa? Huyes de mí como si fuera una jodida plaga. ¿Por qué me haces esto? ¿No te das cuenta de que me lastimas? ¡Maldita sea! —grita mientras salta de la cama y toma sus pantalones—. ¿Qué mierda te he hecho yo? ¿Por qué eres tan cruel conmigo? ¿Por qué juegas así conmigo? —Se sube la prenda y camina hacia mí—. Contéstame, Anastasia.

Mis ojos se empañan, apenas puedo mirarlo. Me duele tener que hacer esto y no quiero, no quiero herirlo otra vez. Estoy cansada de lidiar con esta situación, de ocultar la verdad.

—Diego, cálmate por favor, yo… tengo a... —comienzo a tartamudear, lo que lo hace enojar aún más. Suelta un gruñido y una lágrima recorre su mejilla, la misma que se limpia con rapidez.

—¡Cállate, Anastasia! Solo cállate —explota—. ¿Cómo puedes usarme así? Te quería a pesar de tus secretos y tu pasado. Te quería, ¡joder! —Deja salir una risa seca—. Siempre te vi como la indicada, pero ahora te miro y... no lo eres. Supongo que solo eres una más que pasa por mi cama.

Ni siquiera me di cuenta de cuándo me puse de pie, pero lo estoy. Doy un paso atrás y me abrazo a mí misma, sus palabras me destrozan. Si tan solo pudiera deshacerme del nudo en la garganta y hablara, sin tan solo me dejara…

—Eres cruel, Anastasia —continúa—. Siento pena por mí mismo. No debería quererte como lo hago, no te lo mereces. Te di mi corazón. —Sus ojos se cristalizan con lágrimas contenidas—. ¿Sabes algo? Cuando te fuiste, en el fondo de mi corazón sabía que volverías conmigo, pero ahora que te miro… —me observa con detenimiento y no me gusta para nada la forma en que lo hace—, me pregunto si todo el tiempo que estuvimos juntos fue real o solo fue un espejismo.

Toma mi barbilla entre sus dedos.

—Te odio, Anastasia, y me da lástima tu querido novio. Se nota que te ama y tú no. Ni siquiera sé si eres capaz de amar. —Sus lágrimas se derraman, las mías saltan de mis ojos exteriorizando la crudeza de mis emociones—. Eres cruel con nosotros, pero no seré más tu diversión. —Me suelta y da un paso atrás—. Te haré caso, me olvidaré de ti de una vez por todas.

Trago duro y pestañeo varias veces para no seguir llorando, pero es en vano.

—Eres una mala persona, pero me lo advertiste y no hice caso, ahora me arrepiento. Espero que estés contenta porque ahora sí hiciste cenizas mi corazón.

—Diego..., yo… —Intento hablar de nuevo elevando la voz. Me callo cuando me mira furioso, está cegado por el dolor. Sonríe y niega con la cabeza.

Parece que mi voz ha salido corriendo, pero hago un esfuerzo.

—Diego, me están amena…

Una maldición me interrumpe y doy un respingo.

—No quiero escuchar nada más de ti, Anastasia. —Aprieta los puños—. Ya me cansé. Me cansé de ti, de tus secretos y misterios; me cansé de todo esto. —Mueve sus manos entre nosotros—. Te odio, ¡Por Dios, te odio!

—Por favor, Diego, escúchame.

—He estado aquí para escucharte cada maldito día, esperando para que confiaras en mí, pero nunca me diste más que migajas de ti. No quiero escucharte decirme que me aleje sin otra jodida explicación. Lo has conseguido, ya no quiero oírte, ya no quiero volver a verte en mi puta vida. —Me mira un segundo antes de dar la vuelta e irse azotando la puerta.

Me abrazo a mí misma mientras y el dolor me oprime el pecho, es mucho más desgarrador de lo que pensé. ¿En qué momento mi vida se volvió esto? Me odia, Diego de verdad me odia y mi corazón tiembla de tantas grietas. El dolor me mata.

Tengo miedo y lo peor es que nadie sabe ni podría entender lo que siento cuando Nicolás me amenaza con la gente que amo. Solo de pensar que ese monstruo está cerca me aterra, porque sé que no va a tener piedad con ellos y no puedo ser egoísta con la gente que me importa, no puedo y nunca podré. Él debería hacerme daño directamente a mí, pero no lo hace porque descubrió que lastimar a quienes quiero, es matarme en vida.

—¿Me vas a decir qué pasó entre Diego y tú? —pregunta Alejandra, preocupada.

La miro de reojo porque no quiero hablar con nadie en estos momentos, no sé por qué abrí la puerta en primer lugar.

—Nada.

—¿Crees que me voy a creer eso? Cuando Diego llamó a Cameron estaba muy alterado y cuando llegamos a su apartamento estaba todo destruido y no paraba de decir que te odiaba.

Me abrazo las rodillas y me acurruco en mi sofá. Cierro los ojos para no volver a llorar y ella lo nota porque me atrae en un abrazo.

—No quise lastimarlo —confieso—. No puedo estar con él porque Nicolás sabe de su existencia y es peligroso, Ale. Más de lo que piensas.

Me limpia las lágrimas, ni siquiera me había dado cuenta de que había comenzado a llorar en silencio.

—Pero Nicolás es parte del pasado. ¿Por qué sigue apareciendo en tu vida? ¿Por qué ahora vuelve a tu vida? No entiendo esa obsesión que tiene contigo.

Agacho la mirada y juego con mis dedos.

—No lo sé. ¿Quién sabe? —La miro de reojo—. Solo sé que tiene una meta muy clara y es hacerme daño. ¿Por qué? No tengo idea.

La rubia me mira con dureza, sabe que escondo mucho más de lo que le estoy diciendo. Estoy segura de que sospecha que Nicolás tuvo que ver con la muerte de mi hermano, su novio en ese momento. La miro sintiendo tanto amor por ella. Sigo recordando que ella se guardó su dolor para apoyarme a mí y se merece la verdad, pero no puedo, no ahora.

—Sabes que yo jamás te he presionado para que me cuentes tu secreto y que te respeto porque te amo. Somos mejores amigas desde uff... Desde los seis o siete años, casi una vida juntas. Somos hermanas de distintas familias, pero siempre hemos estado juntas.

—Ale...

—Pero desde hace más de dos años cambiaste de un día para otro. Te volviste fría e indiferente. Parecía que no te importaba nada y entiendo tu dolor porque perdiste a tu hermano, prácticamente perdiste a tu familia y también terminaste con Nicolás.

Fueron muchos golpes en ese momento, Anastasia, eras todavía una adolescente que no sabía nada de la vida. Pero desde entonces siento que te estás escapando y por más que lo intento, no lo entiendo. —Me limpia las lágrimas que no puedo contener—. ¿Por qué te escondes, Anastasia? O, mejor dicho, ¿de quién?

—No me escondo de nadie... —Me sorbo la nariz—. Es solo que siento que me sofoco estando en el mismo lugar —respondo en susurro.

Se aparta un poco, toma mi cara entre sus manos y entorna los ojos, mirándome.

—Te has vuelto una muy buena mentirosa, mi querida Anastasia, pero conmigo no, cariño. Tú no querías irte de aquí. ¡Por favor! —resopla—. Tú eras feliz con Diego. Tus ojos estaban llenos de vida de nuevo. Ya no parecías caminar por la vida esperando que un camión te atropellara. ¿Crees que me voy a creer tu mentira? Por favor, Anastasia, hazlo mejor.

—No quiero hablar más de ese día o sobre lo que pasó en mi pasado, rubia —contesto enojada.

—Vale. No te presionaré más, pero entonces dime, ¿por qué Diego está como un loco? ¿Qué le hiciste?

—Rompí su corazón —admito con la voz rota.

—Eso es evidente, pero ¿por qué?

—Porque soy una chica mala —trato de bromear, aunque no es el momento.

—Ja, ja, ja qué graciosa, Anastasia, ahora eres comediante —bufa y tira de un mechón de mi pelo—. Vamos, dímelo.

—No quería hacerlo, te lo juro, pero él quería algo serio y yo no. Diego es un gran chico que merece alguien mejor que yo. No soy suficientemente buena para él; sé que ahora está dolido y me odia, pero es lo mejor.

Alejandra abre la boca y la vuelve a cerrar, hasta que se aclara la garganta y toma mi mano.

—Eso no es cierto. Tú eres la indicada y no digas nunca que tú no eres suficiente para alguien, porque eres una chica increíble y estoy segura de que si hablas con Diego... —Niego con la cabeza—. ¡Mira que eres cabezota cuando quieres serlo! Eres una cínica, Anastasia, estoy segura de que tú también sientes que Diego es tu chico ideal.

—No dejarás de molestar, ¿verdad? —Me cubro hasta arriba con la manta, pero ella me destapa.

—¿Eres consciente de que de ahora en adelante te verás como una persona insípida y te estarás arrastrando otra vez por la vida? —pregunta y la fulmino con la mirada porque está siendo una pesada.

—No soy una persona insípida, Alejandra.

Me sonríe con tristeza.

—Pero lo serás si sigues así, si no vuelves con Diego.

Trago saliva porque lo sé, en el fondo sé que tiene razón, que mi vida nunca será la misma si lo pierdo para siempre. ¡Maldito destino que se ha ensañado conmigo!

Capítulo 41

Los días pasan y no puedo quitarme la preocupación. Sobre todo con los mensajes amenazadores que siguen llegando a mi móvil, pero que la policía no ha podido rastrear. Sin embargo, no pienso detenerme hasta lograr mi objetivo y que todos estén a salvo.

—Concéntrate, Anastasia —me dice Simón y puedo sentir su mirada sobre mí, pero yo solo puedo observar a Nicolás a una distancia prudente. Él sonríe con sorna mientras observa cada uno de los movimientos del chico que estoy enamorada.

Deslizo mis ojos hacia Diego y veo cómo vuelve a atacar a su oponente más enérgico de lo que debería, parece frustrado y sé que es mi culpa. A lo lejos alcanzo a ver a Alejandra con Cameron. Niego con la cabeza, me da miedo cómo Nicolás evalúa todos los pasos de Diego, es como si estuviera analizando y viendo en qué momento puede atacar. Intento acercarme un poco más, pero Simón me toma de la mano y me retiene. Suelto un gruñido, molesta. Últimamente no me deja hacer nada, está comportándose como un padre.

—No hagas una locura, Anastasia —me advierte.

—No haré nada —digo y me mira con dureza; resoplo—. Solo quiero proteger a Diego de ese monstruo, no quiero que respiren el mismo aire.

—Sigue el plan, Anastasia. Concéntrate. ¿Estás lista para dar inicio? —inquiere con voz baja cuando vemos a Nicolás con el móvil en la mano.

—Lo estoy.

Me da un beso en la frente y me quedo quieta mirándolo alejarse para encontrarse con su hermano. No pierde el tiempo y lo empuja, provocando que el móvil salga volando. Simón lo toma por la camiseta y lo lleva contra la otra pared, dejándolo de espaldas a mí. Aprovecho y me escabullo para tomar el aparato mientras ellos empiezan a pelear y llaman la atención del gentío. Las manos me tiemblan cuando lo abro e inserto el *chip* de rastreo. Los gritos son cada vez más fuertes, pero me concentro en lo que tengo que hacer. Vuelvo a cerrarlo, lo dejo en el piso y lo pateo en su dirección. Salgo corriendo y vuelvo a esconderme detrás de los tres enormes pilares unidos.

Cuando Simón regresa junto a mí me doy cuenta de que su labio está sangrando. Tomo su barbilla evaluando el daño y luego saco un pañuelo y lo presiono sobre la pequeña herida.

—No pude evitarlo —confiesa—. Nicolás recogió su teléfono, esperemos que funcione.

—No debiste pegarle, eso no era parte del plan.

—No me pude contener. Ese malnacido nunca ha sido mi hermano, solo compartimos sangre, pero nada más.

Nos quedamos callados, observando la pelea, la bocina suena declarando ganador a Diego. Sonrío un poco y observo cómo Cameron corre a su lado para abrazarlo.

Miro a donde se encuentra Nicolás y veo que sale a paso rápido de la edificación. Suelto un suspiro de alivio, mientras más lejos esté de Diego o de Alejandra, mejor. Saco mi celular y abro la aplicación de rastreo.

—¿Funcionó? —pregunta el chico a mi lado pasándome un brazo por los hombros. Espero que cargue y, en efecto, ha funcionado nuestro plan—. Bien, ahora podremos observar cada uno de sus pasos. Somos el mejor equipo, ¿verdad? —pregunta con una sonrisa ladeada.

—Gracias por ayudarme y por ser mi amigo.

—¿Amigo? —Se lleva una mano al pecho, ofendido—. Eso duele, ¿sabes, bonita? No tienes que ser tan directa para mandarme a la *friendzone*, al menos puedes ser más sutil con mi pobre corazón —bromea.

Suelto una risita y niego con la cabeza. Miro la pantalla de mi celular y me tenso cuando veo que Nicolás está afuera.

—Sigue aquí —digo nerviosa. Simón dirige su atención a mi móvil y gruñe una maldición. Me toma de la mano y caminamos a la salida de emergencia. A lo lejos escucho la risa de Cameron, Alejandra y de Diego, supongo que está festejando que ganó. Esquivamos a la gente que sale de la pelea y alcanzamos el auto de Simón que está a una distancia adecuada. Nos subimos y casi de inmediato veo que mis amigos se suben a su coche, y Diego, junto a una chica desconocida, se sube al suyo.

Los nervios me invaden cuando noto que Nicolás empieza a seguirlo. Simón me lee el pensamiento y pisa el acelerador siguiendo a su hermano. Siento que no puedo respirar bien, no puedo permitir que ese monstruo le ponga una mano encima a Diego. Me veo tentada a llamarlo y advertirle, pero no creo que siquiera me conteste. Además, ¿qué le diría? ¿Perdóname por ponerte en peligro?

Media hora después, nos estacionamos a la distancia y veo al chico que amo tomando la mano de esa desconocida. El estómago se me revuelve. Por suerte, Nicolás se larga después de un par de minutos.

Simón me abraza.

—Tienes que decirle lo que está pasando —me aconseja y añade—: él tiene que saber al menos quién es tu exnovio para que se cuide.

—Me odia, Simón, no quiere saber nada de mí y es comprensible porque me pongo en su lugar y también estaría decepcionada. —Trago saliva—. ¿Cuánto falta para que la policía actúe?

Hace una mueca y suelta un largo suspiro.

—Las pruebas ya están entregadas, solo hay que esperar a que se verifique su veracidad, son procesos que llevan tiempo. Debemos tener paciencia, sabes que no solo se trata de mi hermano, hay más peces grandes que pescar.

—¡No! —me exaspero y me limpio un par de lágrimas que zarparon de mis ojos—. ¡Ya no puedo esperar más!

—Tranquila, bonita, por favor. Estamos haciendo todo lo que podemos. —Me acaricia la mejilla—. Tienes que contarle, ve y habla con él. Alejandra ya sabe de Nicolás, sabe que no tiene que confiar en él, pero Diego no sabe nada y así está más expuesto.

Sacudo la cabeza, no creo que me escuche. Ahora mismo me está odiando.

—Vamos, bonita. —Se inclina y me da un beso en la frente—. No pierdes nada con intentarlo.

—Lo intentaré —afirmo y bajo de su auto.

Me quedo observando su puerta por más de diez minutos sin lograr encontrar las palabras para explicarle la situación: «Hola, Diego, quiero contarte que mi exnovio está obsesionado conmigo e intenta hacerme daño a través de ti». ¡Por Dios! Eso suena pésimo.

—No seas cobarde, Anastasia —me doy algo de ánimo. Tomo aire y toco la puerta. Espero impaciente unos minutos y nada. Respiro hondo y vuelvo a tocar, esta vez con más fuerza, hasta que por fin se abre.

Doy un paso atrás y mi corazón se rompe un poco más al ver a la chica por la que estaba acompañado usando su camiseta.

—¿Se te perdió algo, linda? —pregunta con voz arrogante, evaluándome de arriba abajo con descaro. Ruedo los ojos.

—Necesito hablar un momento con Diego, ¿puedes llamarlo?

Enarca una ceja, luego se da la vuelta dejando la puerta abierta. Transcurre casi un minuto para que Diego aparezca sin camiseta, con el pelo alborotado y usando solo un pantalón de pijama.

—¿Qué quieres? Estoy ocupado.

—Necesitamos hablar, pero a solas.

Miro a la chica, no necesito tener público y mucho menos que una desconocida sepa algo de mi pasado. Diego se acerca, le susurra unas palabras y luego ella desaparece de mi vista. Suspiro de alivio cuando creo que va a escucharme, pero mis esperanzas se diluyen cuando se vuelve hacia mí:

—Tú y yo no tenemos nada de qué hablar, ¿me escuchaste? Me cansé de tanto misterio y secretos. Lo que tengas que decir, ve y cuéntaselo a tu novio y a mí me dejas en paz de una buena vez. Me cansé de ser tu juguetito. ¿Me entiendes? —Su voz sale fría, su expresión cruda.

Todo se me remueve por dentro, pero asiento al darme cuenta de que esto no va a funcionar. Diego no va a escucharme, no en ese estado. Está lleno de ira y rabia hacia mí. Solo me queda seguir en las sombras, protegiéndolo de Nicolás.

—Lo siento. Solo olvídalo, ya me voy. Y perdón por arruinar tu noche de diversión.

—Lo estoy haciendo, te estoy olvidando, y ya lárgate, estoy cansado de verte en todos lado. —Me apunta con un dedo—. No quiero tenerte cerca de mí.

Doy media vuelta sintiéndome miserable. Pero no quiero seguir escuchándolo y tampoco estoy dispuesta a dejar que siga pisoteándome. Entiendo su dolor, pero ¿quién mierda entiende el mío?

—¿Y cómo te fue? ¿Pudiste hablar con él? —me pregunta Simón mientras me acompaña hasta la banca detrás del árbol gigante. No tengo que responder porque obtiene su respuesta cuando vemos a Diego besando a la chica a unos cuantos metros. Trago saliva y sacudo la cabeza negándome a llorar.

—Es un cabrón, Anastasia, no merece que lo sigas protegiendo.

—Lo protegeré siempre. Yo lo metí en este juego de Nicolás y es mi responsabilidad —le dejo claro—. Sigamos nuestro plan.

—Eres la mujer más fuerte que he conocido, ojalá me amaras a mí y no a él. —Lo miro con los ojos entornados, él suspira—. Tranquila, entiendo que ya no me quieres de esa forma en tu vida.

Simón se despide de mí y antes de que pueda ponerme de pie para ir a mi próxima clase, Alejandra se planta frente a mí.

—Me dan ganas de pegarle a ambos —suelta y frunzo el ceño—. A ti y a Diego. ¿Qué mierda pasó? ¿En serio no me vas a decir lo que sucedió entre ustedes? Son dos imbéciles por estar separados cuando se quieren tanto.

—Oye, no me juzgues. Diego sigue con su vida y yo igual.

—Ambos son unos idiotas —gruñe y se va pisoteando como una niña malcriada. Cojo aire y empiezo a sacar mi móvil. Quiero irme. Lo único que me apetece es estar sola en mi apartamento. No tolero ver a mi ex besuqueándose con otra.

Entro a la *App* de rastreo y un aire gélido se atora en mi garganta cuando me doy cuenta de que está aquí, el maldito está en la universidad. ¿Cómo es posible? Se supone que estaba camino a Madrid. Me enderezo en mi lugar y busco con la mirada el auto de Nicolás, pero no lo veo.

—¿Qué te pasa? ¿Tu novio se ha enterado de que lo engañaste conmigo? —La voz de Diego me llega tan potente como un gancho al corazón. Está sentado a mi lado y ni siquiera me había dado cuenta. Lo miro e intento hacer memoria de dónde dejó su auto. Me giro a buscarlo y cuando lo hago siento que me mareo cuando, a su lado, identifico el auto de Nicolás. Si está en él no puede verme desde donde estoy, pero me inquieto.

—Necesitamos hablar. —Trago saliva.

—No tengo nada que hablar contigo, así que jódete.

—Es importante —insisto—. Tienes que escucharme.

—¡Vete a la mierda, Anastasia! —Se levanta. No le permito que avance, y lo tomo por la camiseta.

—Jódete tú, imbécil de mierda —le grito.

Suelto un gruñido y camino a paso rápido al baño. Apenas entro me apoyo en el lavamanos y cierro los ojos, temblando. Unas manos se clavan en mi cintura haciéndome levantar los párpados y ver a Diego detrás de mí en el espejo.

—Te duele verme con otra, ¿verdad?

—No.

Suelta una risa amarga y no puedo soportar su desprecio. Intento largarme, pero me toma con más fuerza de la cintura y me gira dejándome frente a él.

—Claro que te duele, como a mí me duele verte con tu novio.

Achico los ojos y me humedezco los labios sintiéndolos secos de repente, eso capta su atención por un momento, pero vuelve a mis ojos.

—Simón no es mi novio. Es mi amigo. Jamás te confirmé nada, Diego, tú mismo sacaste esa conclusión y yo solo te seguí la corriente porque te tenía que alejar de mí. Lo que pasó esa noche cuando me fui lo hice porque... Nada, mejor olvídalo. —Él frunce el ceño y yo lo empujo—. Ahora puedes seguir divirtiéndote con cuanta chica se te cruce.

—No, no te creo nada. —Se cruza de brazos y me acerco a él.

—Si él fuera mi novio jamás en la vida le hubiera puesto los cuernos ni contigo ni con nadie. Yo no soy así, cuando me enamoro lo doy todo por esa persona. Cómo se nota que no me conoces nada, pero, en fin... —digo desilusionada.

—Demuéstramelo. —Rompe el espacio entre los dos y levanta mi barbilla con la punta de sus dedos—. Bésame.

—No tengo por qué demostrarte nada. —Doy un paso atrás—. Simón es mi amigo y está en ti si me quieres creer o no.

—No te creo. —Sacude la cabeza—. Me has mentido tanto que ya no puedo creerte. Entre ustedes hay algo, no soy imbécil, Anastasia.

—¿Quieres saberlo? Él fue el primero en muchas cosas en mi vida, pero también ha sido un gran amigo y eso es todo lo que somos ahora. No me gusta Simón, no siento nada por él. Lo único que hay entre nosotros es una amistad verdadera —explico molesta. Lo veo tragar saliva y dar un paso más hacia mí.

—¿Por qué me dejaste vivir en una mentira, Anastasia? Estas cuatro semanas pensando que tenías novio me estaban matando y cegando por la ira. —Se pasa la mano por la cabeza—. Y lo que pasó entre nosotros esa noche...

—Lo hice porque te quería —lo interrumpo—. Me entregué a ti porque te quería aun cuando no podía estar contigo. —Suspiro—. Diego, yo tengo un exno...

—Es tarde para nosotros, Anastasia —me deja claro—. A pesar de todo lo que me estás diciendo, ya no puedo más.

Sus palabras me empujan a retroceder un paso. Se supone que ya conozco el dolor, pero esto es demasiado. Aun así, lo entiendo y lo acepto, ambos nos hemos hecho demasiado daño y si seguimos de esta forma los recuerdos malos van a predominar, y no quiero eso, quiero guardarlo como algo inesperado pero maravilloso que marcó mi vida.

—Supongo que tienes razón.

—Tengo que irme —concluye y se marcha sin más.

Aprieto los ojos recordándome que tengo que ser fuerte. Que tengo que luchar contra mis sentimientos y, sobre todo, tengo que darle la batalla a ese monstruo con el que tuve la mala fortuna de toparme en mi camino. El maldito problema es que, aunque lo vea tras las rejas, de todas formas ya ganó, porque por su culpa he perdido al chico que amo.

NICOLÁS

Capítulo 42

Anastasia

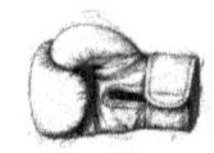

Camino al estacionamiento donde quedé de reunirme con la rubia para ir a almorzar.

Me apoyo en la pared y reviso mi móvil. Nicolás aún está conduciendo hacia Sevilla como verifiqué hace un rato. Frunzo el ceño, ¿qué mierda está haciendo? ¿Será que piensa que sigo allá y pretende encontrarme? Pero entonces, ¿por qué estuvo en la universidad? De repente me llega un mensaje con un número desconocido.

DESCONOCIDO

Soy Simón, necesito que vengas aquí. Estoy esperándote, hermosa. Tuve que comprarme otro móvil porque mi hermano estaba rastreando el que tenía.

14:32 a.m.

Miro el mensaje por unos segundos y entro en la dirección, es la bodega donde volví a hablar con Simón.

DESCONOCIDO

Te espero, ven rápido, es urgente.

14:34 a.m.

Muerdo mi labio inferior, me suena sospechoso, pero ¿y si le pasó algo grave y me está pidiendo ayuda? Abro la *App* y veo que Nicolás sigue manejando. Me rasco el cuello notando una presión en el pecho que no sé identificar.

—Anastasia —chilla Alejandra y salta sobre mí para darme un beso en la mejilla.

—Hola, loca.

Anoto la dirección y se la envío a los gemelos para que estén atentos a mi ubicación en tiempo real.

—¿Estás lista para hoy? Van los demás. —Señala al grupo donde vienen sus amigos y, por supuesto, Diego está con otra chica.

Niego con la cabeza y miro a la rubia con una pequeña mueca.

—Claro, pero antes necesito ir a ver a Simón —digo y hace una cara de asco—. Es urgente, rubia, no te pongas celosa —bromeo.

—Vaaaale —dice alargando la palabra. Tomo su brazo y la alejo un poco más —. ¿Qué pasa, Anastasia?

—Te daré mi dirección en tiempo real, si no llego en hora y media, llámame por favor —le pido seria; ella busca su móvil en la mochila con cara de susto—. No me voy a demorar mucho, pero tengo que ir a ayudar a Simón.

Su mano toma la mía y empieza a negar con la cabeza.

—¿A dónde vas realmente? —pregunta preocupada.

—A ayudar a Simón, creo —contesto insegura. Vuelvo a rascarme el cuello, nerviosa, pero no puedo dejar solo a Simón.

—Pero es peligroso, Ana. No quiero que te pase nada…

—No me pasará nada, dame tu teléfono.

Me lo pasa y lo sincronizo con el mío. Luego la abrazo para calmarla aunque mi corazón está desbocado.

—Te amo —le digo antes de darle un beso en la mejilla.

El Uber que había pedido para irme con la rubia, toca la bocina, anunciando su llegada. Miro a Alejandra quien tiene los ojos humedecidos.

—Todo estará bien. —Aprieto su mano y Cameron se acerca mirándome con cautela—. Volveré, Ale, recuerda que te amo.

Me subo al Uber, pero antes de irme logro escuchar a Alejandra decir:

—No, no. ¡No vayas!

Pero ya es tarde, Simón me necesita, siempre ha estado para mí y no lo pienso defraudar. Veinte minutos después, me bajo del taxi y entro a la bodega abandonada.

Observo una puerta abierta, camino con cuidado y me limpio las manos sudadas en los pantalones. Un escalofrío me recorre la piel y me doy cuenta de que tengo más miedo del que creí. Algo me dice que no debería estar aquí. Por instinto, saco mi móvil, lo pongo a grabar audio y vuelvo a guardarlo.

Entro a un amplio y polvoriento salón, pero no hay nadie. Miro a mi alrededor y veo una mesa con unos papeles, me acerco y una sensación de terror se impone en mi pecho cuando descubro que son muchas fotos mías, de Alejandra, de Diego, de mis amigos y mi familia. Las tomo con manos temblorosas, aún en *shock* por las imágenes. De repente, escucho cómo la puerta se cierra de un golpe.

Me giro y siento que el mundo se remueve bajo mis pies cuando veo a Nicolás con una sonrisa fría, acompañado del hombre que vi en Madrid.

—¿Qué te dije, Roberto? Mi Anastasia es una chica de buenos sentimientos que siempre quiere ayudar —dice el monstruo con arrogancia.

—Chica guapa, *sexy*, ruda, pero no tan astuta —concuerda el tal Roberto y la sangre se me hiela. Mi corazón se paraliza, el cuerpo me tiembla, pero aprieto los puños negándome a darle el gusto de verme aterrada. Miro a la asquerosa persona que se acerca a mí con pasos elegantes y me arranca las fotos de las manos.

—Estás pálida, mi amor. —Me acaricia la mejilla y doy un paso atrás chocando con la mesa—. ¿Qué te ocurre, cariño?

—No me digas amor —escupo con rabia—. ¿Dónde está Simón?

Me toma de la cintura y me suelto de su agarre.

—Sigues siendo una fiera, ¿verdad? —Se acerca con un rápido movimiento y se lanza a darme un beso que por suerte consigo esquivar. Me asquea—. Me engañas con mi querido hermano, ¡qué zorra eres!

—Simón es mi amigo y tú estás enfermo.

Suelta una carcajada y niega con la cabeza en un gesto divertido. ¡Maldito psicópata! ¿Cuándo mierda se volvió un ser tan miserable y perverso? ¿Dónde quedó el chico adorable que se desvivía por hacerme reír?

—Siéntate, Anastasia —me pide señalando una silla, pero no me muevo—. Por favor —agrega al ver mi falta de cooperación. Trago saliva, arrastro la maldita silla y me siento. Él me imita sentándose frente a mí.

—¿Qué es lo que quieres?

—Te contaré una historia, Anastasia. —Su sonrisa me pone los pelos de punta—. Había un chico que desde muy temprana edad sabía que no era normal. Tenía pensamientos oscuros y retorcidos, el niño no le veía lo malo a eso hasta que un día su madre y su hermano lo descubrieron haciendo algo muy malo para la sociedad, pero que para él no lo era porque le gustaba hacerlo. —Intenta acariciar mi mejilla, pero retrocedo. Sonríe—. Sus padres lo llevaron a terapia para que ya no pensara así y él fingió recuperarse. Creció y llegó a su adolescencia, donde conoció a una hermosa y deslumbrante chica en una fiesta en su casa. Se quedó prendado de su belleza y desde el primer instante la quiso para él, sin importar que tenía algo con su guapo y carismático hermano.

Aprieto mis labios. Él mira a Roberto y este sale dejándonos solos.

—Hasta que el chico lo logró; no tardó en hacerlo. Entonces se convirtieron en la típica historia cliché de chico misterioso con la chica más popular, se enamoraron, pero… —sonríe de una forma en la que antes me hubiese parecido tierna, ahora me parece pura perversidad. Me tenso aún más—, la vida real es mucho más compleja, no es un tonto libro de esos que te gusta leer, Anastasia. Y en el fondo el chico seguía luchando con sus propios demonios internos y con las voces que no se callaron nunca... Pero había más, él tenía hambre de poder y no iba a detenerse hasta conseguirlo.

»El tiempo pasó y su relación se hizo más fuerte, pero al chico ya no le llenaba y sus sombras cada vez eran más oscuras y difíciles de reprimir. Fue entonces cuando se topó con gente realmente poderosa y peligrosa. Poco a poco pudo satisfacer un poco sus demonios, pero para tener todo lo que él quería tenía que vender a su hermosa novia y demostrar que no tenía piedad con otras personas, así que escogió al hermano de su novia para matarlo.

Mis ojos se empañan al recordar a Alex cuando llegó a salvarme. El enfermo de Nicolás siempre lo tuvo planeado. Siempre estuvo dispuesto a todo para saciar sus ambiciones. ¡Qué idiota fui! Y pensar que esa noche yo estaba dispuesta a entregarme a él.

—Ella pensaba que iba a ser una noche especial entre ellos dos, pero solo conoció al demonio que era realmente, o al menos una parte de él. Claro, hasta que llegó, como siempre, su ángel guardián a salvarla, el idiota de Simón.

Aprieta los puños con tanta fuerza que sus nudillos se blanquean.

—Pero ahora su hermosa exnovia está frente al chico y no tiene otra salida que ser obediente. ¿Te gustó mi historia, Anastasia? —Planta ambas manos en mis muslos y me arrastra con todo y silla hacia él. Me quito sus asquerosas manos de encima y lo miro con odio—. No me provoques, nena, soy peor de lo que piensas y no tendré piedad con nadie, mucho menos con la gente que intente protegerte.

—Déjalos en paz, ellos no te han hecho nada. Tu puta obsesión es conmigo, hijo de puta. —Las palabras salen de mi boca sin que pueda detenerlas.

Suelta una risa macabra y un escalofrío recorre mi espalda. Mi corazón late con fuerza, la sangre me arde y tengo tanta rabia que quiero estropear su maldita cara. Porque sí, ¡maldita sea! Es hermoso y su rostro angelical es engañoso. Parece un encantador ángel de la muerte y yo ya probé el filo de esa sonrisa envenenada. Me mató por dentro y sigue sin conformarse. Él es el ejemplo más claro de que una cara bonita a veces es solo una máscara que esconde lo podrido de una persona.

La puerta se abre y Roberto vuelve a entrar. Se sienta como si nada. ¡Malnacido!

—¡Te odio! —mascullo con lágrimas de impotencia recorriendo mis mejillas.

—Eso ya lo sé, Anastasia, pero así están las cosas. Eres mía y de nadie más. —Toma una foto en donde estoy con Diego, abrazados y caminando por Barcelona—. Lo amas a él, ¿verdad?

Niego con la cabeza y desvío la mirada, pero el muy animal me toma del mentón haciéndome daño para que mire la foto.

—Lo amas a él, ¿me crees estúpido? Te conozco demasiado bien, Anastasia.

Trago saliva y me obligo a controlar mis sentimientos. No puedo ser obvia.

—No lo amo —miento—. Tú mataste mis ganas de amar a alguien. Me divertí con él, es todo —digo con la voz fría, poniendo bajo control mis emociones.

—Espero que sea verdad, porque es tan fácil de matar. Un disparo en su cabeza y *¡boom!*, deja de existir tu querido Diego. Tú decides, amor.

Me trago el amargo de la rabia y contesto en el tono más neutro que puedo.

—Ya te lo dije, no lo amo.

Nicolás sonríe y asiente.

—No le voy a hacer daño…, por ahora. Te hice venir por un motivo. —Toma una foto de Alejandra y empieza a acariciar su rostro con una sonrisa en los labios—. Tu amiga es hermosa, ¿verdad? —pregunta con un tono divertido, pero noto la amenaza implícita en cada palabra.

Me quedo callada sintiendo el peso del miedo sobre mis hombros. Unas lágrimas ruedan por mi rostro y me las limpio con rabia. Lo desprecio tanto.

—Me pregunto qué estarías dispuesta a hacer por ella, aunque conociéndote, sé que estarías dispuesta a dar tu vida por la rubia. ¿Cierto? —Aprieta mi barbilla. Intento apartarme, pero no me lo permite—. Estoy seguro de que no podrías soportar otra muerte en tu conciencia. Porque sí sabes que mataste a tu hermano. Tú lo atrajiste hacia mí, hacia su muerte. En el fondo eres igual que yo. —Sonríe.

—Eres un hijo de puta —gruño con la voz ronca y le clavo las uñas en la mano. Me suelta y, lejos de molestarse, vuelve a sonreír lamiéndose los labios.

Tenso mi mandíbula y me rehúso a derramar más lágrimas, porque eso es lo que quiere Nicolás: verme débil para atacarme de nuevo—. ¿Por qué yo? ¿Por qué mi hermano? ¿Qué te hice?

—Fueron negocios, amor. Nada fue personal. Tu condena fue ser tan hermosa y llamar la atención de la gente equivocada. Y tu hermano… —Se encoge de hombros—. Tu hermano era mi prueba para entrar de lleno en el mundo que tanto quería. Además, siempre fue un estorbo.

—Eres la peor escoria de este mundo. —Mi voz sale rota.

—Ni tanto. No sé de qué te quejas, sigues viva, ¿no? Aunque tampoco podría matarte porque te amo.

Suelto una carcajada agria que borra su sonrisa.

—¿Amor? —Mi voz sale gélida y amarga, pero sonrío al ver su desconcierto. Como si de verdad creyera lo que dijo. Me inclino—. Eres un enfermo mental. No tienes ni puta idea de lo que es amar.

Lo veo contraer los labios, pero luego suspira y pone los ojos en blanco.

—Es suficiente, no voy a perder mi tiempo. Quiero que pelees para mí y me hagas ganar dinero; de hecho, tú eres mía y de nadie más. —Clava sus manos en mis brazos con tanta fuerza que me hace gemir de dolor—. Eres mi boxeadora, solo mía. ¿Me escuchaste? —Me sacude—. Yo soy tu puto dueño, me costaste mucho dinero, Anastasia.

Ahora soy yo la que río alto.

—¿En serio? —Me burlo en su cara—. Eso jamás pasará. Primero me mato antes de ser una de tus boxeadoras. ¡Jamás!

—Levántate ahora. ¡Joder! —Tira de mis muñecas y me obliga a ponerme de pie. Me toma con firmeza de la cintura y sus manos comienzan a descender. Lo empujo por el pecho. Apenas se aparta con una sonrisa seca.

—Eres mía, Anastasia, y si quiero tocarte, lo haré, ya te lo dije.

Lo fulmino con la mirada justo antes de que la furia termine por nublar mi juicio y levante la rodilla con tanta fuerza en medio de sus piernas, que termina en el piso, jadeando. No pierdo tiempo y corro hacia la puerta, pero un dolor crudo me detiene cuando alguien tira de mi cabello y me empuja contra la pared. El maldito Roberto. Escucho a Nicolás maldiciendo todavía en el suelo, mientras el hombre me empuja hacia él. Se pone de pie y me mira como si estuviera a punto de matarme. Me estremezco. Las lágrimas se escapan de mis ojos. Roberto me suelta y el maldito monstruo me sujeta del cuello haciendo presión, pero no lo suficiente para matarme. A veces quisiera que lo hiciera para terminar con esta mierda.

Escucho la risa divertida de Roberto y noto que escanea mi cuerpo. Me dan ganas de vomitar.

—No tienes idea de lo caro que vas a pagar ese golpe, Anastasia —sisea Nicolás. Me suelta el cuello y por inercia me masajeo el área mirándolo con ganas de asesinarlo con mis propias manos.

Roberto se acerca e intenta acariciar mi mejilla, pero me muevo rápido y estampo mi cabeza en su nariz. El dolor me sacude, pero él termina en el piso, sangrando. Nicolás me toma de los brazos.

—Eres una fiera, Anastasia. —Me acerca a su cuerpo—. Pero yo voy a domarte.

Me estremezco cuando hunde su rostro en mi cuello y empieza a besar mi piel. Intento empujarlo, pero me inmoviliza.

—¡Suéltame! —le grito, pero no lo hace. Aprieto los ojos, respiro hondo y empuño las manos. Su lengua en mi cuello me asquea, pero lo dejo hacer. No tarda en relajarse e intentar besarme en los labios, pero aprovecho para empujarlo y darle un puñetazo que lo toma desprevenido.

Mis pies se mueven para intentar escapar, otra vez, pero es en vano. Su mano se clava en mi cabello y grito cuando el dolor me azota. Me arrastra como si fuera un animal, hasta que mi rostro queda frente al suyo. Su mirada clara ahora es oscura y puedo verlas… Puedo ver las malditas sombras atravesando sus pupilas.

—¡Maldita zorra! —El dorso de su mano impacta en mi mejilla mandándome al suelo. Un grito ahogado se me escapa por la garganta. Arde. Mi pecho arde del dolor, la rabia y la impotencia. La sangre sobre mi lengua me enfurece aún más.

—¡Me das asco! —grito casi desgarrando mis cuerdas vocales.

—Creo que necesita que alguien la domestique —dice Roberto haciendo presión con un pañuelo sobre su nariz sangrante.

Gimo de dolor cuando se inclina y me levanta del cabello.

—¡Eres una maldita perra! —gruñe y lo escupo con desprecio.

Su mano se estrella contra mi cara y vuelvo al piso escupiendo sangre. Cuando lo veo venir, junto mis piernas, arqueo las rodillas, me impulso y estrello mis pies en su repugnante cara. Me pongo de pie en un salto sintiendo la ira y la adrenalina corriendo por mis venas, encajo un golpe en el estómago de Nicolás cuando intenta tomarme, y me preparo para darle un puñetazo en la cara, pero el suyo llega primero y con tanta fuerza, que el mundo me da vueltas y vuelvo a caer sin fuerzas.

El llanto me asalta y por más que quiero ser fuerte, no puedo evitar llorar. Un golpe encaja en mi abdomen y me doblo ante la sensación horripilante.

Nicolás se inclina, con una sonrisa y toma mi mentón obligándome a mirarlo.

—Hoy aprenderás dos lecciones, cariño. La primera es que no me pongas *chip* de rastreo en mi puto móvil, y la segunda es que no debes jugar conmigo, porque esto no es nada comparado con lo que te puedo hacer sufrir.

Cierro los ojos cuando lo veo alzar el puño y, un segundo después, un dolor agudo y punzante me atraviesa el cráneo cuando su golpe encaja en mi cara. Pero no me da tregua. Una patada se clava en mi estómago, seguida de unas cuantas más que me dejan sin aire. Intento cubrirme cuando los golpes regresan a mi rostro, pero sin mucho éxito, mi cuerpo se sacude, tiembla, la sensación de romperme por dentro casi me noquea y apenas soy consciente de que son las dos bestias las que embisten contra mí. Mis manos se sienten adormecidas por cada intento de detener los golpes y termino sollozando en medio de sacudidas.

El dolor es insoportable y mis pulmones se quedan sin aire.

—Por… f-favor —suplico con el llanto ahogándome, con mis músculos cediendo ante cada impacto. Con mis huesos resintiéndose con cada embestida. Duele, arde, quema. La sangre es espesa y pesada en mi boca.

Lloro sintiéndome miserable, desechable y entonces me pregunto: ¿Y si me dejo ir? ¿Será que esto acabará hoy? ¿Nicolás va a matarme y se conformará conmigo?

Y como si pudiera escuchar mi pregunta, los golpes se detienen, aunque sigo sin poder alcanzar el aire suficiente.

Su rostro aparece ante mí y apenas puedo ver que trae entre sus dedos una pequeña navaja. Todo es tan borroso. Toma mi cara entre sus manos y el dolor me hace gemir. Sonríe.

—Te dejaré vivir porque esto aún no acaba. —Sus palabras me llegan tan tenues, como si no fuera un ser tan cruel y despiadado—. Eres mía y si te mato ahora mi vida no será tan entretenida. Me gusta el juego que tenemos hasta ahora. Pero… —Un aullido agónico sale a rastras por mi garganta cuando siento algo clavarse en mi costado—. Esto es para que nunca te olvides de quién soy y lo que soy capaz de hacer. —Saca la navaja de mi cuerpo, me da un beso en los labios ensangrentados y se levanta mientras tiemblo del dolor.

Escucho a Roberto reír al tiempo en que sus pasos los alejan de mí.

Me llevo las manos entumecidas a la herida, aprieto los ojos sintiendo las lágrimas brotar y cada parte de mí parece a punto de colapsar, pero me rehúso.

Reúno todas las fuerzas que me quedan para ponerme en pie.

Me pego a la pared para apoyarme. Todo me da vueltas, el dolor me consume, las piernas me tiemblan y tengo los pulmones comprimidos. Empujo la puerta con las manos ensangrentadas, pero apenas veo la luz empiezo a toser sangre. Las piernas me fallan y caigo al suelo sintiéndome morir. Logro captar el frenazo de un auto, o tal vez sean dos, pero no puedo divisarlo, los ojos se me cierran, mi mundo se entumece y me dejo ir esperando por fin ser libre.

Capítulo 43

NARRADOR OMNISCIENTE

Aún en los brazos de su novio, quien la abraza con ternura, Alejandra no logra arrebatarse esa horrible sensación que se instaló en su pecho cuando su mejor amiga, casi su hermana, Anastasia, se despidió de ella.

—¿Qué sucede, cariño? —le pregunta Cameron.

La rubia no es capaz de hablar, si lo hace sabe que empezará a llorar. Por lo que, lejos de contestar, sacude la cabeza y se acurruca más en el pecho de su amado mientras, con una mano, saca el móvil del bolsillo y nota que su amiga ya lleva casi una hora en ese lugar.

Suspira e intenta convencerse de que Anastasia está bien, pero la sensación extraña en su interior no se lo permite. Y entonces, justo en ese momento, cuando levanta la mirada y ve a Simón bajar de su auto, su corazón se sacude con violencia contra sus costillas. Algo está mal. Lo sabe, lo siente en cada fibra de su cuerpo. Un par de lágrimas se deslizan por sus mejillas, pero no pierde tiempo. Se aparta de su novio y corre al encuentro de Simón, quien frunce el ceño al verla.

—¿Qué mierda haces aquí? —pregunta la rubia con desesperación.

—Vine a buscar a Anastasia —contesta el aludido, confundido.

—Se supone que estás con ella en este lugar. —Con manos temblorosas, Alejandra le muestra la ubicación en su móvil. El rubio le arrebata el aparato—. ¡Dios mío! —grita la chica sintiéndose frustrada.

Lo sabía. ¡Maldita sea! Ella sabía que algo andaba mal en el momento exacto en que vio a su amiga subirse a ese puto Uber.

—¿Qué pasa? —pregunta Cameron apareciendo tras la rubia y tomándola de la cintura, pero la chica se siente tan frustrada que se aparta. Se siente idiota al no haber impedido que Anastasia se fuera.

—¿Por qué...? ¿Por qué está ella ahí? —inquiere Simón con un sabor amargo en la boca, temiendo lo peor. Se niega a creer lo que pasa por su cabeza. No. Anastasia no puede estar en manos de su hermano.

—Por ti, imbécil. ¿De quién es ese lugar? —grita la rubia, pero Simón reacciona subiéndose a su auto cuando sus sospechas parecen ser una realidad. Alejandra golpea la puerta en medio de gritos—. Es de tu hermano, ¿verdad? Es tu maldita culpa si le pasa algo...

Pero Simón sale del estacionamiento sin poder escuchar más que el zumbido en sus oídos, sin poder sentir más que los latigazos de terror que azotan su cuerpo imaginando lo que ese animal puede estar haciéndole.

—¡No! ¡No! ¡No! —grita el rubio golpeando el volante con los ojos húmedos y el corazón arrugado.

Y mientras este conduce a toda prisa, Alejandra regresa con su novio con el rostro enrojecido y lleno de lágrimas. Toma su camiseta y lo atrae hacia ella.

—¡Sube al maldito auto! —le exige. Este se queda petrificado por un segundo, pero conociendo a la chica que tiene enfrente y viendo el desespero en sus ojos, el chico corre al asiento del conductor.

Sin embargo, lejos de lo que piensa Cameron, la rubia no se sube al auto de inmediato. Alejandra, con los nervios de punta, corre hacia donde ve a Diego hablando con una chica. Apenas llega a donde su amigo, lo toma de la tela de su chaqueta vaquera y tira del él.

—Te guste o no, tú vienes con nosotros. Así que sube tu puto trasero al auto.

Diego la mira con los ojos bien abiertos, desconcertado. Pese a no entender qué pasa, al igual que Cameron, la obedece.

Alejandra, temblando, pone la ubicación en el GPS del auto y le ordena a su novio con voz chillante que conduzca a toda velocidad. Cameron le hace caso y sale desparramado del lugar, pero no pasa ni un minuto cuando un confundido Diego se asoma entre los asientos delanteros.

—¿Qué sucede? —cuestiona al darse cuenta de algo, la chica que ama no está por ningún lado y la rubia solo se pondría así por ella. El corazón le salta en el pecho.

—¡Anastasia! —suelta la rubia y tanto Diego como Cameron se dan cuenta de que algo no está bien—. Ella… está en peligro.

Diego se queda quieto por un instante notando una sensación gélida trepando por su columna. ¿Peligro? Anastasia no puede estar en peligro. Pero, pese a que tiene un montón de preguntas, es Cameron quien logra articularlas.

—¿Peligro? ¿De qué hablas, Ale? ¿Por qué está en peligro?

La voz de su mejor amigo y los sollozos de la rubia sacan al pelinegro de su entumecimiento emocional. Sacude la cabeza y regresa a la realidad.

—¡Maldita sea! Contesta, Alejandra. ¿Por qué carajos crees que Anastasia está en peligro? ¿Qué está ocurriendo? —Las palabras salen cargadas de desespero, angustia e impotencia.

La chica solloza una vez más y por fin logra encontrar su voz.

—Se supone que Ana iba a reunirse con Simón, pero él llegó hace unos minutos, buscándola. —Solloza una vez más—. ¡Joder! Ella lo sospechaba, por eso vinculó nuestros teléfonos. No debí dejarla ir. —Vuelve a quebrarse en llanto, pero Diego apenas está procesándolo. Sigue sin entender nada.

Cameron pisa más a fondo el acelerador, incorporándose al tráfico y esquivando los autos. Él, al igual que los otros dos, lo siente en el aire. Una pesadumbre, un hormigueo eléctrico recorriéndole la piel.

—No entiendo una mierda —se altera Diego. Nada parece tener sentido—. El hecho de que no esté con Simón no significa que esté en peligro. —Sacude la cabeza—. ¿Por qué tendría que estarlo?

—No lo entiendes. Su ex quiere hacerle daño. Nicolás es un desgraciado que está obsesionado con ella. ¡Por Dios! ¿Por qué quiere lastimarla? Ella es tan buena… —De nuevo el llanto la asalta, mientras cada músculo del cuerpo del pelinegro se tensa.

Toma su móvil y la llama, pero la llamada cae al buzón. Maldice unas cuantas veces y tira de su cabello sintiendo impotencia, rabia. ¿Cómo alguien es capaz siquiera de pensar hacerle daño a alguien como ella?

Los minutos pasan lentos, o, al menos, eso es lo que parece con tanta angustia en el aire. Tanto los tres chicos como Simón, abandonan las vías principales con dirección a esa bodega abandonada, y, por increíble que parezca, ambos autos llegan casi al mismo tiempo.

El horror araña el cuerpo de todos al ver a la castaña desplomarse justo en la salida. Diego y Alejandra saltan del auto en movimiento. Cameron maldice, pero los sigue unos segundos después cuando se detiene. Simón tiembla mientras corre a la chica ensangrentada que yace ahora en los brazos de la rubia.

Anastasia escucha voces muy lejanas, pero no es capaz de reconocer a nada ni nadie, ni siquiera su propio cuerpo. Se siente tan débil.

—No, Anastasia, por favor —chilla Alejandra recostando la cabeza de la amiga en su regazo. Diego está consternado por todos los golpes que cubren el rostro de su amada, pero, sobre todo, por la cantidad de sangre que brota de su costado. Estudia medicina, así que sabe qué hacer, aun así, las manos le tiemblan mientras levanta la camiseta de la chica identificando una herida de arma blanca entre sus costillas, no parece muy profunda, pero se está desangrando.

Con el pulso a mil, los ojos húmedos y la mandíbula apretada conteniendo el llanto desgarrador que quiere atravesarlo, se quita la chaqueta y hace presión en la herida. Las voces de Simón y Cameron, ligado al llanto de Alejandra le llegan con demasiada fuerza a sus oídos. Sacude la cabeza obligándose a reaccionar con más precisión. Aun con el nudo en la garganta, hace lo que tiene que hacer.

—Haz presión aquí —le ordena a Cameron, quien no duda en hacerlo—. Hay que llevarla a urgencias. —Entonces, el pelinegro la levanta en brazos y corre hacia el auto donde Simón ya tiene la puerta trasera abierta para ellos.

Diego la deja con cuidado en los asientos, luego la acompaña dejando la cabeza de la chica sobre sus piernas y tomando el control de su chaqueta para seguir haciendo presión.

—Yo los sigo —dice Simón.

Cameron se percata de que su novia parece en *shock*, así que se dirige hacia ella, quien apenas se está poniendo de pie, posa una mano en su espalda baja y la guía al asiento del copiloto. Aunque la ama, sabe que no puede perder tiempo intentando que la rubia reaccione, su amiga está mal. Muy mal.

—¡Joder! Rápido, Cameron, está perdiendo mucha sangre —gruñe Diego lleno de rabia, impotencia, frustración. Apenas lo nota, pero su rostro está húmedo, el dolor rueda por su rostro en forma de lágrimas.

Y mientras Cameron conduce a toda prisa, intentando no matar a todos en el proceso, y Simón los sigue de cerca, Alejandra parece reaccionar. Suelta todo el aire como si llevara media vida conteniendo el aliento, se gira en su lugar y asoma la cabeza alcanzando una mano de su mejor amiga, recordando todo lo que han vivido juntas desde que apenas eran unas niñas. Empezando con aquella vez cuando la castaña la defendió de unas chiquillas que intentaban lastimarla.

Entonces recuerda la muerte de Alex, el hermano de Anastasia, quien también era su novio, y todo lo que tuvo que hacer para cuidar de la castaña, incluso tuvo que tragarse su propio dolor. Pero Anastasia no volvió a ser la misma, su luz se apagó, el brillo de sus ojos se extinguió —al menos hasta conocer a Diego—, y se pasó años desde entonces huyendo. Siempre imaginó que Nicolás tenía algo que ver, siempre supo que ella le ocultaba un montón de cosas, pero jamás imaginó que la vida de su amiga corriera peligro de esa manera.

Un monstruo. Alejandra acaba de darse cuenta de que ese chico guapo con sonrisa tierna es un monstruo que ha destrozado la vida de su amiga y no se perdona el no haberse dado cuenta antes. Pero no va a perderla, se niega a hacerlo.

—No puedes dejarme ahora, Anastasia. ¿Me escuchaste? Si tú te mueres yo me muero contigo. —Aprieta su mano y solloza—. Si te mueres, te revivo y yo misma te mato. ¿Lo entiendes? No puedes morirte. ¡Joder! ¡No puedes!

El dolor es casi palpable en el aire. Diego sigue ejerciendo fuerza para detener la hemorragia, mientras la culpa empieza a corroerlo por dentro. Él debía estar con ella, y tal vez, si la hubiese escuchado, las cosas fueran distintas. ¿Y si Anastasia quería contarle sobre su ex? La duda lo golpea con fuerza, pero la rabia de ver a la persona que más ama tendida sobre sus piernas, desangrándose, apenas lo deja respirar.

—Te amo, bella. Quédate conmigo, por favor. —Acaricia su rostro magullado. Se siente tan mal de verla así. Si pudiera se cambiaría por ella.

—Di-e-go —susurra Anastasia sin abrir los ojos y con la voz débil.

—Aquí estoy, por favor, resiste —le suplica a la chica que vuelve a quedar inconsciente. Diego revisa su pulso y también es débil, se desespera.

—Necesita un médico, ¡ya!

Cameron obedece y, unos minutos más tarde, están entrando a la urgencia más cercana, donde los reciben con una camilla mientras Diego les informa a los médicos su estado.

—Herida de arma blanca entre la sexta y séptima costilla. Contusiones en el rostro y la cabeza. Pulso débil y empeorando. Ha perdido mucha sangre —informa Diego con firmeza, pese a sentir que un fragmento de su corazón se desprende de su pecho con cada palabra pronunciada.

Los médicos desaparecen con ella sin permitir que nadie más entre. Alejandra llora desconsolada en los brazos de su novio y Diego, por fin, se permite derrumbarse. Se deja caer con la espalda pegada a la pared hasta estar sentado, con las rodillas dobladas y el rostro entre las manos, dejándose ir en un llanto demoledor que le hace arder los pulmones mientras una pregunta emerge como un volcán haciendo erupción: ¿Y si la pierde? ¿Qué hará si la pierde? No podría soportarlo.

Ha pasado una hora cuando tres personas desesperadas entran a la sala de espera del hospital. Los corazones de Jonathan, Javier y Dylan se estremecen en su pecho cuando ven los rostros de sus amigos y, sobre todo, cuando ven la sangre en la ropa de Diego.

Alejandra corre a su encuentro y los abraza. Los cuatro lo hacen. Cameron los mira, sabe que han sido amigos desde siempre y también sabe que a ese abrazo le falta alguien: Anastasia.

Jonathan se separa y corre hacia Simón. No razona, sabe que él no tiene la culpa, pero el que la vida de Anastasia esté corriendo peligro, le nubla el juicio.

—Voy a matar a Nicolás, voy a matar a tu hermano —le asegura empuñando su camisa.

Los ojos de Simón están rojos, él también está sufriendo, pero entiende a Jonathan. Entiende su frustración, por eso no es capaz de replicar, porque, si él pudiera, también lo haría. Él también acabaría con el monstruo que, para su desgracia, lleva su misma sangre.

Cameron los separa, pero no se da cuenta de que Diego se ha puesto de pie hasta que este estampa contra la pared a Simón.

—¿Tu hermano le hizo esto? —El dolor que atraviesa los ojos del pelinegro es punzante, letal. El rubio no está mucho mejor que él—. Responde, maldita sea. ¿Tu hermano le hizo esto y tú tienes la cara de estar aquí? —Hay rabia en su voz y en la manera en que empuña la tela de la camisa de Simón.

—Diego… —Cameron pone una mano sobre el hombro de su mejor amigo. Diego entiende lo que le pide y suelta al rubio, pero la furia no desaparece.

—Voy a matar a tu hermano, te lo juro, lo voy a matar con mis propias manos.

—Tú no vas a hacer esa locura —dice Simón, paciente—. No tienes ni idea de lo peligroso que es mi hermano.

—¿No? —El pelinegro ríe con amargura—. ¿Anastasia se está desangrando por su maldita culpa y crees que no tengo idea? —gruñe empuñando las manos—. Te lo aseguro, voy a encontrarlo y voy a matarlo a golpes.

—Tú no vas a hacer tal cosa, Diego —dice una a voz a su espalda. Cuando voltea, se encuentra a Harry, el amigo policía de Anastasia. Al ver el revoltijo de emociones en los ojos del chico, el policía continúa—: Si haces cualquier estupidez como buscarlo, no solo vas a echar a la basura todo lo que hemos hecho con Simón y Anastasia, también pondrás en riesgo tu vida.

—No hay forma de que me quede sin hacer nada —reniega Diego.

—Si quieres hacer algo por ella, no hagas una locura que la ponga más en riesgo. ¿Cómo crees que se sentiría si te pasara algo? Se culparía por el resto de su vida.

Los ojos rojos e hinchados de Diego se cierran por un momento. ¿Culpa? Él conoce lo que es y no quiere hacerle eso a ella, pero…

—¿Nicolás le hizo esto a Anastasia y tú te vas a quedar con los brazos cruzados? —Alejandra se planta frente a Simón. Su rostro parece contraerse—. Creí que la amabas —suelta, y Simón siente sus palabras en cada parte de su ser. Duele.

Suspira y coge fuerzas para responder con toda la entereza posible.

—No me quedaré con los brazos cruzados, Alejandra. Me haré cargo junto a Harry, pero no podemos actuar sin gestionar nuestras emociones. Sería un error actuar por impulso. Nicolás es peligroso y no está solo. Pero te juro que pagará por cada crimen que ha cometido con esas mujeres, sobre todo con Anastasia.

—¿Crímenes? —pregunta Diego, desconcertado—. Pero ¿de qué mierda hablas? ¿Quién diablos es tu hermano y por qué le hizo esto a Anastasia? —grita Diego. Siente que ya no puede más con verdades a medias.

—¡Ya basta! —interviene Harry—. Anastasia no quiere que sepas la verdad, es por tu bien. Y si tanto quieren ayudarla… —les habla a todos en general—, si de verdad quieren hacer algo por ella, entonces manténganse alejados de esto.

Diego traga saliva al tiempo en que un par de lágrimas vuelven a salir de sus ojos. Alejandra se echa a llorar contra el pecho de Cameron. Este último se siente frustrado de no poder hacer nada. Los gemelos están sentados juntos, apoyándose mutuamente; Jonathan camina de un lado a otro, desesperado; Simón se limpia una lágrima y le entrega el móvil de Anastasia a Harry, quien lo recibe en una bolsa plástica; y Diego, con el corazón destrozado, se estremece al pensar en que la última vez que estuvo en un hospital con una situación similar, fue cuando se quedó sin familia. Y si eso pasa, si la pierde también a ella, a la persona que ama con todo su ser, no importarán las advertencias de nadie, él va a matar a Nicolás, aunque sea lo último que haga.

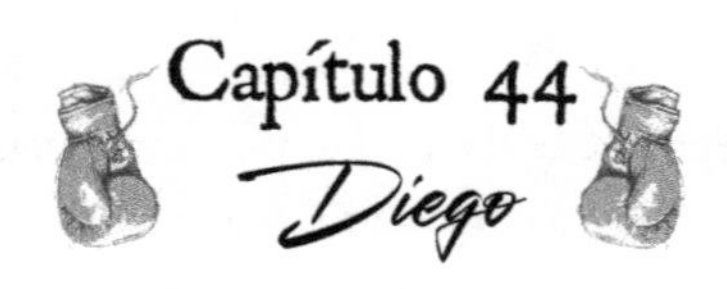

Capítulo 44
Diego

El rostro de Alejandra está completamente rojo al igual que sus ojos. No ha parado de llorar. Cuando se sienta a mi lado, en el suelo, y me abraza, también puedo notar que su dolor es tan lacerante como el mío.

—Serás un gran doctor, Diego —me susurra—. Ella estará bien, jamás nos dejaría.

Mi cuerpo tiembla sin que pueda detenerlo. Sus brazos me rodean con más fuerza. Ambos sabemos lo que Anastasia significa para mí y lo perdido que estuve en el alcohol por su ausencia.

—Soy un imbécil —mascullo—. Yo la quiero tanto, pero me dejé llevar por la rabia y el dolor de su abandono.

—Ambos se han hecho daño, pero Anastasia te quiere mucho, te lo aseguro.

Asiento queriendo creerle, queriendo confiar en lo que me dice el cuerpo de Anastasia cuando estamos cerca. En el brillo de sus ojos cuando me mira.

Alejandra me suelta cuando Cameron la toma de la cintura y la sienta en su regazo. Veo a todos lados con desespero. Todos tienen sus peores caras, Harry y Simón hablan por teléfono no sé con quién, tampoco me interesa. En este momento lo único que me importa es que abran esa maldita puerta, que salga un doctor y me diga que Anastasia está bien.

Suspiro con pesadez. El aire es denso, asfixiante. ¿Cómo llegamos a este punto? ¿Por qué ese miserable lastimó tanto a Anastasia? No lo entiendo. Me limpio las lágrimas, apoyo mi cabeza en la pared y cierro los ojos. He sido un capullo con ella y sé que no me va a perdonar jamás, pero el dolor me cegó. ¡Joder! En los últimos días me dolía verla tan bella como siempre y saberla tan distante, sobre todo después de haberse entregado a mí y haberme desechado como si nada. Me lastimaba verla porque solo recordaba lo mucho que me hirió y, por más que quisiera, no podía evitar transportarme a aquel día cuando desperté ilusionado por encontrarla a mi lado, pero solo encontré su vacío y mi vida se fue a la mierda de nuevo.

5 meses atrás

Estiro mi mano en busca de Anastasia, pero no la encuentro. Me remuevo hacia el otro lado buscando su cuerpo, pero obtengo el mismo resultado. Abro los ojos y me doy cuenta de que estoy solo en la habitación. Me levanto de la cama y la busco dentro del baño, pero tampoco está. Me visto y salgo descalzo, la busco en la cocina, en la sala de estar, pero nada. Vuelvo arriba, me acerco a donde dejé mi móvil para llamarla y veo que hay una hoja debajo, la abro y reconozco la letra de mi bella.

Te quiero, Diego, pero tengo que irme; estoy bien, me voy porque deseo hacerlo. Por favor, no me busques. Olvídate de mí y sigue con tu vida. Gracias por tantos bellos momentos.

Niego con la cabeza, esto es una mentira. Camino hacia el clóset y no veo muchas de sus cosas. Sacudo la cabeza y marco su número, pero me arroja una y otra vez al buzón. Tomo un suéter de uno de sus cajones, me dejo caer al suelo y me aferro a él, a la esperanza de que esto sea una puta broma porque ella no me dejaría, ¿verdad? Me niego a creer que ella se fue. Escucho el grito de Alejandra, me levanto de un salto y camino con rapidez, encontrándomela en el pasillo. Tiene los ojos húmedos y lleva una nota en su mano.

—Dime que está contigo ahí adentro, por favor —me ruega. No alcanzo a responder cuando ella está dentro, buscándola. La tomo del brazo con cuidado—. Se fue. Ella me volvió a dejar sola. ¿Por qué?

—Eso es mentira, Alejandra. Estoy seguro de que nos está jugando una broma —intento explicarle. Ella frunce su ceño y niega.

—Entiende, Diego, se fue. No es la primera vez que desaparece así. ¿Qué no lo ves? Sus putas cosas no están, ¿verdad? Ella me dejó de nuevo. —Comienza a llorar.

Me tiro del pelo, frustrado.

—No, no se fue, estoy seguro de que volverá. ¡Deja de mentirme! —le grito sintiéndome fuera de control.

Cameron aparece pidiéndome que me tranquilice. Alejandra llama a Anastasia varias veces, pero todos escuchamos cómo le envía al buzón de voz. Nos quedamos dos horas en su apartamento, esperando, hasta que Alejandra se va llorando con Cameron y yo me quedo aquí; me niego a creer que se fue sin mí. Ella no me haría eso. Abrazo su suéter que aún conserva su aroma y me quedo en el salón de estar, esperándola. Las horas pasan sin que mi cuerpo me responda y la noche cae sin que logre obtener una respuesta a mis llamadas.

Suspiro y vuelvo a dejarle un mensaje en su buzón.

—Anastasia, sigo esperándote. Ya basta con la broma, se le acabó lo gracioso. Por favor, vuelve —le suplico.

Dos semanas. Llevo dos semanas dentro de su apartamento, esperándola. Estoy convencido de que ella volverá y me dará una explicación lógica. Tiene que ser así porque me quiere. Unos golpes en la puerta me sacan de su habitación corriendo, es ella, estoy seguro. Sabía que volvería. Cuando abro la puerta, esperanzado, mi sonrisa se borra al ver a Cameron de pie frente a mí.

—Pensé que... —Antes que termine de hablar, él entra al apartamento.

—Lo sé, pensaste que era ella. Diego, se fue, ¿lo entiendes? —Niego con la cabeza y camino de nuevo hacia la escalera—. Se fue, tienes que salir de aquí, por favor. Te estás haciendo más daño al quedarte.

Toma mi hombro, pero me lo quito de encima.

—Anastasia no me dejaría. Me quiere y jamás me lastimaría así —le aseguro, pero de inmediato me surge una pregunta: ¿Ella no me dejaría? Porque se siente como que sí lo hizo estas dos semanas—. Sé que volverá a mí.

Cameron tira de mí y me abraza con fuerza; mis ojos se empañan.

—Mi bella no me dejaría así, sabe que me destruiría. —Me limpio una lágrima—. Siento que me está matando ahora mismo —digo separándome de él—. ¿De verdad se fue? —pregunto como idiota.

Mi amigo se queda viéndome con lástima. ¡Maldita sea! Lo hizo.

—Tal vez tuvo sus motivos para irse... —Intenta defenderla, pero una rabia inmensa empieza a nacer en mi interior al darme cuenta que en serio se largó y no pensó en mí. Se fue de un día para otro sin pensar en mi dolor.

—Cameron, vete. Quiero estar solo —le pido y se rehúsa—. ¡Vete ahora! —grito molesto. Le doy un empujón para que se vaya, pero me lo devuelve.

—No te dejaré solo ahora que me necesitas. —Una lágrima recorre mi mejilla y Cameron hace una mueca—. Ella se fue, Diego, pero estoy seguro de que tuvo sus motivos...

—Cállate, ¡maldita sea! Déjame solo.

Lo escucho resoplar, echarme una última mirada y luego salir por la puerta del apartamento de Anastasia. Regreso arriba y vuelvo a acostarme en su cama, la misma que aún guarda su aroma entre sus sábanas. Cierro los ojos e imagino que sigue conmigo. «Tienes que volver, Anastasia».

Los días avanzan sin mirar atrás, dejándome cada vez más desolado. La sigo buscando en cada rincón, sigo fantaseando con que en cualquier momento va a regresar, pero no pasa. Marco una vez más su número, pero, como siempre, me manda a buzón. Vuelvo a dejar otro mensaje.

—Te sigo esperando aquí, Anastasia, por favor. Ya han pasado tres semanas desde que me dejaste y te necesito... ¿Qué hice mal? Por favor. Solo quiero una respuesta —le suplico y corto el mensaje. Miro un momento su cuarto antes de tomar su suéter, salir de su apartamento y por fin regresar al mío. Camino hacia mi cocina y tomo una botella de tequila. Necesito olvidarla, aunque sea por esta noche.

Tres meses atrás:

Doy un trago más y veo cómo pasa una pareja tomada de la mano, la mujer me mira con mala cara. Miro de nuevo hacia la puerta de Anastasia y, como siempre, sigue cerrada. Por más que la espero desde hace dos meses, no ha vuelto a aparecer. Pero seguiré esperando ebrio, es la única forma de soportar su ausencia. Sin embargo, noto cómo mis esperanzas se desvanecen y la rabia va tomando lugar en mi corazón. No entiendo qué hice mal. ¿Por qué me dejó como si no importara? Tal vez la estaba asfixiando con mi amor.

Busco la hora en mi móvil; ya son las dos de la madrugada. Me levanto con torpeza para tomar el ascensor y subir a mi piso. Es otro día que no aparece.

Me remuevo en mi cama y escucho el ruido de las botellas vacías a mi lado. Siento la cabeza a punto de estallar del dolor y no me ayuda en nada que alguien toque con insistencia mi maldita puerta. Resoplo, fastidiado. Me levanto y bajo tambaleándome. Cuando abro me encuentro a Cameron con una maleta.

—Te ves asqueroso —es lo primero que dice—. Debes haber perdido más de cinco kilos.

—¡Déjame en paz!

Azoto la puerta, arrepintiéndome en el momento en que el estruendo retumba en mi cabeza. Ignoro el dolor, camino hacia mi cocina y saco otra botella de alcohol para anestesiar mis sentidos, pero no alcanzo a dar un trago cuando Cameron me arrebata la botella y bota su contenido en el lavaplatos.

—¿Qué mierda haces? —gruño como un animal, ni siquiera reconozco mi voz, sale demasiado ronca.

—Ayudarte, eso es lo que hago. —Desecha la botella vacía en la basura—. No dejaré que mi mejor amigo se convierta en un alcohólico, enfréntalo como un hombre, Diego, y no como un cobarde. Joder, tío, llevas más de un mes borracho.

—Déjame en paz, es mi puta vida y hago lo que quiera. —Tomo otra botella que desaparece de mi mano una vez más. El idiota lo volvió a hacer. Me enfurezco y lo empujo, pero él me lo devuelve, y gracias a mi patético estado, me tambaleo y caigo.

—¡Joder! —maldigo.

—Mírate, Diego, no eres capaz de mantenerte en pie. —Me ofrece una mano y niego con la cabeza—. Anastasia se fue… ¡¿y qué?! ¿Por eso vas a arruinar tu puta vida con el alcohol?

—Lo hago porque necesito olvidarla —grito, poniéndome apenas de pie—. Necesito que salga de mi cabeza, de mi corazón.

—No es la forma.

Lo fulmino con la mirada, pero no me hace el mínimo caso, sube su maleta y cuando regresa a la cocina, se deshace de todo el alcohol que tengo. Durante las siguientes semanas Cameron se convierte en un verdadero dolor de culo, pero admito que me ha hecho bien tener a alguien a mi lado para apoyarme. Gracias a él he podido comenzar a salir de casa y a reír de vez en cuando. Y aunque la sigo extrañando cada jodido día e intento odiarla con todas mis fuerzas, sigue estando aquí, metida en mi pecho. No obstante, poco a poco, estoy aprendiendo a vivir con este dolor que creí que iba matarme, pero que se ha convertido en un recordatorio de lo cruel que fue Anastasia conmigo y de lo mucho que debería detestarla por haberme roto el corazón. Ahora solo me queda seguir adelante.

Cinco semanas atrás:

Bárbara me hizo una escena de celos con una camarera que solo me sonrió. Por eso, en este momento, camino detrás de ella pidiéndole que se tranquilice, pero es inútil. Siempre es lo mismo, la invito a salir y termina haciéndome una maldita escena. Mientras yo le hablo, ella me ignora y camina enfadada hacia al coche. Me harto y la tomo del brazo.

—¿Qué mierda te pasa? —pregunto, molesto—. Esa chica solo sonrió por educación, eso es parte de su trabajo, ser amable con los clientes.

—Sí, claro —ironiza—. Por Dios, Diego, lo hizo porque quería que te la follaras en el baño, deja de hacerte el inocente.

«Bárbara te controla mucho, amigo, te está asfixiando, ya verás que un día vas a explotar con ella y ambos terminarán lastimados, sobre todo ella».

Las palabras de Cameron resuenan en mi cabeza mientras miro cómo el viento hace volar el cabello rojizo de Bárbara. Hace unas cuantas semanas he empezado a acostarme de nuevo con ella y a besarla frente a nuestros amigos, haciendo más real lo nuestro, aun cuando soy consciente de que solo lo hago para olvidarla a ella, sin mucho éxito. Pero creo que Cameron tenía razón, lo nuestro no va por buen camino. Y es mi culpa, no debí pedirle que fuera mi novia. ¡Joder!

Respiro e intento relajarme.

—No es así, Bárbara, haces estas escenas de celos cada vez que salimos juntos. Me estoy cansando.

—Porque tengo mis motivos —dice haciendo puchero.

Suelto un enorme suspiro y me paso una mano por el pelo tratando de controlarme. Pongo un mechón de pelo detrás de su oreja e intento sonreír.

—Eres mi novia, te lo pedí a ti, ¿verdad?

Ella asiente y luego pega su cuerpo al mío, mordisquea mi oreja y su mano baja hasta mi entrepierna para acariciarla por encima de mi pantalón, como siempre después de cada pelea. El sexo es la solución. Cuando llegamos a mi apartamento le arrebato la ropa y la hago mía, la hago gemir mi nombre mientras intento descargar en su cuerpo todas las sensaciones que tengo clavadas en el pecho desde que ella se fue. De nuevo, sin mucho éxito. Porque, aunque quisiera, y pese a su ausencia, Anastasia sigue aquí, como un fantasma en medio de mis discusiones por celos con Bárbara y, la mayoría de las veces, como un recuerdo amargo de lo que pudo ser y no fue gracias a su maldito abandono. Quisiera arrancármela de raíz del corazón, pero no puedo, y la odio por ello.

Al día siguiente:

Camino con Bárbara de la mano por el patio. Sonrío ante una de sus tonterías, pero mi sonrisa se congela cuando la veo avanzando con uno de los gemelos. ¿De verdad es ella?

Mi corazón se acelera cuando noto lo hermosa que está, lo bien que le luce la abundante y larga cabellera castaña oscura que se desliza por sus brazos. Trago saliva sintiéndome entumecido, y por un momento me pierdo en sus delicadas curvas, en su caminar lento pero firme, en sus preciosos ojos claros que no me miran, aunque desearía que lo hiciera, en el balanceo de sus manos, esas mismas que tantas veces me acariciaron con ternura; me pierdo en su sola presencia y en la sensación de asfixia que me llega de golpe al darme cuenta de que no es una visión como todas las que tuve antes, cuando soñaba que ella regresaba. Anastasia está aquí.

Sacudo la cabeza y me doy cuenta de que no soy el único que parece idiotizado con su presencia, con su belleza. Pero luego vuelvo a sumirme en sus labios cuando la veo sonreírle a su amigo.

El momento se rompe cuando Bárbara tira de mi brazo y, en voz baja, empieza a discutir sobre el regreso de Anastasia, intento convencerla —o tal vez a mí— de que nada va a cambiar en nuestra relación, pero no termina de creerme —yo tampoco—. La realidad es que, si no fuera por la pelirroja y por el odio que siento hacia Anastasia, hubiese corrido hacia ella y la hubiese besado con todas las ganas acumuladas delante de todos, pero eso no va a pasar. ¿Por qué? Porque ella asesinó al Diego dulce, feliz y soñador que antes existía. Ella me mató con su partida.

Y aunque tengo claros los sentimientos violentos y nada bonitos que rugen en mi pecho hacia ella, sin que pueda evitarlo camino en su dirección, como si un maldito imán tirara de mí con tanta fuerza que duele… Duele tanto como su ausencia.

DIEGO

Capítulo 45

Diego

Presente

De la preocupación y la rabia, he pasado a ser la ansiedad en persona. ¿Por qué tardan tanto? ¿Por qué nadie nos dice nada? ¿Y si ella…? No, Anastasia debe estar bien, tiene que estarlo. Cierro mis ojos pensando en si hice algo mal, pero no. Hice todo lo que pude para detener su hemorragia.

«Ella estará bien», me digo; pero, aun así, la angustia y el horror al recordar sus golpes y su herida no desaparece.

Me pongo de pie sintiendo que el aire se escapa de mis pulmones. Necesito salir de aquí, necesito respirar y dejar de sentir que las paredes se me caen encima. Siempre he odiado los hospitales, o, al menos, lo he hecho cuando alguien importante en mi vida se debate entre la vida y la muerte en una camilla bajo su techo. Como cuando yo estuve en ese lugar, o peor aún, cuando perdí a mi familia aquella misma noche. ¿Y ahora Anastasia? No, no puedo perderla a ella.

Mis abuelos me cuestionaron mucho por estudiar medicina, pero quería hacerlo, quería sentir a mi padre más cerca y me apasiona esta carrera desde pequeño, pero en estos momentos siento que no puedo estar aquí. Cameron se acerca a mí y me abraza fuerte. Él sabe sobre mi pasado y lo mucho que me cuesta estar en una situación como esta… de nuevo.

—Tranquilo, amigo. Anastasia es la chica más fuerte que hemos conocido.

Me separo de él y asiento con la cabeza.

—No entiendo. ¿Por qué se han demorado tanto? ¿Y si le pasó algo…?

—No vayas por ahí, Diego. —Me guía de nuevo a sentarme en otra silla—. Sé positivo, amigo.

—Me he comportado como un imbécil este mes —confieso—. Me la he pasado echándole en cara cada cosa. Desquité toda mi rabia con Anastasia porque no podía aceptar que la seguía amando y que ella ya no quería estar conmigo. Ganó más mi orgullo y por eso no la escuché. —Suelto un suspiro mientras él me da una palmada en la espalda—. Ella intentó decirme algo ayer y hoy, pero no le hice caso y le dije que se fuera a la mierda. Soy una persona horrible. —Mis ojos vuelven a humedecerse.

—No lo eres, Diego, solo estabas cegado. Tú mismo lo dijiste, ambos se han hecho daño, tú con tus acciones y ella, tal vez, por no ser sincera, pero se quieren.

—Yo la amo, siempre la he amado. Desde que la conocí supe que ella es la indicada, Cameron.

Hundo los dedos en mi pelo, porque es verdad. Cuando a ella recién le comenzaba a gustar, yo ya la quería. Cuando ella me estaba queriendo, yo ya la amaba y veía una vida con ella. Es de locos, pero jamás he sentido algo igual por una chica como lo hago con Anastasia.

—Lo sé, amigo, se te caía la baba cuando la veías y, aunque peleaban, cualquiera podía ver las chispas saltando entre ustedes.

—¿Por qué alguien la lastimaría así? —pregunto, mirándolo.

—Por lo que sé, fue su exnovio y está obsesionado con Anastasia desde hace tiempo. —Mira de reojo a su novia—. Me lo contó Alejandra hace unos días. ¿Te acuerdas que llegó un día al apartamento de Alejandra y no parecía estar bien? —Asiento recordando que me vi tentado a abrazarla, a recordarle que estaba para ella sea lo que fuese que pasara, pero no lo hice porque la puta rabia y el dolor son dos monstruos poderosos y estaba envenenado con ellos—. Alejandra quedó muy preocupada y ahí me lo contó.

—Lo voy a matar, te lo juro.

—No vas a hacer nada, Diego. Piensa con claridad. A ella no le gustaría, ¿vale? Anastasia te necesita en estos momentos, pero primero que nada, ambos tienen que ser sinceros y perdonarse. —Me alborota el cabello, más de lo que ya estaba—. Tú eres un imbécil besándote con cualquier chica. Estoy seguro de que le hiciste creer a Anastasia que te las follaste, ¿verdad? —Asiento y hundo mis manos en mi pelo una vez más—. Espero que seas honesto con ella.

Lo sé, mi amigo tiene razón, tengo que estar a su lado, aun cuando no me quiera aquí, no la dejaré sola nunca más. El sonido de una puerta abriéndose me pone en alerta. En un segundo estoy de pie sin darme cuenta, pero Harry le pide un momento y habla con él mientras los nervios empiezan a devorarme por dentro.

Nos quedamos todos quietos y vemos cómo el policía sigue anotando cosas en su libreta. Pasan unos eternos minutos y por fin el doctor se puede acercar a nosotros.

—Familiares de Anastasia Evans.

—Nosotros, somos los que la trajimos aquí —dice Cameron—. ¿Cómo está?

El doctor suspira y nos mira antes de hablar.

—La señorita Evans está estable, tiene algunas contusiones importantes en la cabeza, pero no de peligro, y tuvo una hemorragia interna que ya pudimos controlar; por suerte la herida no fue profunda o hubiese perforado el pulmón. Sin embargo, al parecer la señorita intentó protegerse de los golpes de su atacante con sus manos, por lo que estas están muy lastimadas. Requerirá de cuidados por, al menos, un mes. Le daremos el alta médica en unos pocos días, pero deberá venir una vez a la semana a revisión.

Suelto un suspiro de alivio, todos lo hacemos.

—¿Podemos pasar a verla? —pregunto.

—Solo una persona, ella está despertando, pero está bajo los sedantes. —Todos asentimos.

Cuando se va puedo respirar con tranquilidad y Cameron me abraza. Alejandra me mira y asiento con la cabeza. La veo entrar en la habitación y me quedo afuera esperando que sea mi turno. Pasan los minutos y Alejandra sale con los ojos rojos, pero está sonriendo. Justo entonces entra Dylan.

La rubia se acerca a mí y toma mi mano.

—¿Cómo está? —pregunto ansioso.

—Está toda lastimada, pero aun así estaba sonriendo. —Cameron abraza a Alejandra—. Hasta lanzó una de sus malas bromas sobre volverse adicta a los sedantes. —Deja salir una carcajada. Yo sonrío al igual que su novio.

Alejandra se va a hablar con los demás y yo me siento a esperar mi turno. Veo cómo entran uno a uno todos sus amigos, e incluso entra Simón y después Harry, tardando este último más de una hora.

El doctor aparece diciendo que alguien se puede quedar a cuidarla y no tardo ni un segundo en ofrecerme como voluntario. Alejandra hace un puchero, sé que ella quería, pero yo aún no la he visto y las visitas ya terminaron.

—¿Estás seguro, Diego? —me pregunta por tercera vez.

—Alejandra, necesito verla —le hago saber—. Además, ¿quién mejor que yo para cuidarla? Estoy estudiando medicina y sé todo lo que ella pueda necesitar durante la noche.

Me despido de todos y Cameron informa que pasará a traer ropa limpia. Mis manos tiemblan cuando giro la perilla. Entro en la habitación totalmente blanca y solo escucho el sonido de las máquinas de los signos vitales. Me acerco y veo que tiene varios moretones en las mejillas y ojos, y un corte en su labio inferior. Además de sus manos vendadas. Me imagino que su abdomen debe estar igual de lastimado.

Arrastro la silla provocando que abra los ojos y me mire con absoluta sorpresa. Tomo sus manos con cuidado.

—Hola.

—Diego —susurra con voz ronca—. ¿Qué haces aquí?

—Me quedaré a cuidarte, todos estuvieron de acuerdo con que era lo mejor, ya sabes, por eso de que voy a ser un guapo doctor. —Intento bromear para aligerar la tensión.

—Pensé que me odiabas. —Una lágrima rueda por su mejilla y me apresuro a limpiarla con mi pulgar.

—¿En serio piensas eso de mí? —Ella asiente—. Jamás podría odiarte, aun cuando yo mismo lo quise creer, Anastasia. Solo estaba cegado por el rencor, pero jamás he dudado de mi amor hacia ti. ¿Me crees?

—Yo... —vacila—. Ya no sé qué es verdad o mentira en ti.

Nos quedamos callados por un momento. Tomo su mano y ella se suelta de mi agarre; me duele su rechazo, pero entiendo su dolor.

—No me acosté con ninguna de esas chicas —confieso. Me mira de reojo—. Solo lo hice para lastimarte porque estaba dolido y me sentía tan mal que no pensé en nada más que en hacerte sentir el mismo dolor que yo sentía.

Otra lágrima recorre su mejilla, esta vez la dejo rodar.

—Lo siento tanto, Anastasia. Soy un imbécil que no pensé en el daño que te estaba causando —susurro avergonzado.

El silencio se instala en medio de los dos. Sus ojos esquivan los míos y duele tanto. Miro mis manos, sintiendo un nudo formarse en mi garganta. Los minutos pasan y no dice nada, por lo que, tragándome el miedo a su rechazo, vuelvo a hablar.

—Por favor, perdóname. Lo he hecho todo mal desde que te fuiste de mi vida. Me la he pasado tomando malas decisiones y sé que no tengo excusas para mi comportamiento contigo, pero por favor, perdóname.

La veo apretar los ojos, coger aire y luego exhalar con lentitud. Cuando nuestras miradas se encuentran, mi piel vibra.

—Tienes razón, no hay excusas para que te comportaras como lo hiciste, sin embargo, entiendo tu rabia. No obstante, quiero que sepas que no voy a tolerar más tu maltrato.

—Lo siento… —Dejo caer los hombros—. ¿Eso quiere decir que…?

—Que te perdono, Diego, soy más que tus insultos, soy más fuerte que eso.

—Te quiero, Anastasia. —Estiro mi mano y acaricio la piel de su brazo—. Cuando te entregaste a mí, yo creí que volveríamos, que todo sería como antes. Sentirte de nuevo en mis brazos esa noche fue lo mejor, y no lo digo solo por el sexo, sino porque de verdad me sentía en casa contigo. ¿Me crees si te digo que estuve dos semanas en tu apartamento? —Sonrío con cierta amargura al recordar esos días—. Estuve esperándote aferrado a un suéter que saqué de uno de tus cajones y que aún conservaba tu aroma.

Sus ojos se abren con sorpresa y niega con la cabeza. Luego vuelve a suspirar.

—De todas formas, no podemos estar juntos; aun cuando yo lo quiera, no es posible, Diego.

—¿Por qué no? Sé que he sido un imbécil, pero te quiero, Anastasia. Solo estaba enfadado porque me sentí herido cuando te fuiste sin ninguna explicación. Sé que he sido un capullo contigo, pero te juro que jamás volverá pasar. Perdóname, por favor —suplico.

—Diego, no…

—Por favor —la interrumpo, necesito sacar lo que siento—. Anastasia, verte como te encontramos me hizo darme cuenta de que no puedo vivir sin ti; casi te pierdo. —Sacudo la cabeza ante esa horrible posibilidad—. Puedo cambiar mis errores, solo dime qué tengo que hacer para que vuelvas a mí.

Mi corazón se fractura en más trozos cuando la veo llorar y hacer muecas de dolor. ¡Dios! No puedo verla sufrir. Limpio sus lágrimas intentando no lastimar sus golpes.

—Perdóname, Anastasia. Lo siento tanto. —Mis ojos se nublan.

—No has hecho nada malo, Diego. Jamás me hubiera alejado de ti; no me quería ir, pero tuve que hacerlo.

Un golpe. Su declaración se siente como un golpe contundente en la cabeza.

—¡¿Cómo…?! ¿Qué dices? —pregunto con voz trémula.

—Jamás te hubiera dejado, Diego. No hiciste nada malo, todo lo contrario, tú me haces feliz, pero... Tengo un demonio detrás de mí que me está matando —susurra.

Siento la humedad recorriendo mis mejillas entendiendo por fin la situación. Fui un idiota que solo se aferró a la vorágine de sentimientos negativos que nacieron con su partida. No fui capaz de prestar atención a sus gestos y a sus palabras para saber que ella no estaba bien y que alguien le estaba haciendo daño.

Apoyo mi cabeza en su cama y comienzo a llorar; soy un imbécil. ¿Cómo pude hacerle aún más daño a Anastasia? ¿Cómo me pude convertir en alguien tóxico capaz de besar a cualquiera frente a ella solo por hacerle daño? Mi madre estaría decepcionada de mí en estos momentos, me siento asqueado de la persona en la que me convertí.

—Perdóname, Anastasia —le suplico de nuevo, levantando la cabeza. No me cansaré de pedirle perdón—. Sabía que algo estaba pasando contigo, creo que siempre lo supe, por tu renuencia a enamorarte de mí y lo extraña que a veces actuabas, pero me llené de ira hacia ti porque me sentí usado esa noche… —Tomo una enorme bocanada de aire para continuar.

»Me convertí en alguien egoísta que solo pensaba en su dolor y no podía ver el tuyo. Te lastimé cuando prometí no hacerlo. No te merezco, jamás te merecí.

Estira su mano vendada y la posa con suavidad sobre la mía. Me limpio las lágrimas sin saber qué más decir, pero no es necesario, ella rompe el silencio.

—Me dolió verte besar a otras chicas y escuchar tus frías palabras, pero es algo que puedo soportar porque ya nada me sorprende, Diego. Hace tiempo que me rompieron por dentro, que destruyeron mi fe en las personas, que destrozaron a esa chica llena de ilusiones que soñaba con tener una historia de amor, como leía en los libros que me devoraba todos los días. —La miro y tiene los ojos cerrados, pero aun así está llorando. Limpio sus lágrimas—. Tengo a mi propio demonio personal torturándome y llevándose lo poco que queda de mí. —Abre los ojos—. Solo quiero dejar de condenar a las personas que amo. Lo siento, Diego, también te hice daño con mi silencio.

—Tu demonio es Nicolás —pronuncio su nombre y su cuerpo tiembla, sus ojos se cierran con fuerza y acaricio su mejilla—. Fue él, ¿verdad? Él te hizo esto.

No me responde, se queda callada mirando al techo, pero no es necesario, lo sé.

—Tengo sueño, los sedantes me están haciendo efecto —me susurra esquivando el tema.

—Duerme, mi bella, aquí estaré para cuidarte.

Cierra los ojos y me quedo quieto observando cómo su respiración se hace más tranquila hasta que se rinde. Sabía que algo me estaba ocultando, pero no tenía ni idea de qué. Su exnovio está obsesionado con ella y con hacerle daño, pero ¿en qué parte del juego entro yo? Me paso una mano por la cara, frustrado. Solo un ser despreciable podría hacerle tanto daño a un ser tan hermoso como ella.

Me acomodo en el sillón sin dejar de mirarla, diciéndome que tengo que saber más de todo esto, porque, aunque ella quiera, no la voy a dejar, no permitiré que se aleje de nuevo tan fácilmente. Luché mucho para que me entregara su corazón. Así que lucharé con mayor intensidad por mantenerla a salvo y conmigo.

Cameron toca la puerta y me entrega una mochila, una almohada, una manta y comida; le agradezco porque sé que será una larga noche. Me cambio la ropa ensangrentada por una limpia y regreso junto a ella para velar su sueño.

—Te amo, Anastasia —le susurro dándole un beso suave en los labios, pero más que una declaración de amor, es una promesa de que haré hasta lo imposible para protegerla, para cuidar lo nuestro, para que la distancia entre los dos nunca más sea una opción.

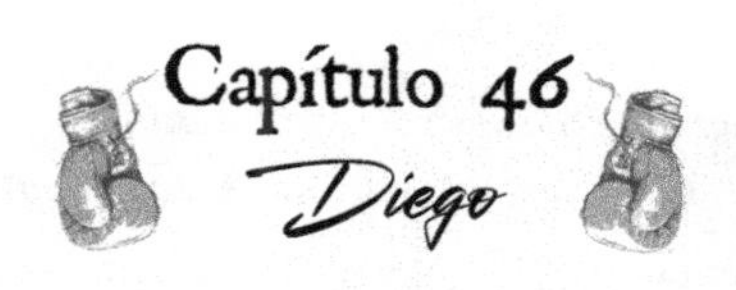

Capítulo 46

Diego

Han pasado cinco días y Anastasia se recupera con rapidez, sus ojos ya no están hinchados, su herida sana de manera favorable y sus manos cada día están mejor. Doy un sorbo a mi café, esperando mantenerme alerta. No he podido dormir nada bien en estos últimos días y mi cuerpo está algo resentido. Miro de reojo a Cameron, quien me observa con detenimiento.

—¿Tengo algo en la cara o es que mi belleza te quita el aliento? —bromeo, chocando mi hombro con el suyo.

—¡Ja, ja, ja! Qué chistoso eres. Me preocupas, no te has movido de aquí además de ir a bañarte, y te ves horrible con esas ojeras.

Mis ojos se dirigen a la puerta de la habitación de Anastasia, para ver cómo salen Harry, Simón y una joven mujer que también es policía y que ha venido todos los días a verla. Alejandra, los gemelos y Jonathan, quienes conversaban cerca de la entrada, a la espera, entran de inmediato. Me alegra ver que mi chica tenga tantas personas que la quieren, aunque no puedo decir lo mismo del tal Simón. No termina de caerme bien.

Cameron me invita a comer algo, pero yo niego con la cabeza, no me quiero mover de aquí. Resignado, se pone de pie y se marcha, mientras yo me quedo quieto en mi lugar dándole espacio a Anastasia y sus amigos. Un rato después, mi amigo reaparece con una *pizza* vegetariana —escondida para que se la dejaran pasar—, pensando también en mi bella.

—Dale un poco a Anastasia, de seguro se muere por comer algo mejor que la comida del hospital. —Me da la caja y la guardo lo más rápido posible en mi mochila, pero intentando no estropearla.

—Gracias —le digo con sinceridad, pero no por la *pizza*, sino porque Cameron ha sido un pilar importante en mi vida y siempre ha estado ahí para mí desde que tenía doce años, cuando empezó nuestra amistad.

—Eres mi hermano, siempre estaré para cuidarte, pequeño. —Me despeina el pelo.

Suelto una risa por su "pequeño"; la realidad es que solo me gana por meses. Veo entrar una enfermera a la habitación que no he perdido de vista y un momento después salen los chicos. La hora de visita se acabó. Me despido de todos y tomo mi mochila con la *pizza*. Entro a la habitación y saludo a la enfermera que ya me reconoce. Anastasia me saluda, pero continúa bromeando con la enfermera.

—Te dejo en buenas manos, bonita.

La enfermera me sonríe antes de salir, saco la *pizza* y la dejo sobre el sofá. Me acerco arrastrando una silla dejándola frente a su cama.

—¿Cómo estás?

—Umm… Pues siento que me pegan puñetazos en las costillas cada vez que intento moverme, y los golpes en la cabeza y el abdomen también duelen, pero es soportable —responde sin mirarme a los ojos.

—Es normal, tienes muchas lesiones y la herida tardará un poco en sanar del todo. Por suerte no es muy profunda. Pronto estarás bien. —Intento animarla.

—Supongo que tienes razón. —Suspira y me mira—. ¿Por qué sigues aquí?

—Porque te quiero —contesto sin dudar, al tiempo en que tomo su mano, pero ella se suelta—. Anastasia, ¿hasta cuando vas a evitar hablar conmigo?

Desde que tuvimos esa pequeña conversación la noche que entró al hospital ha evitado hablar conmigo. Muchas veces se hace la dormida y en ocasiones se queja del dolor y de que se siente tan casada que no quiere hablar. Lo cual no tiene sentido porque habla bastante con sus visitas. Entiendo que fui un imbécil, un gilipolla, pero no sabía nada. Jamás la hubiera tratado así si ella hubiera sido sincera conmigo, aunque entiendo su miedo.

—No puedo estar contigo, Diego, olvídate de mí, por favor.

—¿Qué es lo que me ocultas, Anastasia? Porque sé que aún nos seguimos queriendo. Vamos, dime qué sucede. Explícame con exactitud por qué quieres alejarme. Sé que ese bastardo te asusta, pero te prometo que voy a cuidar…

—¡No puedo! —me interrumpe con voz llorosa.

—¿Por qué?

—Tengo sueño…

—¡No! —Me rehúso a seguir aceptando sus excusas—. No pienso dejarte tranquila hasta que me digas la verdad. —Cierro los ojos sintiéndome exhausto, y no precisamente por las noches sin dormir, sino porque necesito entender esta maldita situación y por qué mierda se supone que debo alejarme. Es ella la que está en riesgo y yo solo quiero cuidarla, amarla.

—Diego, por favor, no insistas, no puedo…

—Lo siento, Anastasia, pero esta vez no voy a aceptar más que la verdad. Me lo debes —susurro alcanzando su mano, esta vez no se aparta, pero está tensa—. Por favor, lo necesito. Yo te amo y no pienso separar…

—¡Tu vida corre peligro! —suelta en medio de un sollozo—. ¿Qué no lo entiendes? Si estás conmigo, corres peligro.

Sus palabras explotan en mi interior y me dejan estático, sin aire y con un montón de piezas en mi cabeza, armándose, por fin. El engranaje de mi cerebro parece trabajar a toda velocidad. Y entonces todo lo que ha pasado desde que la conozco me atraviesa, su renuencia a que me acercara, su desconfianza, sus actitudes extrañas, esas pequeñas sombras que a veces veía en su mirada, su repentina partida, el desespero que emanaba cuando me echó de su piso y luego intentó hablarme, sin que yo se lo permitiera; la angustia cuando fue a buscarme a mi apartamento y me encontró con esa chica, el dolor cuando la eché de allí, el terror en sus pupilas cuando me acerqué a ella en esa banca de la universidad.

Todo… Lo hizo todo para mantenerme a salvo. No tengo dudas, ahora ya no las hay. Ese maldito enfermo la amenaza con las personas que ama y una de esas soy yo. ¡MALDITA SEA! ¿Cuánto habrá sufrido mi bella? ¿Cuánto dolor alberga su gran corazón? Ese animal le destrozó la vida y sigue queriendo hacer cenizas sus pedazos. ¿Cuán miserable tiene que ser alguien para lastimarla de una forma tan cruel?

Definitivamente no es un ser humano, es una bestia, un animal, un monstruo. ¡Lo odio! ¿Qué más se puede sentir por alguien así?

Ni siquiera soy muy consciente de mis lágrimas, porque las suyas me hacen pedazos. Su dolor, todo lo que ha pasado y yo siendo un imbécil. Tomo su rostro entre mis manos y limpio la humedad de sus mejillas.

—Entiende, Diego. No quiero que él te lastime, es más peligroso de lo que todos piensan; es peor de lo que yo creía. Aléjate de mí.

Su voz sale teñida de desespero, miedo y horror. Y la entiendo, pero no puedo dejarla ir de mi lado, no de nuevo.

—Nada me pasará, Anastasia. No me pidas que esté lejos de ti cuando sé que aún me quieres. Porque aún me quieres, ¿cierto?

Ella asiente con la cabeza y yo suelto un suspiro de alivio. Tiene que haber otra forma, no voy a renunciar a ella, no pienso dejarla sola, y menos ahora que va a necesitar ayuda de alguien porque se negó a avisarle a sus padres.

—Puedo ayudarte, Anastasia, también tengo contactos que lo pueden buscar y…

—No te metas, Diego —me interrumpe—. Esta es mi pelea con mi pasado y tú no perteneces ahí; no te involucres, por favor. Prométemelo.

Niego con la cabeza; no puedo hacer una promesa que no pienso cumplir, no cuando ella sigue en peligro.

—Entonces aléjate de mí. No me busques, Diego. ¡Vete ahora! —Señala la puerta con su dedo.

—Finjamos —suelto lo primero que se me cruza por la cabeza—. Finjamos que no estamos juntos con todo el mundo, en la universidad, con nuestros amigos; simular que ya no nos amamos, pero no me alejes de nuevo, Anastasia —suplico desesperado.

—¿Qué dices? —pregunta desconcertada. Me paso la mano por el pelo.

—Aparentemos que no estamos juntos hasta que todo esto termine. Anastasia, yo ya no puedo estar sin ti. No sabes cómo te he extrañado cada segundo del día porque, más que mi novia, también eres mi amiga. Ya no puedo estar más lejos de ti. Me lastima haberte hecho daño, me lastima no tenerte conmigo. —Acaricio su mano con cuidado—. Bella, eres el amor de mi vida, mi corazón es tuyo, mis pensamientos tienen nombre y apellido: Anastasia Evans; mis ojos siempre están pendientes de ti y mis pies siempre te seguirán donde tú vayas, buscándote para amarte con locura.

—Diego… —susurra volviendo a llorar.

—Por favor, Anastasia, siempre he sabido que eres mi chica ideal, que no podría tener tanta química con otra chica que no fueras tú.

Sus ojos se quedan clavados sobre los míos, y la conozco lo suficiente para saber que está meditando mis palabras. Nos quedamos callados unos segundos hasta que ella rompe el silencio.

—Te has vuelto aún más loco. —Me regala una dulce sonrisa que le da un poco de vida a mi lastimado corazón.

Sonrío casi por inercia, mientras me quedo mirándola. Es tan hermosa, incluso con los estragos de los golpes, es preciosa, y la amo. ¡Joder! ¡Cuánto la amo!

—Anastasia —la llamo.

—¿Sí?

—Cásate conmigo —propongo y sus ojos se abren de par en par—. Si quieres mañana mismo lo hacemos. Quiero que te convenzas de mis sentimientos por ti. De lo mucho que significas para mí. Siempre lo he sabido, siempre has sido tú.

Sus ojos brillan ante mis palabras, y, como de costumbre, suelta una carcajada matando mis momentos románticos. Sonrío porque de verdad la extrañaba tanto.

—¿Qué te parece si fingimos? —me pregunta y asiento—. Tal vez después nos casemos.

—¿Entonces...? —comienzo a decir emocionado, ella se ríe de mí.

Toma mi mano y me insta a acercarme. Me inclino hasta que nuestras narices se rozan con ternura.

—Tengo miedo, Diego. Pero me está matando seguir lejos de ti —confiesa. La miro a los ojos y mi corazón se altera al notar que estos parecen más vivos cuando está cerca de mí—. Si vamos a fingir, me tienes que prometer que no te vas a involucrar en mi pasado. Te lo contaré todo, pero dame mi espacio; es algo de lo que me cuesta hablar porque a veces me niego a creer que eso me pasó.

—Te lo prometo, Anastasia, te amo. —Tomo su mano y la llevo a mi pecho donde mis latidos son más fuertes y caóticos por ella, solo por ella.

Nos quedamos mirándonos por un momento. Un momento en el que me doy cuenta de que las palabras no son necesarias. Sé que le aterra decirlo, pero puedo sentir su amor en su mirada dulce, en su forma de tocarme, en la reacción de su cuerpo ante mi contacto, en la sonrisa suave que me ofrece. Me quedo tanto tiempo observándola, que ella termina por reír y ¡por Dios! Su risa se siente como un respiro, como una caricia al corazón, como un abrazo cálido a mi alma.

—Entonces, ¿quieres casarte conmigo en un futuro?

—¡Diego! —exclama riéndose. Yo frunzo el ceño y ella se silencia—. ¿Hablas en serio?

Asiento y le doy un suave beso en los labios.

—Muy en serio. Piénsalo, mi bella, tenemos todo el tiempo aún, pero va en serio mi propuesta de casarnos.

Ella aprieta los labios en un claro gesto de que quiere reírse de mí, pero niega con la cabeza. Sus ojos se deslizan hacia un lado, sigo su mirada y sonrío al ver lo que llama su atención: la *pizza*.

—¿Quieres un poco?

—¡Por favor! Necesito borrar de mi paladar el horrible sabor de la comida de hospital —dice y suelto una risa.

Me pongo de pie y alcanzo la caja. En estos momentos podría hacerle un monumento a Cameron, la *pizza* se ve deliciosa. Le paso un trozo a Anastasia y cuando da un bocado, deja escapar un suspiro. Sonrío mientras me doy cuenta de que extrañaba tanto tenerla a mi lado compartiendo cosas como estas o solo bromeando.

—Gracias.

—¿Cuándo te dan el alta? —pregunto para hacer conversación, porque ya sé la respuesta.

—En dos días, por fin. El doctor me ha dicho que me he recuperado rápido. Soy una muy buena paciente.

Le doy un bocado a mi trozo y sonrío porque es verdad. Anastasia, a pesar de haber sufrido tanto, sigue sonriendo.

—Alejandra se ofreció a cuidarme, al igual que Simón —comienza. Frunzo el ceño cuando escucho el nombre de él—. Dije que quería estar sola y que si quieren podrían venir en el día a verme porque supongo que me vas a cuidar tú, futuro médico. —Intenta bromear, pero tengo una pequeña espina clavada que tengo que sacar.

—¿De verdad no tienes algo con Simón? —me atrevo a preguntar.

—No, Diego. —Suspira—. Te quiero a ti, desde que te conocí solo he tenido ojos para ti, y aunque pude haberme acostado con Simón o ser su novia, no lo hice porque me estaría engañando a mí misma y dañando a un amigo. —Termina encogiéndose de hombros y haciendo que yo sonría de oreja a oreja.

—Vale.

—¿Algo más?

Sacudo la cabeza como una respuesta negativa. El silencio vuelve a rondarnos mientras devoramos la *pizza*. Bueno, a ella solo le di dos trozos, no quiero que vaya a hacerle daño. Recojo todo cuando terminamos y me deshago de las evidencias antes de que venga el doctor y me regañe.

Dejo escapar el aire y apoyo mi cabeza en su pierna, consciente de que estas no están lastimadas y de que no le haré daño. Una de sus manos, ya un poco más recuperada, acaricia mi pelo. El cansancio está a punto de vencerme cuando vuelve a hablar.

—Sí —susurra.

Levanto la cabeza para mirarla, confundido.

—¿Sí qué?

—Sí, quiero casarme contigo en un futuro, Diego. —Una bonita sonrisa nace en sus labios—. Cuando tengamos treinta años —bromea.

Niego, sonriendo, y vuelvo a apoyar mi cabeza en sus piernas para que siga haciéndome cariñitos. Cierro los ojos sintiéndome en las nubes hasta que…

—Lo siento.

Esta vez me incorporo por completo para mirarla a los ojos.

—¿Por qué?

Se humedece los labios algo resecos, tal vez por los golpes.

—Siento no haberte dicho la verdad. Tenía miedo, sigo teniendo miedo; supongo que la razón por la que no te lo dije era porque temía que hicieras algo impulsivo. Tenía terror de que, cuando te lo contara, fueras a buscarlo sin pensar en las consecuencias o que me odiaras por ponerte en peligro. Tenía miedo de tu reacción, Diego, porque cuando se lo conté a mis padres me insultaron y me echaron de la casa. —Limpio sus lágrimas y el dolor me carcome por dentro al ser consciente de que ha sufrido tanto—. Me dejaron sola cuando tenía dieciséis años. Me horroriza Nicolás y lo que es capaz de hacer con las personas que amo.

Me siento en la camilla, a su lado, me inclino y apoyo con suavidad mi frente sobre la suya.

—Te amo tanto, Anastasia. Gracias por cuidarme, aunque yo sea un idiota —digo y sonríe—. Eres mi ángel. Me conoces muy bien y sabes que a veces no puedo razonar. Ahora mismo quiero matarlo por todo el daño que te ha causado en estos años.

Se tensa, asustada.

—¡No! No, no, por favor.

—No lo haré, te lo prometí, bella.

Miro esos ojos azules que me cautivaron desde la primera vez que la vi, aun cuando las miradas que me echaba siempre parecían dagas de odio hacia mí.

—No te dejaré nunca, bella. Quiero apoyarte siempre, quiero ser tu compañero como lo fuimos cinco meses atrás.

Asiente sin apartar la mirada. Acaricio su pelo para que se relaje. Necesita descansar y no estar bajo estrés y preocupaciones; yo me encargaré de eso.

—Tienes que dormir, bella. Te protegeré, ¿vale?

Asiente y estira sus labios, sonrío antes de darle lo que pide: un dulce beso. Entonces cierra los ojos y se relaja. Yo la observo, notando que su respiración se vuelve lenta pero constante, hasta que se queda dormida.

—Te amo, Anastasia. Eres el amor de mi vida. —Suelto un suspiro y me paso una mano por el pelo.

Sacudo la cabeza y dejo escapar una pequeña risa. Jamás pensé que sería el chico cursi de la relación. Jamás pensé enamorarme así, pero con ella todo fue tan rápido que no me di cuenta hasta que ya estaba declarándole mi amor y ella mandándome al carajo con mis sentimientos. Pero nunca me he rendido tan fácil y ahora que la veo dormir tan serena, me doy cuenta de que ha valido cada paso que me trajo hasta ella. Anastasia Evans lo vale todo, incluso mi vida.

ANASTASIA

Capítulo 47

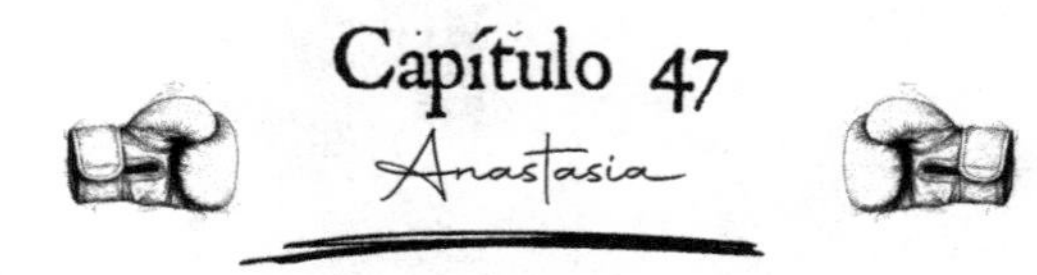

Anastasia

Alejandra es intensa cuando quiere, siempre lo ha sido. Por eso no me sorprende verla moverse de un lado a otro, revisando todo mi apartamento hasta quedar satisfecha. Suelto un suspiro cuando vuelve a preguntar, por décima vez, si de verdad no quiero que se quede, está siendo una pesada, aunque parece más tranquila cuando le digo que si necesito algo llamaré a Diego, quien está en su apartamento.

Me remuevo en la cama y me trago el quejido de dolor que me produce el movimiento. Me duele todo, pero si me quejo, la rubia no se irá. Y en serio me siento aliviada de, por fin, estar de nuevo en casa, en mi cama.

—Me llamas si necesitas algo. —Hace una mueca de desapruebo—. ¿Estás segura de que no quieres que me quede? —insiste y sacudo la cabeza en negativa, pero, aun así, no parece convencida—. Ana, ¿sigues sin querer que avisemos a tus padres?

—Ya te dije que no quiero que se preocupen. Estoy bien, ya han sufrido mucho por la pérdida de Alex. Si saben lo que pasó, se mudarán aquí. Los conoces.

Lo piensa un segundo y asiente.

—Vale.

Miro mi reloj, son las once de la noche. Cameron me sonríe de lado y toma de la cintura a mi amiga. Sonrío al verlos. De verdad amo su relación y me encanta ver a la rubia enamorada de nuevo, sin perder esa ilusión por la vida que siempre tuvo.

—¡Vete, por el amor de Dios! —le imploro—. Mírame, mujer, estoy acostada y lista para soñar contigo. —Le guiño un ojo y ella ríe—. Deja de preocuparte tanto. Estaré bien y cualquier cosa le avisaré a Diego, ya te lo dije.

Frunce el ceño.

—Pensé que lo solucionarían.

—Lo de nosotros terminó —digo con firmeza—, pero quedamos como amigos. Oye, Alejandra, mañana vendrán los gemelos a verme y estarán aquí todo el día cuidándome. Ya deja de agobiarte por mí.

Deja salir un suspiro y se acerca para cubrirme más con las sábanas. Ruedo los ojos y le doy una pequeña palmada en la mano para que me deje y ya se vaya. Debe estar cansada. Ha estado conmigo desde que me dieron el alta en la mañana.

—Te amo, estúpida —dice con una sonrisa.

—Yo también, rubia loca. Ahora déjame, por favor —suplico—. Adiós, Cameron.

—Duerme bien, pequeña. Cualquier cosa nos llamas y estaremos aquí en un momento, ¿vale? —dice apoyándose en el marco de mi puerta—. Me llevo la copia de tu llave para entrar.

Asiento.

—Ya lo sé, papá y mamá, dejen de ser tan pesados.

Los dos ríen y, por fin, se van. Me acomodo mejor con movimientos suaves para no lastimar mi herida. Me incorporo un poco, tomo el libro *Emma* de Jane Austen y empiezo a perderme entre sus líneas. Pasan algunos minutos cuando escucho unos pasos suaves que soy capaz de identificar.

Desvío la mirada de mi libro cuando la puerta de mi habitación se abre y me encuentro a Diego vestido de blanco y con unas ligeras curvas en sus labios.

—Hola, bella. —Se sienta a mi lado.

—Hola. —Lo miro, se ve tan guapo. Él enarca una ceja—. Mmm, pensé que estabas durmiendo, no contestaste mi último mensaje.

—No, estaba esperando a que se fuera ese par, aunque no me gusta mentirles a mis amigos.

Frunzo el ceño.

—Lo sé, tampoco me gusta, pero es la única forma que veo, al menos por ahora.

—Lo entiendo, yo te lo propuse, es solo que… —Sacude la cabeza, luego sonríe y acaricia mi mejilla—. ¿Me das un beso? —susurra sobre mis labios.

Intento estirar mi mano para tomar su cuello, pero el movimiento me saca un quejido de dolor.

—Tranquila —dice—. Yo te lo doy a ti. —Se inclina y posa sus labios sobre los míos; suaves, delicados, tiernos. Abro la boca aun un poco adolorida por la pequeña herida que me dejó un golpe, pero el dolor queda en segundo plano cuando su lengua danza junto a la mía, de forma delicada y a la vez intensa. Lo siento… Siento cuánto me extrañó, tanto como yo lo he extrañado. El beso se extiende y solo nos separamos por aire. Apoya su frente sobre la mía y suspira casi al mismo tiempo en que yo lo hago.

—¿Te lastimé? —pregunta, apartándose preocupado. Niego.

La verdad estoy un poco cansada de que me pregunten cada cinco minutos cómo me siento o si necesito algo. Entiendo que se preocupen, pero es agobiante.

—¿Quieres hablar sobre ese día? —inquiere de repente. El corazón me da una voltereta extraña en el pecho.

Desvío la mirada. Sabía que tarde o temprano Diego tocaría el tema, y parece que ha llegado la hora. Suelto un suspiro.

—¿Qué es lo que quieres saber? —pregunto en un susurro.

Toma mi mano.

—Todo… Quiero saber todo de ti, Anastasia. ¿Qué te hizo tu exnovio? Cuéntame, necesito entenderte. Por favor —me pide.

Tomo aire y lo suelto, luego apoyo la cabeza contra su hombro. Trago saliva y cierro los ojos un instante antes de comenzar a hablar.

—Estábamos de aniversario. Yo pensé que iba a ser una noche especial porque me iba a entregar a él. —La mano que acaricia la mía se detiene un segundo, solo uno—. Ese día Nicolás me había hecho muchas sorpresas, además, me regaló un vestido para esa noche. —Sigue acariciando mi mano, haciéndome saber que está aquí, conmigo—. Estaba emocionada, me puse su regalo, y me arreglé bonita para satisfacerlo, porque en ese momento era tan ingenua y estaba tan enamorada de él, de la vida. Pero supongo que era normal, tenía dieciséis años; era una adolescente que aún no sabía lo crueles que podían ser las personas. —Cierro los ojos sintiendo un dolor inmensurable en mi interior, y no precisamente por los golpes.

»Recuerdo que pasó a buscarme y que poco tiempo después paramos un momento en un pequeño restaurante en donde cenamos mi comida favorita. Era joven aún, no podía tomar alcohol, pero él se las ingenió para resolverlo y terminamos brindando con champagne. Creí que lo hacía para agasajarme, pero no. Lo hizo para drogarme. Ni siquiera lo sospeché, confiaba en él más que en nadie. Si me lo hubiese pedido, lo hubiera seguido al fin del mundo.

Me levanto un poco para mirar a Diego, quien está apretando la mandíbula, pero aun así continúa acariciando mi mano, transmitiéndome confianza. Cierro los ojos y vuelvo a apoyarme en su hombro.

—Pensé que sería una noche inolvidable y vaya que lo fue, superó todo. Cuando salimos de cenar, se suponía que íbamos a ir a un hotel, pero me llevó a una bodega, me pareció extraño, por lo que le pregunté qué hacíamos allí, pero me prometió que solo sería un momento, que tenía que arreglar una pelea para el día siguiente. Acepté su respuesta, aunque la verdad es que cada vez me sentía más desorientada, por un segundo pensé que era por el alcohol, pero apenas bebí de mi copa. —Siento el pulgar de Diego en mi mejilla, haciéndome notar que estoy llorando—. Mis pasos cada vez eran más torpes, por lo que Nicolás entrelazó nuestras manos y lo irónico es que con el gesto me sentí segura a su lado. —Río con amargura—. ¡Qué ingenua fui!

»Cuando entramos, todo estaba oscuro y cada vez me sentía más mareada, le dije a Nicolás, pero él siguió caminando hasta que llegamos a una habitación en donde vi a siete figuras hablando. —Respiro profundo antes de continuar—. «Bienvenida a tu sorpresa, amor», me susurró Nicolás con un tono que jamás le había escuchado. En ese momento sentí algo gélido recorrerme el cuerpo, fue una extraña sensación, pero yo no entendía nada. Al menos no hasta que esas figuras se acercaron más a mí y comenzaron a tocarme y a decirme cosas asquerosas.

»Yo retrocedí, apenas consciente de lo que pasaba. Entonces, cuando miré a Nicolás con los ojos nublados, esperando que todo aquello fuera solo un mal sueño, él me sonrío con una frialdad que debió darme una idea de que las cosas iban a empeorar. Cuando lo vi coger su móvil y llamar a mi hermano, mientras alguien me cubría la boca para que no gritara, justo en ese momento, vi la maldad en sus ojos, vi las sombras emergiendo como un monstruo devora almas. ¡Dios! Sentí un miedo que no había sentido jamás. Empecé a sentirme cada vez más débil, me pesaba un poco la lengua y el cuerpo me hormigueaba. —Me acomodo mejor y hago una pequeña mueca de dolor mientras las lágrimas se deslizan por mi rostro—. La maldita droga hacía cada vez más efecto. Los hombres volvieron a tocarme cuando notaron que mi cuerpo empezaba a temblar ligeramente, intenté pelear, pero no podía centrarme. Aun así, les estaba dando problemas, hasta que alguien me azotó contra la pared dejándome más aturdida. Me quejé cuando encadenaron mis manos, pero no pude hacer más. Entonces, en el momento en el que levanté la mirada, me di cuenta de que la persona que me lastimaba de tal forma era precisamente mi… novio.

Un sollozo se escapa de mis labios y por impulso me llevo una mano a la boca. Sigue doliendo. Mientras le cuento a Diego, sigo sintiéndome en aquel horrible lugar, sigo sintiendo la misma sensación de cuando esa bestia me rompió por dentro. ¡Joder! Me mató. Mató esa Anastasia feliz y sin preocupaciones, ahora solo queda esta Anastasia que desconfía de la gente.

Diego me pasa una mano, con cuidado, sobre los hombros y me atrae hacia él.

—Recuerdo que me quedé unos minutos a solas con él y me hablaba, pero yo no lograba entender lo que decía ni el porqué de lo que hacía, apenas podía entender lo que estaba pasando; veía todo borroso y después… Después ellos volvieron a entrar y sentí náuseas cuando sus asquerosas manos recorrieron mi cuerpo de forma lasciva, repugnante. Quería resistirme, creo que hasta lo intenté, pero mis sentidos apenas me respondían. Tenía tanto miedo y solo pensaba en lo estúpida que fui…

—No lo fuiste, no digas esas tonterías, Anastasia. Él es el enfermo que te lastimó de la peor forma posible.

Me abrazo a mí misma y, aunque no lo estoy viendo a los ojos, puedo sentir la mirada preocupada de Diego sobre mí.

—Recuerdo que mi hermano entró y… Nicolás le pegó con una silla mandándolo al suelo. Los hombres se apartaron de mí, pero solo para ir a golpear a mi hermano. ¡Lo mataron a golpes! —Sollozo con el corazón roto—. Lo mataron delante de mí mientras yo gritaba, tiraba de las cadenas haciéndome daño, sin lograr hacer nada. —La voz se me corta. El pasado me estrangula con sus grandes y despiadadas garras—. Lo asesinaron vilmente y el último golpe lo dio la persona a la que consideraba el amor de mi vida. Recuerdo sus sonrisas complacidas al ver el cuerpo sin vida de Alex.

»Se marcharon un momento después y me dejaron con mi hermano. Me estiré como pude para intentar abrazarlo… —Mi voz suena débil, opacada por el dolor y la culpa. Diego se tensa más con cada palabra que digo—. No recuerdo mucho, apenas podía ver por las lágrimas y cada vez me pesaba más el cuerpo, pero alcancé a ver a Simón antes de perder la conciencia.

»Desperté en el hospital y vi a unos policías que estaban interrogando a Simón y después me tomaron la declaración, no obstante, los policías estaban comprados por esos malditos políticos que apoyaban a Nicolás y jamás hicieron algo para ayudarme, todo lo contrario, manipularon la autopsia de mi hermano. —Me limpio la nariz con la manga de mi pijama—. Después llegaron mis padres e intenté explicarles lo que había pasado, pero me culparon y me echaron de mi casa. Me dejaron sola, y los entiendo porque ni yo misma me podía ver. Me alejé de Simón y lo dejé solo, él siguió investigando a su hermano hasta el día de hoy.

Por duro que haya sido decir todo en voz alta, de alguna manera me siento más ligera. Odiaba guardarle secretos a Diego. El silencio se extiende por unos segundos, hasta que lo escucho soltar el aire como si hubiese estado conteniéndolo desde el momento en que empecé a hablar.

—Eres muy fuerte, Anastasia. —Su voz sale en un susurro tenso, como si aún estuviera asimilando todo lo que acabo de contarle.

Suspiro, cansada.

—Ahora lo soy, pero antes era frágil e ingenua. Tuve que endurecer mi alma para poder subsistir y buscar justicia por todo lo que ese monstruo ha hecho. —Me aferro a su camiseta, necesitando su calor más que nunca—. Y Simón, él siempre ha estado para mí, nunca ha parado de buscar las pruebas para encerrar a su hermano en una cárcel. Él, al igual que yo, sabe de lo que es capaz ese animal. Le debo tanto.

—Escucho a Diego tragar saliva, sé que no le agrada, pero no voy a renunciar a mi amistad con Simón—. Gracias a él tengo la esperanza de que esto termine. Es por esa razón que hemos sido tan cuidadosos y cautelosos con las pruebas que tenemos, no queremos cometer los mismos errores, porque ellos tienen millones de euros; Nicolás está con gente de mucho poder.

Levanto la cabeza para mirarlo. Sus ojos están rojos y un par de lágrimas ruedan por sus mejillas. No sé qué está pasando por su cabeza, pero no quiero callar ahora, quiero sacar todo lo que tengo dentro de mí. Me separo para poder continuar.

—Todo fue mi culpa, Diego. —Él niega con la cabeza—. Yo traje a nuestra vida a Nicolás. Yo destruí a mi familia por enamorarme de alguien que solo me usó para tener poder, mientras yo daba todo por él. —Intenta abrazarme de nuevo, pero niego con la cabeza—. Cuando pasó todo esto me prometí que no volvería a amar a nadie, pero mírame ahora.

No puedo parar de hablar, necesito que él comprenda más sobre mí y no quiero seguir ocultando cosas sobre mi pasado.

—Pero me topé contigo, Diego, y rompiste cada uno de los muros que había creado para protegerme del amor.

Me quedo callada mirándolo, él hace lo mismo conmigo, hasta que se inclina y presiona sus labios sobre los míos, acortando toda la distancia que nos separaba. No me arrepiento de haberme enamorado de Diego. Él no solo me ha demostrado la increíble persona que es, sino que me ha hecho volver a tener fe en el amor, en uno puro y verdadero.

—Ambos hemos perdido tanto, Anastasia —susurra contra mis labios, antes de darme un suave beso—. Eres la mujer más increíble que he conocido, eres tan valiente y tienes un corazón de oro. Gracias por contarme algo de lo que te cuesta tanto hablar. ¡Dios! —Suspira—. Me destroza que hayas tenido que pasar por cosas tan horribles. Te juro que daría lo que fuera por borrar ese pasado tan doloroso que tuviste. Te amo, Anastasia, y tu dolor también es el mío. —Su nariz acaricia mi mejilla—. Te amo como un loco desesperado.

Y entonces me besa; lo hace suave, lento. Sus dedos acarician de forma delicada mis mejillas, su lengua choca con sutileza con la mía, pero luego el beso se vuelve necesitado, hambriento, urgido de más. Se separa de golpe y se pone de pie. Noto su erección de inmediato y me doy cuenta de que se ha apartado porque es tan consciente como yo de que no podemos tener sexo en mi condición.

Su rostro está enrojecido, su respiración está algo agitada, y apenas me doy cuenta de que la mía también lo está. Se pasa la mano por el pelo, suelta el aire y luego se quita la camiseta blanca. Me humedezco los labios ante la imagen que me brinda. Es un acto inconsciente, pero ahí está.

Vuelve a la cama y me atrae con cuidado a su pecho. Mi mejilla descansa sobre su pecho desnudo y su calor corporal me abraza quitándole el frío a mi cuerpo, y, sobre todo, a mi alma.

—Verte en el hospital fue lo más difícil que he tenido que afrontar en estos últimos años. Mi familia…

—Diego... —No quiero que se sienta obligado a contarme nada para lo que no esté listo. Sin embargo, continúa.

—Quiero hacerlo —confiesa—. Quiero sacarlo de mi sistema y tú eres la persona indicada. Porque te amo, porque confío en ti, porque tú más que nadie conoce el dolor de la pérdida, el vacío en el pecho cuando te arrebatan un trozo gigante de tu alma. Tú conoces tan bien como yo las malditas pesadillas que nos apagan un poco cada día y el miedo… Ese miedo atroz a vivir sin esa parte que ya no está, que nos arrancaron de raíz. —Sus palabras están llenas de convicción y se hunden en mi interior haciéndome tragar saliva y asentir. Él tiene razón, conozco cada uno de esos sentimientos y emociones desgarradoras.

—Mi madre llegó con vida al hospital y estuvo dos días en la unidad de cuidados intensivos —empieza—. Cuando recuperé la conciencia, yo... recibí la peor noticia de mi vida al saber que mi padre y mis mellizos habían muerto al instante en el choque, y que mi madre aún estaba viva, pero muy grave. Cuando entré a verla, en una silla de ruedas, estaba llena de máquinas y ni siquiera podía respirar por sí sola, el respirador lo hacía por ella. —Escucho su corazón acelerarse y estoy segura de que, al igual que yo, está volviendo a ese día donde lo perdió todo.

»Solo pude tomar su mano fría; pude decirle que la amaba y darle un beso antes de que tuviera un paro cardíaco que le robó lo que le quedaba de vida. Los doctores intervinieron de inmediato, intentaron reanimarla, pero fue inútil. Su corazón no volvió a latir y el mío terminó de romperse, de fragmentarse en pedazos que jamás recuperé.

Levanto la cabeza y limpio las lágrimas que caen por sus mejillas. Pero soy incapaz de decir palabra, después de todo, ¿qué se le dice a alguien a quien la vida le quitó todo el mismo día? Nada que realmente ayude. Yo perdí a mi hermano y siento que una parte de mí jamás volverá a ser. Él perdió toda su familia de un momento a otro; ni siquiera quiero pensarlo. Aun así, me alivia que me lo cuente, significa que, aunque jamás vaya a olvidar a su familia, quiere cerrar ese ciclo de dolor, quiere dejar las pesadillas atrás y avanzar. Yo también lo anhelo, yo también quiero terminar con la historia de terror que he vivido desde aquella noche; quiero ver a Nicolás pagar por todo el daño que ha hecho y por fin poder sanar.

—Cuando te vi ahí… —continúa— fue como revivir ese recuerdo. Me sentí morir en medio de la desesperación al saberte luchando por tu vida sin que yo pudiera hacer nada por ti. Tenía tu sangre en mis manos y sentí que el maldito destino lo estaba haciendo otra vez, que te estaba arrancando de mi lado a ti también. —Entonces se rompe y me acoge más contra su pecho, delicado.

—Diego, no llores. Estoy aquí contigo. —Me incorporo un poco para darle un beso en la barbilla.

—Sí, pero pudiste haberme dejado como lo hizo mi familia y de nuevo estaría solo. —Mi corazón se agrieta aún más al escuchar sus palabras.

Acaricio su mejilla con las yemas de mis dedos y al mismo tiempo voy borrando sus lágrimas, esas que son la prueba de su dolor, de sus miedos.

—No pienses de esa forma, Diego, tienes a mucha gente que te quiere.

—Lo sé, tengo a mis abuelos y a mis amigos, pero me faltarías tú, mi futura esposa —murmura con la voz ronca.

Yo sonrío.

—Diego, ya basta con eso.

—¿Qué? Solo aclaro un hecho que va a pasar. —Me guiña un ojo haciéndome reír. Y entonces me doy cuenta de que el chico que tengo al frente es capaz de hacerme olvidar mis sombras mientras esté a mi lado. Es capaz de hacerme sonreír, aunque ambos tengamos el rostro húmedo. Es capaz de abrazarme el alma con tan solo una sonrisa y de hacerme creer en el final feliz con tan solo mirarme con sus hermosos ojos. Si el amor tuviera un segundo nombre, seguro sería Diego, porque es lo que me regala, un amor noble, incondicional, verdadero.

Abro la boca para decir no sé qué, y noto que sus ojos han permanecido cerrados por unos minutos. Lo llamo y se sobresalta.

—¡Joder! Lo siento, bella, amo escucharte, pero esta es la primera noche que duermo en una cama y no en un diminuto sofá, y el sueño me está diciendo: «Hola, Diego». —Mueve su mano en un saludo y no puedo evitar reír. Me da un beso en el pelo—. Te amo, bella, pero necesito descansar; mañana seguimos hablando.

—Buenas noches —susurro—. Te quiero, Diego.

Por un momento, noto una ligera tensión en su cuerpo, luego lo escucho soltar el aire despacio.

—Yo también te quiero, Anastasia. Descansa.

No tarda ni dos minutos en caer rendido en los brazos de un sueño profundo. Apoyo mi cabeza en su pecho y me dejo ir escuchando el sonido rítmico de sus latidos y sintiendo la calidez de su cuerpo pegado al mío. Ojalá pudiera quedarme aquí, entre sus brazos, y que el mundo cruel desapareciera con todos sus monstruos.

—Eres asqueroso, Dylan —digo haciendo una mueca—. No me interesa saber cómo te follaste a esa chica.

El aludido hace cara de indignado mientras Jonathan me pasa mi sándwich vegetariano y mi jugo.

—Amorcín, te estoy contando con lujo de detalles para que sepas que sí me pongo condón cuando me tiro a una chica. —Javier escupe el jugo dentro del vaso y fulmina con la mirada a Dylan, quien sonríe con una mirada inocente.

—¡Eh, imbécil, cállate! Estoy tratando de desayunar tranquilo y lo último que quiero es imaginarte a ti follando. —Le da un empujón a su gemelo—. Créeme, no me interesa saber si te pones o no un condón cuando tienes sexo.

Dylan suelta una carcajada.

—Qué delicado, hermanito. —Rueda los ojos—. Además, le estoy dando clases a mi Amorcín sobre cómo tener sexo seguro.

—¡Dios mío! —murmuro entre risas—. Eres tan raro y siento que te pones aún más cuando hablas.

Jonathan me pasa un brazo por los hombros y me atrae a su pecho.

—Soy raro, pero también guapo y ardiente. —Javier le da una palmada en la cabeza—. ¡Eh!

—Cállate ya, tío.

—Me callo, pero habla tú ahora, hermanito, porque eres más aburrido que una roca, yo por lo menos la hago reír. —Dylan me guiña un ojo y se gira hacia Javier, quien le saca la lengua.

—Así que... —dice Javier mirándome con los ojos entornados.

—Así que… ¿qué? —pregunto desconcertada, luego le doy una mordida a mi sándwich mientras espero su respuesta que no tarda en llegar.

—Vi que Diego salía de tu apartamento —dice subiendo sus cejas de arriba abajo, sugerente.

Trago lo que tengo en la boca y lo miro frunciendo el ceño.

—No pienses tonterías, sabes que no estamos juntos; él solo vino a ver que estuviera bien y que no necesitara nada —afirmo y me encojo de hombros restándole importancia.

Nos quedamos unos minutos callados, comiendo, hasta que suelta:

—Tan atento que es Diego, de seguro que tampoco perdió el tiempo en explorar tu boca con su lengua —bromea.

Dylan mira a su gemelo y chocan sus puños.

—Yo pensaba lo mismo, hermanito.

Jonathan niega con la cabeza, pero aun así él también ríe. Le doy un codazo —del cual me arrepiento cuando el dolor de la herida me saca el aire por un segundo, pero no lo demuestro o no me dejarán en paz— porque se supone que me tiene que defender de esos dos tontos.

—A ver, niños, nadie exploró mi boca, así que déjenme tranquila. Se supone que me vienen a cuidar, no a hacerme un interrogatorio. —Me cruzo de brazos.

—No te enojes, solo queremos hacerte reír —dice Jonathan.

Dylan emite un bufido.

—¿Queremos? Pero si tú no has hecho nada para hacerla reír.

—Mira que puedes ser un imbécil, Dylan. ¡Jódete, puto barato!

Pongo los ojos en blanco y me tomo el último sorbo de mi jugo.

—Perra pretenciosa —rebate Dylan—. No necesitas llamar así mi atención, cariño. Si quieres que te folle solo dime y vamos a la otra habitación.

—Dylan… ¡Qué asco! —exclama Jonathan—. Te pasas a veces.

—Ahora te haces la digna —bufa Dylan—. Cuando la otra noche gemías mi nombre una y otra vez contra la pared —bromea.

Si no hubiese sabido que la herida y los golpes me iban a doler como el demonio, hubiera soltado una carcajada estrepitosa, aun así, no puedo evitar reír al ver las caras atónitas de Javier y Jonathan, mientras Dylan le guiña un ojo y sonríe sereno como si no hubiese dicho nada.

—¡Dios mío! —mascullo.

—Sé que me deseas, pero jamás vas a tener mi trasero, bebé —responde Jonathan saliendo de su estupor—. Eres raro, Amorcín —dice sacudiendo la cabeza.

Me muerdo el labio inferior para aguantar la risa ante la cara de niño bueno que pone Dylan. Javier parece absorto en la conversación y soy capaz de ver escondida una sonrisita divertida en sus labios.

—No, no lo soy. Soy grandioso, esa es la palabra para definirme. —Enarca una ceja y yo río de nuevo—. ¿Ves? Ahí está nuestra Anastasia sonriente, no me lo agradezcan, putos —dice lanzando besos al aire para Jonathan y Javier.

Así pasamos toda la mañana, viendo películas y bromeando. Jonathan se encargó de darme mis medicamentos a tiempo y se lo agradecí porque el dolor quería instalarse con más fuerza. Al mediodía tenía la cara media adormecida de tanto sonreír. En medio de tanto estrés por culpa del pasado que seguía acechándome, había olvidado lo increíble que son estos imbéciles a los que llamo amigos. ¡Joder! Los quiero y no los cambiaría por nada. A la hora del almuerzo piden *pizza* vegetariana y seguimos viendo películas, por suerte hoy es viernes y no hubo clases, y, aunque hubiese habido, a mí aún me quedan varias semanas de reposo.

El móvil vibra sobre mi regazo, llamando mi atención; es un mensaje de Diego.

Diego

Te extraño mucho. ¿A qué hora se van tus amigos?

15:30 a.m

Sonrío y me separo un poco de Jonathan, quien está cabeceando por la película de *El señor de los anillos.*

Anastasia

Se van en la noche, pero tu pregunta se siente como si quisieras que los estuviera echando de mi departamento.

15:31 a.m

Le doy enviar y me concentro de nuevo en la película que, aunque es una de las más grandes y conocidas sagas, es demasiado extensa, por lo que todos estamos somnolientos. Miro de reojo cómo Dylan pasa una pluma por la nariz de Jonathan, haciendo que este se rasque.

Suelto una risa y Dylan me pide que haga silencio con un dedo. Mi móvil vuelve a vibrar.

Diego

No los estoy echando. Mmm... Bueno, un poquito, pero es que ya quiero estar contigo. Aunque entiendo, nos vemos en la noche.

15:34 a.m

Guardo mi móvil y miro de nuevo a Dylan, que ahora está molestando a un Javier dormido, quien maldice a su gemelo por no dejarlo en paz. Sonrío y vuelvo a concentrarme en la pantalla, no sin antes darme cuenta de que, a pesar de perder a mi hermano, la vida me ha regalado a tres más, a cuatro si contamos a mi hermosa rubia. Después de todo, no estoy tan sola como a veces me siento.

Capítulo 48

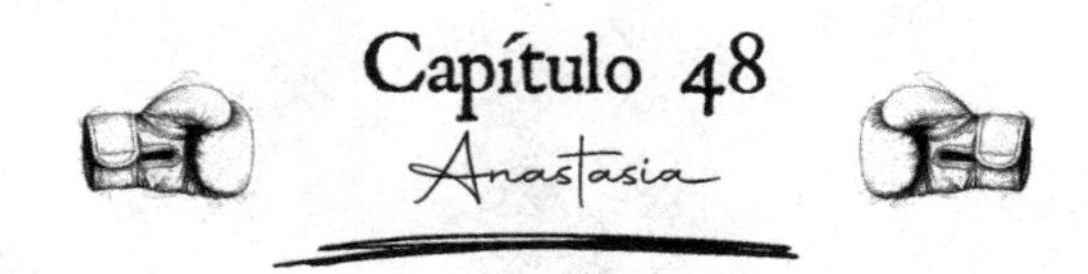

Anastasia

El tiempo siempre anda a las carreras, lo sé muy bien, pero en las últimas semanas parece que anda a paso lento, cansado, logrando enloquecerme. Entiendo que es importante guardar reposo con todo lo que pasé a manos de ese hijo de puta, además, no me puedo quejar del todo, mis amigos, incluida Alejandra y Cameron estuvieron cuidándome todo el tiempo, sobre todo Diego. Sin embargo, eso no ha menguado la sensación de asfixia por estar encerrada y el sentirme inútil por no poder seguir ayudando con la investigación contra Nicolás. Dios, cómo deseo ver ese malnacido pudriéndose en una cárcel, cómo quisiera devolverle cada maldito golpe, hacerlo derramar cada gota de sangre que derramé, que derramó mi hermano.

Lo sé, yo no soy igual que él, no soy una asesina, pero a veces no puedo evitar esos pensamientos intrusivos, y aunque sé que no sería capaz de quitarle la vida a nadie, a veces me sorprendo deseando matarlo con mis propias manos. Pero ¿quién podría juzgarme? Ese monstruo me ha destruido de tantas formas, que es lo mínimo que se merece.

Miro el calendario como si no supiera que es miércoles y que aún me queda una semana de reposo absoluto. El reloj en mi mesita de noche marca las once y ya he enviado todos mis trabajos, por lo que muero del aburrimiento. Hoy Diego no quería ir a la universidad, me vi tentada a aceptarlo solo por tenerlo a mi lado, pero no lo hice porque no quiero que nadie sospeche que estamos juntos. No quiero que, por ningún motivo, el enfermo mental que me persigue sepa de nuestra cercanía.

Mi teléfono suena con una llamada de Harry.

—Hola.

—Hola, Anastasia. ¿Cómo sigue ese reposo?

Dejo escapar un bufido, molesta. Todos están al tanto de que ya no soporto estar en cama y encerrada mientras ellos siguen en el proceso de recolección de pruebas y de establecer conexión con rangos más altos que ellos, pero que no estén comprados. Todos somos conscientes de que debemos tener un extremo cuidado o todo el trabajo de años puede perderse si cae en las manos equivocadas. Por lo que Mariel, su jefa, es cautelosa de con quien habla sobre el caso. No quiere que Nicolás se entere y huya.

La orden de su captura aún no se ha dado, no por falta de pruebas hacia él, sino porque los jefes de Mariel, esos en los que ella confía, y otras personas con alto mando que todavía tienen el sentido de la justicia intacto, necesitan más pruebas para desmantelar toda la red de trata de personas, y arrestar a Nicolás sería alertar a los peces grandes; y lo entiendo, yo también quiero que todos esos desgraciados se hundan y ya no puedan hacer tanto daño, aunque eso no significa que no viva nerviosa por saber a mi verdugo libre y siguiéndome los pasos.

—Si siguen preguntando cómo voy con mi reposo una vez más, te juro que...

—Tan violenta, Anastasia. —Escucho su risa a través de la línea y pongo los ojos en blanco—. Tenemos buenas noticias —dice en un tono más serio que me alerta—. Mariel está dentro de las boxeadoras de Nicolás.

Me acomodo en el respaldo de mi cama con cuidado, pero termino haciendo una mueca de dolor, ¿cuándo dejará de doler tanto? Me centro.

—¿Cómo? ¿Es en serio? —pregunto con cierto asombro.

—Sí. No sospechó nada y creo que le gustó bastante a Nicolás. —Se queda callado un momento—. Anastasia, pronto acabará tu calvario y el de muchas otras chicas. En unas semanas terminará todo, lo prometo. Pasaré más tarde a verte con Mariel.

—Vale, gracias. Espero su llegada con ansias. De verdad siento que estoy perdiendo la cabeza por estar tanto en cama. —Suspiro—. No te rías, Harry —le reprocho cuando escucho su risa.

—Vale, no me río —dice, pero no para de hacerlo.

Aun así, sonrío. Y no solo por escuchar hacerlo a él, sino porque por fin esta mierda va a terminar.

—Gracias, Harry. Gracias a ti y a Mariel por ayudarnos. Sé que ellos tienen mucho poder y ustedes también están en riesgo. —Me muerdo el labio inferior—. Y a pesar de ello, no se han amedrentado, siguen luchando para acabar con tanto cáncer en forma de personas, si es que se le puede llamar así a esas besti...

—Es nuestro trabajo, Anastasia —me interrumpe—. Y Nicolás es una basura de persona que pagará cada uno de sus delitos. No pierdas la fe, esta vez no habrá margen de error, tenemos muchas pruebas para hundirlo y casi tenemos todas las necesarias para acabar con toda esa red de tráfico.

Suelto un suspiro. Necesito que ese día llegue ya.

—Tengo miedo, siento que se avecina lo peor y no sé si estoy lista para eso, Harry —confieso.

—Anastasia, eres una de las mujeres con más entereza que he conocido, tú puedes con esto, estamos cada vez más cerca. —Su voz se esfuma por un momento antes de continuar con un tono más relajado—. El encierro no lo llevas nada bien, estás siendo una pesimista. Oye, me está deprimiendo hasta a mí —bromea.

—Tal vez... —respondo con una sonrisa.

—Por cierto, Mariel dice que se siente orgullosa de ti. —Escucho su risa y después un «hola» de su parte—. Te dejo, descansa.

—Adiós.

Después de despedirme, en mi intento de no pensar más en Nicolás o aburrirme como una morsa, busco vídeos de trenzas en YouTube, algunas logro hacerlas, otras, esas que son más complejas y que requieren más tiempo y esfuerzo, no. Sobre todo porque algunos movimientos me siguen causando dolor.

Cuando escucho el sonido de la puerta, apenas me doy cuenta de que ha pasado el tiempo. Me pongo en pie, despacio, y bajo las escaleras con igual cuidado. Cuando por fin consigo llegar a la puerta y abrirla luego de mirar por la mirilla para ver quién es —no quiero exponerme—, veo a Mariel con una sonrisa y una bolsa de hamburguesa, papas fritas y bebida.

—¡A que soy genial! —Me saluda con un beso en la mejilla que correspondo. Cierro la puerta y la invito a pasar, pero en vez de adelantar toma mi mano y me ayuda a caminar—. Te veo mucho mejor.

—Estoy mejor. La herida duele un poco, pero los golpes en el abdomen sí que duelen bastante. Tengo un montón de moretones. Aunque espero que se curen pronto. Estoy que me trepo por las paredes.

Ella ríe mientras me ayuda a sentar.

—Tenemos buenas noticias, como te comentó Harry, estoy dentro y eso es bastante bueno. Por cierto, me dijo que no puede venir. —Deja las bolsas sobre la mesita de centro frente al sofá y, cuando me mira de nuevo, sus labios se curvan en una ligera sonrisa—. Así que tendremos la tarde para nosotras, sin hombres. —Levanta las manos a modo de celebración, lo que me hace reír.

Siendo honesta, al principio, cuando la conocí en el hospital luego del ataque que recibí, y noté que ella intentaba acercarse más que como una detective, como una amiga, me sentí recelosa, desconfiada. Sigue costándome confiar en las personas. Pero Mariel es inteligente y notó mi escepticismo, por lo que me aclaró por qué se sentía, de alguna manera, responsable de mi bienestar, de que esté a salvo.

Me contó que cuando era más joven también vivió una relación tóxica y, al igual que yo, casi muere a golpes; después ella lo denunció. Desde ese momento se interesó en impartir justicia, anhelando ayudar a mujeres que estén pasando la misma situación por la que ella pasó. También me contó que tiene un hermano mayor en la policía, y, cuando lo dijo, pude ver el brillo en sus ojos. Ama a su hermano, lo que me recuerda la relación que siempre tuve con el mío. Esa es una de las razones por las que me agrada y confío en ella.

—Me parece genial. Oye, Mariel, ¿sabes cuántas pruebas más vamos a necesitar para meterlos en la cárcel? —pregunto y ella deja una hamburguesa vegetariana frente a mí con papas fritas y una Coca-Cola.

—No mucho. —Toma mi mano—. Tú y Simón han hecho un estupendo trabajo. La grabación que hiciste con tu móvil también ayuda bastante, todo eso junto a lo que ya hemos obtenido Harry y yo, más lo que logre obtener estando dentro, será suficiente para que no vuelvan a ver la luz del sol. Lo prometo. —Suelta mi mano y me sonríe con ternura—. Además, tenemos más casos relacionados con Nicolás. —Frunzo el ceño y ella se da cuenta—. No te lo puedo decir, Anastasia. Es confidencial, espero que me entiendas.

—Te entiendo.

Dejamos el tema atrás por un rato en el que comemos y contamos anécdotas divertidas. Al final, Mariel termina contándome lo difícil que es ser policía o detective porque, pese a ser instruida en la labor, la realidad es que nadie está preparado para el impacto que genera una escena del crimen, aunque con el tiempo, de alguna manera, se vuelve menos… traumático y logra centrarse más en los detalles para hacer justicia. O, al menos, es lo que me cuenta.

Su móvil suena cuando intenta recalcar, una vez más, que pronto tendrá a Nicolás y a esas personas corruptas y miserables que lo apoyan en la cárcel.

—Dime, ¿qué ocurre? —pregunta al descolgar. Se queda callada escuchando lo que sea que le dicen del otro lado de la línea. Arrugo la frente cuando la veo apretar los labios en una fina línea—. ¿Dónde? —vuelve a inquirir—. ¿Hace cuánto desapareció la chica? —Escuchar su pregunta me tensa y un escalofrío me recorre la espalda—. No quiero que toquen nada hasta que yo llegue. —Se pone de pie y recoge los desechos de la comida para llevarlos al bote de basura en la cocina.

Yo sigo en *shock* y no sé exactamente por qué, pero comienzo a sentirme mal. Un sudor frío recorre mi cuerpo mientras «chica desaparecida» resuena en mi cabeza. Mariel regresa y abre la boca para hablar, pero, casi sin darme cuenta, la interrumpo.

—¿Qué pasa?

Suelta el aire y regresa a mi lado. Toma mi mano intentando tranquilizarme.

—Un caso que necesita de mí con urgencia. No te preocupes por nada.

—Pero lo que dijiste...

—Anastasia, matan a personas todos los días y las tiran ahí como si fueran basura, la gente es mala y ahora una chica desapareció. —Hace una mueca de repulsión hacia lo que acaba de mencionar—. Lo siento, pero estoy acostumbrada a esto, soy la jefa, sé que para ti es duro escuchar, pero me enfrento a esto todas las semanas.

—¿Cómo puedes dormir? Yo no podría.

Sonríe con tristeza; no suelta mi mano.

—Creo que después de presenciar la escena donde hay un asesinato, jamás se vuelve a ser la misma persona, sin embargo, con el paso del tiempo te acostumbras a las sensaciones que generan esos crímenes. Parece cruel, pero es la verdad. No significa que no me parezca horrible; que alguien pierda la vida de forma tan violenta siempre es espantoso y frustrante, pero es mi trabajo y justo él me ha enseñado lo oscuro y sádico que pueden ser los humanos para saciar su placer o ejecutar una venganza.

»Y, respondiendo a tu pregunta, la única razón por la que puedo dormir por las noches es porque sé que pongo todo de mi parte para hacer justicia, para que esos malditos asesinos no se salgan con la suya. Duele, pero no puedo ser débil, no sabes todo lo que he visto o investigado, la gente cada vez está peor. Este trabajo me ha mostrado mucho del mal del mundo en el que vivimos.

—Te admiro. —Aprieto su mano.

A lo que responde con una dulce sonrisa.

—Eres fuerte, Anastasia, nunca dejes de luchar por tu felicidad. Y si caes, vuelve a levantarte. La vida es cruel, pero personas como tú la hacen más bonita y... —Su móvil vuelve a sonar, ella contesta poniéndose de pie—. Voy en camino, Harry. Cierra toda el área hasta que llegue.

Mariel cuelga y recoge las pocas pertenencias que trajo.

—Me voy. Me necesitan —anuncia—. Esos policías no son nada sin mí. —Me guiña el ojo, se inclina para besar mi mejilla y luego se va.

Cuando sale por la puerta, desvío la mirada al ventanal que me da la vista a la ciudad, y no puedo evitar sentir una extraña sensación arrastrándose por debajo de mi piel. Y lo noto, algo dentro de mí me lo dice a gritos: esto apenas es el inicio de algo atroz, algo que no sé si estoy preparada para enfrentar.

Capítulo 49

DETECTIVE MARIEL

Me bajo del auto y noto el área de investigación acordonada. Me agacho para pasar la cinta y veo a Harry salir de la casa con su libreta. De inmediato me pongo los guantes para acceder al interior del lugar, pero antes de hacerlo, echo una mirada al barrio, parece bastante tranquilo.

—¿Qué sucedió, Oviedo? —pregunto y tomo la carpeta con los datos de la chica: Rocío Soto, diecinueve años, estudiante de veterinaria, trabaja en una cafetería todas las tardes.

—Desapareció en su cuarto —me anuncia.

—¿Cuándo? ¿A qué hora? —inquiero, pero no espero respuesta, subo los escalones y entro. Al hacerlo, me topo de frente con cuatro chicas en la sala de estar. Deben tener edades similares a la de Rocío y supongo que ellas viven todas juntas en este lugar.

—Sus compañeras de casa dicen que desapareció el lunes, pero se dieron cuenta de que no había ido la universidad y a su trabajo hace tres horas, cuando el jefe llamó preguntando si estaba enferma; su teléfono está en la habitación —me informa Harry—. ¿Quieres hablar con ellas? —Asiento y me acerco al grupo de chicas. Me presento y les pido sus nombres, lo dicen con angustia en su voz.

—¿Quién fue la última que la vio? —pregunto y saco la grabadora para tomar de nuevo el testimonio.

La chica que lleva por nombre Tamara levanta su mano y se aclara la garganta para hablar.

—Yo estaba en mi cuarto estudiando hasta tarde porque tenía un examen importante, y ella entró más o menos como a la medianoche para avisarme que había llegado. Nos quedamos charlando un rato. —Se limpia las lágrimas y carraspea—. Parecía feliz porque le iban a pagar más en su trabajo. Como a la una treinta dijo que se iba a ir a la cama, yo estuve estudiando por una hora más y no escuché nada.

Frunzo el ceño y entrelazo mis manos.

—¿Ninguna de ustedes vio si salió temprano de la casa?

Todas sacuden la cabeza, negando.

—Es raro porque dejó su móvil en la mesita de noche y ella jamás sale sin él, porque siempre está en constante contacto con su familia de Sevilla —comenta la chica rubia que ahora identifico como Adriana.

—Ella es súper responsable, jamás sale de esta casa sin avisarnos a nosotras o en su trabajo —aporta Tamara.

Harry me toca el hombro y me hace señas para que me levante de mi asiento. Tomo la grabadora y lo sigo hacia una esquina.

—Tienes que ir a la habitación.

Asiento y subo las escaleras que dan a un segundo piso, donde, al otro lado de un pasillo, me encuentro a mis compañeros sacando fotos y buscando huellas de algún intruso. Me adentro por completo en la habitación y noto que hay un móvil en la mesita al lado de una pequeña cama, junto a este hay una billetera, la tomo con los guantes puestos y compruebo que están todos sus documentos personales. Definitivamente esta chica no se ha ido a ninguna parte, al menos no por su voluntad.

—La habitación está impecable y no hay señales de lucha por ninguna parte —comenta Gutiérrez—, pero están todas sus cosas personales.

—Guarden su teléfono y su billetera como evidencia; tendremos que ponernos en contacto de inmediato con sus padres, Gutiérrez. —Entorno los ojos al darme cuenta de algo: la cama está tendida con demasiado esmero—. ¿Alguien ha revisado la cama? —pregunto.

Todos los agentes niegan. Empuño el grueso edredón y tiro de él, dejando a la vista un poco de sangre en la almohada y en las sábanas. Suelto un suspiro antes de pedirles que tomen muestras de la sangre y huellas o fluidos corporales del atacante, si es que hay alguna. Me acerco a la ventana y noto que da a un patio trasero abierto, pero no es todo lo que llama mi atención, también lo hace el hecho de que hay unas gruesas ramas de un árbol antiguo que da directo a la ventana, y a tan solo unos pocos metros, hay una escalera a medio terminar, al parecer empezaron a construirla como una vía para llegar al techo. Y aunque parece un poco deteriorada por el abandono, es una vía de acceso a esta habitación, también una vía de escape.

—¡Maldita sea! Necesitamos investigar todo su círculo cercano; quien sea que esté detrás de esto conocía perfectamente dónde dormía, sus horarios de clase y trabajo —le informo a mi equipo—. Tenemos que volver a hablar con sus compañeras.

—Este caso es inusual —comenta Gutiérrez a mi lado—. Aún no se han encontrado huellas; parece que el atacante sabía muy bien lo que hacía cuando entró en esta habitación.

Mi compañero tiene razón, quien se llevó a esa pobre chica no improvisó ni uno solo de sus movimientos, lo que significa una cosa: no es la primera vez que lo hace.

Capítulo 50

Río ante las docenas de besos que se esparcen por mi rostro haciéndome cosquillas.

—¡Ya basta, Diego! —me quejo, aunque no paro de reír.

Se deja caer a mi lado con una sonrisita pícara que me dan ganas de tragarme zampándole un beso.

—¿Cómo estuvo tu día? —pregunta acariciando mi mejilla, mientras me llevo un trozo de *sushi* vegetariano a la boca.

Mastico con gusto. Está delicioso. Diego me mira hacer gestos que lo hacen reír a sus anchas.

—¿Rico? —Enarca una ceja. Asiento y tomo los palillos chinos, tomo un trozo de *sushi* y lo llevo a su boca. Lo acepta gustoso. Y, al igual que yo, se deleita masticando. Cuando ya tengo la boca vacía, logro contestar.

—Mi día estuvo genial. Me pasé horas durmiendo —ironizo. Sabe que estoy harta de estar encerrada, pero por suerte ha pasado casi una semana más, así que faltan menos días para salir de este maldito encierro—. ¿Y tú? ¿Cómo estuvo la visita a tus abuelos? —inquiero y noto cómo sus ojos brillan, evidenciando lo mucho que los ama. Es tan dulce.

—Estupendo. Mis abuelos son adorables y amorosos. Además, obtuve unas ricas galletas de parte de mi abuela. ¿Sabes lo que dijo al dármelas? —Sacudo la cabeza al tiempo que mastico otro poco de mi comida—. Que soy el hombre más hermoso del mundo. —Me guiña un ojo.

Ruedo los ojos, pero no logro contener una sonrisa.

—¡Tonto!

—Te extrañé —suelta de repente. Abro los ojos de la impresión; eso lo hace reír.

—Cursi —digo para molestarlo, pero solo ensancha su sonrisa. Se inclina, toma mi mentón y me besa la nariz, quedándose cerca de mi rostro.

—Es mi lema, ¿no? Soy el mejor novio, ¿verdad?

De pronto, siento una sensación amarga sobre la lengua. Retrocedo en el sofá casi sin darme cuenta, apartando su mano. Frunce el ceño.

—No recuerdo en qué momento dije que sí quería ser tu novia. —Las palabras salen de mi boca más frías de lo que pensé. Y sé que tal vez es una tontería, pero el saber que le pidió a Bárbara que fuera su novia y a mí no, es una espinita molesta clavada en mi corazón.

—¿Estás enojada? Es porque no te he pedido ser mi novia, ¿verdad?

—No, Diego. Sabes que me da lo mismo, pero por ahora no somos novios. —Mi móvil vibra con un mensaje, sonrío al ver que es una foto de Simón haciendo muecas chistosas. Seguido de la imagen llega otro WhatsApp, recordándome que me visitará más tarde.

—¿A qué hora viene a verte Simón? —pregunta como si supiera que se trata de él. Volteo a verlo y me encuentro un trozo de *sushi* frente a mi cara. Ahora es él quien me da de comer en la boca. Acepto la comida y la disfruto mientras evalúo su rostro. Parece relajado, pero lo conozco bien para saber que sigue poniéndose inquieto cuando Simón está a mi lado.

—Dijo que iba a llegar a eso de las tres, más o menos. —Tomo mi vaso de jugo y le doy un trago bajo su mirada atenta.

—Vale, entonces me iré unos minutos antes. —Me mira de reojo mientras se lleva un trozo de *sushi* a la boca.

—¿Estás molesto?

Hace una mueca y niega con la cabeza. Toma un mechón de mi pelo y juega con él entre sus dedos antes de soltar un largo suspiro.

—No. Es solo que sé que ustedes tienen una historia, además, él sigue enamorado de ti. —Se queda callado sin dejar de mirarme. Parece pensativo—. Pero confío en ti y en tus sentimientos. Sé que me amas como yo a ti. —Sonríe y se encoge de hombros—. Y es que, ¿cómo no podrías quererme? Soy el chico más guapo, inteligente, dulce y *sexy* que conocerás en tu vida. —Deja un beso rápido en mis labios como quien comete una travesura.

Pongo los ojos en blanco. Ya decía yo que llevaba mucho tiempo sin alimentar su ego.

—Apártate de mi espacio personal. Tu enorme ego me está quitando el oxígeno. —Pongo mis manos en su pecho y empujo un poco, pero sin hacerle daño, o a mí.

Él me mira por un segundo antes de reírse y presionar sus labios contra los míos. Mis ansias lo reciben sin pedir permiso. Mis labios se mueven al compás de los suyos, mi lengua se encuentra con la suya, chocando con mucha más intensidad que en los últimos días. Un gemido de satisfacción se me escapa. Todos estos días Diego se ha comportado tan cuidadoso conmigo, y se lo agradezco, pero que me trate como una muñeca de porcelana y que me bese con tanta delicadeza como si temiera romperme ya me tiene estresada. Lo necesito y me doy cuenta de que él a mí también cuando toma mi nuca e intensifica el beso, incendiando todo mi cuerpo.

Rodeo su cuello, pero al levantar los brazos siento un dolor punzante. Aunque no es tan intenso para que me detenga. ¡Dios! Lo deseo tanto. Nos separamos un instante, pero soy yo la que vuelvo a insistir abriéndome paso de nuevo entre sus dientes. Lo beso, lamo sus labios y atrapo el inferior en medio de una succión que lo estremece. Su mano libre desciende por mi brazo hasta posarse en mi muslo desnudo. Empieza a acariciarme logrando que cada centímetro de mi piel responda, vibrante.

Sus labios se desplazan a mi cuello, su lengua juguetea sobre mi piel. Jadeo reclinándome hasta que mi espalda toca el montón de cojines en mi sofá. Una de mis manos tira de su pelo y maldigo en mi interior cuando se aparta como si hubiera despertado del éxtasis.

Suelto un gruñido cuando lo veo retroceder hasta apartarse.

—No puedo, te puedo lastimar —susurra con la voz ronca.

—Joder, Diego —mascullo molesta—. Si me vas a dejar así, entonces no me beses de esa forma. ¡Deja de tratarme como a una jodida muñeca de cristal!

Me levanto rápido y suelto un gemido de dolor. «Me quiero morir». Diego aparece frente a mí con una mirada de te lo dije, tienes que recuperarte. Pero no se atreve a verbalizarlo porque sabe que ahora mismo soy capaz de darle un puñetazo con todo y mi dolor. Lo esquivo y empiezo a subir las escaleras más deprisa de lo que debería. No quiero ni verlo. Pero mis planes son estropeados cuando siento sus brazos rodear la parte trasera de mis piernas y mi espalda, justo antes de levantarme como si estuviéramos recién casados. Maldigo por lo bajo, lo que lo hace reír al muy…

Ya en mi habitación, me deja con cuidado sobre la cama. Busca una crema antiinflamatoria en mi mesita de noche y se acerca hasta sentarse a mi lado. Como en las últimas semanas, levanta mi camiseta y, con delicadeza, empieza a esparcir la crema por todos los moretones en mi vientre. No lo miro, solo lo dejo hacer su trabajo, cosa que no ayuda porque mi piel sigue ardiendo de deseo.

—Quiero hacerlo, Anastasia —dice y volteo a verlo con los ojos entornados—. En serio, deseo hacerlo, pero no así, te puedo lastimar.

—¿Crees que no lo entiendo? —Me cruzo de brazos—. Lo hago, Diego, pero no soy de piedra, así que más te vale que no me beses o me toques así, porque me calientas y después te haces el santo —le recrimino.

Abre más los ojos, sorprendido.

—Ya veo que estás frustrada sexualmente —dice y suelto un bufido, pero siento cómo me empiezo a sonrojar. El ríe mientras me acomoda la camiseta—. También yo, pero estoy tratando de controlarme y tú no me ayudas. Fue grave lo que te pasó, Anastasia.

Resoplo porque sé que es cierto.

—Tienes razón, lo siento. —Miro a otro lado.

—Gracias a Dios que volviste en sí. —Lo miro y añade—: Estaba viendo aquí a una depredadora sexual —me molesta y termino rodando los ojos—. No te hagas la loca, me miras como si quisieras devorarme —dice con una sonrisita divertida.

Aprieto los labios conteniendo una sonrisa. Tiene razón. Después de hacerlo la primera vez no hemos vuelto a tener sexo, por lo que mis ganas están por las nubes, sobre todo porque siempre está cerca, siempre me toca de manera consciente o no. Nuestra cercanía se ha vuelto algo natural: sus manos en mi cintura, sus labios sobre los míos, su rostro hundido en mi cuello cuando vemos la televisión, sus dedos suaves posados sobre mis muslos. Sus caricias en mis brazos, mi mejilla sobre su pecho, mis manos en su abdomen. ¡Por Dios! Nadie puede culparme. Siempre que estamos juntos nuestros cuerpos parecen en contacto de alguna manera. ¿Cómo no desear tenerlo en mi interior?

Sacudo la cabeza y sonrío inevitablemente. Entonces siento sus dedos en mi mentón haciendo que lo mire. Nuestras miradas chocan con sentimientos vivos e intensos que ya no se pueden refrenar. Nos observamos por segundos, tal vez minutos, no lo sé. Solo sé que me pierdo en el volcán de sensaciones que me trasmite la forma en que me mira. En mi cuerpo casi temblando con ansias de sentirlo sobre el mío.

Sus labios se curvan en una sonrisa que me roba el aliento.

—Sin sentimientos, Anastasia —dice con voz suave.

Sonrío al entender el mensaje que hay detrás de cada palabra. Las mismas que le dije cuando me di cuenta de que estábamos demasiado cerca. En ese momento era una simple oración que significaba justo eso, pero ahora es un claro «te amo».

—Sin sentimientos, Diego —contesto estirando mi mano. Mis dedos se pierden en sus oscuras hebras y lo atraigo a mí. Mi boca se cierne sobre la suya, misma que me recibe con tanta calidez y vehemencia, que el músculo en mi pecho se altera. Y lo sé, lo noto, amo a Diego con cada célula de mi cuerpo, con cada latido violento que ahora mismo da mi corazón.

Abandono los labios de Diego cuando escucho el timbre de la puerta y mi móvil no tarda ni cinco segundos en alertarme de una llamada de Simón.

—¡Mierda! —digo antes de contestar—. Bajo en un momento, pero recuerda que estoy caminando como abuelita —le contesto a Simón, quien ríe y corta la llamada.

—¿Qué vamos a hacer? —pregunta Diego con una ceja enarcada.

Tomo su cara entre mis manos y le doy un suave beso.

—Ayúdame a bajar y te quedas aquí en mi cama; trataré de que sea una visita corta.

Asiente y me levanta con cuidado. Cuando bajamos al primer piso y me deja de pie en medio del salón, vuelvo a darle un breve beso que lo relaja por un segundo. Lo observo subir las escaleras y, cuando lo veo perderse, abro la puerta encontrándome con un sonriente Simón vistiendo un pantalón de mezclilla roto, una camiseta y chaqueta.

—¿Cómo estás, bonita? —pregunta un segundo antes de inclinarse y dejar un beso cerca de mis labios. Doy un paso atrás y lo dejo pasar.

—Sanando. —Avanzo con su ayuda hasta el sofá. Se sienta a mi lado—. ¿Y tú qué tal estás?

Se pasa una mano por la cara y es cuando noto que unas enormes ojeras adornan sus ojos. Sus hombros están tensos. Tomo su mano cuando me doy cuenta de que algo está mal con él, algo le pasa.

—¿Qué sucede, Simón?

Agacha la mirada un momento antes de mirarme; estira su mano y lleva un mechón de mi pelo detrás de mi oreja.

—Estoy preocupado —confiesa—. También me siento culpable porque me utilizó como cebo para atraerte. —Traga saliva y sus ojos se nublan—. Caíste en una trampa de Nicolás y fue tan fácil para él hacerte daño; casi te mata a golpes. Escuchar tu grabación ha sido muy doloroso, y escuchar su voz de loco fue aterrador para mí.

—Fui una tonta; pensé que te había hecho algo. —Suelto su mano y empiezo a jugar con mis dedos—. Tuve mucho miedo, pensé que esta vez iba a lograr lo que no pudo aquella noche; creí que me había llevado allí para secuestrarme y venderme.

—No eres tonta, Anastasia, él está enfermo. Esta vez fue peor, no pensé que él te fuera a pegar, jamás lo había hecho contigo. Me preocupa que cada vez está teniendo menos empatía. —Se reclina hacia atrás—. Encontrarte ahí fue como revivir esa noche, pero peor.

—Simón… —susurro, pero luego me quedo callada porque no sé qué más decir.

Se incorpora y lleva una mano a mi mejilla. Sus ojos me observan con tanta intensidad que me siento algo incómoda.

—¿Puedo besarte? —pregunta de la nada y me aparto de su tacto.

—No —respondo firme—. De hecho, te pido que respetes mi decisión. Ya no siento ese amor de niña; nunca fuimos buenos juntos, funcionamos mejor como amigos.

—Qué jodido es el amor, Anastasia. —Apoya sus codos en las rodillas y recarga su barbilla sobre su puño.

—Muy jodido, porque cuando era solo una adolescente quería que tú me miraras así, quería ser tu única chica, y ahora que estoy enamorada de otro, tú me quieres como quería que lo hicieras, pero nuestro tiempo ya pasó.

—Entiendo tu punto de vista, pero tú también entiende el mío, ya te he esperado por años, unos más no me matarán, ¿verdad?

—Busca tu felicidad, Simón. No te quedes recordando lo que pudimos ser.

Ignorando mis palabras, se acerca hasta rozar su nariz con la mía. Siento sus dedos en mi mentón, ascendiendo a mis labios, e intento separarme, pero una de sus manos me atrapa por la espalda baja, apresándome.

—Ambos sabemos que nuestra historia no se ha acabado, aún falta mucho —susurra acercándose a mis labios, por lo que ladeo la cabeza y su boca toca mi mejilla.

—No hagas eso, Simón —le reclamo molesta; lo empujo con fuerza y el dolor de la herida y los golpes me atraviesa. ¡Maldita sea!

—¿Por qué no? Ya nos hemos besado antes.

Miro hacia el segundo piso y veo a Diego observándonos. Aprieta la mandíbula y baja un escalón, pero hago un ligero movimiento de cabeza indicándole que no lo haga, por suerte lo entiende.

—Ya sabes lo que siempre te digo...

—¡Que estás enamorada de Diego! —Su rostro se contrae por un instante y una sensación extraña me aborda por unos segundos. Suspira—. Vale, lo pillo, pero no me rindo. —Presiona su mano en mi corazón—. Porque sé que en el fondo aún te gusto.

Me levanto del sofá con cuidado, él me imita.

—No te quedes en los recuerdos de Diego. Sé que puedo hacer que te enamores de mí. —Doy un paso hacia atrás, pero él me sostiene de la cintura—. Nuestros caminos se volvieron a encontrar y no creo en las coincidencias, Anastasia, volviste a mí.

—No, Simón. No confundas más las cosas, ya te lo he dicho varias veces: solo amigos, ¿de acuerdo? —Lo veo asentir y me relajo una fracción de segundo hasta que sus labios se estrellan sobre los míos haciéndome retroceder por inercia.

El corazón me da un salto en el pecho cuando resbalo y caigo sentada.

—¡Mierda! —exclamo de dolor. Intenta levantarme, pero estoy furiosa con él. Le doy un manotazo a su mano extendida y me levanto apoyándome en la esquina del sofá. Gimo de dolor y me siento reclinándome un poco. Suspiro. Odio estar débil, me hace lenta y frágil.

Simón me mira preocupado y sin importar mi mirada asesina, me toca la cara y los brazos buscando alguna herida o moretón. Le gruño un «no me toques» y manoteo su mano, haciéndolo reír.

Intenta volver a tocar mi mejilla y….

—¡Simón, basta! Estoy bien, caí de culo, estoy bien —digo y el muy idiota sigue riéndose. Ruedo los ojos—. Solo te pido que no me beses de nuevo, por favor, o no me va importar que seas mi amigo y te voy a partir la cara de un puñetazo.

—¡Vaaale! Lo voy a respetar, bonita.

Resoplo siendo consciente de que Diego debe estar enfadado y ya veo venir la pelea por Simón.

Estoy a nada de recalcar mi punto a ver si de verdad —por fin— entendió, cuando el móvil de Simón suena con un mensaje. Este lo ve y hace una mueca.

—Tengo que irme. —Se inclina y me da un beso en la mejilla—. Mañana vengo con Harry y Mariel a hablar de los avances. Pronto acabará todo.

—Vale.

Lo veo avanzar hasta salir por la puerta. Y entonces dejo caer la cabeza en el respaldo, mirando al techo, pero apenas pasan unos segundos cuando escucho los pasos de Diego acercarse hasta que el lugar a mi lado se hunde con su peso.

—¡Quiero matarlo! —es lo primero que dice, y la verdad no me sorprende.

Me incorporo un poco y nuestras miradas se encuentran.

—Te entiendo, Diego, pero tenemos que fingir.

—Sí, pero no por eso él tiene que andar besándote; me dijiste que no tenías nada con él —me reclama.

—Y es cierto. No tenemos nada. Tú lo viste, solo alcanzó a tocar mis labios y porque me pilló desprevenida. Además, sé que escuchaste lo que le dije y de seguro también viste mi espectacular caída mientras escapaba de él. —Me cruzo de brazos.

—Vale, no quiero pelear por algo tan tonto como ese estúpido beso de niños. —Se acerca y acaricia mi mejilla con las yemas de sus dedos—. Ahora sí deja que yo te bese porque me amas a mí.

Sus labios alcanzan los míos y se mueven de forma suave. Le doy acceso a mi lengua y la suya se enreda con la mía de una manera tan intensa que mi piel despierta, hambrienta de él.

Cuando se separa apoya su frente sobre la mía y noto su respiración agitada.

—Tengo miedo —confiesa—. Tengo miedo de perderte, y sé que suena ilógico, pero vi cómo tú y él se entienden tan bien que...

—Diego, si hubiera querido estar con él lo estaría, pero tú eres el chico que quiero, no te vas a poner ahora inseguro de Simón, ¿verdad?

—No, es solo que...

—¿Qué? —lo presiono. Me mira con sus lindos ojos café y me doy cuenta de que de verdad tiene miedo de que me vaya de su lado, lo que no tiene sentido; él es lo más bonito que me ha pasado en muchísimo tiempo. Sonrío y acaricio el contorno de su rostro—. Bésame, Diego.

No hace falta pedírselo dos veces, toma mi cara entre sus manos y une nuestros labios en un beso perezoso, pero que vuelvo más salvaje cuando mis dedos se desplazan a su cabello y tiran de él. Ladeo la cabeza buscando más acceso y cuando lo consigo, enredo mi lengua con la suya que me recibe con ganas. Mi otra mano desciende por su pecho hasta alcanzar la dureza que crece en su pantalón. Lo escucho gruñir y jadeo contra su boca cuando sus dedos acarician mis muslos.

Un pensamiento intrusivo se instala en mi cabeza, recordándome que estoy haciendo mal estando con él, que lo pongo en peligro, pero ¿cómo puedo volver a renunciar a él si es lo único que me hace feliz?

—¿Podemos hacer algo un poco más movido por aquí? —pregunto cuando nos separamos con los labios calientes e hinchados, sin dejar de acariciarlo por encima de la tela.

Suelta un largo suspiro y empuña mi pelo, tirando de él hacia atrás para dejar mi cuello expuesto en donde su húmeda lengua se deleita con mi piel.

—No dejarás de insistir, ¿verdad? —susurra con voz ronca y sensual. No respondo, solo hago un mohín cuando me mira. Una sonrisa divertida se extiende por su rostro justo antes de asumir el control y besarme con una exigencia feroz.

La caricia no tarda en volverse salvaje, absorbente, urgida… Suelta un gruñido y me abraza con más ímpetu, pero como siempre, cuidando de no lastimarme. Mis pechos se estrujan contra su torso firme y duro.

Sus dientes atrapan mi labio inferior y luego lo succiona arrancándome un jadeo. Se separa y se pone de pie para sacar su billetera y la deja en la mesita frente al sofá. Y antes de que pueda decir algo, se cierne sobre mí, empujándome con delicadeza hasta que mi cuerpo está completamente tendido. Me aparta el pelo de mi hombro y lame la curva del lado derecho de mi cuello. Suelto un gemido que lo hace reír.

Sus dedos se deslizan por mis costados de manera lenta, delicada, con mimo. Alcanza los bordes de mi camiseta y cuando veo su intención me incorporo para que pueda sacármela. Vuelvo a recostarme y esta vez, mientras me besa, empieza a desabotonar mi *short*. Me lame los labios, mi cuerpo vibra y cuando se deshace de la prenda junto a mis bragas, mi cuerpo arde en llamas vivas.

—Joder, eres mi musa, Anastasia —dice apreciando mi desnudez. Vuelve a mis labios y los muerde, los hace suyos—. Lo haré lento y suave; no quiero hacerte daño —dice, y estoy a punto de decirle que se apresure, pero las palabras se atascan en mi garganta cuando la humedad de su boca desciende por mi clavícula y hace escala en la cima de uno de mis pechos.

—¡Dios! —jadeo arqueando la espalda.

Sus labios se cierran en mi pezón, hambrientos, cálidos. Su nombre me sale de la garganta, perezoso. Y entonces lo escucho gruñir antes de tomar mi mano y llevarla a su erección.

—Mi amigo está ansioso de salir y todo por tu culpa —me susurra cuando vuelve a mis labios—. Estaba intentando ser un niño bueno, pero tú estás siendo una niña mala —gruñe con la voz agitada.

Frota su erección contra mi palma y mi respiración se acelera aún más cuando noto lo duro que está. Mis caderas se mueven en busca de fricción.

Él toma mi boca y la llena poderosamente con la suya.

—Estoy al puto límite. —Me muerde la mandíbula y luego el cuello.

Lo veo apartarse para tomar su billetera y sacar un condón. En solo unos segundos se arranca la ropa y deja al descubierto su perfecto cuerpo, su piel tersa y su imponente erección que se alza, ansiosa. Me lamo los labios mientras lo veo deslizar el preservativo por su hombría. Mi boca se seca al ver como su mano sube y baja sobre su longitud.

—Ven aquí. —Mi voz sale jadeante y lo veo sonreír justo antes de posarse encima de mí.

—Chica mala —dice y vuelve a mi boca. Su lengua choca con la mía en el mismo instante en que lo siento abriéndose paso en mi interior.

Ambos jadeamos cuando está completamente dentro de mí. Cierro los ojos porque en esta posición lo siento aún más grande y me duele un poco. Entreabro la boca y fijo la vista en el techo, mientras mi respiración está hecha un puto desastre.

Él se retira y vuelve a insistir cada vez más hondo, más poderoso.

—Diego —gimo.

—Es lo que querías, ¿verdad? —me pregunta con una sonrisa y asiento.

Suelta una risa antes de capturar mis labios con los suyos, aumentando mi maravillosa agonía. Una de sus manos se apoya contra el respaldo y la otra se clava en mis caderas, mientras acelera el ritmo de cada penetración. Su boca desciende por mi mentón, mordisquea mi cuello y alcanza uno de mis pechos. Succiona mi pezón llevándome a la puta cima del éxtasis.

Sus estocadas no son salvajes, pero sí profundas, intensas, vivaces. Con cada embestida, con cada caricia, con cada beso o roce de sus labios siento ondas de placer recorriéndome por todas partes; mi corazón parece un caballo desbocado. Nuestros cuerpos chocando con vehemencia se siente la gloria. La piel me arde y nuestras respiraciones son frenéticas. Arqueo la espalda y muevo las caderas buscando mi liberación. El dolor de la herida me punza, pero el orgasmo me llega tan devastador que ni siquiera me importa. Tiemblo.

Él suspira con dificultad y entra un par de veces en mí antes de correrse en el condón. Su rostro se hunde en mi cuello, jadeando. Su aliento choca con mi piel, apenas tengo aire en los pulmones. Se apoya con una mano para no aplastarme y con la otra me rodea la cintura en un tierno abrazo.

—Eso ha sido… ¡Joder! —farfulla incorporándose un poco. Deja un beso sobre mis labios y yo sonrío complacida. Él me imita—. Chica sucia y mala, me excitaste hasta que no pude más.

—Tampoco te vi quejarte. —Muerdo su labio inferior, ríe.

—Necesitamos una ducha, aunque confieso que me gusta verte sudada por mi culpa —me susurra con la voz aún enronquecida.

—¡Imbécil! —replico sonriendo.

—Pero soy un imbécil al que adoras y que te hace correr. —Acaricia lentamente mi estómago—. Un imbécil que te pone tontita con solo tocarte —concluye con una sonrisa socarrona.

—¡Idiota! —Ruedo los ojos.

—¡Tontita! —Besa mis labios y sonrío.

Cuando nos separamos sus ojos se clavan en los míos. Su rostro se serena y una chispa vibrante destella en sus pupilas, y entonces el corazón se me encoge en el pecho con la sensación de que Diego me ve, y no hablo de solo mirarme a la cara, sino de verme a través de mis sombras, de mis miedos, de la culpa que sigue arañándome las entrañas desde aquella noche oscura; hablo de atravesar cada una de mis corazas y amarme sin importarle el peligro que represento para él. Trago saliva y me obligo a recuperar mi voz.

—¿Qué? —pregunto sintiendo mis latidos enloqueciendo.

Diego sonríe y lleva sus dedos a mis mejillas; acaricia mi piel con sus suaves y cálidas yemas.

—Acabo de descubrir algo importante. —Roza su nariz con la mía.

—¿Qué? —logro preguntar.

Me mira y vuelvo a sentir la misma vorágine de sentimientos.

—Que la felicidad también es un lugar. —Deja un beso fugaz en mis labios—. ¿No lo ves? La felicidad somos nosotros, Anastasia… Nosotros juntos —suelta de repente.

¿No se supone que el tiempo no se detiene? ¿Por qué siento que ahora mismo frenó de golpe? Las palabras de Diego trepan por mi piel, se clavan en mi pecho y explotan en todo mi sistema, mandando un montón de sensaciones por todo mi cuerpo.

Tomo su rostro en mis manos y lo atraigo a mi boca. Lo beso con las ansias de quedarnos justo así, con nuestros corazones latiendo al mismo ritmo. Quisiera decirle que es cursi, porque lo es, pero solo me pierdo en cada sentimiento que me regala mientras su lengua danza con la mía. Diego tiene razón, la felicidad somos nosotros juntos, aquí, ahora.

Capítulo 51

THE DARK ANGEL

Doy una calada al cigarro mientras observo a la chica que sale de la universidad para dirigirse al estacionamiento. Sonrío antes de correr hacia mi auto que se encuentra al lado del suyo. Me he asegurado de que las cámaras no estén funcionando en esta área. Saco con rapidez las muletas y varios libros. Camino hacia la chica que viene mirando su móvil.

Chocamos y dejo caer los libros con torpeza, o eso hago parecer.

—Discúlpame —dice la chica. La analizo por un momento: su pelo es largo, castaño claro, ojos verdes y piel blanca. Es hermosa y tiene un cierto aire a ella. Le sonrío de lado y sus labios se curvan devolviéndome la sonrisa.

—No te disculpes, fue un accidente —aseguro mientras la veo juntar mis libros para tendérmelos. Intento cogerlos, pero dejo que vuelvan a caer con toda la intención. Hago el ademán de inclinarme y suelto una muleta con disimulo—. Perdón, es que aún no me acostumbro a andar con estas cosas.

Su sonrisa se ensancha justo antes de volver a ayudarme con mis cosas. Cuando se levanta y me los entrega, esta vez con éxito, niega con la cabeza y se pone un mechón detrás de su oreja, un gesto que me recuerda a ella, es preciosa.

—No te preocupes, ¿cómo te llamas? —me pregunta sonriente.

—Me llamo Paúl, ¿y tú? —Extiendo la mano.

—Jacky —dice correspondiendo a mi saludo.

Nos quedamos con las manos unidas por un momento mientras nos miramos, confirmándome lo que ya imaginaba, le gusto y mucho. Es como todas, ven una cara bonita y se les humedece el coño. Predecible.

Suelto su mano y me llevo la mía a la cabeza.

—¡Qué tonto! Se me quedó algo en el auto, ¿me podrías ayudar, por favor? —Apunto hacia mi auto y ella asiente.

Avanzamos a pasos lentos —por mi supuesta lesión en una pierna—, y aprovecho ese poco tiempo para halagar su sonrisa, lo que la hace sonrojar. Cuando llegamos a mi auto, saco las llaves de mi bolsillo y las dejo caer adrede.

—Perdón, es que estas muletas me han vuelto un poco torpe. —Le sonrío.

Ella hace un gesto con la mano quitándole importancia. Se agacha a recogerlas y aprovecho para levantar una muleta y golpearla con fuerza en la cabeza, dejándola inconsciente. Observo hacia todas partes asegurándome de que no haya nadie alrededor. Guardo los libros y las muletas en los asientos de atrás. Saco las esposas y las engancho en sus muñecas, no pierdo tiempo y la meto al maletero con premura, sintiendo la adrenalina arroparme. Tomo la jeringa en mi bolsillo e inyecto la droga para dormir. Sé que el golpe la dejó fuera de sí, pero no voy a correr el riesgo de que despierte antes de llegar a mi destino. Unas horas después llego a mi pequeña guarida. Me bajo y camino hacia el maletero donde se escuchan los gritos y golpes. Los efectos están pasando, la dosis fue baja porque necesito verla a la cara cuando se dé cuenta de lo que va a suceder. Necesito ver el terror en sus ojos para alimentar mis demonios. Cuando abro el maletero la chica está llorando y me mira asustada.

—Bienvenida a tu última noche, guapa. —Acaricio su mejilla—. Pero tranquila, a pasaremos muy bien.

—Déjame ir —grita llorando.

Saco mi arma y llevo el cañón a su cabeza. Sus ojos se abren más, aterrada.

—Te vas a portar bien o si no te mato, ¿me escuchaste, puta? —La tomo del brazo y la saco a empujones. La escucho gimotear mientras mira a su alrededor—. Camina hacia la casa.

Una electricidad me recorre la piel al verla temblar de miedo mientras avanza delante de mí. Abro y la empujo dentro. Se detiene desorientada y le indico que baje al sótano.

—¡No! Yo no… Por favor, no… —gimotea.

Enredo mi mano en su cabello y tiro de él sacándole un grito de dolor. Choco su espalda contra mi pecho y le rodeo la cintura, inmovilizándola. Hundo mi rostro en su cuello e inhalo su aroma a flores.

—Me pone oírte suplicar. —Lamo su cuello y la siento temblar. Sonrío antes de hablar con voz suave, pero lo suficientemente firme y fría para que sepa qué tan en serio hablo—. Ahora, baja esas malditas escaleras si no quieres que te corte en pedacitos mientras estés con vida. ¿Quieres eso, guapa?

No contesta, solo niega con la cabeza, desesperada, mientras llora con más fuerza y se estremece en mis brazos.

La empujo para que avance y lo hace. Desciende al sótano en medio de sollozos que me calientan más. Se detiene cuando está en piso plano. La giro para ver su cara. Su rostro está húmedo y enrojecido. Sonrío.

—Eres muy bonita, Jacky, pero muy tonta. —Acaricio su mejilla e intenta retroceder, pero la atraigo a mi cuerpo. Levanto la mano con el arma y la pongo debajo de su mentón.

—No…, por favor… —Se sacude con lágrimas recorriendo su rostro.

—Desnúdate —le susurro. Ella niega con la cabeza.

Enarco una ceja y sonrío de lado. Desciendo el cañón de mi arma por su cuello, clavícula, hasta el medio de sus pechos. Se estremece.

—Desnúdate ahora o te mato —le advierto tirando de su cabello.

La suelto para que haga lo que le digo, pero no le quito las esposas. Sus manos tiemblan mientras desabotona su blusa blanca. Sus ojos verdes me miran con horror, llenos de lágrimas. Me deleito en el miedo que emana su cuerpo mientras se deshace de su ropa. Cuando por fin me muestra su desnudez, suspiro. Es hermosa. Tomo un mechón de pelo castaño, algo que me recuerda a ella; solo que ella es fuerte. Esta chica es vulnerable, aunque servirá para entretenerme, para saciar mi sed, para calmar las voces en mi cabeza que me susurran que le arranque la vida.

—¿Por qué haces esto? No te he hecho nada —dice llorando. Me muerdo el labio inferior contemplando las curvas de su cuerpo. Vuelvo a sus ojos llenos de pánico y me excito con su temor. Será una noche divertida.

—Porque quiero. Además, te pareces mucho a alguien. ¿Qué pensabas, bonita? ¿Creías que era un chico lindo y dulce? ¿Que te pediría tu número para después salir juntos? —Mira hacia otro lado y suelto una risa—. ¿Lo ves? Eres una estúpida, pero esta es una lección que vas a aprender: una cara bonita a veces es solo una máscara para esconder la verdadera cara de un monstruo. —Sonrío, clavo mis dedos en su cintura y la atraigo hacia mí—. Es una lástima, es un poco tarde.

La empujo contra el colchón que yace en el suelo, tomo sus muñecas esposadas y las ato con cadenas y candado al tubo de metal que va del piso al techo. Me aparto para verla retorcerse en el suelo en medio de gritos que parecen desgarrar su garganta. Y mientras dejo el arma a un lado y me deshago de mis pantalones, vuelvo a sonreír imaginando que esta chica es ella, y que la tendré debajo de mí, satisfaciendo mis instintos más oscuros.

Me muevo en su interior, extasiado con el horror en sus ojos, con su llanto desolado y sus súplicas. Gruño sintiendo que estoy a punto de correrme y sé lo que necesito para conseguirlo. Embisto más fuerte, más salvaje, mientras mis manos se cierran en su cuello. Sus ojos se abren de par en par al entender lo que va a pasar y su cuerpo se sacude instintivamente. Salgo de su interior y embisto con más violencia; un quejido intenta salir por su boca, pero mis manos se cierran con más fuerza en su garganta evitando que el aire llegue a sus pulmones.

Sus brazos esposados se remueven con desesperación. Sus piernas patalean mandando una ola de placer a todo mi cuerpo. Sus ojos llenos de lágrimas y terror empiezan a perder vida justo en el momento en el que el clímax me alcanza. Mis dedos ejercen más presión, su cuerpo deja de sacudirse por completo, mis caderas se mueven más profundo y entonces me corro casi al mismo tiempo en que la muerte alcanza sus pupilas dejando solo una mirada vacía.

Me dejo caer sobre ella, cierro los ojos y suspiro su aroma aún saboreando el placer alcanzado. Me incorporo dejándola tendida allí. Me quito el preservativo y me pongo mi pantalón; busco un cigarrillo y lo enciendo. Me siento en la silla a mirar su cuerpo sin vida, listo para borrar cualquier prueba que pueda incriminarme en su piel, antes de deshacerme de ella.

Dos horas después, tiro el cuerpo de la chica en medio del bosque del parque y saco un cigarro. Lo enciendo y miro hacia todas partes para asegurarme de que no hay testigos. Me acerco al cadáver y acaricio sus mejillas. Observo su cuerpo desnudo y una sonrisa aparece en mis labios al recordar.

—Esto es solo el comienzo —susurro antes de comprobar que no dejo ninguna pista o algo que pueda inculparme. Fumo mientras camino un poco más y veo el cadáver de otra chica que asesiné hace unos días—. Todas son unas estúpidas. Bonitas, pero estúpidas. —Apago el cigarrillo en el cuerpo de la chica y me llevo la colilla. Me saco los guantes, los guardo en los bolsillos de mi chaqueta y comienzo a caminar tranquilamente hacia mi auto. Por ahora no puedo tenerla a ella, pero lo haré… Pronto lo haré.

Capítulo 52

Anastasia

Cuando abro la puerta me encuentro con Harry, quien viene con dos desayunos de Starbucks. Me da un beso en la mejilla y me ofrece un café que acepto con gusto; caminamos juntos hacia el salón.

—¿En dónde están los demás? Pensé que también vendrían Simón y Mariel.

—Deben de estar por llegar, solo me adelanté unos minutos.

Me dejo caer despacio en el sofá, él hace lo mismo en el sillón de enfrente. Me cubro con una manta porque hace frío y me froto los ojos, todavía con sueño. Escucho a Harry reír y cuando miro me doy cuenta de que me observa divertido.

—¿Qué? —pregunto y le doy un sorbo a mi café.

—Nada. —Ríe y me pasa un pan vegetariano.

Me muerdo el labio inferior cuando un pensamiento se asoma en mi cabeza. Desde que conocí a Mariel me pregunto si ellos tendrán algo, sobre todo cuando los vi juntos en el hospital y él no le quitaba ojo de encima.

—Así que... Mariel, ¿eh? Dios, ¡qué mujer!

Harry se atraganta con su café y comienza a toser. Sus mejillas se tornan rojas y no puedo evitar soltar una carcajada.

—Sí, ella es... muy linda —dice al final.

Me quedo mirándolo mientras le da una mordida a su pan y yo al mío, hasta que no puedo más y lo suelto:

—¿Te gusta Mariel, Harry? —Se queda callado mirándome—. Vamos, dímelo, prometo no decirlo.

—La encuentro guapa y cuando trabajamos tenemos buena química...

Antes de que pueda continuar, alguien toca el timbre. Harry endereza la espalda casi por inercia. Supongo que piensa que es la mencionada. Se levanta y abre la puerta.

Escucho la voz de Simón saludando a su amigo y, solo unos instantes después, el rubio aparece en mi campo de visión. Me da un beso en la frente y me pregunta cómo estoy.

—Casi como nueva, ¿y tú?

—Ahora estoy mejor. —Sonríe—. Estoy viéndote.

Ruedo los ojos y estoy a punto de replicar cuando el timbre vuelve a sonar.

—Debe ser Mariel, ¿puedes abrir, Harry? —pregunto enarcando una ceja.

Por un segundo entorna los ojos en mi dirección, luego se levanta y avanza hasta la puerta. Escucho a esta abrirse y luego las risas del policía y la detective se levantan en el aire.

—Creo que se gustan —le susurro a Simón mientras vemos a ambos acercarse.

Mariel nos saluda y se sienta enfrente de mí con Harry, quien no le quita la mirada de encima. Mariel empieza a sacar documentos y su ordenador. Toma aire antes de empezar a hablar.

—Tenemos los nombres de esas personas, Anastasia, esas que intentaron abusar de ti, que fueron parte del asesinato de tu hermano y que también están involucrados en la red de tráfico de personas en la que Nicolás es parte importante. —Mi cuerpo se tensa con cada palabra que sale de su boca, y lo hace aun más cuando saca algunas fotos y las deja en la mesa—. Dime si son ellos.

Las ordeno en la mesa y un nudo se instala en mi garganta cuando reconozco cada uno de esos malditos desgraciados.

—Son ellos —confirma Simón. Yo asiento una y otra vez—. Nicolás sigue teniendo contacto con muchos de ellos, como pudieron ver en las pruebas que te pasamos.

—Estoy consciente de eso, Simón, pero no me gusta cometer errores en mi trabajo, ¿lo entiendes? —Mariel mira fijamente a Simón y él asiente—. Siempre quiero estar segura de lo que estoy haciendo, por eso estamos trabajando con agentes de otra ciudad en los que de verdad confío.

—Lo entiendo —dice Simón.

Nos quedamos en un silencio incómodo observando cómo Mariel teclea en su ordenador hasta que Harry rompe el silencio.

—Todos ellos están dentro de distintos partidos políticos. Nosotros ya teníamos la sospecha de que estaban haciendo cosas ilegales por las fiestas que organizaban en una isla, en donde los invitados eran personas muy importantes. —Harry sacude la cabeza—. Pero ahora tenemos pruebas para detenerlos y los tenemos a ustedes, además de a tres chicas que Mariel rescató, quienes testificarán cuando sea el día del juicio.

—Exacto. Los tenemos en nuestro poder; tenemos fotos, pasajes de vuelos, transacciones de dinero, cuentas fantasmas, fotos dentro de esa mansión y testigos de las orgías que se realizaban ahí con chicas menores de edad —dice Mariel con evidente molestia por esos actos tan repugnantes—. Son unos enfermos. Mientras más dinero y poder tienen, más se creen dioses que piensan que nunca los van a tocar.

Siento náuseas solo de pensar en todo el daño que les han hecho a esas pobres chicas.

—Ya estamos casi listos, Anastasia, muy pronto Nicolás y esas personas caerán —continúa la detective—. Fuiste muy inteligente al grabar la conversación; esa es una prueba muy importante por la que tendrá el cargo de intento de asesinato y secuestro hacia ti. Además del asesinato de tu hermano.

Suelto aire contenido, procesando todo.

—Estoy mandando la orden de captura a la estación de policía de Madrid, mi hermano es el jefe —prosigue—. Mañana serán los hombres más buscados de toda España. La Interpol ya está avisada y tienen asegurados todos los aeropuertos, no van a poder escapar.

Siento un nudo en la garganta porque, por fin, esto está a punto de acabar. Una lágrima recorre mi mejilla y la limpio con rapidez.

—Todo va a acabar, Anastasia —me susurra Simón pasándome el brazo por los hombros.

—Gracias a Mariel, que ha podido acercarse a él como una de sus peleadoras; a ti y a las chicas rescatadas, tenemos un perfil psicológico de Nicolás —informa Harry y me tenso del mismo modo que Simón a mi lado—. Según lo que sabemos de él, tiene rasgos psicopáticos muy marcados. Por ejemplo, no siente empatía con las demás personas. Solo tenemos que ver lo que te hizo a ti, Anastasia, y dice que te ama. Es manipulador y un egocéntrico patológico.

—Así es —confirma Mariel—. Lo he visto utilizar su encanto y carisma para envolver a todo el mundo, sobre todo a las chicas.

El sonido de un móvil nos desconcentra. La detective coge el suyo de la mesita y contesta.

—¿Qué pasa? —pregunta y hace silencio por un momento—. ¿Cómo que tres cuerpos? —inquiere frunciendo el ceño. Me tenso de nuevo.

¿Qué está pasando? ¿Por qué están encontrando cuerpos?

—Voy para allá, cierra todo ahora —ordena Mariel y cuelga.

Me quedo petrificada viéndola organizando las fotos y guardando su ordenador, mientras Harry la ayuda y luego saca las llaves de su auto para ponerse en marcha. Él parece imaginar lo que sucede.

Me levanto de golpe —sin importar las contracciones en mi abdomen— y me interpongo en su camino.

—¿Qué pasa? —pregunto desesperada. Siento que algo está muy mal, que me están ocultando cosas.

—No te preocupes, Anastasia —dice Harry con una pequeña mueca—. No podemos decírtelo porque son casos privados, pero todo estará bien. Nos vemos.

Él y Mariel salen sin mirar atrás.

Simón se levanta y me estrecha contra su pecho. Me resulta extraño escuchar su corazón latiendo tan fuerte y sentir su abrazo demasiado protector, como si quisiera mantenerme a salvo. ¿Qué mierda está pasando?

—¿Qué me ocultan? —Me aparto y tomo la mano de Simón. Él me mira nervioso y desvía la mirada—. ¿Qué sucede?

—Nada, Anastasia. Ellos están haciendo su trabajo y yo solo estoy cansado. Por favor, no salgas tanto y recupérate. —Me da un beso en la mejilla y se va, dejándome con una sensación extraña por todo el cuerpo.

Subo a mi habitación con el pulso acelerado sin siquiera saber por qué. Tomo el mando del televisor y lo enciendo. Por instinto, busco las noticias. Mariel mencionó tres cuerpos, algo debe salir en alguna parte.

Me paso un rato buscando en diferentes canales, hasta que encuentro una noticia en vivo en donde informan del hallazgo de tres cuerpos sin vida en el Parque Natural de la Sierra de Collserola.

Justo aparecen en la pantalla Mariel y Harry, quienes son abordados por la prensa con insistentes preguntas. No obstante, evaden a todos y se adentran en el bosque. Me paso una mano por la cara, frustrada. La sensación de horror me oprime el pecho. ¿Qué mierda está pasando? ¿Ahora hay un asesino suelto matando a personas? ¿Qué carajos le pasa al mundo?

Pero también me surge otra duda, ¿por qué Nicolás está tan silencioso? ¿Por qué no ha vuelto a enviarme sus malditos mensajes amenazadores? No es que los extrañe, todo lo contrario, pero su silencio, lejos de hacerme sentir aliviada, me aterra. ¿Y si sabe lo que estamos haciendo para atraparlo? ¿Y si está planeando el golpe final en mi contra? ¡Dios! ¿Qué se supone que debo hacer ahora?

SE BUSCA

Capítulo 53
DETECTIVE MARIEL

Avanzamos por el bosque, molestos. Escucho a Harry gruñir una maldición por lo bajo. No es para menos. La prensa no debería estar aquí. ¡Maldita sea!

Seguimos al agente Richard, quien nos guía a la escena del crimen. ¿Qué mierda está pasando? Ya llevamos varios meses recibiendo denuncias de desaparecidas, y encontrando algunas de ellas sin vida.

Mientras avanzo por el bosque, noto que Harry está muy pensativo, supongo que tiene el mismo presentimiento que yo. Creo que nos enfrentamos a algo grande. Cuando llegamos a la escena mi equipo ya está tomando fotos. Me acerco a González, quien está examinando el cuerpo.

—¿Qué tenemos? —le pregunto.

—Hallamos los cuerpos de tres chicas; uno está en avanzado estado de descomposición, diría que lleva allí algunos tres meses. El segundo debe tener al menos un mes y este, el tercero, es el más reciente, debe llevar aquí algunos dos o tres días.

Asiento y me pongo los guantes para examinar yo misma el cadáver. No tardo en darme cuenta de que se trata de Rocío, la chica que desapareció el lunes en su habitación. ¿Quién mierda está haciendo esto? Pensamos que era su exnovio tóxico, pero cuando lo investigamos tenía una buena coartada. Las demás personas de su círculo íntimo también fueron descartadas. Todas tenían cómo comprobar el lugar en donde estaban, además, parecían muy afligidas por la pérdida.

La reviso con detenimiento. Su desnudez me permite notar las claras señales de abuso sexual, así como de estrangulamiento. Tiene marcas de dedos en el cuello, una mordida en el seno derecho y varios moretones en la parte interna de los muslos. Me dispongo a apartarme cuando veo una pisada junto a mí.

—¿Tomaron muestra de este zapato? —le pregunto a González.

—Sí, se hizo una réplica. ¿Qué está pasando, Muñoz? —me pregunta el agente.

Suspiro y sigo buscando los detalles. Tiene marcas en las muñecas que indican que fue esposada. Algo de color negro en su cabello claro me llama la atención. Me agacho un poco más y alcanzo una fibra. Saco una bolsa plástica de recolección de pruebas y la guardo.

Miro a González, parece esperar una respuesta.

—Tengo un mal presentimiento. Ha habido demasiadas desapariciones y que estas víctimas hayan aparecido no es buena señal.

—Cabe la posibilidad de que haya un asesino serial —dice Harry, apareciendo a mi lado.

Nos quedamos callados porque ambos sabemos que podría haber muchas más muertes. Por lo general, los asesinos en serie son muy astutos e inteligentes, y casi no dejan rastros o evidencias de sus crímenes.

—Necesito la carpeta de las personas desaparecidas. —Suspiro—. ¿Alguien ha visto algo? —pregunto mirando el enorme bosque a nuestro alrededor y me siento casi estúpida al hacer esa pregunta.

Ambos niegan y veo al forense acercarse. Saluda y empieza a realizar su trabajo. Luego de un rato empieza a darnos algunos detalles. Como que lleva cuatro días muerta y que fue estrangulada, pero que antes fue torturada.

—El asesino ha seguido viniendo a ver a sus víctimas —declara el médico, alguien en quien confío—. Ha practicado necrofilia con ellas.

—¡Maldito enfermo! —mascullo entre dientes.

Permanecemos examinándola por media hora más, tomando todo lo que podemos de la escena, hasta que sacan el cadáver en una bolsa para llevarlo a hacer una autopsia más a fondo.

Caminamos hacia el siguiente cuerpo. El hedor nos invade incluso antes de llegar. Al acércarme me doy cuenta de que definitivamente está en un estado avanzado de descomposición. Está hinchado, rodeado de moscas y ya se ha iniciado la destrucción progresiva de los tejidos en su piel.

Debe tener entre dieciocho a veinte y pocos años. Pelo castaño, piel blanca, una marca de cigarro y... Ahogo un grito de horror cuando me doy cuenta de que hay un pedazo de madera en la vagina de la víctima. El asesino debe haber...

—¡Mierda! —gruño.

La cara de González se pone pálida y Harry solo sacude la cabeza ante la escena tan macabra. El médico apenas se inmuta. Nos quedamos con el forense mientras examina la segunda y tercera víctima. Harry parece tan frustrado como yo y González parece a punto de vomitar todo el tiempo.

—¿Cuál es su opinión, doctor? —pregunto cuando se está quitando los guantes mientras los de medicina legal levantan el último cadáver.

—Las muertes tuvieron lugar en otra parte, pero todas murieron de la misma forma: abusadas sexualmente y luego estranguladas. No se observan heridas de arma. En cuanto a la segunda víctima, diría que murió hace un mes debido al estado de su cuerpo. El asesino también practicó necrofilia con ella. Y la tercera víctima murió aproximadamente hace tres o cuatro meses. Tengo que realizar una autopsia más detallada. —Suspira cansado—. En la segunda víctima y en la primera tenemos la mordida del asesino, veré si tiene algún registro dental, si no es el caso haré un modelo de su dentadura.

—Bien.

El forense se va y Harry se acerca a mí.

—¿Se sabe quiénes eran las otras dos víctimas? —le pregunto.

—No, solo Rocío Soto. Tendremos que ver el listado de las mujeres que se han reportado como desaparecidas en estos últimos meses, también debemos ponernos en contacto con las demás comisarías para estar al pendiente.

—Tenemos que volver a analizar las declaraciones de las pocas personas que pudieron ver algo. —Me paso una mano por la cara.

—Tenemos que encontrarlo rápido. Si no lo detenemos ahora seguirán apareciendo cuerpos de chicas. —Se frota el puente de la nariz, agobiado—. Tú lo sabes bien, los asesinos en serie van perfeccionando su *modus operandi*. Ven esto como un juego y asesinan cada vez con más frecuencia.

Dejo salir el aire antes de hablar:

—Hace unos meses, en Madrid, se encontraron tres cuerpos de chicas. Lo sé porque José estaba a cargo de estos casos y coincidió con la visita que le hice. Estuve allí cuando encontraron los cuerpos, pero hasta la fecha no se han encontrado sospechosos y casi ninguna pista. El caso está a punto de ser archivado porque no quieren invertir más presupuesto en la investigación de la muerte de prostitutas.

—Estás diciendo que...

—No estoy diciendo nada, solo te estoy informando lo que pasó. No puedo decir que son los mismos asesinos porque no tengo nada sobre el caso de Madrid, pero es sospechoso.

—Tenemos que movernos ya.

Asiento y observo a mi alrededor sintiendo un escalofrío en la piel. Sigue sin ser fácil ver estas escenas, sobre todo cuando sabes que aún no termina.

Miro la hora en mi móvil; en unas horas comenzarán a caer esos malditos hijos de puta que intentaron abusar de Anastasia, incluyendo al malnacido de Nicolás. Dejo escapar un enorme suspiro, aún no cae la noche y ya soy consciente de que no podremos pegar los ojos, tenemos que viajar a Madrid en donde se encuentran esas ratas miserables.

—Será una larga noche —dice Harry pasándome un brazo por los hombros.

—Lo sé —contesto, pero ojalá no lo supiera.

Amo mi trabajo, pero es frustrante darse cuenta de que cada día el mundo está peor y de que cada minuto que pasa, hay alguien siendo masacrada o masacrado por un ser retorcido y enfermo.

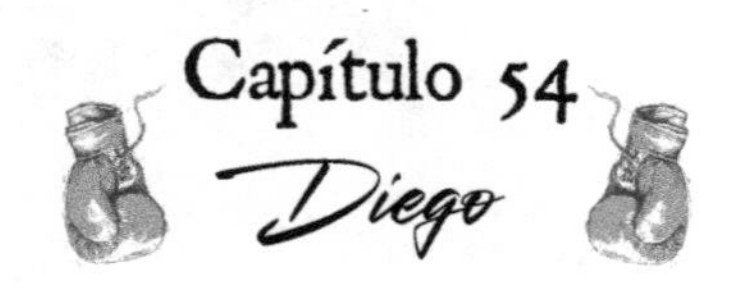

Capítulo 54
Diego

Anastasia tiembla entre mis brazos a causa del llanto. No ha parado de llorar desde que despertó esta mañana y encendió la televisión donde ha visto caer a cada uno de esos infelices que intentaron abusar de ella. Miro en la pantalla cómo Harry viene con un sujeto y la detective Mariel con otro; suben a ambos a la patrulla de policía.

—Nicolás escapó de todas formas. Sigue libre. —Solloza en mi pecho. Tomo su cara y limpio con delicadeza las lágrimas gruesas que caen por sus mejillas.

—Me duele verte así, Anastasia. Me rompe el corazón verte sufrir de esta manera —le doy un beso en los labios—, pero confía en que Harry y Mariel lo van a encontrar; tiene a toda la policía de España detrás de él.

Ella asiente y suspira antes de abrazarme con más fuerza.

—Por fin esto está acabando. Mi hermano por fin tendrá algo de justicia y paz por su muerte —me susurra.

—Estoy orgulloso de ti, Anastasia, eres fuerte y grandiosa. No sé qué hubiera hecho en tu lugar —confieso. Acaricio su cabello. No puedo creerme que haya sufrido tanto, y aun así ha conseguido salir adelante y sonreír.

—No siempre he sido tan fuerte, Diego. Muchas veces quise intentar acabar con mi vida, pero sabía que a mi hermano no le gustaría. —Hunde su rostro en mi pecho y se aferra más a mí—. Aunque confieso que tampoco lo hice porque en ese momento solo pensaba en vengarme de Nicolás; me convertí en alguien que no era.

—Lo van a atrapar, solo confía —le susurro acariciando su espalda—. Ahora te haré un pastel de chocolate para subirte el ánimo.

Entonces se aparta, me mira un segundo y suelta una risa que me hace sonreír. Limpio sus lágrimas y le lleno la cara de besos.

—Tonto. —Me empuja y me llena el alma verla rodar los ojos con un deje de diversión. Luego suspira—. Tengo que hablar con mis padres. —Toma su móvil y se pone en pie—. Bajo enseguida.

Me levanto y tomo su rostro en mis manos.

—Está bien, pero no olvides que estoy aquí. Siempre lo estaré. Y aunque sé que no puedo aliviar tu dolor, al menos puedo prometerte que estaré a tu lado en cada paso sin importar lo difícil que sea, ¿de acuerdo? —Le doy un breve beso en los labios.

—Vale, chico cursi. —Sonríe, aunque sus ojos siguen húmedos. Me mira por unos segundos y luego se inclina y apoya su frente sobre la mía—. Sin sentimientos, Diego —suelta y el corazón se me calienta.

Lo siento en la piel, en mis latidos acelerados. Sé que le cuesta decir «te amo» y esta es la forma que ha conseguido para decírmelo, lo que significa todo para mí.

—Sin sentimientos, Anastasia —contesto acariciando su cuello.

Dejo un beso en su frente y salgo de la habitación. Bajo a la cocina y saco todo lo necesario para hacer el pastel de chocolate. Pongo manos a la obra. Anastasia baja justo cuando estoy metiendo el pastel al horno.

Me abraza por detrás y apoya su mejilla en mi espalda.

—Gracias, Diego —me susurra.

Me giro entre sus brazos y echo mano a su cintura. Tiene los ojos más rojos e hinchados, pero al menos ya no está llorando. Se ve más serena.

—¿Por qué? —La atraigo hacia mí.

—Por apoyarme, por estar conmigo, por… quererme.

Mis labios se curvan en una sonrisa. Me inclino y beso su nariz. Ella deja escapar una risita, sus manos rodean mi cuello y sus largas piernas se enganchan en mis caderas. Pongo mis manos en sus muslos para que no se resbale y camino con ella hacia la sala de estar, la dejo con cuidado en el sofá, me inclino y me apodero de sus labios por un momento.

—Siempre, Anastasia. —Tomo su mentón—. Donde me necesites ahí estaré. Donde tú estés, estaré ahí contigo, caminando de tu mano y avanzando a tu ritmo. Sé que te han hecho mucho daño, incluso yo me comporté como un imbécil, pero te juro que puedes confiar en mí, que haré todo lo que esté en mis manos para que nadie, jamás, vuelva a robarte la sonrisa. Te lo prometo, mi bella —digo con seguridad y ella asiente con la cabeza antes de abrazarme con fuerza, como si no quisiera que la soltara nunca. No pienso hacerlo—. ¿Quieres hacer un maratón de *Harry Potter*?

—Sí. —Se aparta para verme a la cara—. Pero si prometes no dejar quemar el pastel. Huele delicioso.

Suelto una carcajada y ella me imita. Beso su nariz.

—De acuerdo, bella.

La ayudo a ponerse de pie, le paso un brazo por la espalda baja y la conduzco a su habitación. Y en cada paso ruego a Dios para que esto termine, para que apresen a todos esos malditos delincuentes, sobre todo a ese desgraciado de Nicolás, que Anastasia por fin pueda respirar tranquila y que sus heridas comiencen a sanar. Quiero que ella sea feliz y transitar a su lado ese camino. Juntos… Siempre juntos.

Capítulo 55

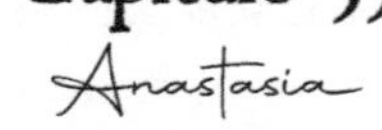

Sábado, penúltimo día de guardar reposo. Por fin ya no me duelen tanto los moretones y la herida está completamente cerrada, el doctor dijo que podía volver a mi vida normal, aunque me prohibió levantar peso o hacer boxeo por un tiempo. Tengo que volver a verlo en unas semanas.

Diego me deja sentada en el escritorio de su enorme biblioteca, le dije que era un pesado y le recordé que ya podía caminar a la perfección, pero insistió en cargarme. Lo veo buscar y tomar varios libros que tiene que leer para su trabajo. No puedo evitar que mis ojos recorran su cuerpo.

—Sé que me estás viendo el trasero —dice caminando hacia la escalera—. Pervertida. —Sonríe. Apoyo mi barbilla en mi mano y veo como toma otro libro y lo hojea antes de asentir para sí mismo. Suelto una pequeña risa, es absolutamente tierno y *sexy*, lo que lo convierte en una mezcla peligrosa.

—Lo hago —confieso—. Se te ve bien en esos pantalones —respondo con una sonrisa divertida.

Desciende y deja cuatro libros en el escritorio antes de volver a subir por las escaleras, su biblioteca es sorprendente.

—Repito: pervertida. —Me observa de reojo y se apoya en el barandal del pequeño pasillo donde están los libros que llegan al techo—. Tu hambre sexual crece con cada segundo que pasa, temo por mí, bella.

Suelto un bufido y lo fulmino con la mirada.

—No eres para nada gracioso. —Tomo un libro de los que dejó en el escritorio y lo hojeo, son de medicina.

Ya me lo imagino como un guapo doctor. Me sorprende que esté estudiando esto a pesar de sus malos recuerdos, aunque me dijo que lo quería hacer porque quería salvar muchas vidas. Lo que es admirable. Es uno de los hombres más resilientes que he conocido en mi vida y tiene un alma tan noble que hace que me enamore más de él, pero no tiene por qué saberlo, ¿no?

—¿Sabes? Me ha gustado mucho este semestre y estoy ansioso porque en el próximo comienzo con mis prácticas. —Me sonríe bajando de la escalera de caracol.

—Eso es genial —contesto cuando lo veo plantarse frente a mí.

Se agacha y posa sus manos en mis muslos. No puedo evitar sonrojarme porque estos últimos días hemos estado teniendo mucha actividad sexual y bueno, me ha gustado bastante, no puedo evitar alterarme con su contacto.

Se inclina y roza su nariz con la mía.

—Te amo —suelta, arrancándome un suspiro.

Llevo mis manos a sus mejillas y sonrío.

—Sin sentimientos, Diego —digo y ríe. Lo sé, él lo sabe. Es mi forma de decirle cuánto lo amo.

—Sin sentimientos, Anastasia —responde antes de cubrir mis labios con los suyos. Le doy acceso a mi boca y mi corazón se acelera cuando su lengua se vuelca con delicadeza sobre la mía. ¡Por Dios! Se siente tan bien besarlo.

Cuando nos separamos, su sonrisa es tan amplia como la mía. Se endereza.

—¿Ya terminaste con tus trabajos? —pregunta y no puedo evitar mirar todos los libros que ha dejado sobre el escritorio, ¿cuántos necesita?

—Sí —confirmo con un suspiro—. Extraño ir a la universidad, las clases *online* no son malas, pero ¡mierda! Lo más entretenido que hago aquí mientras no estás es mirar al techo —apenas termino de hablar cuando lo escucho soltar una carcajada.

Ruedo los ojos.

—No hagas esa cara, gruñona. —Toma el dobladillo de mi camiseta—. Veamos cómo están esos golpes.

Me reclino y lo dejo examinarme. Sé cómo están. Apenas quedan rastros de ellos. La pequeña herida solo ha dejado una marca roja. El dolor no ha desaparecido por completo, pero me siento bien.

—Ya están mejor.

—Gracias por ese diagnóstico —bromeo y sonríe, pero luego se sienta frente a mí con una expresión más seria.

—¿Estás segura de que quieres volver a tu vida normal el lunes? —pregunta apartando el pelo de mi cara.

Me inflo el pecho tomando aire y luego lo dejo ir despacio.

—Sí, tengo que hacerlo, Diego. No me puedo quedar encerrada por culpa de Nicolás. Además, confío en que Mariel y Harry están haciendo todo lo que pueden. —Suspiro—. Y también quiero volver al psicólogo.

—¿De verdad eso es lo que quieres? —inquiere y asiento—. Entonces estaré aquí para ti, siempre. Has pasado por mucho, pero en cuanto a Nicolás… Lo que te pasó fue grave y él aún está libre.

—Lo sé, Diego, y tengo miedo. —Mi pecho se contrae.

—También lo tengo, Anastasia, no te dejaré sola ni un segundo. —Me da un suave beso en los labios—. ¿Te gustaría conocer a mis abuelos? —pregunta cambiando el tema drásticamente.

Me quedo en silencio pasando mi mano por su barbilla, y sonrío al rasparme la palma con el leve rastro de barba que comienza a crecer.

—Claro, chico cursi; sé que ellos son importantes para ti, sería un placer conocerlos —digo con una sonrisa—. Nunca pensé que te convertirías en alguien tan importante en mi vida.

—Parece que al final sí soy tu tipo, ¿eh? —dice con sorna—. Te tragaste las palabras que me dijiste cuando nos conocimos.

—Ja, ja, ja, qué gracioso eres.

—Te amo —me susurra antes de besarme una vez más—. Superaremos todo juntos, te lo prometo.

—Contigo siempre.

Estira su dedo meñique y hago lo mismo. Sonreímos como tontos mientras enganchamos nuestros dedos, pero tengo que admitir que estoy aterrada de salir porque sé que Nicolás está libre; además, estoy inquieta con toda la mierda que sale en las noticias, en especial todo lo que tiene que ver con las tres chicas que encontraron muertas. No puedo evitar sentir el horror calando mis huesos.

Diego se inclina.

—¿Te parece si bajamos a tu apartamento y tomamos un baño juntos antes de que empiece a hacer mis trabajos? —me pregunta y muerde mi oreja.

Sonrío y asiento. Supongo que eso ayudará a relajarme.

Jonathan toca la bocina una y otra vez mientras pelea con otro conductor. Resoplo dándome cuenta de que vamos tarde a la universidad por su culpa.

—Ese imbécil se atravesó —refunfuña de nuevo, incluso cuando ya lo perdimos.

Me cruzo de brazos.

—«Seré puntual y más vale que estés lista cuando pase por ti a las ocho en punto» —intento imitar su voz.

Jonathan se ríe. Ayer me estaba molestando sobre que debía ser puntual, ¿y qué fue lo que pasó? Estuve a tiempo fuera de mi edificio esperándolo y él todavía ni salía de su apartamento.

—No te enojes, pequeña. —De nuevo toca la bocina a un auto que se estaciona donde él quería estacionarse—. ¡Maldito imbécil!

—Claro que me enojo, me dejaste esperando como idiota, imbécil.

—¡Perdón! Tuve una noche movida con una guapa chica —dice con una sonrisita de suficiencia.

Entorno los ojos y lo observo con fijeza.

—Claro, tú y tu polla no se pueden quedar tranquilos una noche, ¿verdad?

Suelta una carcajada y se estaciona. Me bajo del auto y él hace lo mismo, pero no deja de reírse cuando su brazo me rodea; me suelto de su agarre, molesta.

—Sabes que mi amigo es travieso y era fin de semana —explica con una sonrisa traviesa que no ayuda a mejorar mi humor.

—¡Cerdo!

He tenido largas conversaciones con mis amigos sobre el tema de las chicas. Me gustaría que tuvieran algo serio, me refiero a más de un mes o dos. Sé que respetan a las mujeres y cuando una les llama la atención se enfocan en ella, pero, por ahora, están divirtiéndose y tomándose las cosas con calma.

—Ya veo que estás irritable, Dylan tiene razón, necesitas sexo, eso te ayudará a relajarte… O te agitará más —bromea.

Le doy un puñetazo en el hombro y él ríe más.

—Y tú necesitas guardar a tu famoso amigo o se te desgastará.

Me mira un momento antes de que ambos estallemos en una carcajada. Vuelve a rodear mis hombros.

—Esa chica me gusta y quiero ver si funcionamos juntos —dice y enarco una ceja. Sonríe.

Ojalá sea cierto.

Me siento al lado de Diego, quien parece dormitar en una banca. De inmediato siento la mirada de Bárbara sobre mí. Levanto una ceja hacia ella hasta que…

—Hola, bella —dice Diego con una sonrisita, pero manteniendo una distancia prudente.

—Hola, chico cursi. —Le guiño un ojo y tomo mi móvil para contestar un mensaje de Harry, en donde me deja saber que aún no tiene nada sobre Nicolás. Me rasco el cuello, inquieta. ¿En dónde mierda se está escondiendo?

Me levanto de mi asiento y Diego me imita, ambos caminamos hacia el área verde.

—Hola, Diego. —Escucho la voz de Bárbara detrás. El mencionado se detiene a hablar con ella. No puedo evitar hacer una mueca. Dylan y Javier aparecen frente a mí de la nada y se lanzan a abrazarme. Cuando nos separamos, veo a Diego pasar con Bárbara por mi lado. Frunzo el ceño y los sigo con la mirada.

—¿A qué viene esa carita? —pregunta Dylan. Sigue la dirección de mi mirada y ve a las dos personas que observo—. Mmm... Pensé que era mentira y que ustedes estaban juntos.

—Pues ya ves que no —respondo encogiéndome de hombros.

Camino hacia el área verde y ellos me siguen hasta que nos dejamos caer en el pasto. Dylan me abraza y me mantiene bajo su brazo.

—¿Te encuentras bien? —pregunta Javier mirándome fijamente.

—¿Sobre lo de Nicolás? —pregunto y él asiente con la cabeza. Dylan me peina el pelo con sus dedos—. Nicolás escapó, está prófugo, y eso me da tanto miedo.

—Se veía venir que iba a escapar —suelta Dylan con odio—. Por suerte cayeron todos esos amigos poderosos que tenía. Ahora está solo.

—Tengo que dar mi declaración y me da miedo. Ellos caerán por mi culpa, pero Nicolás está libre. Si le hace daño a Alejandra o a ustedes… —Me callo sintiendo el miedo corroerme por dentro. Dylan suspira.

—Nosotros sabemos defendernos, que no se te olvide que éramos boxeadores, igual que tú, Amorcín, pero Alejandra…

Miro a mi amigo, quien se ha quedado pensativo. Javier se acerca, toma mi mano y le da una suave caricia.

—Todo estará bien. Lo van a detener, Ana, estoy seguro —dice intentando darme ánimos. Ni siquiera sabía cuánto necesitaba sus palabras hasta que asiento.

Quiero creer que lo van a atrapar y que todo terminará tarde o temprano. El problema es de qué forma va a acabar esto, no quiero que nada malo le pase a la gente que amo, tampoco a esas chicas inocentes que trafica.

Los gemelos me acompañan a la puerta de mi siguiente clase. Observo a Bárbara sentada con Diego y paso por su lado mientras los escucho reír. Me siento al lado de la ventana y miro hacia afuera.

Ignoro al dúo que conversa a gusto cuando noto de nuevo esa extraña sensación rasguñándome por dentro. Una sensación que parece expandirse cada día que pasa.

«¿En dónde estás, Nicolás? ¿Cuál es tu siguiente movimiento?», me pregunto, casi al mismo tiempo que mis ojos van a los vehículos que están en el estacionamiento y uno de ellos llama mi atención. Es un Audi que he visto antes, lo vi en la mañana siguiéndonos a Jonathan y a mí de camino a la universidad, lo cual me parece extraño. Pero no es lo único que me alerta, sino el hecho de ver a alguien al volante, allí, sin más. Saco mi móvil y tomo una foto. No es suficiente.

Me levanto con rapidez y salgo del salón dispuesta a sacarle una foto a la matrícula, pero cuando llego al estacionamiento ya es tarde, se ha ido.

Suspiro y vuelvo al salón, pensativa.

Tal vez me estoy volviendo loca o me estoy sugestionando por el estrés que me está causando Nicolás. Tal vez…

Capítulo 56

THE DARK ANGEL

Tamborileo mis dedos en el volante, paciente. Todo se trata de eso, de tener paciencia, ser metódico y estudiar los pasos de los ineptos que creen que pueden seguir los míos. Observo cómo la chica se acerca a donde está estacionado mi vehículo y sonrío imaginando el placer que obtendré cuando vea la vida apagándose en sus ojos. Me miro en el espejo del retrovisor y paso mi mano por las hebras negras mientras la chica de pelo castaño mira a ambos lados para cruzar.

Sonrío al saber que solo quedan unas horas para que su último aliento se extinga entre mis manos. La puerta se abre y Aylen me saluda con una bonita sonrisa. La veo por un instante antes de inclinarme hacia ella y darle un suave beso en los labios. Sus manos se enredan alrededor de mi cuello profundizando el acto, pero me aparto.

—Tranquila, linda. —Le doy un beso corto—. No le dijiste a nadie sobre nosotros todavía, ¿verdad?

—No —me confirma. Pongo un mechón detrás de su oreja y miro sus ojos azules, como los de ella—. Mis padres piensan que voy a estar en la casa de mis amigas, y mis amigas piensan que acompaño a mis padres a una cita médica.

Sonrío de lado y acaricio la esquina de su labio inferior.

—Lo vamos a pasar muy bien. Te lo prometo, bonita. Vamos a celebrar estas dos semanas de conocernos. —Ella asiente, y estoy a punto de ponerme en marcha cuando, de repente, un movimiento me hace girar la cabeza, y entonces la veo a través del ventanal del salón en que toma clase a esta hora.

Lo sé porque conozco su horario. Sus ojos se pasean por el estacionamiento y mis labios se curvan al notar que se altera buscando algo. Se pone en pie para salir de su salón, lo que aprovecho para poner el auto en movimiento. Una sonrisa aparece en mi rostro, estoy consiguiendo lo que quiero, como siempre. La voy a destruir psicológicamente, hasta que ella misma me suplique que la mate. La haré cargo de cada asesinato, porque ella ha sido mi musa para matar a chicas que tenían toda una vida por delante, pero que tuvieron la desgracia de parecerse a ella. No lo podrá soportar, lo sé, la conozco demasiado bien.

Me giro a ver un segundo a la castaña a mi lado, antes de volver mi vista a la carretera. En un par de horas estará muerta.

Inhalo su aroma a jazmín mientras su cuerpo se remueve con violencia en busca de aire. Mis dedos se tensan más sobre su cuello al tiempo en que empujo con más ímpetu en su interior. El éxtasis me alcanza cuando veo el brillo de sus ojos apagarse poco a poco, y un orgasmo arrasador me asalta cuando la luz en sus pupilas se desvanece por completo. El placer me envuelve, mi cuerpo cae sobre ella, satisfecho, y sonrío cuando las voces en mi cabeza me felicitan por mi hazaña.

Unas pocas horas después, ato cuerdas con rocas en cada una de sus extremidades. Empujo el cadáver al agua y lo observo hasta que termina de hundirse. Vamos a ver si mi querida Mariel logra sacar alguna pista o rastro sobre este asesinato.

Este juego apenas comienza.

Capítulo 57
DETECTIVE MARIEL

Respiro profundo antes de enfrentarme a mis compañeros donde va a estar Luis, como siempre, molestando e intentando desmeritar mi trabajo. Abro la puerta y todos se centran en mí esperando instrucciones de cómo se va a avanzar en la investigación. Me apoyo en el escritorio en medio del silencio. Harry me sonríe de lado, dándome ánimos, y suelto un suspiro. Estoy agotada, solo dormí dos horas, he estado revisando más de dos semanas de grabaciones en vídeo, en busca de alguna pista que me ayude a trazar una línea de investigación más acertada, y cuando estaba a punto de tirar la toalla encontré un auto sospechoso, pero con matrícula falsa.

—Como saben, estamos frente a un asesino serial y me temo que somos novatos aún con estos casos —empiezo y varios comienzan a murmurar—. El peor asesino que hemos tenido ha sido Manuel Delgado, a quien solo se le pudo comprobar siete asesinatos de los cuarenta y ocho de los que era sospechoso.

»Ahora tenemos a un asesino bastante astuto y que, hasta el momento, solo ha matado a tres mujeres entre la edad de dieciocho a veinticuatro años o, al menos, esos son los cuerpos que hemos encontrado. Es posible que haya más víctimas que aún desconocemos. —Me froto el puente de la nariz, suspiro—. Miren, seré honesta en decir esto, tenemos que ser rápidos o pronto serán más chicas, que pueden ser nuestras sobrinas, ahijadas o hijas.

Me quedo un momento callada evaluando a mi equipo. Todos parecen tan preocupados como yo.

—La investigación no ha dado muchos frutos, pero ya tenemos un modelo de vehículo sospechoso, un Alfa Romeo rojo sin matrícula —continúo—. González, necesito que traigas los documentos de este modelo de auto que hay en todo Barcelona y después iremos haciendo descartes. Cualquiera que tenga antecedentes, ya sea de robo, delitos sexuales o pornografía pasa a ser sospechoso hasta que verifiquemos sus coartadas. ¿Quedó claro? —Todos asienten—. Tenemos que ser rápidos, cada segundo que pasa una vida puede estar en peligro.

Me paso una mano por la cara y me muerdo el labio inferior antes de decir lo último:

—En unos días llegará el perfil psicológico detallado que hizo el FBI de nuestro asesino, pero me temo que ahora estamos a oscuras y tendremos que trabajar con la línea de investigación que acabo de explicar. Algo más, procuremos mantener a la prensa a ciegas. El caso ya es bastante complejo como para hacer de esto un circo mediático. ¿De acuerdo?

Todos hacen un asentimiento con la cabeza y cuando doy por terminado el encuentro, comienzan a salir del salón de reuniones, excepto Luis, quien se me acerca con una sonrisa de superioridad.

—Conmovedoras palabras, Mariel, disfruta tanto como puedas de tu cargo. —Mira su reloj y da toquecitos sobre él con sorna—. El tiempo pasa y los jefes quieren respuestas que no estás dando.

—Oficial Soto. Le ordeno que vaya a hacer su trabajo y me deje hacer el mío, y por favor, omita los comentarios que no aporten al caso, no me interesan.

Paso por su lado, pero me detiene tomándome de la muñeca, lo miro furiosa, pero me contengo para no darle un puñetazo por idiota.

—Muy pronto recuperaré mi cargo de jefe, Mariel —afirma con una sonrisa arrogante—. Las mujeres no son tan buenas en estos casos donde hay tanta crueldad.

Me trago la rabia y sonrío de lado, autosuficiente.

—Eso ya lo veremos.

Me suelto de su agarre y salgo dirigiéndome a mi oficina. No tengo tiempo para lidiar con el machismo de Luis y ahora mismo tampoco tengo la paciencia para soportar sus impertinencias. Tengo un maldito asesino por atrapar y al delincuente de Nicolás por refundir en la cárcel, y no descansaré hasta conseguirlo.

Estoy detallando el mapa donde fueron encontrados los cuerpos de las víctimas, cuando alguien toca mi puerta. Le doy luz verde para que pasen y Harry entra en mi oficina con una mueca que me alerta.

—Tenemos que ir a la oficina del periódico The España Post —dice y frunzo el ceño sin comprender—. Me acaba de llamar el director, Omar, y me asegura que le llegó una carta del asesino con un código.

—¿Qué? —Me pongo de pie—. ¿Cómo que un código?

—Sí, según lo que me dijo, hay una amenaza en la carta, y creo que será mejor ir a investigar para descartar que sea una broma.

—De acuerdo.

Salimos de la estación y no tardamos mucho tiempo en reunirnos con Omar y Benito, su socio, quienes nos ofrecen tomar asiento.

—Bueno, el día de hoy nos llegó esta carta y venía con este código, queríamos avisarles a ustedes antes de tomar una decisión.

Me pongo los guantes y tomo la carta para que Harry, también pueda leer.

Primera parte:

Estimado director, soy el asesino de las tres jóvenes que encontraron en el parque nacional, y para demostrar mi afirmación, voy a dar unos cuantos datos que solo la policía y yo sabemos:

1. Con una de las chicas, entré por la ventana una madrugada.
2. Dos víctimas tenían mordidas en unos de sus senos y marcas de cigarrillo.
3. Una de ella estaba sobre el costado derecho con los pies hacia el oeste.
4. Me divertí bastante jugando con sus cuerpos antes y después de acabar con sus vidas.

THE DARK ANGEL

POLICIA • POLICIA • POLICIA •

POLICIA • POLICIA • POLICIA

El código es parte de un mensaje en clave, las dos restantes se las enviaré con el paso del tiempo. Por ahora, quiero que a medida que los vaya enviando los vayan publicando en la primera plana, junto a una nota que invite a la sociedad a descifrar mi código y, por supuesto, que esté firmado por mí: **The dark angel.** Así se dirigirán a mí.

¡A que es un gran nombre!, ¿cierto? En fin, si no acatan mi orden, quedará en sus conciencias la muerte de otras hermosas chicas.

Además, quiero que esta información la compartan con la policía. Será divertido ver qué tan buenos son y si pueden atraparme. **¿Acepta el reto, detective Muñoz?** Porque a mí me encantaría jugar con usted. Le prometo que la mantendré entretenida.

Aprieto los labios en una fina línea al ser consciente de que dentro de las pruebas hay información que no fue revelada a la prensa. Está jugando. Ese maldito enfermo está jugando con la policía, conmigo. Harry guarda la carta en una bolsa mientras Omar me mira a la espera de una respuesta de mi parte.

—Creo que se trata de nuestro asesino y les pido que no informen nada sobre esto hasta que tengamos el código completo. Tenemos que descartar que no sea una broma.

—¿Qué hacemos con la amenaza? Dice que si no la publicamos matará a más personas —me recuerda Benito con molestia en la voz—. Tenemos que hacerlo y ya tenemos fotocopia de este código.

—¿Por qué no lo mandó completo si él es el asesino? —interviene Omar.

—Porque quiere jugar al gato y al ratón, tanto con la policía como con los medios de comunicación —digo pensativa.

Mis compañeros no paran de murmurar cosas sobre el código que están viendo, pero nadie tiene idea de lo que significa.

—Nadie sabe qué simbología es, todos están muy confundidos. Tal vez es un sujeto que vio las noticias y está haciendo una broma. Algunas de las informaciones que escribió en la carta son de dominio público —dice Harry a mi lado, llamando mi atención.

—No lo sé. Quizás tengas razón, han llegado muchas llamadas con nombres de posibles sospechosos que terminan siendo una broma —contesto—, pero hay cosas que nadie más que nosotros sabíamos. Si no es el asesino, ¿cómo se enteró él? Además, esos símbolos me son familiares. Aunque no recuerdo dónde los he visto.

—¿Quieres que traiga a un experto?

—Sí, por favor. —Me pongo de pie mientras todos en el salón de reuniones siguen evaluando la carta—. Me iré a mi oficina para seguir revisando el código.

Dejo a todos trabajando y me voy, con un peso enorme sobre mis hombros. Si de verdad The dark angel es el asesino, entonces esto es mucho peor de lo que pensaba.

EVIDENCIA

Capítulo 58

Estuve evitando a Diego durante esta semana, no porque no quiera verlo, sino porque estoy algo paranoica. El ver ese auto y no obtener noticias de Nicolás me tiene alterada, es como si se lo hubiera tragado la tierra. He hablado poco con Mariel porque está muy ocupada con el caso del asesino suelto, y lo entiendo.

Tres días antes

Me bajo del taxi frente a mi edificio con la esperanza de que los gemelos no hayan llegado. No quiero que me ataquen con preguntas de por qué me desaparecí la tarde entera sin decirles nada, pero necesitaba un tiempo a solas. Y ya que mis amigos clones se están quedando conmigo en estos días para hacerme compañía, últimamente no he tenido mucho espacio ni para pensar.

Cuando llego al portal de mi edificio un escalofrío me recorre entera, casi puedo sentir una mirada sobre mí. Miro a todas partes, y respiro de alivio cuando noto el auto de Simón estacionado, quien me hace señas para que me acerque.

—¿Cómo estás, bonita? —pregunta cuando me siento a su lado.

Abro la boca para responder, pero me quedo a medio camino cuando veo a Diego acompañado de Cameron, Alejandra, Bárbara y otra chica que no conozco. Frunzo el ceño. No me molesta que Diego esté con sus amigos, confío en él, aunque siento un poco de celos de ver a Bárbara siempre tan cerca.

—Estoy bien, aunque preocupada. No voy a estar tranquila hasta que lo atrapen.

—Lo sé…

Nos quedamos callados por un momento. Mi móvil comienza a sonar con una llamada de Diego, pero la ignoro porque no me siento con ánimos de ir a compartir con más personas y fingir sonrisas cuando me siento tan triste y frustrada.

—¿Podemos subir a tu apartamento? —pregunta Simón.

—Claro.

Nos bajamos de su auto y comenzamos a caminar hacia el edificio. Entramos en absoluto silencio en el ascensor. Lo miro de reojo y me doy cuenta de que está más delgado, su cabello rubio está más largo y tiene enormes ojeras debajo de los ojos.

—¿Todo bien? —pregunto y se pasa una mano por la cara y niega con la cabeza.

—He estado teniendo muchas pesadillas con Nicolás. En realidad, son recuerdos de nuestra infancia, pero ahora se repiten una y otra vez todas las noches.

Entramos en mi apartamento y no hay señal de los gemelos. Nos sentamos en el sofá y le presto toda mi atención a mi amigo, me necesita.

—¿Quieres hablar sobre eso?

—Es que no lo recuerdo bien, bonita. Tú sabes que entre mi hermano y yo jamás hubo una buena relación. —Asiento porque es verdad—. Recuerdo que cuando tenía siete años y él cinco, mi madre nos hacía dormir juntos la siesta. Una de esas tantas tardes desperté de repente y vi que estaba rodeado de cuchillos que apuntaban hacia mí, mientras él tenía una enorme sonrisa como si disfrutara de asustarme, porque sí, me asusté.

—Eso es horrible, ¿tu madre lo sabía?

—Claro que sí. La llamé y mi madre lo miró con horror, pero yo no le di demasiada importancia, éramos solo unos niños, pensé que quizás quería jugar a los piratas o… ¡qué sé yo! No entendía muchas de estas cosas hasta que a los siete u ocho años lo llevaron con un especialista.

—Tu hermano es un psicópata.

—Sí, hace años que lo creo. Jamás nos hemos abrazado o hemos conversado; también odia a mi madre. Con el único que se entendía bien era con mi padre. Siempre fue un niño solitario, pero después en la adolescencia ganó popularidad por ser el chico misterioso y guapo.

—Y tú, el más popular, fiestero, rebelde y mujeriego del colegio. Ambos son guapos, pero son tan diferentes —digo recordando esos tiempos.

—Han sido noches de mierda donde he estado reviviendo estos recuerdos. ¿Crees que fui un mal hermano?

—No lo sé, Simón, ustedes jamás unieron lazos, eran unos desconocidos que vivían bajo el mismo techo.

—Tal vez tuve que haber intentado acercarme más a él, pero cuando le pedía algo él me decía que no y me cerraba la puerta en la cara. Me odiaba. No le presté mucha atención a sus actitudes entonces, pero creo que me odia desde siempre. Supongo que lo hacía porque era el favorito de nuestros padres.

—No es tu culpa, eres buena persona. No te tortures, Simón, a veces las personas escogen caminos equivocados y toman malas decisiones. Tu hermano eligió mal, ahora debe pagar por ello. Son las consecuencias de sus actos, no de los tuyos.

Me abraza apretándome contra su cuerpo y suspira.

—Deja de hacer esto.

—¿Qué cosa? —Levanto la cabeza y nuestras miradas chocan.

—Deja de enamorarme cada día más. —Sonríe—. Ni siquiera sé cómo parar esto, aun cuando soy consciente de que tus sentimientos son para alguien más.

—Simón —comienzo a decir.

—Es la verdad, siempre te la digo, pero ya sé que mi declaración te incomoda.

—Exacto, Simón, eres mi amigo y no puedes decirme esto porque lo único que logras es hacerme sentir mal.

No dice nada, solo me abraza y la única razón por la que no me aparto, es porque sé que me necesita y porque lo quiero. Me importa.

Presente

Revuelvo por última vez las verduras en el sartén y camino a la puerta para abrir a quien sea que toca. Por un instante, me embobo con su bonita sonrisa.

—Hola, bella. —Me toma de la cintura y me da un suave beso en los labios—. ¿Estamos jugando a algo o qué? —pregunta con diversión.

—No. —Tomo el puñado de cabello que cae sobre mi hombro izquierdo y lo echo hacia atrás. Por un segundo la sonrisa traviesa que aparece en su rostro me hace querer huir —o saltar sobre él—. Hemos pasado una semana sin sexo, en parte porque ambos teníamos planes y los gemelos se fueron ayer a su apartamento.

—¿Segura? Porque te has estado escondiendo de mí y no entiendo la razón. —Se inclina y me estremezco cuando su boca roza con mi oreja—. O tal vez sí. ¿Es por Bárbara? ¿Porque nos has visto juntos?

—¡No! Confío en ti —digo, pero enarca una ceja, divertido. Ruedo los ojos—. Vaaale, sí me da algo de celos, pero muy poco.

Suelta una risa muy sensual y sus manos se afianzan en mi cintura, sobresaltándome cuando siento a su amigo muy despierto. Sonríe socarrón y nos dirige al interior cerrando la puerta a su espalda. Me levanta, me deja en la mesa y se coloca entre mis piernas.

—No sientas celos, mi Anastasia —me susurra y su nariz acaricia mi mejilla—. Te amo a ti. Eres tú la única chica que me enamora cada día más, la que tiene el poder de volverme un gilipolla enamorado porque cuando estoy contigo el resto del puto mundo se puede ir a la mierda.

—Poéticamente hermoso. —Lo abrazo—. Es normal sentir celos, pero que nunca se vuelvan tóxicos.

—Exacto. —Arruga las cejas—. ¿No hueles a quemado?

—¡Mierda! —Lo empujo, apartándolo, y salto para correr a la cocina. Por suerte, veo que se quemaron las cebollas, pero las otras verduras siguen intactas.

Escucho sus pasos acercarse hasta que lo tengo a mi espalda, rodeándome con los brazos y con su barbilla apoyada en mi hombro.

—¿Todo bien con tus verduras?

—Rescatable —digo apagando la estufa.

Siento su aliento sobre mi piel cuando sonríe. Y entonces sus labios empiezan a dejar pequeños besos en mi cuello, casi por instinto ladeo la cabeza para darle más acceso. Su mano se cuela dentro de mi camiseta y comienza a acariciar mi estómago.

—Diego —jadeo.

—Ah, cómo extrañaba hacerte jadear mi nombre. —Su otra mano desciende hasta adentrarse dentro de mi pantalón de chándal. Aprieto los muslos encarcelando su mano—. Traviesa, abre las piernas para mí —me pide con una voz ronca que me hace reír.

—¿Qué te pasa hoy? ¿Estás en modo dios del sexo? —bromeo.

—Solo quiero satisfacer a mi chica. Abre las piernas y relájate. —Muerde con suavidad el lóbulo de mi oreja.

Trago saliva y obedezco. Mis piernas se abren y no tardo en sentir su tacto dentro de mis bragas, haciéndome notar lo mojada que estoy. La palma de su otra mano merodea sobre la piel de mi estómago. Mi cuerpo se enciende, mi boca se seca. Su lengua se arrastra por mi mentón y giro la cabeza para alcanzar sus labios y besarlos con ganas. Abandono su boca casi en contra de mi voluntad y suelto un gemido cuando siento uno de sus dedos introducirse en mi interior, seguido de un segundo que me roba el aire. Sus dedos embisten contra mi sexo a un ritmo lento y suave, pero por poco tiempo, luego sus movimientos se aceleran mientras su pulgar roza con insistencia mi clítoris arrancándome de raíz un jadeo casi vergonzoso.

—Die-go —gimo clavando mis dedos en sus brazos y echando la cabeza hacia atrás, extasiada.

—Córrete para mí —me susurra y clava sus dientes en mi piel. Joder.

Cierro los ojos y me dejo llevar por la cadencia de sus empujes, por su lengua recorriendo la curva de mi cuello, por su cuerpo pegado al mío. ¡Mierda! Exploto contra sus dedos y dejo caer la cabeza contra su hombro, disfrutando aún del placer alcanzado. Diego me sostiene hasta que recupero la respiración y cuando me giro a verlo está saboreando mi orgasmo en sus dedos.

—¡Diego! —exclamo entre sorprendida y excitada.

—Eres deliciosa. Muy pronto serás el postre para mí.

—No seré bañada en chocolate para tu pervertida mente, estoy fuera del menú.

—Oh, es una lástima porque pronto lo estarás. —Me guiña un ojo—. ¿Me invitas a cenar?

—Claro, pero me doy una ducha primero —digo y el muy tonto sonríe complacido. Resoplo y subo las escaleras mientras lo escucho sacando los platos.

Cuando regreso él ya tiene todo listo, me da un beso en la frente y corre la silla para mí. Alzo una ceja hacia él porque está siendo muy detallista y caliente.

—¿Por qué me has estado evitando, Anastasia? —pregunta sin más.

—No te he estado evitando, sabes que los gemelos se quedaron esta semana aquí y bueno, tenemos que fingir, además, el miércoles me reuní con Simón y... —comienzo a divagar, lo que hace que su sonrisa se agrande.

—Mientes tan mal, bella. —Su sonrisa se borra como si hubiese recordado algo—. ¿Te reuniste con Simón? —pregunta frunciendo el ceño—. Ese día te estaba llamando para que subieras a compartir con nosotros, pero ya entiendo por qué no me contestabas.

—Perdón, es que me necesitaba. —Golpeo el tenedor contra el plato y asiente—. Realmente lo vi mal, tenía muchas ojeras y hasta perdió unos kilos. No está pasando por su mejor momento.

—Apuesto a que sí. —Noto el tono irónico en su voz—. Solo espero que no esté fingiendo para manipularte porque imbécil no soy, Anastasia, él está enamorado de ti y no va a parar hasta que vuelvas a él.

—Sé cuidarme, Diego, y te recuerdo que Bárbara también está enamorada de ti. Por favor, no peleemos por esto. —Tomo su mano—. No tienes motivos para desconfiar de mí, te quiero a ti.

Quizás aún no me sale decirle que lo amo, aunque lo hago, pero quiero que sepa que nadie va a ocupar su lugar en mi corazón.

—Y yo a ti —me responde con una sonrisa y me lanza un beso que me hace reír.

Comemos entre bromas sobre las locuras que hice en las noches con los gemelos, como el hecho de que me dejaron que les pintara las uñas y los maquillara.

Ahora estamos sentados en el sofá, abrazados y cubiertos con una manta, viendo *It* para pasar el rato. Suspiro con pesadez. Él lo nota.

—¿Qué pasa? —pregunta acariciando mi espalda mientras mi cabeza reposa en su pecho.

—Tengo miedo —confieso—. Sé que a veces no soy la persona más comunicativa sobre mis sentimientos. No es fácil para mí confiar en la gente. Tampoco es fácil sentirme segura en un lugar o poder llamarlo hogar cuando sé que en cualquier momento tendré que escapar.

Toma el mando del televisor, baja el volumen y se concentra en mí. Inclino la cabeza para poder mirarlo y dejo mi mano en su pecho.

—¿Cuántas veces has escapado de él? —inquiere. Hago una mueca.

—Me faltan dedos en las manos para contarlas. Es increíble como una persona en la que antes confiaba y amaba terminó convertida en un monstruo. Hasta ese día en la bodega, él jamás me había pegado.

—¿Qué tanto lo amabas? —Acaricia con paciencia mi mejilla.

—Seré sincera, lo amaba, pero porque era mi primera relación seria. No puedo decir que fue mi primera ilusión, ese fue Simón. —Suelta un bufido que me hace reír—. No seas celoso, eso solo fue una tontería, era una chica que no sabía en el juego que me estaba metiendo con Simón, en ese momento, para él fui una de sus tantas chicas desechables.

Él abre los ojos con sorpresa.

—¿En serio?

—Ajá. Fui una estúpida por entrar en ese juego. Cuando te conocí eras tan parecido a él y te odié por eso, no te aguantaba porque recordaba que solo fui una más de sus conquistas y pensé que era lo mismo para ti, solo un reto a cumplir para satisfacer tu ego. Cuando estábamos saliendo, por así decirlo, yo misma lo vi cómo se llevaba a otra chica al camerino para tener sexo, para luego venir a besarme a mí.

Diego parece desconcertado. No dice nada, yo continúo:

—Quiero mucho a Simón, pero me hizo sentir tan poca cosa cuando estuvimos juntos que no volvería a caer por él. Sé que ha cambiado, pero nuestra historia ya pasó y no funcionamos como pareja.

—Eso me hace sentir mejor —dice con una sonrisa tímida. Sonrío.

—No quiero sonar muy cliché diciéndote esto, pero estar contigo redefine lo que creí del amor. —Paso mi mano de forma distraída por su abdomen mientras sus dedos peinan mi pelo—. Contigo el amor se siente puro y seguro, Diego. Contigo todo se siente real. Gracias por regalarme un amor verdadero.

—¡Dios mío! Eso fue… hermoso. —Toma mi cara entre sus manos—. Nuestro amor es sanador, mi bella, porque mi corazón estaba en un lugar oscuro y solitario donde no cabían los sentimientos, hasta que llegaste tú y lo sacaste de allí.

Mis labios se curvan en una sonrisa antes de alcanzar los suyos y darle un beso tierno, sereno, gentil. Vuelvo a recostar mi cabeza en su pecho y sus brazos vuelven a acunar mi cuerpo. Unos minutos después, mientras vemos la peli, recuerdo algo.

—Mañana tengo la cita con el psicólogo, ¿estás seguro de que me quieres acompañar?

—Por supuesto. —Acaricia mi brazo—. Ya te lo dije, siempre voy a apoyarte, a estar ahí contigo. Estaré fuera de ese consultorio para darte ese abrazo que necesitarás. —Deja un beso en mi nariz y otro en mi frente.

Sonrío y lo abrazo más fuerte, sintiéndome afortunada por tenerlo en mi vida, sin embargo, hay una inquietud que no se aparta de mí desde que Nicolás escapó, y es que lo sé… Ese monstruo sigue al acecho y algo me dice que está más cerca de lo que todos pensamos.

La rubia me vuelve a abrazar mientras canta las canciones de *High School Musical*. Río ante su emoción al soltar cada letra de *Breaking free*. Cierra su mano en un puño y la posa frente a su boca fingiendo que es un micrófono. Tomo su mano y me uno a ella haciendo el dueto más desafinado pero divertido que hemos hecho.

La adrenalina nos gana y nos ponemos de pie para empezar a saltar sobre la cama disfrutando de cantar a todo pulmón una de las canciones de nuestra película favorita de Disney. Cuando la música termina estamos abrazadas y sonriendo.

—Necesitábamos una tarde de chicas —dice mientras nos sentamos de nuevo.

—¡Dios! Estamos viejas. —Hago una mueca—. Aún puedo recordar cuando nos la pasábamos cantando estas canciones y pensábamos que la secundaria era un musical. —No puedo evitar reír; éramos tan ingenuas a la edad de siete años.

Ale me da un beso en la mejilla y me hace seña para que me ponga de espalda. Empieza a peinarme.

—Toda una vida juntas. ¿Te das cuenta de todos los años que llevamos siendo mejores amigas? Jamás te dejaré ir, ¿lo sabes?

—Yo tampoco, rubia, todos esos años han sido los mejores, eres mi hermana.

—Sí, de distintos padres, pero hermanas. Te amo, tontita, aun cuando me alejaste por un tiempo. —Siento sus manos en mi pelo—. Fuiste muy cruel, no sabía qué pensar. —Deja mi cabello por un momento y me giro a verla.

—Te estaba protegiendo de la única forma que se me ocurrió. —Tomo su mano y sus ojos se cristalizan—. Te amo, eres una pieza fundamental en mi vida y no me perdonaría si algo te pasara. Me moriría. —Trago saliva sintiendo el peso de la angustia en el pecho.

—Te amo, y yo también me muero si algo te pasa, Anastasia. Cuando te encontré ese día en el suelo, sentí que mi corazón dejaba de latir. —Hace una pausa, pensativa—. ¿Sabes algo? Hace casi cuatro meses puedo jurar que te vi una vez en el parque, ¿eras tú?

La abrazo y beso su mejilla.

—Jamás te dejaría sola, Alejandra. Te dejé verme para que supieras que estaba bien y que estaba más cerca de ti de lo que tú pensabas.

—¿Cuándo crees que esto termine? —pregunta preocupada. Suelto un suspiro y niego con la cabeza—. Me siento incómoda de tener a alguien cuidándome, aunque el policía es muy *sexy*. —Sonríe con picardía. Yo niego con la cabeza—. Pero no se lo digas a Cameron porque se pone celoso. —Suspira con dramatismo y se abanica con la mano—. El poli es muy ardiente.

Me echo a reír. Está loca.

—Sigues siendo una descarada. —Golpeo su hombro con el mío.

—Si no estuviera tan enamorada de Cameron, le diría a mi *sexy* guardaespaldas que puede guardarme el frente mientras me hace un sensual baile. —Me guiña un ojo y ambas estallamos en carcajadas.

¡Dios! ¡Cuánto extrañaba esto!

Cuatro horas después, Alejandra duerme profundamente a mi lado. Voy al baño y cuando paso frente al espejo casi me da un infarto al ver mi cabello lleno de distintas trenzas que me hizo la que se dice mi amiga.

—Paciencia, señor. Todo se trata de tener paciencia —me doy ánimos empezando a deshacer el desastre que me hizo la muy desgraciada.

Aun así, sonrío, porque sin importar lo loca que está, soy feliz de tenerla conmigo.

Me echo a reír ante la imagen de Alejandra cubierta por toda la cara y el pelo. Ella me mira molesta y mi sonrisa se borra cuando la veo tomar un puñado de harina; doy un paso atrás al reconocer sus intenciones. Levanta su mano y hace su lanzamiento; la harina vuela por mi cocina y me llega a la cara.

Suelto un grito porque me acabo de bañar. Entorno los ojos en su dirección mientras sonríe satisfecha. Pero no pierdo mucho tiempo, me hago de otro puñado del polvo blanco y desencadeno una guerra feroz que nos deja jadeando.

—Déjame, Anastasia. —Se ríe cuando me lleno las manos de harina y se la restriego por todo el pelo. Ambas reímos hasta que tocan la puerta de mi apartamento, y nos quedamos quietas unos segundos, mirándonos. Camino hacia la puerta seguida por la rubia, miro por la mirilla encontrándome con Cameron y Diego, quienes parecen parlotear ajenos a mi escrutinio. Abro la puerta y, al hacerlo, sus ojos se abren de par en par justo antes de empezar a evaluarnos.

—Pero... ¿qué les pasó? —pregunta Cameron, asombrado.

—Fue ella —decimos ambas a la vez, apuntándonos.

—No, tú comenzaste —dice Alejandra con un puchero—. Yo solo quería hacer *hot cakes.*

Suelto una risa porque es cierto, no pude evitarlo, estaba tan concentrada haciendo la mezcla que no se dio cuenta de mis intenciones. Cameron se acerca a ella y le da un beso, mientras Diego y yo nos quedamos quietos. Luego se acerca, me quita un poco de harina de la cara y me da un beso en la mejilla.

—Buenos días, Anastasia —me saluda y no sé por qué, pero se me calienta el rostro. Debo estar sonrojada. Aun así, me tomo el tiempo de escanearlo, viste un pantalón de mezclilla, una camiseta de manga larga gris y un gorro del mismo color. Noto algunos mechones de pelo asomándose. Me gusta su estilo.

—Hola, Diego.

Cameron y Alejandra se aclaran la garganta, nos observan con curiosidad y diversión como diciendo: «Van a volver y muy pronto». Yo niego con la cabeza y camino de vuelta a la cocina. Maldigo al darme cuenta de que todo está sucio y hecho un desastre. ¡Joder!

—No te quejes ahora que fue tu culpa —me recuerda Ale siguiendo mis pasos.

La rubia me mira a mí y luego a la harina, y sonrío al entender lo que me dice con la mirada. Ambas asentimos antes de atacar a nuestros chicos arrojándoles el polvo a la cara.

Soltamos una carcajada al ver sus caras de sorpresa, pero terminamos retrocediendo cuando ahora son ellos quienes nos atacan. Alejandra suelta un grito cuando Cameron le lanza todo lo que queda del paquete. Mi amiga queda completamente blanca. Su novio suelta una risa y ella lo fulmina con la mirada hasta que él la abraza y la besa con ternura en los labios.

—Me muero por besarte —me susurra Diego mientras los tórtolos siguen en lo suyo.

—Voy a buscar la escoba y la pala para limpiar este desastre —informo—. Sacúdanse todo lo que puedan, no pienso limpiar dos veces. —Salgo de la estancia. Abro el pequeño cuarto donde guardo las cosas de limpieza y siento cómo alguien me empuja y cierra la puerta dejándonos a oscuras; mi espalda choca con el mueble de una pared.

—Quiero mi beso —dice Diego, y antes de que pueda reaccionar, su boca ya está cubriendo la mía. Mis manos se afirman en sus hombros y sus brazos rodean mi cintura mientras siento sus labios cálidos devorando los míos; el beso dura poco porque tenemos que fingir frente a todos, pero se siente de maravilla.

Le paso la pala y tomo la escoba, ambos salimos del lugar como si nada. Cuando regreso con mi amiga, veo que ya no parece un fantasma. Obligo a todos a que me ayuden a limpiar y a ordenar, y una hora después, por fin, estamos desayunando.

Observo a Alejandra con su pelo rubio aún hecho un caos. Sonrío porque hace tiempo que no estábamos así; me arrepiento de haberme comportado tan mal con ella, tal vez la solución siempre fue haberle dicho la verdad, pero en ese momento no sabía qué hacer, tenía miedo y aún lo sigo teniendo. Han pasado años y todavía siento que muero cuando lo recuerdo. Y todo por el maldito de Nicolás, es un monstruo que ataca cada vez que intento sanar. Recordándome lo que hice y la culpa que arropa mi alma.

Tengo terror de despertar un día y no verla conmigo, terror de que me arrebate a mi hermana de vida, mejor amiga y mi compañera de todas mis locuras.

—¿Te encuentras bien? —pregunta la rubia. Yo asiento, porque ¿cómo le digo que a pesar de estar feliz por tenerla conmigo, el temor de que le hagan daño me clava las uñas en el pecho? ¿Cómo le confieso que mi corazón tiembla al saber que por mi culpa ella está en el punto de mira de un demente obsesionado conmigo?

Respiro hondo y sonrío a Cameron cuando dice algo que parece causar gracia, pero que ni siquiera logro escuchar. Sonrío como si no sintiera las sombras de mi pasado merodeando a mi alrededor, listas para atacar. Solo sonrío.

Capítulo 59

THE DARK ANGEL

Me acomodo los mechones pelirrojos mirándome en el espejo retrovisor y sonrío con el resultado; me pongo los lentes de leer. Observo cómo la pareja se estaciona en el lado más oscuro del mirador buscando privacidad, aunque no hay nadie alrededor. Excepto yo. Ajusto mi gorra de policía y tamborileo los dedos contra el volante por la emoción de matar de nuevo.

—¡Hazlo! —me dice una voz en mi cabeza mandando adrenalina a mi cuerpo.

Me lamo los labios sintiendo ansiedad por volver a tener el control sobre la vida de una persona. Jamás pensé que se iba a volver adictivo arrancarle el último aliento a alguien, al principio lo hice por curiosidad y por experimentar, pero ahora me deja hambriento e insatisfecho. Necesito más. Necesito sentir el placer indescriptible de poder decidir si viven o no.

Me bajo del vehículo y camino hacia el auto de la pareja, me acerco y golpeo el cristal con la linterna. El chico abre los ojos con sorpresa antes de bajar la ventanilla; me da una pequeña sonrisa nerviosa.

—Oye, ¡qué susto nos diste! —dice. No pierdo tiempo, saco mi arma y apunto directamente a su frente; aprieto el gatillo dejando su cuerpo inerte al instante. Casi sonrío, pero no tengo tiempo. El grito de la chica me alerta. Me apresuro a rodear el auto, abro la puerta y la saco de allí en medio de sus pataletas.

—Por favor, por fa… —su súplica queda a medio camino cuando le golpeo la cabeza dos veces con el mango del arma y la dejo inconsciente.

Me tomo unos segundos para cerciorarme de que no hay nadie alrededor y luego cargo el cuerpo y la dejo en el maletero. Tomo sus manos y las esposo.

Me saco los guantes y me subo en el coche dejando atrás el auto junto al cadáver de mi primera víctima de la noche. Acelero y pongo algo de música para relajarme. Cuando estoy llegando a la cabaña, la chica comienza a gritar y a pegarle al maletero, creo que alguien se despertó justo a tiempo para la fiesta. Sonrío sintiendo electricidad por todo el cuerpo. Casi puedo saborear el éxtasis de clavarme en su interior mientras escucho sus súplicas para que la deje vivir. Sin éxito. Definitivamente esta será una noche orgásmica.

Capítulo 60

DETECTIVE MARIEL

Miro de nuevo las fotos de las chicas que han sido asesinadas. Me siento frustrada porque no tengo nada, el asesino es demasiado astuto para dejar alguna pista. Detallo las imágenes, las chicas tienen ojos azules o verdes, pelo largo, castaño claro u oscuro, piel blanca y estatura entre 1.65 a 1.70.

El pánico ha crecido ahora que han desaparecido dos chicas más y un chico ha sido hallado muerto dentro de un auto a causa de un disparo, antes de que se llevaran a su acompañante. De ella se encontraron algunas muestras de sangre en el pavimento. Por eso no es nuestra presunta sospechosa de asesinato. Al principio se puso en duda la última desaparición porque era una pareja, pero cuando vi la foto de la chica supe que no lo era porque tenía las mismas características que tenían las víctimas que hemos encontrado. A pesar de que teníamos cuatro sospechosos, se fueron a la mierda porque el ADN que encontramos no coincidió con ellos, así que de nuevo estamos en el punto de partida.

Me acerco una vez más al mural donde están las fotos de las víctimas. Todas han tenido el mismo destino, fueron abusadas sexualmente y torturadas antes de que el asesino las estrangulara. El sonido de la puerta al abrirse llama mi atención, y entonces Harry entra a mi oficina y deja un documento sobre mi escritorio. Lo miro y él sonríe.

—Lo ha mandado el FBI, es el perfil psicológico del asesino.

Me siento, lo tomo y comienzo a leer con detenimiento:

Varón blanco entre 23 y 29 años; delgado y alto. Su casa debe estar muy ordenada y limpia, seguramente habrá pruebas del crimen en su habitación o sótano. Posible historia de enfermedad mental, consumo de drogas y alcohol. Será social, en apariencia, tanto con mujeres como con hombres, probablemente pase mucho tiempo fuera de su casa. Desempleado o estudiante de universidad. Si convive con alguien serán sus padres o abuelos, pero es poco probable. Se perfila como un sujeto encantador y apuesto que utiliza su apariencia para acercarse a sus víctimas y ganarse su confianza. Sociópata y con conocimientos específicos criminalistas, por lo que es muy difícil que deje alguna prueba del crimen.

Se lo entrego a Harry, quien lo empieza a leer. Me pongo de pie y me acerco de nuevo a las imágenes de las víctimas. Todas las chicas eran muy guapas y estaban entre los 18-20 años. El asesino debe ser universitario porque todas las chicas que desaparecieron iban a la universidad.

—¿Qué opinas, Mariel? —pregunta Harry. Me giro a verlo un momento antes de volverme a centrar en las fotos.

—Que tenemos un asesino muy inteligente y será difícil de encontrar. Podría ser cualquiera, Harry. No tenemos nada y seguimos esperando que mande las otras partes del código que hasta el día de hoy no hemos podido descifrar.

—Esto es una mierda. Justo cuando estamos con el caso de Nicolás pasa esto; hace ya un mes que está libre y Anastasia tiene mucho miedo...

—No la dejaremos sola, se sigue buscando a Nicolás, pero nuestros jefes nos han dicho que este caso es nuestra prioridad y tenemos que seguir esas órdenes, nos gusten o no.

Jamás dejaría de lado a Anastasia. En el poco tiempo que la conozco le he tomado cariño. Sé que no es ético de mi parte, pero tiene esa chispa que tenía mi hermanita y me agrada mucho. Harry se levanta y se acerca a mí.

—Por ahora ella está bien y la tenemos vigilada las veinticuatro horas, lo encontraremos.

La puerta se abre y Rick aparece con expresión funesta. Su cara lo dice todo: se ha encontrado otro cuerpo. Quiero llorar de rabia. Suelto un largo suspiro, será un largo día.

—¿Dónde? —le pregunto tomando mi chaqueta y mi arma.

—En el mismo parque, pero en una nueva hectárea. Al parecer se ha vuelto el lugar favorito del sujeto.

—Mierda —masculla Harry.

Tomo todo lo que necesito para ir a otra escena del crimen. Salimos a toda prisa de la estación de policía y cuando me subo al coche de Harry, él me mira de reojo. Supongo que me conoce lo suficiente para notar mi agobio.

—Este asesino es más astuto de lo que creíamos, es casi un fantasma que no deja rastro. —Dejo escapar el aire—. El ADN que se pudo conseguir tuvo que ser completado, lo que no es cien por ciento fiable.

—Ya verás que lo resolveremos juntos. —Intenta animarme. Toma mi mano y le da una suave caricia, la mía reacciona entrelazándose con la suya y sus ojos se abren de par en par con asombro. Rompo el espacio que nos separa y le doy un corto beso en los labios.

—Sé que te gusto, Harry —le confieso y sus mejillas se tiñen de rojo; sonrío porque se ve tierno—. A mí también, pero pensé que serías más rápido.

Parpadea un par de veces y luego toma mi rostro entre sus manos para besar mis labios de forma tierna; su nariz acaricia la mía.

—Me gustas mucho, pero a la vez me intimidas... Eres mi jefa y no sabía qué esperar de ti. Eres increíble, Mariel.

Le doy un beso fugaz y me aparto.

—No es momento de ser románticos, Harry, después hablaremos de nuestros sentimientos, ahora tenemos trabajo.

Asiente y empieza a conducir. Y yo me sumerjo en las sensaciones horribles que me produce este caso. Odio no tener ningún sospechoso, todos los que teníamos fueron descartados y perdimos horas y horas de trabajo con las personas incorrectas. ¡Maldición!

Cuando llegamos a la escena, veo que varios de mis compañeros ya están en el lugar, pero cuando me dispongo a entrar, Luis me corta el paso. Lo fulmino con la mirada, no estoy de humor para escuchar sus estupideces.

—Alto, cariño, será mejor que nos dejes el trabajo a los hombres. —Sonríe egocéntrico—. Tal vez te traumes con lo que verás.

Suelto un gruñido, ya estoy cansada de este imbécil.

—Muévete de una vez, cariño —le ordeno con voz suave pero firme. Él me deja pasar, pero me vuelvo a mirarlo—. Que no se te olvide que soy la jefa y no es mi culpa que haga el trabajo mejor que tú, por algo te sustituyeron. Madura, hombre.

Lo dejo atrás y avanzo hacia donde yace el cuerpo desnudo de una chica. Me pongo los guantes y Harry comienza a sacar fotos; Gonzalo se acerca.

—¿Cómo lo encontraron? —le pregunto a este último.

—Estaba flotando, supongo que el asesino no le puso roca para que se hundiera. Ese señor lo encontró. —Me señala a un hombre moreno que está del otro lado y que debe tener entre unos sesenta y cinco a setenta años.

—La víctima fue estrangulada. —Me agacho y observo sus uñas, algunas están quebradas—. Hay indicios de resistencia, así que de seguro el agresor debe tener algunos rasguños. El malnacido sabe lo que hace, lanzó el cuerpo al agua, sabía que esta borraría todo posible rastro de evidencia.

Harry asiente y se aproxima a hacer su propia evaluación. Trago saliva al notar lo que ya imaginaba, son los mismos rasgos de las demás: cabello castaño oscuro y largo, casi hasta la cintura; debe medir 1.68 de altura y su piel es muy blanca. Además, tiene las mismas lesiones y evidencia de abuso. ¡Dios!

—Creo que la mató hace casi tres o seis días. No sabría decir con exactitud el tiempo porque el agua aceleró el proceso de descomposición.

Maldigo mientras sigo examinando el cadáver. Reviso las uñas de su otra mano y el corazón salta en mi pecho con lo que encuentro. Es muy poco, pero hay rastros de lo que asumo es piel y sangre que debió secarse antes de que la lanzaran al lago. Le pido a Harry el instrumento para tomar la muestra y la recolecto empacándolo en una bolsa plástica para enviar a laboratorio. Pasamos casi tres horas revisando la escena en busca de cualquier otra pista y encontramos otra huella de bota que esperamos que nos sirva en la investigación. El maldito sabe bien lo que está haciendo, pero no pierdo la esperanza de que la autopsia arroje más pruebas, que se encuentre un ADN claro. No voy a darme por vencida.

—Adelante —digo cuando alguien toca mi puerta.

Harry entra a mi oficina con la foto y el nombre de la chica: se llamaba Marisol, tenía diecinueve años y estudiaba danza, era muy guapa.

Cuando levanto la mirada, Harry me observa.

—Tengo información sobre la huella que encontramos en la escena del crimen. Es de talla cuarenta y uno y marca Wing Walker, son de estilo militar diseñadas para caminar en las alas de aviones y solo se venden en puestos militares.

—Esos zapatos no se pueden comprar sin una identificación militar, así que nuestro asesino podría ser uno. ¿Puedes reducir la lista de sospechosos con base en esto? —le pregunto y él asiente con la cabeza.

—Tendría sentido que fuera un militar. —Suelto un largo suspiro—. También podría ser un policía, porque en las escenas del crimen no hay nada, solo huellas de zapatos y esa muestra que tomamos hoy. Cuando abusa de sus víctimas lo hace con condón para no dejar su ADN y después es como si les diera un baño para borrar todo lo que pueda quedar de él.

—Es una opción, pero sería un gran problema.

—Claro que lo sería, Harry. Eso significa que no podríamos confiar en ninguno de nuestros compañeros. —Me paso la mano por la cara, frustrada—. Esto es un desastre. No estamos en posición ahora de desconfiar de los nuestros.

Él asiente.

—Primero concentrémonos en esta huella y en los militares, pero sabes tan bien como yo que vamos a tener que estar atentos a las acciones de nuestros compañeros.

Aprieto los ojos sintiendo que el peso sobre mis hombros se vuelve cada vez más pesado. Este caso solo se vuelve más complejo y ello, ligado a Nicolás libre por las calles, tiene mi cabeza a punto de estallar.

—Bien —digo aceptando que esto se está llevando todas mis energías, pero también soy consciente de algo, no renunciaré, no dejaré a un tratante de personas y a un asesino serial en las calles. Haré hasta lo imposible por detenerlos, eso puedo jurarlo.

Capítulo 61

Anastasia

—¿Qué tienes? —pregunta Diego dejando un mechón de cabello detrás de mi oreja. Suspiro. Hace un rato llegamos de comer con Alejandra y Cameron, y ahora estamos sentados en el sofá de mi piso mientras todos sus amigos llegan, ya que Diego decidió hacer una pequeña reunión en su apartamento.

—Estoy cansada —admito.

—Pensé que en la noche íbamos a tener nuestra fiesta privada —dice y me da un beso en el hombro.

—No es eso, bobo. —Me río—. Quiero dejar de fingir, es algo que me tiene cansada.

Me mira segundos antes de inclinarse y besarme en los labios, mis manos van a su cuello para afianzar el beso. Cuando se aparta acaricia mi mentón.

—¿Estás segura?

—Sí, pero solo con nuestros amigos, ya me cansé de fingir con ellos, además, creo que ya lo sospechan.

—Sabes que por mi parte no hay problema, yo ya lo hubiera dicho, pero me aterraba que te enojaras conmigo y te fueras —confiesa.

—No me iré, Diego, jamás me hubiera ido de tu lado.

—Me haces feliz, bella. —Me da un beso rápido y luego mira su reloj—. Debo irme, los chicos están por llegar. ¿Te veo allá? —pregunta haciéndome ojitos. Es imposible decirle que no. La verdad es que quiero compartir con mis amigos, pero no me apetece verle la cara a Bárbara, quien se ha colado en la reunión. Como siempre.

Ruedo los ojos.

—Vaaale. Iré en un rato.

Su sonrisa se ensancha. Vuelve a besarme para luego salir por la puerta de mi apartamento bastante entusiasta. No puedo evitar que mis labios se curven. Cuánto quiero a este chico.

Dylan me abre la puerta del apartamento de Diego, y antes de que pueda saludarlo, un grito me sobresalta.

—Pero ¿qué…?

—Llegaste a tiempo para disfrutar del show —me dice el gemelo frente a mí. Me guiña un ojo y me deja pasar. Y entonces, veo lo que no creí ver jamás. Diego tiene la cara roja de la rabia y lanza un puñetazo que manda al suelo a Carlos.

¿No eran amigos? Los presentes solo observan, Bárbara está en primera fila mirando con horror y yo abro la boca para preguntar qué sucede, pero la respuesta llega antes de que pueda preguntar.

—¡Maldito enfermo! ¡Querías drogar a Anastasia!

Doy un respingo ante sus palabras, viendo cómo Diego levanta al sujeto por la camiseta. Bárbara suelta un jadeo y noto que Alejandra la mira como si quisiera matarla, ¿pero qué carajos pasa aquí?

—No sé de qué hablas. —Intenta defenderse Carlos. Hay sangre en sus labios.

Diego ríe sin gracia. Lo que me avisa que algo no anda bien.

—¿Crees que soy imbécil? —sisea Diego. Siento el brazo de Dylan pasando por mi hombro, pero solo puedo ver la escena que me tiene desconcertada—. Te la has pasado apostando que vas a tener sexo con ella y ahora eres tan miserable de planear drogarla para llevarla a la cama. ¡A mi novia, idiota!

—¿Tu novia? —preguntan Carlos y Bárbara al mismo tiempo. Diego lo suelta de un empujón y me mira. Parece que acaba de notar mi presencia. Trago saliva y camino hacia él cuando me extiende la mano. Entrelazo mis dedos con los suyos.

—Mi novia —confirma dándome un suave apretón.

¿Ese idiota pretendía drogarme? ¿Y qué hace aquí? ¿No se suponía que estaba de intercambio?

—¡Oh, vamos, era demasiado obvio! ¿Acaso nos ven cara de estúpidos? Al menos a mí no me engañaron porque soy espectacular —dice Dylan dando un trago a su cerveza y sacándome del *shock*. Lo empujo.

—¡Cállate, baboso! —Se me escapa una risa tensa mientras noto que Bárbara me fulmina con la mirada. Como si me importara.

—Da igual que sean novios o no. No es cierto lo que dices. Era solo una broma —dice Carlos limpiándose la sangre—. Estás exagerando, amigo.

—¡Broma y una mierda! —suelta Diego y noto su cuerpo tensarse. No dejo su mano, al contrario, lo tomo de la muñeca evitando que se le vaya encima—. Desde que llegaste no has parado de preguntar por ella. Además, ¿qué era lo que tú y Bárbara decían en mi baño? ¿Que ambos iban a conseguir lo que quieren esta noche? ¿Que iban a drogarnos para tenernos a su merced? ¿Que yo iba a estar en la cama de la que se supone es mi amiga, y que tú, mi supuesto amigo, ibas a tener sexo con mi novia?

El aire parece comprimirse dentro de la estancia. La sangre me hierve ante tal declaración y mis ojos vuelan como dagas en dirección a la pelirroja. Quiero patearle el culo a esa maldita zorra, pero mi novio está tan alterado que prefiero contenerlo.

—Eso es mentira —insiste su amigo, y casi lo veo con la cara hecha mierda cuando noto que Diego intenta soltarme. No lo permito.

Me mira y suspira, luego mete la mano en un bolsillo y saca un pequeño paquete.

—Alejandra estaba en mi habitación y los escuchó. —Se tensa aún más—. Ese imbécil pensaba hacerte daño. —Se suelta como si solo decir las palabras lo pusieran más furioso.

—Diego, por favor —digo, y se gira en redondo hacia Bárbara, quien palidece.

—¡Y tú! —le grita molesto—. Pensé que eras mi amiga, pero veo que no. ¡¿Qué mierda te pasa?! ¿Qué está mal contigo para intentar abusar de mí? Te di mi confianza, ¡maldita sea!

—Diego… —Comienza a llorar.

Los gemelos me abrazan y Jonathan literalmente se pone como un escudo frente a mí. Veo a Diego pasarse una mano por el pelo, un claro gesto de que va a perder el control en cualquier momento.

—Creo que a tu novio le va a explotar esa vena en el cuello. Mira cómo le palpita —me susurra Dylan.

En otro momento me hubiera reído, pero la verdad es que estoy tan furiosa que antes de poder razonar, me deshago de los gemelos y de mi escudo humano, y mi palma impacta con tanta fuerza sobre su mejilla que la hace retroceder.

—No te acerques de nuevo a mi novio. Pensé que solo estabas enamorada de él, pero esto ya es una obsesión enfermiza —estallo, furiosa; ella me mira asustada—. Aléjate de él o te juro que te va a ir peor.

Siento la mano de Diego rodeándome la cintura, sabe que soy capaz de romperle la cara. Alejandra comienza a revisarla en contra de su voluntad, y no me sorprende ver que saca una bolsita con lo que asumo es droga.

—Lárguense de mi puta casa ahora antes de que mi chica y yo los hagamos polvo. —Tensa su brazo sobre mí y me da un beso en el pelo—. No me esperaba esto de ti, Bárbara, tantos años de amistad los rompiste por tu despecho, cuando siempre estuve para apoyarte en todo.

—Diego, por favor, escúchame. Yo soy la chica con la que deberías estar, no ella... —Antes de que termine de hablar, mi mano le voltea la cara de una bofetada. Me tiene harta con sus estupideces.

—Largo de mi casa. ¡Fuera! —La voz de Diego truena en las paredes.

Ambos salen corriendo y yo vuelvo a respirar cuando los veo largarse, por fin. Me dejo caer en el sofá y Alejandra hace lo mismo. Me abraza.

—Gracias por avisarme, Alejandra. —Diego se sienta a mi otro lado, me saca de los brazos de la rubia y me atrae a su regazo; me mira preocupado. Trato de sonreír porque sé que él no me quería preocupar con estos dramas, pero no quiero pensar en qué hubiera pasado si hubiese funcionado el plan de esos dos enfermos.

—Ustedes son mis mejores amigos y cuando los escuché hablar sobre esto me enojé mucho. Anastasia es mi hermana y siempre voy a protegerla; al igual que a ti.

—¡Oh, abrazo! —Dylan corta el momento de tensión—. Qué espectáculo, aunque me faltaron las palomitas.

—¡Dylan! —exclamo.

—Creo que deberíamos dejarlos solos para que ellos hablen con más calma —dice Cameron tomando de la cintura a su novia. Apenas noto su presencia—. Hasta yo necesito asimilar que uno de nuestros amigos te iba a traicionar de esa forma.

—Ya ves —es todo lo que dice Diego mientras me acaricia.

—Bueno, los dejamos descansar —dice Javier. Se planta frente a mí, se inclina y me da un beso en la frente; a Diego le da una palmada en el hombro—. Nunca te lo he dicho, pero eres el chico perfecto para nuestra Anastasia.

—Y todo gracias a mí —interviene Dylan subiendo y bajando las cejas.

Pongo los ojos en blanco y le doy un golpe en la frente cuando intenta besar mi mejilla.

—¡Bastardo! ¡Te odio! —Todos se ríen—. A mí no me parece gracioso, mi trasero se estaba congelando mientras Dylan contaba todo como el chismoso que es.

—Tú me amas porque ahora tienes sexo todos los días. No me agradezcas —bromea—. Tienes que darle más duro, Diego, porque lo de antipática aún no se le pasa.

—¡Dylan!

—¡Solo aclaro un hecho! —grita cuando está saliendo del apartamento.

Agradezco que todos se vayan, y cuando nos quedamos solos, Diego me rodea con ambos brazos y comienza a darme pequeños besos en el cuello, tomo su barbilla para que me mire. Sus ojos brillan por mí y mi corazón palpita por él.

—¿Estás bien? —pregunta, pero no me da tiempo a responder—. Lo siento, no quería preocuparte aún más con esta mierda cuando tú tienes problemas más grandes.

Frunzo el ceño. Sé que lo dice porque me ama y quiere lo mejor para mí, pero por supuesto que debía saber algo tan atroz. Yo también estaba involucrada de alguna manera.

—Diego, Bárbara estuvo a punto de aprovecharse de ti, sé que era tu amiga, pero lo que hizo es horrible y seré sincera, jamás me agradó, notaba que estaba encaprichada contigo.

—Lo sé. De cierta forma quise hacerme de la vista gorda porque siempre estuvo para mí y yo para ella. Admito que fui un cabrón porque tonteaba con ella y la hice mi novia cuando te fuiste. Admito mi error, pero yo le pedí perdón y mi disculpa fue sincera. Jamás pensé que iba a intentar drogarnos.

Paso una mano por las hebras de su suave pelo. Me gusta tanto. Él me aprieta más contra su cuerpo y suelto un enorme suspiro de sabernos bien y juntos.

—Quiero matarla a golpes —dejo salir los vestigios de mi furia—. Pero por suerte no pasó a mayores.

Sus dedos juegan con mechones de mi cabello mientras una sonrisa pícara empieza a formarse en sus labios.

—Me pone cachondo que seas tan ruda y a la vez *sexy*. —Pongo los ojos en blanco, pero luego le doy un suave beso—. Bella, eres la única mujer que quiero en mi vida. Soy tuyo para siempre.

Río por lo bajo y me inclino. Empiezo a darle pequeños besos en el cuello que erizan su piel. Su mano se cuela dentro de mi vestido y sus dedos dejan pequeñas caricias sobre mi estómago.

—Cuidado con lo que dices —le susurro tirando de su pelo—. El "para siempre" es peligroso.

—No me importa. Tú eres un peligro para mí y mi corazón, pero también eres la única que me hace sentir vivo de nuevo. —Empuña mi cabello con suavidad y hace que lo mire. Sonríe—. Y muy cachondo.

—Poético —susurro contra sus labios antes de besarlo.

Sus labios me reciben gustosos, cálidos, húmedos. Respiro hondo cuando me separo.

—Toda esta mierda me ha dado calor. ¿Vamos a bañarnos? —me pregunta con una clara intención implícita en sus palabras.

Enarco una ceja y él me hace esos ojitos de cachorro abandonado. Río divertida.

—Por supuesto.

Chillo cuando me toma en brazos y sube las escaleras conmigo encima. Entra a la habitación y sigue directo al baño. Cierra la puerta tras él de una patada y me deja sobre el mármol del lavamanos. Sus ágiles dedos se sienten por todos lados mientras me besa. Se separa para arrancarme la chaqueta y sus ojos empiezan a dilatarse cuando se detiene un segundo a observarme. Sonrío. El estómago me arde y mis muslos se tensan por la anticipación.

Se saca la sudadera por la cabeza y no puedo resistirme a recorrer con mis dedos el centro de su torso duro y perfecto. Lo veo lamerse los labios, observándome, siguiendo mis movimientos con la mirada. Sus manos vuelven a mis caderas y se abre paso entre mis muslos. Cuando me mira a los ojos, las comisuras de sus labios esbozan una sonrisa y le brillan los ojos con amor.

—¿Lista para nuestra noche de pasión?

—Mmm... A veces eres muy romántico, pero en otras apestas, Diego.

—Tú tampoco eres muy chistosa. Haces los peores chistes, Anastasia —contesta atrayendo mi mirada hacia sus hermosos labios.

Mi dedo asciende por su pecho y su garganta hasta descansar sobre su labio inferior. Él abre la boca y me muerde de manera juguetona. Sonrío y continúo subiendo hasta acariciarle el cabello negro que amo tanto.

—Me gusta lo que llevas hoy. —Recorre mis muslos desnudos con las yemas de los dedos—. Casi nunca te veo con vestidos, pero adoro cuando te pones uno porque te ves de otro planeta.

—Gracias, pero no me gusta usarlos mucho, prefiero la comodidad.

—Lo sé, pero como dije antes, es un espectáculo verte en uno. Aunque igual me gusta verte en pantalones porque tienes un trasero espectacular —dice mientras juega con el dobladillo de la prenda.

—Pervertido —rebato.

—¿Te lo quitamos o te lo dejamos puesto? —Arquea una ceja y sus labios empiezan a curvarse.

Sonrío.

—Como gustes. —Me encojo de hombros como si mi cuerpo no reaccionara tan solo con sus palabras.

—¿Sabes cuál es el problema? —pregunta. Niego con la cabeza, impaciente—. Que yo ya sé qué se esconde bajo este bonito vestido. —Se cierne sobre mí llevando sus manos a mi espalda. Sin poder evitarlo, inhalo embriagándome de su aroma. Siento que vibro por dentro cuando la piel de sus brazos roza mis hombros. Entonces, noto cómo la cremallera de mi vestido desciende al tiempo que sus labios succionan el lóbulo de mi oreja antes de susurrarme al oído—: Y es mucho mejor que cualquier prenda que lleves puesta. —Respiro con dificultad. Muerdo mi labio inferior—. Dile adiós a tu lindo vestido.

Me levanta del mueble, me deja en el suelo, desliza la prenda por los brazos y esta cae a mis pies.

Vuelve a subirme al lavabo y a colocarse entre mis muslos. Rodeo su cuello con mis brazos y acaricio su nuca.

—Diego —su nombre me sale en un jadeo.

Sonríe y sus labios barren los míos de forma suave, pero intensa. Hago un vergonzoso sonido cuando sus manos se ahuecan en mi trasero presionando su cuerpo contra el mío. Las palpitaciones de mi sexo rozan lo doloroso y creo que voy a perder la cabeza si continúa haciendo solo eso. Me pasa las manos por detrás, me desabrocha el sujetador y se deshace de él con una agilidad impresionante. Me inclina hacia atrás y me veo obligada a apoyarme sobre las manos. Nuestros labios se separan y siento mi piel arder. Me mira a los ojos antes de llevar su palma justo debajo de mi garganta.

—Siento los fuertes latidos de tu corazón —afirma en voz baja.

Desliza la palma entre mis pechos hasta llegar a mi estómago mientras me observa. Me quedo callada y quieta esperando su siguiente movimiento.

—Eres malditamente preciosa. —Acaricia mi abdomen de forma suave, delicada—. Voy a hacer que quieras quedarte para siempre conmigo.

—Yo… Diego. —Mi voz vuelve a traicionarme. Él sonríe satisfecho. Intento recuperar las funciones de mis cuerdas vocales, pero cualquier intento muere cuando se inclina y su boca se cierra sobre mi pezón izquierdo. ¡Joder!

Cuando su mano se arrastra hasta llegar a mi otro pecho, emito un gemido y echo la cabeza atrás. ¡Por el amor de Dios! Su erección se presiona contra mi entrepierna, obligándome a trazar círculos con la cadera para calmar el deseo que siento de tenerlo en mi interior. Suspiro de placer. Desliza la mano entre mis muslos hasta dar con el borde de mis bragas. Uno de sus dedos traspasa la barrera y acaricia ligeramente la punta de mi sexo.

—¡Dios! —gimoteo al tiempo que me incorporo un poco, lo agarro de los hombros y me afirmo en ellos para no caerme.

—Dios no, me llamo Diego —bromea antes de pegar sus labios contra los míos y hundir dos dedos dentro de mí.

Mis músculos se aferran a él mientras embiste de manera constante. Creo que voy a morir de placer, siempre será así con él. La fricción parece fuego engulléndome, incinerándome por dentro. Todos mis músculos se tensan y me muevo contra sus maravillosos dedos buscando mi propio placer. El acto le roba un gruñido sobre mis labios, seguido de un jadeo que se arrastra por mi garganta y que se traga cuando me besa con más vehemencia. Llevo una mano a su pelo y tiro de él devorándole los labios, sumiéndome en el éxtasis. Sigo moviéndome, él hace lo mismo embistiendo en mi interior. Me quemo, siento que me quemo. Noto cómo se acerca mi orgasmo y me sostengo de sus hombros con fuerza; gimo en su boca mientras él continúa con su asalto.

—Córrete —me susurra, mientras aplica más presión sobre mi sexo.

Su petición desencadena un enjambre de sensaciones por todo mi cuerpo y termino gritando su nombre cuando alcanzo mi liberación. Mi cabeza cae en su hombro y mi cuerpo tiembla en medio de jadeos que no logro contener. ¡Mierda! Sus dedos no salen de mi interior.

—Eso… Eso fue… —Mis palabras mueren en su garganta cuando vuelve a besarme y a acariciar mi costado con su mano libre.

Voy regresando a la tierra mientras Diego deja tiernos besos por toda mi cara. Noto que me aparta un mechón de pelo y abro los ojos. Al hacerlo me encuentro con su mirada llena de deseo.

—Esto recién comienza —dice mientras extrae los dedos de mi cuerpo.

—Hum... —murmuro—. Claro, mi chico cursi.

Arrastra los dedos por mi labio inferior y se inclina sobre mí. Me observa de cerca y luego me pasa la lengua por la boca. Sus ojos penetran en mi interior mientras nos miramos en silencio. Mis manos le sostienen la cara y mis pulgares acarician sus mejillas. Este hombre es bello, intenso y apasionado. Él sonríe levemente y se vuelve para besarme la palma de la mano antes de volver a mis labios con ansias. Lo recibo con la misma intensidad y saqueo su boca con mi lengua ansiosa, necesitada.

Sus brazos me rodean para levantarme y arrancarme las bragas, y no pierdo tiempo, llevo mis manos al cierre de su pantalón y empiezo a deshacerlo con desespero.

—¿Tienes apuro, bella?

—Puede —respondo sin vacilación.

Sonríe con suficiencia mientras se deshace de su ropa bajo mi atenta mirada. Su erección se libera como un resorte, pero su sonrisa egocéntrica se transforma en un jadeo cuando alcanzo su hombría con una de mis manos. Los músculos de su cuerpo se contraen y no puedo evitar inclinarme hacia adelante y pasarle la lengua por el centro de sus pectorales. Se estremece.

Mi atención se centra en sus muslos fuertes y definidos. Ahora soy yo quien sonríe mientras empiezo a acariciarle la cabeza con el pulgar; él observa cómo lo exploro. Cuando le envuelvo la base con mi palma, vacilante, veo que el contacto hace que vibre.

—Joder —jadea.

Y entonces me toma los labios con brusquedad al tiempo que yo empiezo a acariciar su erección a un ritmo lento y constante, aumentando la velocidad cuando siento que su boca se aprieta cada vez más contra la mía. Su mano se oculta entre mis piernas y roza su pulgar sobre mi sexo.

Dejo escapar un gemido en su boca. Él me muerde el labio.

—Quiero estar dentro de ti —dice con la voz enronquecida por el deseo.

Succiono su labio inferior antes de hablar. Gime.

—¿Qué esperas para hacerlo?

Suelta una maldición, se separa, alcanza la cartera dentro de su pantalón, toma un condón y es ágil a la hora de desenrollarlo sobre su falo.

Vuelve a mí y, con un movimiento rápido, me toma de los muslos, me alza y su dureza se presiona en la entrada de mi sexo. Abro la boca con un gemido cuando se abre paso en mi interior. Él gruñe.

—¡Joder! Eres increíble, Anastasia, mírame. —Abro los ojos—. Tú… —Empuja—. Me fascinas.

Lo rodeo por completo con las piernas sintiéndome llena, excitada, y apenas me doy cuenta de que se ha movido cuando mi espalda choca contra la puerta. ¡Dios! Me muevo un poco y lo siento sisear de gusto. Deslizo las manos por su espalda empapada de sudor mientras él vuelve a atacar mis labios.

Jadea y se retira de mi cuerpo muy despacio para volver a entrar a un ritmo lento, pero codicioso. Esta vez se adentra más en mí y su inmenso tamaño hace que la cabeza me dé vueltas. Empiezo a besarlo despacio, arqueo la espalda y alzo los pechos contra su tórax. Entonces empuja hacia adelante, haciendo más profunda la conexión.

—¿Rápido o lento, bella? —pregunta en un susurro, sin aliento.

—Rápido.

Tras mi respuesta, empieza a salir y a entrar en mí con más ímpetu. Yo suspiro y muevo las caderas hacia adelante para aceptarlo mientras él gruñe y repite sus rápidas embestidas una y otra y otra vez.

Con un movimiento rápido, se retira y entra de una estocada, profundo. Yo grito envuelta en las sensaciones que se precipitan por toda mi piel. Clavo los dedos en sus hombros mientras su cuerpo se estrella contra el mío con embestidas feroces. Reclama mis labios una vez más y su lengua se mueve con avidez golpeteando la mía. El sudor se resbala por nuestros cuerpos y tardo solo unos minutos para sentirme al filo del orgasmo una vez más.

—¿Vas a correrte? —pregunta en un jadeo sobre mi boca.

—¡S-sí! —Me siento fuera de mí y termino clavándole los dientes en el labio inferior.

Él se queja, sé que le he hecho daño, pero no puedo controlarlo.

—¡Joder! Espérame… solo un momento. —Su voz se ha vuelto áspera y mi cuerpo se sacude con sus embestidas cada vez más violentas.

Grito y me aferro a él desesperadamente en un intento de retrasar el orgasmo, pero no funciona, es imposible. No puedo más y lo miro suplicante con una dolorosa necesidad de correrme.

—Diego…, por favor…

—¡Joder, sí! Córrete, Anastasia —gruñe.

Y estallo, echo la cabeza hacia atrás y grito su nombre sintiendo sus últimos embistes que van ralentizando luego del orgasmo que lo deja con espasmos.

—¡Mierda! —dice hundiendo el rostro en la curva de mi hombro. Mientras lucho por apaciguar mis latidos y suministrar aire a mis pulmones, siento su respiración agitada contra mi cuello.

El largo gemido de satisfacción que escapa de mis labios expresa a la perfección cómo me siento ahora mismo. Estoy totalmente satisfecha. Mis músculos internos se contraen a su alrededor mientras él traza círculos suaves con la cadera.

Se incorpora.

—Mírame —me ordena con voz suave. Inclino la cabeza para mirarlo y suspiro de felicidad al encontrarme con el brillo en sus ojos. Sonríe y vuelve a mover la cadera una última vez antes de dejar un corto beso en la punta de mi nariz—. ¡Dios! Eres bellísima, Anastasia. Me vuelves loco. Te amo, bella.

Sonrío como una boba aún sintiendo los últimos efectos de los orgasmos que me regaló y saboreando sus palabras.

—Sin sentimientos, chico cursi —digo y suelta una carcajada que me estremece.

Diego lo entiende, cada vez que lo digo lo entiende. Sabe que lo amo, pero que las palabras me queman si intento decirlas. Aunque eso no hace mis sentimientos menos reales. Lo amo y ahora mismo siento mi corazón enloquecido mientras él ríe. Y lo sé… Sé que soy afortunada de tenerlo a mi lado, pero hay días que me pregunto: ¿Esto es un sueño? Y si lo es, ¿terminará por convertirse en pesadilla por culpa del maldito de Nicolás? No.

Me niego a perderlo, me niego a que ese monstruo vuelva a clavarme sus garras, me niego a que rompa el corazón que apenas estoy reconstruyendo. Joder… Me niego a ser esclava del pasado oscuro que me persigue como una puta nube negra que apenas me deja respirar. ¡Me niego!

Capítulo 62

Me siento al lado de la ventana mientras observo cómo Diego y Cameron van a pedir nuestra comida. Alejandra está emocionada de que volvamos a estar juntos, pero me reclama por ser una mala amiga y ocultárselo.

—No seas exagerada, fue una decisión que tomamos los dos —trato de explicárselo—. Tenía miedo, aún lo tengo.

—¡Ese hijo de puta de Nicolás! —Respira con dramatismo—. En fin, estoy feliz de que vuelvas a estar con Diego y dejen esa farsa.

Me estiro un poco y me sale un leve quejido cuando siento el dolor en todos mis músculos, aunque no me arrepiento de lo que pasó ayer. Diego me dio opciones y escogí la más salvaje porque casi siempre es tierno cuando lo hacemos, pero esta fase de él también me gusta.

—¿Una noche movida? —pregunta la rubia subiendo y bajando las cejas.

—Algo —digo fingiendo desinterés.

—Ya veo que te destrozó, amiga, te cuesta hasta caminar —se mofa con una sonrisa.

No puedo evitar que mis mejillas ardan y estoy segura de que el rubor me ha subido hasta ellas.

—Sabe cómo moverse... Me dejó hecha mierda. ¡Ay, Dios, Alejandra! Mira lo que me haces decir. —Me cubro la cara cuando comienza a reírse—. ¡Cállate!

Miro de reojo a los chicos quienes nos miran curiosos; Diego me guiña el ojo y vuelve a concentrarse en Cameron.

—Me lo imaginaba. Te trae loca, Anastasia. Jamás te había visto así por alguien. —Sonríe y toma mi mano—. No sabes cuánto me alegra ver vida en tus ojos. Has pasado por cosas horribles, pero ahora tienes a un buen chico que te ama… —su sonrisa se ensancha—, y que te folla de maravilla.

Ruedo los ojos, pero no puedo evitar reír. Vuelvo a mirar a los chicos que siguen conversando tranquilamente.

—Diego está muy dolido por todo lo que pasó. Tampoco lo dejan tranquilo, ha estado recibiendo llamadas de Bárbara y Carlos.

—Me imagino cómo se siente por culpa de esos malditos traidores. —Hace una mueca de desagrado—. Diego quería matarlos y no lo culpo. Carlos y Cameron eran buenos amigos, se distanciaron cuando ese idiota se fue de intercambio por su carrera, pero siempre hubo rumores de que le tenía envidia a Diego, solo que este lo negaba y tu chico le creía. Es evidente que quería intentarlo contigo solo para lastimar a Diego.

»En fin, al menos ese capullo mostró su verdadera cara. —Se muerde el labio inferior sin apartar la mirada. La conozco tanto que podría apostar lo que va a decir, y no me equivoco—. ¿Cómo has estado realmente? Empezaron los juicios.

Me rasco el cuello, inquieta, un claro indicio de mi estado actual. Observo de reojo y puedo ver afuera de la cafetería al oficial que siempre me sigue.

—Preocupada, pero con la esperanza de que van a condenar a esos bastardos. Y, sobre todo, que lo encuentren a él. —Suspiro con pesadez—. Al menos no he visto nada raro a mi alrededor, ¿y tú?

Me da unas suaves caricias en mi mano tratando de tranquilizarme.

—Nada, todo normal, además del policía *sexy*. —Suspira dramáticamente.

—¡Descarada! —Niego con la cabeza y ella se encoge de hombros como si no le importara. La verdad es que el policía de Ale alegra la vista—. Es guapo —confieso.

—Lo ves, es un bombón. —Suelta una risa y me uno a ella. Miramos hacia fuera y el hombre nos está observando.

—¿Quién es un bombón? —pregunta Cameron con curiosidad.

Mi amiga palidece en cuestión de segundos cuando mira a su novio, quien tiene una ceja alzada esperando una respuesta. Diego se sienta a mi lado y me pasa mi hamburguesa vegetariana con patatas fritas.

—Por supuesto que tú, amor —responde Alejandra con una voz que la delata.

—Ajá —dice Cameron, poco convencido, luego mira afuera.

Todos seguimos su mirada y vemos al policía *sexy* pasándose una mano por el pelo mientras está hablando por teléfono. Cameron voltea a ver Alejandra, quien mira hacia todas partes y me pega una patada por debajo.

—¡Oye!, eso me dolió. No me metas a mí. —Le lanzo una patata a la cara, pero cae en su plato.

La rubia me saca la lengua y se gira para mirar a su novio. Contengo la sonrisa cuando veo la expresión seria en el rostro de Cameron. Volteo a ver a Diego, quien me observa con curiosidad, asoma la cabeza y después me mira con una sonrisa.

—¿Estás mirando a otro chico? —pregunta antes de darle una mordida a su hamburguesa.

Apoyo mi barbilla en mi mano.

—No, mis ojos solo son para ti, chico cursi —bromeo.

—Mala. Me fuiste infiel en tus pensamientos —dice ofendido, llevándose una mano al corazón; hace un puchero.

—¡Dramático! Fue Alejandra —la acuso y veo que Cameron está riendo con la rubia. Adiós tensión. El almuerzo transcurre entre bromas sobre el par de tórtolos que discuten sobre el hecho de que mi amiga encuentra *sexy* al policía. Giro la cabeza de forma abrupta cuando noto la mano de Diego, que hasta hace un instante estaba en mi muslo, subir hasta casi llegar a mi entrepierna. ¿Se ha vuelto loco?

—¿Quieres parar? —Lo miro con severidad, pero solo me ofrece esa sonrisa que pretende ser angelical. Por supuesto que no lo es.

—Shhh —me susurra subiendo aún más su mano hasta llevarla dentro de mi falda. Cierro con fuerza las piernas—. Ábrelas, Anastasia —me pide con picardía.

Mi boca se seca y contengo la respiración. Miro a la parejita feliz comiendo y charlando. Me giro de nuevo para mirar al pelinegro junto a mí, sus ojos brillan por la travesura. Niego con la cabeza varias veces, lo tomo de la muñeca y alejo su mano de mí. Escucho su risita divertida y lo miro con dureza, aunque estoy segura de que sabe que ciertamente no estoy enfadada.

—Nosotros nos vamos —dice de repente. Frunzo el ceño cuando lo veo ponerse de pie, sacar dinero de su cartera y extender su mano hacia mí.

—Amigo, ¿estás caliente y excitado por tu chica? —pregunta Cameron con diversión en la voz. Entonces noto que también mi amiga nos mira con una sonrisita que me hace rodar los ojos. Diego suelta un bufido y sacude su mano para que la tome; lo hago. Me despido de la parejita ignorando sus chistes de índole sexual, pero río cuando mi chico le golpea la nuca a su amigo por sus tonterías.

Me veo saliendo casi a rastras del lugar y por poco me sube él mismo a su todoterreno. Se sube al asiento del conductor y me abrocha el cinturón con más calma. Tomo su cara entre mis manos para que se detenga y me mire.

—¿Qué pasa? —le pregunto, porque vamos, no es normal en él tanta ansiedad.

Sonríe como quien acaba de cometer una travesura y lo descubren.

—Nada. —Se encoge de hombros—. Solo que hoy estoy un poco egoísta y no quiero compartirte con nadie. —Me deja un suave y corto beso en los labios, vuelve a sonreír—. Creo que nunca tendré suficiente de ti.

Me echo a reír y lo suelto. Está loco.

—Lo hubieras pensado antes, te recuerdo que estaba muy cómoda entre tus sábanas y tú me sacaste de allí casi obligada. —Enarco una ceja.

—Mi error, señorita, perdón —bromea—. Necesito ir a comprar condones y algo de comer para nuestra tarde juntos.

Entorno los ojos en su dirección.

—Tranquila, no quiero romperte, por hoy solo veremos películas.

—¡Idiota! —mascullo cruzándome de brazos, indignada.

Lo escucho reír con ganas mientras enciende el auto. Giro la cabeza a la ventanilla para que no note que sonrío como tonta. Supongo que ese es el efecto Diego.

Quince minutos después estaciona frente a un supermercado.

—Ahora vuelvo, mi bella. —Me da un beso fugaz y sale del auto.

Cuando pasan un par de minutos, me bajo a tomar un poco de aire, aunque me arrepiento en cuanto un escalofrío me recorre la espalda. Me paso las manos por los brazos y paseo la vista por todos lados sintiéndome observada. No muy lejos veo al policía que me cuida con los ojos puestos en mí, pero sacudo la cabeza porque ya estoy acostumbrada a tenerlo siempre detrás, por lo que la horrible sensación que me rasga la piel no es por él, es algo más… ¡Maldita sea! ¿Cuándo mierda podré tener una vida normal? ¿Cuándo dejaré de sentirme perseguida? ¿Estoy perdiendo la cabeza? Supongo que algún día obtendré respuestas.

POLICIA • POLICIA
¿QUIÉN ES?

CADÁVERES
EN EL BOSQUE
CADÁVER
EN LA CAMA
ESPAÑA,
BARCELONA

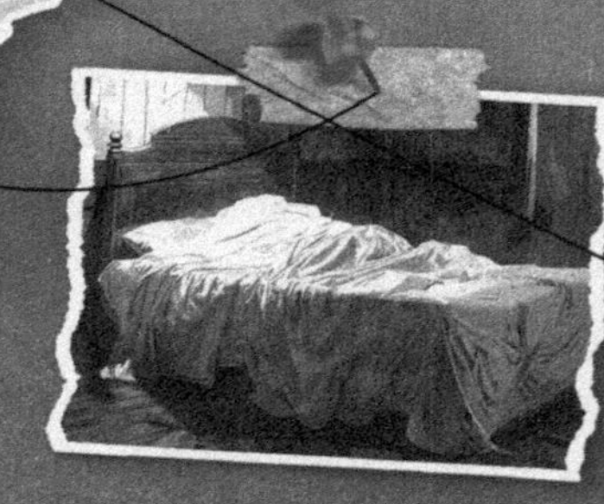

SE BUSCA

EVIDENCIA
CRIPTOGRAMA
(POR DESCIFRAR)
VÍCTIMAS
MUJERES
ENTRE 18 Y 26
AÑOS

MURIÓ
DENTRO
DE UN
CARRO

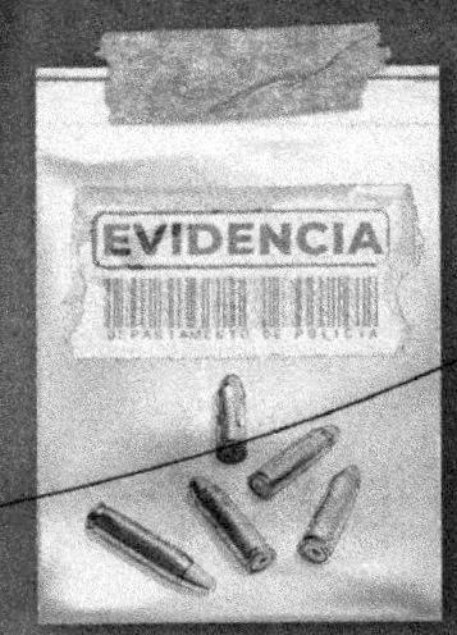
EVIDENCIA
BALAS
9MM

SE BUSCA
DESAPARECIDA
SE BUSCA

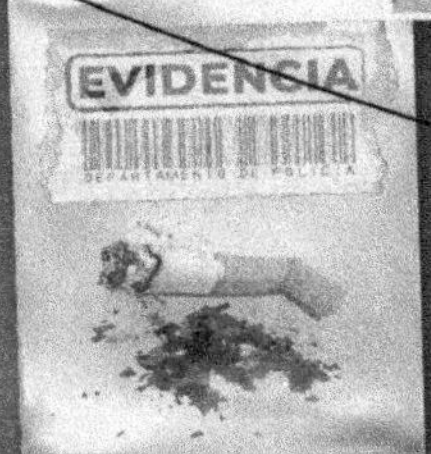
EVIDENCIA
COLILLAS
DE CIGARRO

ARMA
REFERENCIAL
POLICIA • POLI

Capítulo 63

DETECTIVE MARIEL

Suelto un bufido, frustrada. No he encontrado nada en los libros sobre este criptograma que me está volviendo loca, tiene una mezcla de símbolos griegos, clave morse, meteorológicos, señales marítimas, también signos astrológicos y letras del alfabeto ordinario, y pese a que me sigue pareciendo familiar, ni yo ni nadie del equipo ha podido descifrar el maldito mensaje.

Miro el reloj, son las ocho de la mañana y mis compañeros ya están llegando a la estación. Apenas fui a casa y me duché, pero regresé de inmediato, no tenía caso intentar dormir, sabía que no iba a hacerlo. La puerta se abre y Harry entra con unos documentos.

—Tengo noticias sobre el calzado del asesino y no son muy buenas: se fabricaron más de un millón de botas exactamente iguales gracias a un contrato gubernamental —dice leyendo los documentos, emite un gruñido—. 103,700 pares fueron enviados a Barcelona y se distribuyeron en las instalaciones de La Fuerza Aérea y La Marina.

—Entonces quiero que investiguen y descubran si alguna de esas más de cien mil personas tiene algún antecedente o fue echado de la entidad por algún delito —ordeno.

—Eso es una locura, Muñoz.

—Ya lo sé, pero es lo único que tenemos por ahora. —Le doy un sorbo a mi café cargado—. Los lugares donde ataca son donde no hay cámaras. No actúa solo por impulso, es metódico y cuida cada paso que da. Se está burlando de nosotros.

Mi secretaria toca la puerta y entra cuando le doy vía libre. Maldigo cuando me informa que ha llegado una nueva carta a The España Post.

Harry y yo no perdemos tiempo en dirigirnos al periódico y tardamos en llegar por el maldito tráfico que se forma a estas horas.

—¿Por qué no nos envía las cartas directamente a nosotros? —pregunta Harry mientras caminamos a la oficina donde nos espera el director.

—Porque estamos jugando al gato y al ratón, quiere tener contacto tanto con los medios como con los policías para burlarse de nosotros.

—Esto es peligroso. No hemos dejado que publiquen lo que pidió. ¿Y si de verdad es el asesino y cumple con su palabra de seguir matando?

Trago saliva, pero no respondo. Ahora mismo no tengo una respuesta para su pregunta.

Entramos a la estancia y saludamos a Omar antes de sentarnos frente a él. Agradezco que nos entregue la carta rápido y no nos haga perder el tiempo.

Y entonces un escalofrío me azota la piel mientras escucho a Harry leer en voz alta un montón de detalles sobre los cuerpos que hemos encontrado. Me asqueo cuando hay detalles sobre cómo las estrangula mientras las viola y contengo las ganas de vomitar cuando habla incluso de sus malditas prácticas de necrofilia. Al final nos recuerda que pronto tendremos noticias de él y me manda saludo con tanto cinismo que me veo obligada a tragarme un montón de maldiciones.

Guardamos la carta como evidencia y nos despedimos de Omar sin responder a sus dudas, pero recordándole que no puede hacer público esto o será acusado de obstrucción a la ley. No parece muy contento, pero accede.

Harry y yo salimos del lugar en silencio. Subimos a su auto y…

—¡Maldita sea! —gruñe dándole un golpe al volante. No lo culpo, de hecho, lo entiendo.

Yo suelto el aire y me paso una mano por la cara.

—Es él —agrega, volteo a verlo para encontrarme con sus ojos sobre mí—. The dark angel no es un impostor, es el asesino real. Esos detalles…

—Lo sé —lo interrumpo—. Lo sé… —repito mientras siento mi cuerpo helarse por la crudeza de cada palabra de ese malnacido. No es que no haya visto cosas atroces antes, pero esto es… horrible.

Nos enfrentamos a algo gigante y todavía no encontramos el hilo del cual tirar para poder resolver este caso. ¡Dios! Estoy exhausta tanto física como emocionalmente, ¿y lo peor? Estoy segura de que ese asesino nos pondrá las cosas mucho más difíciles. Sé que se viene algo peor.

MARIEL

Capítulo 64

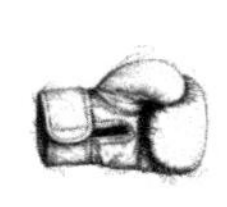

Anastasia

Diego me pasa mi plato con un trozo de *pizza* y luego deja el suyo sobre la encimera, a mi lado. Suelto una risa cuando empieza a cantar la canción que suena en la estancia, *I Don't Want to Miss a Thing*, y me uno a cantar con él porque mi padre es un gran fan. Él me mira con diversión y me toma de la cintura.

—¿Estás mejor? —pregunta—. Estabas algo preocupada en el coche.

Suspiro. Tiene razón, hoy ha sido un día bastante tenso para los dos, primero para él cuando llegamos a la universidad y Carlos y Bárbara lo interceptaron queriendo hablar con él, la pelirroja incluso le advirtió sobre mí. Pero por supuesto que Diego se negó a hablar con ellos. Me contuve para no patearles el culo a ese par de idiotas. El problema es que sé que le afecta porque eran importantes para él.

—Solo estoy siendo paranoica, de seguro que no es nada. —Trato de sonreír—. ¿Comemos? Creo que el examen mató mis neuronas y necesito comer algo antes de que me desmaye —bromeo.

—Claro, mi bella. —Rodeamos el mesón y nos sentamos en las sillas altas del otro lado. Deja los vasos y el jugo de naranja—. ¿Estaba complicado el examen?

—Algo. Alguna que otra pregunta estaba complicada y me demoré un poco más de la cuenta, pero las respondí todas y espero que estén bien.

—Te va a ir bien, confía en ti, además eres una *nerd* —se burla.

—Mira quien lo dice. —Le doy un empujón, pero él toma mi mano y se la lleva a los labios para chupar uno de mis dedos antes de morderlo. Suelto un gemido—. ¡Dios, dame fuerza! —exclamo con dramatismo.

—Fuerza necesitarás después. —Se inclina y me da un suave beso. Ruedo los ojos ante su comentario—. Anastasia —me llama. Levanto la mirada sin dejar de masticar el trozo de pizza que acabo de llevarme a la boca—. Como te había comentado antes, quiero presentarte a mis abuelos, ¿puedes mañana?

Asiento con la cabeza.

—¿A qué hora sales de clase? Salgo a la una de la tarde.

—Salgo a las dos y media, pero vete tú primero, me pasas la dirección y listo.

Me mira fijamente. Estoy segura de que su cerebro está trabajando a mil por segundo encajando las piezas; niega con la cabeza y acerca más su silla a la mía.

—Te espero, Anastasia, no tengo problema, me quedaré con Cameron, ¿vale? —Suelto un suspiro y asiento—. Mi abuelita se muere por conocerte y compartir con la chica que se ha robado mi corazón, se siente reemplazada.

Me muerdo el labio inferior, espero que no me juzgue antes de conocerme. Levanto la mirada y veo su sonrisita ladeada, esa que me indica que me está tomando el pelo con las últimas palabras. Entorno los ojos en su dirección y suelta una carcajada.

—Te amará, Anastasia, al igual que yo. Tú puedes robar el corazón de cualquier persona, claro, cuando no eres antipática.

Pongo los ojos en blanco.

—¡Ja, ja, ja! —es todo lo que digo.

—El sarcasmo no es lo tuyo, bella. —Me guiña un ojo, toma su trozo de *pizza* y le da una mordida—. Deja de fruncir el ceño. —Imita y no puedo evitar mi sonrisa—. Te ves más bonita si me sonríes.

Pasan unos minutos cuando la inquietud se instala en mi pecho.

—¿Estás seguro de que me quieres presentar a tus abuelos? —pregunto nerviosa y me remuevo en la silla.

—No tengo dudas, Anastasia, y mis abuelos se mueren por conocerte. ¿Me vas a presentar a tus padres?

Me quedo callada, sé que mis padres lo van a amar. Mi madre va a caer por Diego, siempre ha sido una mujer muy dulce y simpática, en cambio, sé que a mi papá le va a caer bien, pero también sé que va a molestarlo e intimidarlo.

—Sí, pero tengo miedo de la reacción de mi padre.

Sus ojos se abren de forma más expresiva, yo sonrío por dentro, ahora es él quien está incómodo y se remueve en su silla; toma su vaso de jugo.

—Mi padre es algo protector, porque soy su princesa guerrera, y nunca le ha gustado verme con nadie del género masculino. Y es raro porque cada chico que le presentaba terminaba por alejarse y no hablarme jamás. —Me encojo de hombros. Lo miro de reojo y me está observando atentamente—. Supongo que temen por su integridad.

No aparto la mirada para ver su reacción, la cual es apretar los labios en una fina línea y luego suspirar mientras toma mi mano.

—No dejaré que nadie nos separe, Anastasia, ni siquiera tu padre, aun cuando mi integridad corra peligro —dice muy seguro. Sonrío y me pongo de pie para sentarme en su regazo y rodear su cuello con mis brazos.

—Es broma, tontito —su cuerpo se relaja y no puedo evitar reírme—, aunque mi padre sí hace amenazas, solo que son bromas, Diego, relájate. Y mi madre te va a amar.

—De eso no tengo dudas —dice con orgullo—. Puedo halagar a tu padre sobre su elegante apariencia, seguro que cae bajo mis encantos.

No puedo evitarlo y comienzo a reír con ganas. Ya me imagino a Diego diciéndole eso a mi padre y a mi progenitor echándolo de casa.

—No te dejaré ir nunca —le susurro tratando de recuperarme.

—¿Me lo prometes? —Su petición sale con voz anhelante mientras sus suaves dedos acarician mi mejilla.

—Te lo prometo. —Lo beso cerrando la promesa, no quiero soltarlo jamás. ¿Cómo podría hacerlo cuando Diego despierta emociones tan intensas? ¿Cómo podría si con su sonrisa despeja las nubes grises que acampan en mi cabeza?

Mi corazón salta en mi pecho cuando me doy cuenta de algo: Diego y yo se ha convertido en un nosotros, y cada día nuestras vidas se entrelazan más y más. Voy a conocer a sus abuelos, pienso presentarle a mis padres, y nuestros corazones parecen latir al mismo ritmo. Lo que me lleva a preguntar: ¿lo merezco?, ¿merezco el amor que Diego me da? Tal vez sí lo haga, pero ¿qué tanto podré conservarlo antes de que las sombras regresen? Me tenso ante mis propios pensamientos. ¿Dónde diablos estás, Nicolás?

Capítulo 65
DETECTIVE MARIEL

Presiono los puños con fuerza sobre mi escritorio y trato de oxigenar mi cuerpo inhalando profundo. Puedo notar que Harry me observa mientras yo no puedo apartar la vista de las pocas evidencias que logramos recolectar hace unos pocos días del último crimen de The dark angel: La bala calibre veintidós que le quitó la vida a ese chico en ese mirador poco visitado y las fotografías detalladas de la escena del crimen. Aún falta el resultado de las huellas de llantas del auto, pero algo me dice que solo nos llevará a un callejón sin salida.

—Como dijiste desde el principio, es él; The dark angel está detrás de esto también. Ya todo el equipo está convencido. Pero todos se preguntan cómo lo supiste.

Levanto la mirada, conectando con los ojos de Harry.

—La chica desaparecida entra en el perfil de las víctimas que hemos encontrado. Ella era el objetivo, el chico solo fue un estorbo.

Mi compañero asiente y noto el cansancio en su rostro al igual que toda la unidad. Todos están agotados, no logramos avanzar y me temo que esa pobre chica que ese enfermo psicópata se llevó no va a regresar con vida a su casa. ¡Maldita sea! Necesito un indicio que me lleve a algún lado, porque ahora mismo me siento atada de pies y manos, mientras ese asesino tiene total libertad para seguir asesinando. Estoy harta, ya no quiero más cadáveres, estoy agotada de perseguir un fantasma, pero me rehúso a rendirme. Porque lo sé…, voy a atrapar a ese malnacido y haré que pague con creces.

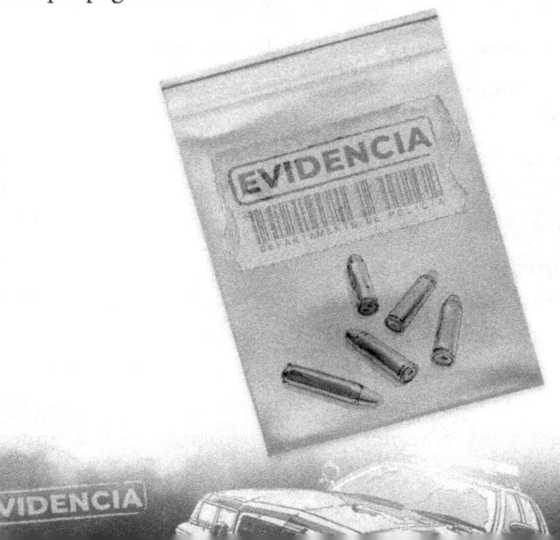

Capítulo 66

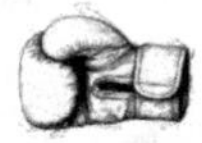

Anastasia

—Anastasia, despierta. —Su voz suena lejana, pero sus besos en mi cuello haciéndome cosquillas me hacen reír—. Bella, tenemos que ir a la universidad.

Levanto los párpados y me encuentro con sus brillantes ojos cafés.

—¿Qué? —Me froto los ojos, pero el sueño no se va. Suelto un suspiro—. ¿Qué hora es? ¿Por qué no me dejas dormir?

Apoya su cabeza en mi hombro y toma mi mano. Estoy a punto de gruñir porque odio que me despierten, pero entonces habla.

—Al fin despiertas, bella durmiente. —Su mano se traslada a mi abdomen para acariciarme. Mi pelvis se contrae ante su toque, y lo hace aun más cuando su cuerpo se presiona contra el mío, haciéndome notar su estado actual—. ¿Lo hacemos? Tenemos unos veinte minutos —pregunta con una sonrisa tierna pero pícara mientras sigue con sus perezosas caricias.

Muerdo mi labio inferior para no reír. No puedo creer que me haya despertado para eso.

—Por Dios, Diego. —Suelto mi risa contenida y él hace un pequeño puchero—. Vale, busca un condón. —Exhalo y sacudo la cabeza. La verdad es que no podría decirle que no cuando mi cuerpo está más que despierto ante su tacto.

—Hecho —dice con una sonrisa entusiasta justo antes de estirarse y tomar un preservativo de la mesita de noche; no tarda en deshacerse de la envoltura y desenroscar el látex sobre su muy preparado miembro.

Enarco una ceja hacia él y su sonrisa se vuelve maliciosa cuando su mano se planta en mi estómago, debajo de la tela, para luego descender sigilosamente por mi piel hasta alcanzar la humedad entre mis piernas. Me estremezco y sonríe con suficiencia.

—¿Estabas soñando conmigo? Sé que soy el chico de tus sueños.

—Puede ser. —Me hago la dura, pero entonces hace un movimiento rápido, se mete entre mis piernas y se hunde en mí, logrando que mis intentos de hacerme la indiferente desaparezcan al instante—. ¡Dios! —gimo.

Levanto los brazos y enrosco los dedos alrededor de su cuello. Su deliciosa plenitud en mi interior me lleva a lugares maravillosos. Nuestros cuerpos deslizándose rítmicamente superan los límites del placer y los veinte minutos que dijo que teníamos son más que suficientes para que me retuerza entre sus brazos, para que nuestros gemidos se fusionen, para que jadeemos nuestros nombres y nuestros cuerpos tiemblen sobre el colchón producto de intensos orgasmos.

Recibo con ganas su peso cuando se deja caer sobre mí, manteniendo los ojos cerrados, pero compensando el hecho de no verlo al sentirlo por todas partes. Está empapado en sudor, jadeando contra mi pelo, y es la sensación más increíble y profunda del mundo.

—¿Qué te pareció nuestro sexo soñoliento? —pregunta y besa mi hombro.

—Muy ardiente —bromeo, o no—. ¿Qué hora es?

—Son las siete de la mañana, tenemos que levantarnos, y perdona por despertarte, pero tenía muchas ganas.

Levanta la cabeza y me regala una hermosa sonrisa de niño bueno. Le pego con la almohada y él suelta una risa.

—¡Idiota!

—No te vi quejarte antes, Anastasia.

—Bien, no me quejo, estuvo bien —admito—. Pero ahora quita, tengo que bañarme, estoy toda sudorosa. —Intento moverme, pero él me abraza con más fuerza y pasa su lengua por mi mejilla—. ¡Diego! —exclamo en medio de risas.

—Me gusta que estés sucia y sudando.

—Muy gracioso. —Ruedo los ojos, pero no puedo borrar mi sonrisa. Es un tonto adorable—. ¿Me das permiso? Tengo que darme una ducha. —Lo miro todo sudoroso—. Tú deberías hacer lo mismo.

Enarca una ceja.

—¿Eso es una invitación para hacerlo en el baño?

—¿Qué…? —Resoplo cuando estalla en carcajadas y lo empujo. Esta vez sí se mueve. Lo fulmino con la mirada, lo que lo hace reír con más fuerza. Le saco la lengua y luego el dedo del medio. Tomo mis cosas y me dirijo al baño. Cuando estoy dentro de la ducha sonrío. Diego es un tonto, pero es encantador. Mi sonrisa se borra cuando recuerdo que hoy conoceré a sus abuelos y eso me aterra.

Suspiro y empiezo a ducharme, pero mi cuerpo se dobla cuando un dolor agudo me atraviesa el vientre bajo, y no tengo que ser adivina para saber que mi periodo llegó, y con fuerza. Adiós, linda mañana.

—¿De verdad estás bien? —me pregunta Diego una vez que llegamos a la universidad.

—Ya te dije que sí, chico cursi. No es la primera vez que me llega.

—Lo sé, pero te veías muy mal.

Tomo su mano.

—Pero ya me siento bien, el medicamento hizo efecto. No te preocupes.

—Bien. —Me regala una tierna sonrisa.

Estira la mano para apagar la radio, pero lo detengo cuando empiezan a hablar sobre el asesino en serie que aún no han atrapado y cuestionan sobre el trabajo de la policía.

Cuando termino de escuchar las noticias, yo misma apago la radio, bajamos del auto y nos adentramos al campus. Caminamos por los pasillos en un silencio cómodo. Cuando llegamos al final, nos despedimos porque nuestros salones están en áreas diferentes.

Toma un mechón de mi pelo.

—Cuando termine mis clases te esperaré en el estacionamiento mientras pienso en lo que sucedió esta mañana.

Niego con la cabeza, pero sonrío.

—Nos vemos, mi chico cursi. —Me acerco y le doy un suave beso.

El día pasa con tranquilidad, e incluso un poco aburrido. Me muerdo el labio inferior concentrada en buscar en las estanterías de la biblioteca el libro de marketing que necesito para un trabajo, hasta que un escalofrío hace que me quede quieta; mi piel despierta, pero no de buena manera. Miro detrás de mí, pero no veo a nadie sospechoso. Solo compañeros realizando sus tareas o en salas de estudio con sus amigos.

Tomo el libro que necesito y me acerco al hombre que está en la recepción de la biblioteca. Le entrego mi pase de la universidad y me da la fecha en la cual tengo que devolver el ejemplar. Apenas escucho sus palabras porque me siento observada. Salgo a paso rápido de la biblioteca y entro en el baño de mujeres para intentar tranquilizarme.

—Solo es mi imaginación —digo en voz baja, intentando convencerme.

Humedezco mi rostro con agua fría, pero la sensación no desaparece. Me enderezo cuando la puerta se abre detrás de mí, abro los ojos y lo veo a través del espejo. Un nudo de emociones agrias me azota el pecho, pero no puede ser real. Cierro los ojos esperando que ciertamente sea mi cabeza jugándome una mala broma, pero cuando los vuelvo a abrir, está detrás de mí con una sonrisa dócil que podría engañar a cualquiera, menos a mí.

Mi cuerpo se congela, mis extremidades no reaccionan. Me quedo paralizada con las manos temblorosas.

—Hola, mi Anastasia. —Su voz sale suave, pero soy capaz de reconocer el matiz amenazante en su tono. Apoya las manos en mis hombros y doy un respingo—. No tiembles, bonita, ¿acaso no te alegra verme? Vine solo para verte a ti. A mi hermosa boxeadora.

Por fin logro reaccionar y me giro para encararlo, y entonces, gracias a la cercanía, me doy cuenta de que está usando lentillas de color verde y su pelo está pintado de un castaño oscuro que lo hace ver totalmente diferente. Empuño las manos y controlo las violentas emociones que me provocan verlo.

—¿Qué haces aquí, Nicolás? ¿No te cansas de este maldito juego perverso? —Tomo aire y me obligo a controlar mi respiración—. Sabes que estás acabado y más te vale no hacer nada porque hay gente afuera y no dudaré en patearte la cara si te acercas a mí —le advierto.

Toma mi barbilla con fuerza y me observa fijamente. Intento tragar saliva, pero tengo la boca seca y, por más que quiera evitarlo, mi cuerpo tiembla al tenerlo de nuevo frente a mí. El miedo se arrastra por cada parte de mi ser como un fuego abrazador. La última vez casi me mata.

—Te has recuperado bien. Tu cara sigue siendo tan hermosa. —Me acaricia la mejilla y me remuevo de su agarre con asco.

—No gracias a ti —escupo con odio—. ¿Por qué me torturas así? Ya basta con este juego retorcido, deja de destrozarme de una buena vez. ¿Por qué me haces esto?

Se queda callado mirándome por unos largos segundos y luego se acerca hasta acorralarme. Miro de reojo la puerta y él se aclara la garganta, notando la dirección de mi mirada.

—Porque te amo, Anastasia. —Su pulgar se desliza por mi mentón, me tenso aún más—. Eres igual que yo, una asesina. —La curva izquierda de sus labios se eleva con media sonrisa—. ¿Qué no te das cuenta de que tu lugar es conmigo?

La ira me atraviesa las venas y mi mano derecha reacciona aferrándose a su muñeca y enterrándole las uñas. Su sonrisa no se borra, pero aparto su frío y asqueroso tacto de mí.

—¿Qué ganas con esta maldita persecución? ¿Qué ganaste con venderme y matar a mi hermano? Dímelo, imbécil de mierda.

Suelto su mano con rabia, pero no se inmuta. Sigue cerca de mí. De hecho, vuelve a acortar el pequeño espacio que apenas nos separa. Empuño las manos.

—Anastasia, Anastasia —dice con voz cantarina—. ¿De verdad no lo entiendes? Es simple. Quería poder y respeto, quería dinero. ¿Y sabes qué más quería? Follarte, pero no me lo permitiste, entonces, ¿por qué habría de cuidarte? —Sonríe y lleva una mano a mi pelo, empuñándolo mientras me mira con esos dos pozos gélidos que me hacen estremecer—. Aunque es muy probable que, si me hubieses dado sexo, las cosas hubiesen sucedido igual.

Me suelto de su agarre y un escalofrío recorre mi cuerpo advirtiéndome que debo huir. Hay algo muy distinto en Nicolás, algo que realmente da miedo. Aun así, tomo fuerzas para replicar a su absurdo razonamiento.

Doy un paso a un lado para alejarme de él, pero parece un animal hambriento acechando a su presa. Trago grueso.

—Te amaba. Antes de que me destrozaras te amaba, tenías una familia y eras feliz. —Mi corazón bombea de forma demencial en mi pecho—. ¿Dónde mierda quedó ese chico encantador que me conquistó? ¿Dónde…?

Me callo cuando una carcajada agria sale de su garganta y me sacude. Su mirada se vuelve más afilada y su risa me para los pelos. Ladea la cabeza, mirándome antes de volver a hablar.

—¿Feliz? —pregunta con un tono de voz tan bajo que lejos de tranquilizarme, me altera más. Su sonrisa se borra de raíz—. No tienes ni puta idea de nada. No me conoces en lo absoluto. Solo veías lo que quise mostrarte. No sabes de los demonios susurrantes que viven en mi interior, que nunca me abandonan y que me repiten cada día que yo tengo el poder, que puedo hacer lo que quiera, que puedo apagar las vidas de personas como tú. No sabes nada, Anastasia.

Sus palabras impactan contra mí con tanta fuerza que siento el aire escapar de mis pulmones. Por instinto, doy un paso más lejos de él mientras siento mi estómago retorcerse ante su enferma confesión. Está loco.

—Tú no sabes lo que es sentir rechazo continuo de tu familia o amigos, o de la puta sociedad. —Su expresión se endurece y el pánico se clava en mi pecho al mismo tiempo en que mis uñas se entierran en mi palma por la fuerza que ejerzo al empuñar mis manos—. Desde que era niño fui diferente. Era retraído y me aburrían las cosas que a los demás les gustaban. Digamos que me entretenía con cosas… especiales. —Suspira y cierra los ojos un segundo—. Me gustaba la soledad, pero no niego que sentir el rechazo de los otros niños me afectó. Nunca tuve un amigo de verdad y en la adolescencia prometí que cambiaría todo. Me entrené en las peleas ilegales y descubrí que era bueno en ello, pero de qué sirvió si mi hermano siempre ha sido el mejor. Yo siempre viví en la puta oscuridad. Además, mis gustos seguían siendo diferentes, me volví adicto a la pornografía con tintes sádicos y me gustaba mirar asesinatos de mujeres; de hecho, me excitaba casi tanto como ver el desconcierto, el dolor y la rabia en tus ojos ahora mismo. ¡Demonios! No sabes lo dura que me la pones.

Esa maldita sonrisa vuelve a sus labios mientras se acerca; no soy capaz de mover un solo músculo, estoy paralizada. Cada palabra pronunciada resuena en mi cabeza como un maldito eco. ¿Cómo nadie vio antes el monstruo que se esconde tras su cara bonita? Yo tampoco lo hice y sigo pagando la factura. ¿Cómo pudo fingir tan bien y engañar a todo el mundo?

—¿Sabes por qué te escogí a ti? —pregunta, pero no respondo, solo lo observo sintiendo un volcán de emociones intensas que me someten—. Porque eres la única mujer que no me tiene miedo y eso es un reto para mí. Un reto muy excitante, a decir verdad; no eres como todas.

—¿Qué quieres decir?

Me observa con fijeza y su mano acaricia mi mejilla. Doy un salto porque ni siquiera me di cuenta cuándo se acercó tanto. Trago saliva y los dedos de mis pies se curvan inquietos, pero no doy ni un solo paso. Mis pies no reaccionan y aunque lo hicieran, el abismo que veo en su mirada me advierte que no debo provocarlo.

—Escucha bien esto, Anastasia, eres mía y aunque creas que me venciste, eso no es cierto, cariño. No tienes ni idea de lo que aún soy capaz de hacer. El tiempo corre y te juro que volverás a mí por voluntad propia.

Me deshago de su toque y lo encaro.

—No volveré a ti jamás, ¿me escuchas? Antes muerta que volver a caer en tus malditas y repugnantes garras.

—Solo dos palabras, Anastasia: Alejandra Navarro. —Si antes el miedo me devoraba desde dentro, el pánico me apuñala vilmente, y por supuesto que lo nota—. Tranquila, aún tengo otros asuntos importantes que atender antes, pero puedo asegurarte que vendrás a mí tarde o temprano, te guste o no. Tú decides si necesito tener a tu hermosa amiga…

—No te atrevas a ponerle una mano encima o te juro que...

—¿Qué? —Sonríe—. ¿Qué vas a hacer para mantenerla a salvo? ¿La seguirás como un perro faldero? ¿Le pondrás más policías como el tonto que la cuida? —Suelta una carcajada y luego sus labios forman una línea. Es un psicópata—. No insultes mi inteligencia, Anastasia.

Quiero golpear su cara tantas veces hasta borrar esa maldita sonrisa sádica que tiene mientras me mira. Porque lo sé, ¡maldita sea!, lo sé: su amenaza no es en vano, él puede llegar hasta ella.

—¡Eres un…!

—¿Un qué? —me interrumpe abalanzándose contra mí, presionando su cuerpo al mío, haciéndome sentir su asquerosa erección. Un picor se extiende por mi cuero cabelludo cuando tira de mi cabello y me hace inclinar la cabeza—. ¿Qué soy para ti, Anastasia? ¿Un monstruo? —Su aliento choca contra el mío y lo siguiente que siento es la humedad de su lengua en mi cuello al mismo tiempo que empuja su dureza contra mi pelvis.

—¡Suéltame! —Intento escaparme de su agarre, pero reacciona aprisionándome contra la pared, inmovilizándome. Tengo náuseas. Su lengua se pasea por mi mentón, bajo mi protesta, antes de que vuelva a encararme.

—¿Lo sientes? ¿Sientes lo duro que estoy imaginándome cómo te someto?

—¡Estás enfermo! —grito con lágrimas de frustración corriendo por mis mejillas.

Me suelta y ríe. Se pone lo lentes listo para irse, pero antes de hacerlo apunta a su reloj y dice:

—Tic, tac, tic tac, Anastasia: el tiempo corre, tienes los días contados. —Su risa retumba en mis oídos—. Me gusta este juego, pero ya es hora de llegar a la meta. Y por si tenías la duda, esto es a muerte, así que uno de los dos tendrá que morir y te aseguro que no seré yo. —Su expresión vuelve a endurecerse—. Te amo, pero jamás debiste meter a la estúpida policía en esto, ahora pagarás por ello. Me saludas a la linda Alejandra. —Sale del baño dejando una amenaza clara en el aire.

Mi cuerpo se sacude con un sollozo mientras me deslizo por la pared. Lo odio, y odio la maldita certeza de saber que las personas que amo están en peligro. Lloro de rabia por un par de minutos, luego me limpio las lágrimas y mis manos tiemblan cuando tomo el móvil para ver un mensaje de Diego informándome que está esperándome. Le respondo con un corto «ya voy» y luego marco el número de mi mejor amiga al tiempo que me recuerdo que no puedo darle el gusto a Nicolás de seguir estropeando mis planes, mi vida. Hoy es un día especial porque conoceré a los abuelos de Diego, y no puedo solo echarme a llorar. Él no lo merece.

—Hola, rubia bonita —saludo cuando la línea se abre. Luego me aclaro la garganta—. Te quiero pedir un enorme favor.

—Hola, mi chica *sexy*. ¿Qué favor? ¿Estás bien? Noto tu voz algo ronca.

—¿Puedes ir a quedarte un mes a mi apartamento? Por favor, Ale. Quiero que volvamos a estar de nuevo juntas, no estoy bien. Por favor.

Alejandra se queda callada unos segundos y me muerdo el labio inferior nerviosa. Necesito que acepte. Necesito protegerla.

—Claro, ¿sucede algo, Anastasia?

—Te lo cuento todo después en mi apartamento. ¿Estás con Cameron? —le pregunto mientras camino hacia donde está Diego.

—Sí. —Aún parece preocupada por mí—. Mañana llevaré mi ropa y me cuentas todo. No te vas a escapar de mi interrogatorio, creo que es hora de que seas sincera conmigo de una buena vez.

—Sí, creo que ya llegó ese momento.

—Eso espero, Anastasia, porque soy tu mejor amiga y merezco que me digas la verdad. Siempre he sido transparente contigo y ya has permanecido mucho tiempo en silencio. Sabes que he sido paciente, pero necesito que seas honesta conmigo.

—Lo sé. Mañana lo haré —le prometo—. Nos vemos luego, y por favor, no te separes de Cameron y del policía. ¿De acuerdo?

—Está bien —resopla—. Adiós, bonita.

Camino y no puedo parar de mirar a todas partes porque sé que me está vigilando. ¿Cómo pudo entrar a la universidad? Cuando me acerco veo que Diego está recostado contra el capó de su todoterreno. Su ceño se frunce al verme. Da dos pasos hacia mí, lleva sus dedos a mi rostro y levanta mi barbilla con delicadeza.

—¿Qué pasa, Anastasia? ¿Te sientes mal? —Toca mi frente y no puedo evitar comenzar a sollozar de nuevo; él me abraza con fuerza. —Anastasia, por favor, dime qué pasa. No llores, por favor.

—Estoy bien, solo algo sensible —digo, pero mis manos se aferran a su cintura. Es evidente que no me cree, pero lo interrumpo porque no quiero arruinar nuestra tarde, le diré cuando regresemos a casa. Tengo que hacerlo—. Te lo contaré, Diego, pero después de que vayamos a ver a tus abuelitos, sé que es algo importante para ti.

—Prométolo o no me quedaré tranquilo.

—Lo prometo.

Asiente limpiando mis lágrimas.

—¿Me puedes llevar más tarde con Harry y Mariel? —pregunto con la voz ronca.

Sus ojos se ensanchan ante mi pregunta y puedo notar cómo su hermosa cabecita comienza a trabajar deprisa para unir las partes del rompecabezas. Me mira unos largos segundos antes de tomar mi mano, llevarme a la puerta del copiloto y ayudarme a entrar.

Lo miro mientras me pone el cinturón con cuidado, luego toma mi barbilla.

—Anastasia. —Su expresión es seria—. Sé que algo te pasó. Estoy seguro de que te llegó un mensaje de Nicolás o lo viste.

Desvío la mirada y él suelta un gruñido.

—¿Qué te dijo? —brama, molesto. No lo miro, no quiero angustiarlo más. Entonces toma mi mentón y me obliga a mirarlo—. Contéstame de una puta vez.

Lo miro con los ojos muy abiertos por la furia en su voz. Me quedo callada y eso al parecer le hace caer en cuenta de que cometió un error. Niega y apoya su cabeza en mis piernas.

—Perdóname, Anastasia, joder, perdóname —me suplica. Suspiro y acaricio su pelo—. Tengo miedo de que algo te pase.

—Nada malo va a sucederme, Diego, sé defenderme muy bien. —Le sonrío. Tomo sus manos cuando se incorpora—. No dejes que esto arruine nuestros planes, por favor. Te lo contaré después, te lo prometo.

Él asiente y luego me da un largo beso en la frente.

—Siempre estaré contigo, Anastasia.

—Cursi. —Vuelvo a sonreír, pero siento mi pecho calentarse ante su seguridad.

Pone los ojos en blanco y cierra la puerta con cuidado. Rodea su todoterreno y se sube al asiento del conductor. Me muerdo las uñas porque las palabras de Nicolás siguen resonando en mi cabeza. Uno de los dos va a morir y sé que tengo todas las de perder, pero no me iré antes de dar la batalla. Quiero destruirlo. Tarde o temprano mi pesadilla va a acabar, eso lo sé bien, pero nadie dijo que sería fácil. Diego posa su mano en mi rodilla y sonríe, le devuelvo el gesto aún tensa.

Nicolás es una maldita pesadilla, pero lo que no sabe es que ahora tengo un motivo aún más grande para pelear con más fuerza. Quiero ser libre y poder darle lo que tanto Diego quiere y merece: una vida juntos. No me dejaré vencer tan fácil, ahora soy más fuerte que nunca. Tengo sueños y metas a su lado que deseo que se cumplan. Será el fin para Nicolás, no para mí… o eso espero.

Capítulo 67

—¿Estás lista? —pregunta Diego con una sonrisa mientras estamos de pie en la entrada de la casa de sus abuelos. Entrelazo nuestras manos y él no duda en darme un suave apretón que aplaca mis nervios.

—Sí.

La puerta se abre antes de que toquemos el timbre. Miro a la señora mayor que nos sonríe con dulzura. Los brazos de la mujer se abren y su nieto no tarda en lanzarse sobre ella y abrazarla. Sonrío ante la tierna imagen.

—Dieguito, cariño. —Acaricia su espalda antes de soltarlo—. ¿Esta chica tan hermosa es tu novia? —No deja que ninguno de los dos conteste, toma mi mano y me atrae hacia ella en un cálido abrazo que le devuelvo—. Eres preciosa, niña. Con razón mi chico anda tan enamorado. Me llamo Rosa, pero puedes decirme abuela.

—¡Abuela! —exclama Diego por dejarlo en evidencia, pero noto la diversión en su rostro—. Te extrañé mucho.

—Yo también, cariño.

La abuela le da una suave palmadita en la mejilla antes de despeinarlo. Suelto un suspiro porque es una escena tan linda.

—Te dije que mi chica era la más guapa —dice Diego pasándome un brazo por los hombros; me sonrojo y niego con la cabeza.

—Toda la razón, pero pasa, querida. —Diego tira de mi mano para que entre en la casa. Seguimos a la abuela que debe tener unos sesenta a sesenta y cinco años, es muy joven y puedo ver que mi chico cursi tiene rasgos similares a los suyos.

Cuando entramos al comedor, nos encontramos con un señor canoso que se pone en pie en cuanto su mirada recae en nosotros. Una sonrisa amplia se extiende por su rostro arrugado cuando abraza a su nieto e incluso cuando se dirige a mí y besa mi mejilla.

—Muy guapa tu chica, Dieguito. —Me muerdo el labio inferior para no reírme de su apodo tan tierno—. Un gusto, Anastasia, yo soy Leonardo, el mejor abuelo que pudo tener Dieguito.

—Eso no lo pongas en duda —bromea el aludido.

—Mucho gusto, señor. —Le ofrezco una sonrisa amable.

La abuela entra con el almuerzo, que resultan ser unas verduras salteadas con salsa de soya y puré. Miro de reojo a Diego, quien se encoge de hombros. Comenzamos el almuerzo con varias bromas entre los adorables ancianos, quienes se muestran bastante interesados en mí y en nuestra relación, y respondo a sus preguntas tranquila a pesar de mi encuentro con Nicolás.

Son unas personas increíbles y se nota que le han dado todo el amor que han podido a su único nieto. Él se ve feliz y se deja consentir por ellos. A pesar de que han perdido mucho, han sabido mantenerse unidos y fuertes, una de las cosas que más admiro de mi novio, incluso de ellos.

Ayudo a lavar la vajilla con él, quien no pierde la oportunidad de molestarme tocándome de manera provocativa. Aun cuando dijo que no le importa, me niego a tener relaciones sexuales estando en mi período.

—Ven, mi dulce niña —me susurra Diego, besándome el cuello.

Pongo los ojos en blanco y lo aparto. El imbécil lo está haciendo a propósito. Toma mi mano y me guía hacia un pasillo, al final de este abre una puerta y me da un empujón juguetón para que entre. Todo está oscuro.

Sus brazos me rodean la cintura y su cabeza se apoya en mi hombro. Lo miro de reojo, aun en la oscuridad sé que me está sonriendo.

—Bienvenida a mi cuarto. —Estira la mano y aprieta el botón de la luz. Parpadeo varias veces para acostumbrarme.

Observo el lugar, tiene una cama pequeña y varios pósteres pegados de diferentes películas sobre paredes blancas. Me empuja con cuidado a la cama y me hace tumbarme en ella. Se sube encima de mí y se coloca en medio de mis piernas. Miro atentamente sus movimientos.

—Te amo —me susurra, apenas puedo escucharlo.

—Sin sentimientos, Diego Rivero.

Ríe llenándome el pecho de una sensación cálida.

—Sin sentimientos, Anastasia Evans. —Apoya su frente contra la mía—. Me encanta estar así contigo, mi bella. —Me da un beso en la nariz, para luego besarme en la mejilla. Y cuando su nariz roza la mía me derrito ante su tacto—. Eres tan dulce y pura.

—¡Ajá!

Suelta una risa por mi respuesta.

—Me gusta saborearte —dice con voz ronca y me besa el cuello—. Y tu cuerpo ama mis caricias, pero por ahora la fiesta tiene que esperar cinco largos y odiosos días.

—Mala suerte, porque no me siento cómoda —confieso.

—Y yo respeto tu decisión sobre tu cuerpo, jamás te obligaría a hacer algo que te haga sentir incómoda.

—Qué caballero —bromeo con una sonrisa; le doy un beso en los labios—. Mi príncipe mitad ángel y mitad diablo.

—Tienes lo mejor de los dos mundos, ¿o no?

Se echa a reír y me aparta un mechón rebelde de mi cara. Coge mis mejillas entre sus manos y une nuestros labios. Acepto su beso, sigo su ritmo perezoso, me empapo en la emoción que emana de todo su ser. Siento sus manos tibias por todas partes, acariciándome y sintiéndome. Sonrío contra sus labios y aparto sus manos traviesas.

Él hace un puchero.

—¿No me dejarás tocar tu cuerpo ni siquiera con ropa? —inquiere. Niego con la cabeza y suelta un gruñido sofocado que me hace reír—. Pero, Anastasia, ¿cómo me vas a privar de tocar tu cuerpo?

—No seas llorón. —Paso mi mano por su pelo.

—Eres mala —hace un puchero bastante infantil—, pero te amo. Tienes mi corazón en tus manos, Anastasia, no lo olvides.

Pongo los ojos en blanco y acaricio su rostro, pero antes de que me dé cuenta, su boca está en la mía, abriéndose paso con su codiciosa lengua. Gimo cuando el beso se vuelve más voraz y hace trizas mis palabras anteriores porque su mano toca mi pecho y le da un suave apretón que me hace soltar otro jadeo.

—No creo que podamos resistirnos a estar cinco días sin sexo. Somos jodidamente perfectos estando juntos, nuestra química es única, mi bella.

—Me resistiré tanto como pueda. —Alzo mi barbilla con orgullo.

—Eso lo veremos. —Me guiña un ojo. Un repentino golpe en la puerta nos hace separarnos con una rapidez impresionante.

—Permiso —dice la abuela entrando en la habitación con una bandeja de postres en la mano.

Me levanto y la ayudo con los platillos. Ella me sonríe con cariño y le devuelvo la sonrisa a esta hermosa mujer.

—Cómanselo y después siguen con sus hormonas revueltas. No crean que no los he visto en mi cocina —bromea y mis mejillas se encienden.

—¡Abuela! —exclama Diego, indignado.

—Ah, Dieguito. No te hagas el inocente conmigo. —Ella tira de un mechón de su pelo y él le responde con un fugaz abrazo—. Estás muy guapo, mi niño.

—Soy el más guapo —responde con orgullo—. Y tú eres la abuela más guapa.

—¡Exacto! —le contesta ella.

Es en serio que ella le enseñó todo sobre la vanidad a Diego. Suelto una risa porque son tiernos, ahora sé que él tiene a mucha gente que lo ama y es porque se muestra tal y como es con ellos, no como al principio; jamás pensé que él fuera así de cálido, de hecho, sigue sorprendiéndome.

—Coman—repite ella antes de irse y cerrar la puerta.

Diego tira de mi mano y me sienta en su regazo.

—Mi abuela te ama. La enamoraste tanto como a mí.

—Es imposible no amarme —bromeo. Me da un beso en la nariz—. Diego, no quiero irme de aquí.

Me abraza con más fuerza, tanto que me remuevo un poco para que afloje su agarre. Lo hace.

—No podemos ser cobardes, Anastasia, tenemos que enfrentar lo que hay afuera —dice y sé que tiene razón. Tengo que ser muy fuerte para lo que se viene—. Te apoyaré, mi bella, no te dejaré sola en esta pelea porque ya no hay solo un tú o yo, ahora hay un nosotros.

Me quedo callada asimilando sus palabras que me infunden seguridad y confianza, aun cuando sé que hay una guerra que debo ganar, porque si no...

—Lo sé, Diego —es todo lo que digo antes de abrazarlo con fuerza, antes de aferrarme a él como si fuera mi tabla de salvación.

Quizá lo es. Quizá él sea lo que necesito para vencer al demonio con cara de ángel que me persigue. Quizá su amor me salve de tanta oscuridad que parece acumularse a mi alrededor.

Capítulo 68

Las sonrisas y la sensación de calidez que se instaló en mi pecho cuando conocí a los encantadores abuelos de Diego, desapareció cuando llegamos a la estación de policía y le informé a Harry de mi encuentro con Nicolás, lo que ha desembocado en un montón de reclamos por mi irresponsabilidad al no decirle nada antes, aun sabiendo lo peligroso que es el aludido. Me hundo en mi silla tras darme cuenta de mi error. ¿En qué estaba pensando? Tal vez solo quise tener una linda tarde con Diego, tal vez algo dentro de mí me impulsó sabiendo que estábamos en la recta final, una en la que no sabía si ganaría. Tal vez solo quise aprovechar el tiempo, atesorarlo, antes de que esto se vuelva aún más caótico.

El suave apretón de Diego, sentado a mi lado, frente al escritorio de Harry, hace que vuelva a respirar con normalidad. Suspiro y levanto la mirada al policía, quien sigue luciendo molesto por mis actos, o falta de ellos.

—Te das cuenta de que debiste avisarme cuando ocurrió, ¿verdad? ¿No entiendes lo irresponsable que fuiste, Anastasia? ¿Qué no recuerdas que casi te mata a golpes? —sus palabras salen con demasiada intensidad. Trago saliva y asiento.

—Diego, ¿te importaría salir un momento? Necesito tomar su declaración a solas. —Mi chico lo fulmina con la mirada y yo aprieto su mano.

—Estaré bien, por favor. —Le doy un beso en la mejilla.

—Vale, te espero afuera. —Se inclina y me da un beso en los labios que dura más de lo que debería. Escucho a Harry toser y me separo—. Y tú no le hables en ese tono tan hosco a mi novia, ¿qué no te das cuenta de que pudo haber estado en *shock*? Llegó muy mal y entiendo que cometió un error, pero tenía miedo —le advierte mi chico cursi, enojado, antes de darse la vuelta y marcharse bajo mi atenta mirada.

—Tomaré tu declaración —dice Harry preparando su grabadora y una libreta, luego suspira y sus facciones se suavizan un poco—. Perdón, Anastasia, él tiene razón, sé que tienes miedo de tu agresor y que el encuentro debió dejarte en un estado de *shock*.

—Me quedé paralizada como una tonta —confieso en voz baja—. Lo siento, me ganó el miedo y simplemente quise bloquear mis sentimientos y fingir que nada había pasado como vengo haciendo desde hace años, desde que se ha convertido en mi acosador.

—¿Estás yendo con un psicólogo? —pregunta rascando su barbilla y asiento—. Me parece muy bien. Espero que estés tratando esto con él porque bloquear tus emociones no es bueno, te va a destruir.

—Eso ya lo sé —susurro y juego con las mangas de mi suéter.

Comienzo a contarle todo sobre mi encuentro con Nicolás, cada palabra que me dijo. También le comento que no entiendo cómo puede mezclarse con tanta facilidad entre la gente, o más bien en la sociedad.

—¿Qué me ocultas, Harry? ¿Por qué no te veo muy sorprendido con lo que te acabo de contar?

Me mira fijamente antes de sacar unos documentos y dejarlos frente a mí. Observo los papeles y luego a él antes de comenzar a hojearlos; Harry prosigue:

—Nosotros, al principio, no sabíamos mucho sobre los negocios que tenía Nicolás. Sabíamos que era el chico dorado para esos políticos, pues es un hombre joven, guapo, carismático e inteligente que puede engañar a muchas chicas con sus encantos. —Asiento en acuerdo—. Pensamos que Nicolás también estaba siendo manipulado, hasta que descubrimos que no, él es parte activa de esa organización, no solo seduce chicas, también participa en sus abusos y…

—¡Dios! —lo interrumpo—. Ya no me sorprende nada de él. Lo que vi en sus ojos fue… aterrador. Es un psicópata, pero eso ya lo sabían, ¿no?

Se rasca la cabeza, antes de pararse y sentarse a mi lado.

—No, en realidad solo sabíamos que tenía algunos rasgos. Uno de cada cien personas son psicópatas en este mundo, pero no todos tienen el impulso de matar, violar y torturar a personas. Muchos tienen familia, trabajos y llevan una vida completamente normal, claro, tienen menos empatía que las demás personas y tal vez su entorno se da cuenta de que hay algo raro en su personalidad, pero no por eso lo convierte en una mala persona. No todos los psicópatas son monstruos, como nos ha hecho creer la televisión o las películas. Todo depende del entorno y de la infancia que tienen de niños o niñas. Incluso, de algunos otros factores.

Hace una breve pausa antes de continuar:

—Muchos de los estudios que se han realizado a los psicópatas asesinos tienen algo en común: enfermedades mentales o daño cerebral que les impide reaccionar con claridad; también los abusos sexuales que sufrieron en su infancia. Ellos se alimentan de esa ira, es como una bomba que en unos años explotará. Muchos de ellos presentan un vínculo entre una horrible infancia llena de abusos sexuales, violencia intrafamiliar y crímenes horribles que los marcaron, pero que no fueron tratados por algún especialista como debería ser. O incluso si fueron tratados, a veces no funciona.

Me quedo callada pensando en sus palabras, y aunque parecen lógicas, no encaja con Nicolás, pues él no tuvo una infancia tormentosa, aunque es cierto que su madre pasaba totalmente de él y que muchas veces sentí que lo humillaba haciendo comparaciones entre sus hijos.

—¿Crees que Nicolás fue abusado por alguien? Sé que no se lleva bien con su madre, nunca tuvieron la mejor relación, al igual que con Simón.

Harry guarda los papeles y se encoge de hombros.

—No lo sé, Anastasia, pero también hay la excepción como Ted Bundy y Gary Ridgway, no había historial de enfermedad mental, ni ningún diagnóstico clínico de daños cerebrales. Ted tuvo una infancia poco corriente, pero no se sabe que sufriera abusos. Su madre lo amaba. Hay ciertas características muy marcadas de los psicópatas que puedo ver entre Nicolás y Ted Bundy; ambos son carismáticos y manipuladores, además, poseen un encanto natural para atraer a las mujeres y se les dan muy bien las palabras para embaucar a la gente. Son egocéntricos, presuntuosos e insensibles.

El silencio vuelve a emerger; yo analizando toda la información que Harry dejó salir, que es mucha para procesar, y él pensando, supongo.

—¿Crees que Nicolás pueda asesinar…? Quiero decir, mató a mi hermano para demostrar su "valía" delante de esos malnacidos, pero crees que… —Trago saliva—. ¿Crees que sea capaz de asesinar a sangre fría, sin más? —pregunto con miedo a su respuesta.

—¿Quieres que sea sincero contigo? —Asiento—. Desde mi perspectiva y experiencia, sí, es capaz de hacerlo, es cuestión de mirar lo que te hizo. Tenemos que detenerlo ya.

—¿Simón sabe todo esto?

—Sí, está destrozado, siento que se está echando un poco la culpa por no intentar ayudar a su hermano. Él no quería que te contáramos esto para protegerte. Haría cualquier cosa para mantenerte lo más alejada del peligro. Lo sabes.

—Lo sé, no hace falta que me lo diga.

—Pondré a más agentes a vigilarte, muy pronto acabará. Voy a ser sincero porque ni Simón ni Mariel querían que lo supieras, pero es peligroso; por favor, te pido que apenas lo veas nos llames o avises al policía que está contigo —me pide y veo la preocupación centelleando en sus ojos.

—Dios mío. Me cuesta creer que hubo un tiempo en que lo amé.

—Este trabajo me ha hecho ver lo cruel que somos los seres humanos, tanto que a veces siento que pierdo la fe en la humanidad. Pero sé que también hay gente increíble afuera, como Simón, a quien admiro por ser tan leal con sus valores y hacer lo correcto.

—Él es increíble. En cambio, Nicolás es un… enfermo.

Hace un asentimiento y luego se queda unos segundos mirándome, lo que logra ponerme inquieta. Al final inhala y exhala para luego hablar.

—Anastasia, tienes que ir a Madrid a dar tu testimonio a finales de septiembre, es el veintiocho, y Simón también tiene que ir. —Me entrega un sobre y lo tomo insegura—. Todo saldrá bien, confía en mí, lo detendremos. Apenas lo veas, llámame, e intenta mantenerte lejos de los lugares aislados en donde pueda acorralarte. Nicolás se está volviendo cada vez más violento y no perderá cualquier oportunidad que tenga para hacerte daño o secuestrarte. ¿Prometes que no harás una locura?

—Lo... prometo —digo nerviosa—. Confío en ustedes y en su trabajo, y agradezco que no me dejen sola en esto, sé que están estresados con el caso del asesino en serie.

—Hago mi trabajo, Anastasia. —Posa una mano sobre mi hombro—. ¿Puedes pasarte en unos días por aquí? Te quiero mostrar algo.

—Está bien. —Me levanto de la silla con un nudo en la garganta.

—No dejaré que te haga daño, lo vamos a atrapar. Pero la próxima vez me llamas de inmediato, ¿vale?

Asiento y salgo de su oficina.

Diego me mira con el ceño fruncido, preocupado, pero cuando me acerco abre sus brazos para mí y no dudo ni un segundo en abrazarlo.

—¿Todo bien? —pregunta y sus dedos alcanzan mi mejilla en una suave caricia que me regala algo de paz en medio de esta furiosa tormenta.

—Más seguridad, además del regaño que me ha dado Harry, pero tiene razón, Diego, fui una irresponsable. —Suspiro cansada—. ¿Podemos irnos?

—Claro, nena. —Tira de mi mano guiándome fuera de la estación—. ¿Mañana tienes cita con tu psicólogo? —me pregunta cuando salimos.

—Sí. Quiero que me ayude a expresar mejor mis sentimientos, siento que cuando me pasa algo como lo de hoy, mi cerebro lo bloquea y eso no está bien.

—Me parece muy bien que hables de eso, no es sano para ti callarlo. Si acumulas tantos sentimientos conflictivos dentro, un día explotarás y cometerás una locura. Créeme, me pasó y no fue agradable —confiesa y luego me da un beso en los labios—. Quiero preparar un nuevo plato vegetariano que vi en Pinterest —dice de repente, robándome una sonrisa boba, lo que me recuerda que, pese a toda la oscuridad que me persigue, hay un rayo de luz en mi vida llamado Diego Rivero. Una luz que no permitiré que se apague.

En los últimos cinco días apenas he sonreído. Siento un nudo en mi estómago que no se deshace y mi instinto me ha hecho aislarme incluso después de ir a terapia, cosa que no me ha ayudado mucho. Ni siquiera he pasado tiempo con Diego por estar recluida en mis pensamientos. Las palabras de Nicolás se repiten una y otra vez en mi cabeza, las pesadillas han regresado con más fuerza y siempre termino en los brazos de Alejandra, consolándome.

Es como antes, como tres años atrás, solo que esta vez mis pesadillas con Nicolás son peores. Alejandra no se despega de mí y se lo agradezco. Necesito tenerla a mi lado para saber que está bien, que está a salvo.

—¿Estás enojada con Diego? —pregunta ella, mientras cocina lasaña vegetariana, y niego—. Me alegro, porque lo invité a él y a Cameron a cenar.

—Vale. —Trato de sonreír, pero creo que me sale una mueca. La rubia deja el paño en la encimera y ladea la cabeza. Luego se acerca a mí dejándome ver su preocupación. Ella me vio en mi peor etapa y fue la persona que más me apoyó para salir adelante.

—¿Qué te pasa realmente? —pregunta seria y cruza los brazos—. Casi no comes, y apenas hablas con nosotros.

—Solo estoy cansada. No he dormido bien, cada vez que cierro los ojos veo a Nicolás y no quiero dormir, no quiero revivir esos recuerdos. Ya no más.

Mis ojos se nublan en cuestión de segundos y un par de lágrimas zarpan de ellos sin que pueda evitarlo, tampoco quiero, estoy exhausta de reprimir mis emociones.

—Tranquila, todo va a estar bien, ¿por qué no te acuestas unos minutos mientras termino aquí? —Toma mi mano, me guía a mi sofá y me ayuda a acostarme. Me cubre y deja un beso en mi frente—. No te preocupes, estaré contigo, ¿vale?

—Vale, rubia bonita. —Me acomodo y cierro los ojos mientras siento su mano acariciando mi pelo hasta que me duermo. No sé cuánto tiempo pasa, pero despierto por la calidez de unos besos y unas caricias.

—Mi bella, ya has dormido mucho, despierta —susurra Diego, antes de aplastar sus labios contra los míos en un beso casto, fugaz.

—Hola. —Me incorporo dándome cuenta de que estoy en mi cama.

—Te extraño mucho, Anastasia. —Toma mi mentón entre sus dedos y hace que lo mire—. ¿Qué te ocurre?

—No me he sentido bien... —admito—. Las pesadillas han vuelto y no he dormido casi nada en cinco días. Perdóname, por favor.

Asiente y me toma de la cintura llevándome a su regazo. Me ama. Me ama tanto que a veces no sé si lo merezco cuando estoy rodeada de tantas sombras. ¡Dios!

—No te rindas, Anastasia, no te apagues, por favor. —Me da un beso suave—. Eres la mujer más fuerte que he conocido en mi vida, y sé que podrás salir adelante, no dejes que ese demonio gane, mi bella.

—No me estoy rindiendo, cariño. Solo han sido noches duras. Perdón por estar tan fría contigo, pero no tenía ánimos de nada. —Le regalo una media sonrisa—. Pero ahora mismo me siento mejor, tengo a mi novio *sexy* a mi lado.

Suelta una risa al escuchar mis palabras y me pega a su pecho duro y fuerte.

—¿Cómo puedo ayudar a mi novia a sentirse mejor?

Está subiendo y bajando las cejas cuando lo miro, sugerente. Sus labios se curvan en una sensual sonrisa que me hace sonrojar.

—De muchas maneras —le susurro y beso su cuello. Sus dedos se clavan en mi cadera y me estremezco al sentir su hombría endurecerse en sus pantalones. Mis manos se cuelan dentro de su camiseta hasta tener acceso a su perfecto abdomen que trae locas a muchas chicas de la universidad, y yo no soy la excepción. Diego es todo un monumento digno de ver en todas sus facetas.

—¡Joder con ustedes! ¿No pueden mantener sus manos quietas? —La voz de Alejandra se impone en mi habitación y cuando volteo a verla, ella nos observa con las manos en la cintura—. Quítense los tentáculos de encima y bajen a cenar, ¡ahora! —ordena antes de girarse y salir por la puerta cerrando a su espalda.

Me quedo pasmada hasta que Diego suelta una profunda carcajada. Lo miro maravillada, me encanta verlo reír, y notar sus mechones negros cayendo por su frente mientras sus manos acarician mis muslos hace que mi cuerpo despierte de todas las maneras posibles.

—Es imposible mantener mis manos lejos de ti —dice cuando lo miro con los ojos entornados por el rumbo que empiezan a tomar esas caricias. Dejo escapar una sonrisita y me separo de él para sentarme en la esquina de la cama. Mis ojos recorren una vez más ese cuerpo glorioso y sonrío porque tiene una erección bastante notable. Me inclino y hundo mi rostro en su cuello.

—Tendrás que encargarte de tu amigo antes de bajar a cenar —le susurro para luego succionar y lamer su piel arrancándole un jadeo. Por instinto, mi mano desciende hasta su entrepierna, en donde su dureza se presiona contra su pantalón—. Está dura y lista para jugar —lo provoco tocándolo.

—¡Dios, Anastasia! —gime—. Me estás provocando para que sea un animal contigo. ¿Quieres que te folle duro y rápido?

Lo miro con una sonrisa inocente y guío mi mano hasta estar dentro de su pantalón, derribando la barrera de su bóxer. Tiembla cuando mi palma lo envuelve con firmeza y se mueve sobre su pene. Un gruñido de excitación se escapa de su garganta y se estrella sobre mi piel caliente. Sonrío y dejo un beso lascivo sobre sus labios entreabiertos.

—Lo dejamos para después, mi chico ardiente. —Beso su mejilla y me levanto de la cama sin darle tiempo a detenerme. Camino a la salida, pero soy capaz de sentir la mirada fulminante de Diego sobre mí.

—Eres la peor, me calientas y me dejas a la mitad de un orgasmo —dice a mitad de la broma y el reproche—. Eso no se hace, mi bella.

—Alejandra nos espera —me defiendo, justo antes de escuchar otro grito de la rubia.

—En este momento la odio —gruñe y se levanta. Le toma casi un minuto acomodar su erección. Reprimo una carcajada mientras lo veo acercarse a mí con evidente frustración sexual.

Me atrapa por la cintura y me planta un beso que rompo casi de inmediato, siendo consciente de que no saldremos de la habitación si seguimos besándonos. Nos encontramos con nuestros amigos en la planta baja, recordándome, una vez más, que no estoy sola. Y siendo honesta conmigo misma, me siento más segura teniéndolos en mi apartamento, a mi lado.

Capítulo 69

THE DARK ANGEL

Introduzco el alambre curvado en la cerradura de la puerta y hago presión. Sonrío cuando esta cede. Miro a mi alrededor para asegurarme de que nadie me está viendo; el pasillo está solitario. Entro con cuidado al apartamento, está tranquilo y oscuro.

Saco la palanca de metal y las cuerdas. Avanzo por el pasillo y entro en la primera puerta de un dormitorio vacío con una cama matrimonial. Continúo con la siguiente, en donde veo a la chica durmiendo tranquilamente, me acerco con sigilo a su cama. Observo su largo pelo castaño que cubre la mitad de su rostro. Sonrío. Luego miro al otro lado, justo donde duerme su novio.

Saco mi arma y rodeo la cama. No pierdo tiempo y apoyo el cañón con silenciador en su frente. Sus ojos se abren con horror, y antes de que pueda reaccionar, aprieto el gatillo, quitándole la vida al instante. No sé cómo lo nota, pero la chica despierta y comienza a gritar al ver a su novio muerto; la sangre le ha manchado el rostro y el pijama. Salta de la cama y corre desesperada. Guardo el arma, aprieto la palanca en mi mano y corro detrás de ella. No tardo en alcanzarla, tiro de su largo pelo y la golpeo con la palanca en la cabeza para dejarla inconsciente.

Mis labios se curvan en una sonrisa de satisfacción al ver su cuerpo inerte en el suelo, listo para llevarla conmigo y divertirme. El músculo en mi pecho vibra con violencia mientras ato sus manos y pies, pensando en que pronto la tendré a ella entre mis manos. En que no falta mucho para por fin tenerla entre mis garras, debajo de mi cuerpo, follándola como solo yo debí hacerlo. Porque es mía, ella me pertenece y nada ni nadie va a impedir que tome lo que es mío.

Mientras llegue ese día, voy a divertirme con la chica que subo a mis hombros y que tuvo la mala suerte de compartir sus rasgos físicos.

Capítulo 70

Cuando desperté, Diego no estaba en la cama y tampoco en el apartamento, o eso me había dicho Alejandra cuando le pregunté antes de irme a terapia con mi psicólogo. Lo llamé, pero no me contestó. Tampoco dio señal de vida en toda la mañana, pero cuando estaba almorzando me envió un mensaje diciendo que estaba en su apartamento estudiando. Y ahora estoy aquí, sin querer molestarlo, pero con cero ganas de seguir viendo el espectáculo que tienen Alejandra y Cameron. Les lanzo palomitas para que se callen y me dejen ver la película, pero me ignoran. Mi móvil suena en la mesita y mi corazón salta al ver que es Diego.

Me levanto del sofá y contesto la llamada.

—Hola, mi chico ardiente.

—Mi bella, ¿cómo estás? ¿Me has extrañado? Porque yo sí.

Entro en mi habitación y me lanzo a la cama.

—Solo un poquito. ¿Qué estás haciendo?

—Qué feo, Anastasia. Solo me extrañas un poco, a veces pienso que solo me quieres para tener sexo alucinante —bromea—. ¿Cómo te fue con la terapia?

—¡Calla! Me atrapaste, Diego, solo te uso para mi placer sexual. —Suelto una carcajada y lo escucho reír—. Y en cuanto a la terapia, estamos progresando poco a poco, aún me cuesta hablar sobre lo que siento, pero estoy poniendo de mi parte.

—Me alegra escuchar eso, mi bella, ¿puedes venir a mi apartamento? —pregunta con cierta emoción en su voz que no me pasa desapercibida.

—¿Ahora?

—Sí, por favor. Necesito tus besos para motivarme a estudiar. ¿Qué hay de malo en querer ver a mi chica para recargar energías?

—¿Por qué no bajas tú?

Él suelta un bufido que me hace reír.

—Sube, por favor, Anastasia —me pide y corta la llamada. Resoplo y me pongo en pie. Me lavo los dientes y me peino un poco el pelo.

Bajo las escaleras y me despido de la parejita que está acurrucada en el sofá. Salgo de mi apartamento rumbo al de Diego. Me sorprendo cuando me doy cuenta de que la puerta está entreabierta. La empujo y veo que choca con un libro, lo tomo y descubro que tiene pegada una nota.

> Cameron me preguntó una vez por qué insistía tanto contigo.
> La respuesta a esa pregunta es porque estaba seguro de que eras la chica de mi vida, Anastasia. Siempre lo supe, aun cuando fui un imbécil contigo.
> Encuéntrame, Anastasia, cada ejemplar que tomes son libros que marcaron mi vida.
> Sigue el rastro de ellos.

Miro la portada y sonrío, no me imagino a Diego leyendo *El diario de una pasión* de Nicholas Sparks. Abro el libro y veo algo escrito en la primera página:

Puedo ser lo que quieras, solo dime lo que quieres y lo seré por ti.

Mis ojos se llenan de lágrimas porque Diego me dijo algo parecido cuando me quedé por primera vez en su apartamento. En ese momento lo detestaba, pero ahora sé que siempre luchó por mí, incluso cuando yo no quería nada con él. Cierro la puerta y me adentro en la estancia. Avanzo solo unos cuantos pasos cuando me encuentro otro libro en el suelo con un girasol:

Podría decirte tantas cosas, Anastasia... Pero si te fijas en la forma que te miro, te toco, te beso, ya deberías saberlo todo. Búscame, Anastasia, estoy solo aquí. Tu chico cursi y sexy está esperando por su novia.

Observo el libro con emoción y me limpio las lágrimas que caen por mis mejillas. Suelto una risa porque el libro es *Querido John* de Nicholas Sparks, me va a matar de amor y dudo que haya mejor forma de morir.

Abro el ejemplar y acaricio las palabras escritas en la primera página:

Hoy estás aquí conmigo.

Avanzo un poco más y localizo otro al inicio de la escalera. Tomo el libro que lleva una nota adhesiva:

Míranos, Anastasia, llevamos tiempo así, juntos, y me siento completo contigo. Ninguno de los dos creía en la felicidad, ¿no lo ves?
La felicidad también es un lugar. Somos nosotros. Nosotros juntos.

Dejo escapar un suspiro. ¡Dios, esto es demasiado! ¿Qué hice para merecer a este hermoso hombre? Levanto la nota y tengo que reconocer que tiene un excelente gusto con los títulos. Amo con mi vida *Las ventajas de ser invisible* de Stephen Chbosky. Como en los demás, busco la primera página y sonrío al ver una frase del mismo libro:

Y en ese momento, te juro que éramos infinitos.
Cada momento que hemos vivido ha sido infinito, Anastasia. Único.
Tu chico cursi le dio el último toque. ¡Lo sé, soy genial!

Suelto una risa al imaginarlo escribiendo con una enorme sonrisa de orgullo por su pequeño toque que lo hace aún más especial para mí. Mi mirada se desvía a las escaleras, en donde una rosa blanca a mitad de ella llama mi atención. No dudo en subir y tomarla con añoro. Sigo mi camino al segundo piso, pero no encuentro más libros hasta que llego a su habitación. Leo la nota antes de siquiera fijarme en el título de este.

Aún no me encuentras, Anastasia, creo que estás llegando muy tarde, pero te revelaré algo que jamás te dije: para mí, tú siempre llegas tarde a cualquier lugar, porque siempre querré que llegues antes a mí, para verte y admirarte.

Suspiro sintiendo mis mejillas húmedas por la emoción. Mi corazón da saltitos por dentro al notar el nombre del ejemplar en mi mano: *Hush Hush* de Becca Fitzpatrick, el último de la saga. Levanto la portada, emocionada por ver qué frase ha puesto y pongo los ojos en blanco al descubrir la línea:

Me desvestiré para impresionarte.

Me siento en la cama y dejo los cuatro libros, el girasol y la rosa a mi lado. ¿En dónde estás? Me muerdo el labio inferior, pensando en qué lugar puede estar. Volteo a ver los ejemplares y la claridad llega con la velocidad de un rayo. Tomo todo y bajo corriendo las escaleras. Me acerco a la puerta que conduce a la biblioteca y veo otra nota en el suelo.

Me podría enamorar una y otra vez de ti, sin cansarme de los sentimientos que despiertas en mí.
El amor nos vuelve amables, alegres, optimistas, y todo eso hiciste por mí, vale jodidamente la pena enamorarnos.

Con los latidos de mi corazón desbocado y las sensaciones cálidas abrazando mi piel, tiro de la puerta y me encuentro con la sonrisa más hermosa que he visto en mi vida. Diego aparece ante mí con un traje a la medida y con los brazos abiertos. Las emociones me rebasan y estallo en un llanto vibrante, emocionada, porque nadie me había hecho una sorpresa tan bonita. Apenas logro dejar los libros en un estante cerca de la puerta cuando sus brazos me rodean con fuerza mientras me estremezco contra su pecho. Siento sus dedos en mis mejillas limpiando con mimo mis lágrimas. Levanto el rostro y su boca se encuentra con la mía en un beso lleno de amor. Mis manos rodean su cuello y lo atraigo más a mí para deleitarme con el sabor de sus labios y el calor de su lengua danzando con la mía.

Inhalo hondo cuando se separa y une nuestras frentes.

—¿Sabes? Tus besos y tus caricias son asesinos para mí.

Frunzo el ceño, confusa.

—¿Por qué dices eso?

—Porque cada uno de tus besos y caricias mata a mis demonios y a los malos recuerdos de mi pasado que me torturan. —Toma mis mejillas entre sus manos y me mira a los ojos—. Eres mi punto de partida, Anastasia. Tú has impactado en mi vida de una forma que ni siquiera te puedes imaginar.

Mis ojos se inundan una vez más, apenas puedo verlo, pero me reconforta sentirlo de nuevo abrazándome. Me estoy muriendo lentamente. Es la cosa más perfecta y hermosa que alguien ha hecho por mí. Jamás podré superar a Diego, tampoco quiero hacerlo, y es que ¿cómo se supera a alguien como él?

—¿Te gusta mi sorpresa, mi bella? —me pregunta. Entrelaza nuestras manos y me hace girar quedando frente a mí una pequeña mesa con velas. Sobre la superficie hay más libros—. He notado que has estado un poco triste, así que decidí darte esos libros que impactaron de alguna forma mi vida, así como tú.

Suelto un sollozo en medio de una sonrisa. Me siento entumecida y a la vez vibrante, eléctrica ante tantas emociones.

—¡Dios!, gracias… —Tiemblo y me giro a verlo—. Gracias, Diego. Tú has causado un impacto mayor en mi vida —confieso con la voz rota.

Su sonrisa crece y el brillo en sus ojos se intensifica. Acaricia mi rostro.

—Probablemente los libros que te di ya los has leído mil veces, pero quiero dártelos porque subrayé cada frase en la cual me he sentido identificado. —Me guía a la mesa y aparta la silla para que me siente. Lo veo agacharse para estar a mi altura y su mirada se posa sobre mí con tanta intensidad que hace tambalear mi corazón. La última capa de autodefensa que tenía se deshace, reafirmándome lo que ya sabía. ¡Joder! Amo a este hombre con todas mis fuerzas, cada momento que hemos vivido nos ha cambiado. Hemos avanzado juntos, hemos aprendido a amar, a sanar, a confiar y a conectar de una forma que no lo había hecho con nadie. Y pensar que creí que Diego me rompería el corazón, y terminó siendo él quien me ha ayudado a reconstruirlo.

Las lágrimas se siguen deslizando por mi rostro, aún sin poder creer el gesto tan maravilloso que ha tenido conmigo. ¿Cómo puede ser tan lindo y tierno? ¿Cómo puede amarme tanto si le rompí el corazón?

—¿Quieres ser mi novia, Anastasia? —pregunta con la ilusión tiñendo su voz y una sonrisa reluciente grabada en sus labios.

Y entonces lo entiendo. Toda la sorpresa es para pedirme ser su novia oficialmente.

Mi pecho se contrae, mi pulso se agita, mis sentimientos arrasan con todo en mi interior.

Su mirada expectante me hace sonreír.

—Sin sentimientos, Diego —digo y suelta una carcajada que reverbera en la estancia. Lo sé. Soy una tonta por no decirle claramente que lo amo, pero las palabras no salen de mi boca. No obstante, él lo sabe, lo entiende. Ambos lo sabemos mientras nos miramos con añoranza.

—¿Eso quiere decir que sí? —pregunta acariciando el dorso de mi mano con su pulgar. El contacto me calienta la piel, el alma.

Tomo su mano y lo miro a los ojos.

—Eso quiere decir que sería una estúpida si dijera que no, Diego. Claro que sí, eres lo mejor que me ha pasado en la vida. —Me inclino y le doy un breve beso en los labios—. Eres el desastre más hermoso del mundo, chico cursi.

El aire se atasca en mis pulmones cuando, de la nada, me toma de las caderas y me levanta haciéndome enredar mis piernas a su alrededor, para luego dar un par de vueltas llenas de euforia. Su risa se fusiona con la mía antes de que nuestras bocas se encuentren a medio camino. Hambrientos de amarnos, de querernos sin miedos, sin sombras. Arrastro mis dientes por su labio inferior, lo que lo hace gemir. El beso se vuelve más intenso al punto de casi hacerme perder la razón. Nos separamos cuando nos falta el aire.

—Cuando te dije que podías venir aquí y llevarte todos los libros que quieras hablaba en serio, Anastasia. Todos estos son tuyos, son nuestros —dice con la voz aún afectada. Miro las enormes estanterías y luego a él—. Estoy seguro de que tener esta biblioteca me hizo ganar puntos. ¿Cierto?

Sonrío y paso mi mano por su cabello, las hebras de su pelo se escapan de mis dedos. Acaricio su nariz con la mía.

—Cierto, no lo negaré —bromeo y su sonrisa se ensancha.

Me deja en la silla junto a la mesa.

—Quédate aquí, traeré algo de picar.

Lo veo salir y luego mi atención va a los libros que están sobre la mesa. Mis labios se curvan hacia arriba al darme cuenta de dónde se inspira Diego para ser tan cursi.

Un momento después, reaparece con fresas y chocolates y se sienta frente a mí. Se pasa una mano por el pelo y mis ojos no titubean en repasar lo bien que se ve en ese traje oscuro. ¡Madre mía, está de muerte!

—Luces muy guapo —confieso.

Enarca una ceja y me ofrece una sonrisita traviesa.

—Ya lo sé, pero gracias. Esa era la idea.

Ruedo los ojos, pero no puedo evitar sonreír. Vuelvo a mirar los libros.

—Al parecer te gusta mucho Nicholas Sparks —comento.

Él ladea su cabeza y varios mechones caen en su frente.

—Claro, es uno de los mejores escritores de nuestra época. —Arrastra su silla hasta dejarla pegada a la mía.

Asiento, tomo una fresa y la baño de chocolate antes de llevármela a la boca. Una chispa baila en sus pupilas cuando mira mis labios y se inclina para lamer una de mis comisuras, donde asumo me manché de chocolate.

—Eres deliciosa. —Su aliento golpea la piel de mi mejilla y el calor se extiende a través de ella.

Me aclaro la garganta y tomo otra fresa.

—Así que Nicholas Sparks es tu inspiración para ser un chico tan cursi. —Alzo una ceja hacia él, mientras lo veo morder la fruta roja. Mastica antes de contestar.

—Supongo. —Se encoge de hombros.

Me quedo mirándolo siendo consciente de lo afortunada que soy de tenerlo, de su amor.

—¿Por qué yo? —pregunto de la nada—. No fui para nada agradable contigo. ¿Por qué insistir conmigo?

—Eres preciosa y fuerte, Anastasia, eres como un terremoto que me removió todo por dentro. —Se inclina y besa mi nariz—. Además, cuando te conocí me di cuenta de que tenías un alma torturada y herida, y dos almas dañadas se reconocen —confiesa, antes de dejar otro beso en mi hombro desnudo.

—Diego… —Su nombre me sale en un jadeo involuntario. Siento su aliento en mi cuello cuando sonríe contra mi piel. Tengo calor.

—Quiero acariciar cada parte de ti, quiero besar cada rincón de tu cuerpo. —Muerde mi hombro con suavidad—. Quiero tocarte, estar dentro de ti y escucharte gemir mientras te corres. ¿Quieres que lo haga, Anastasia?

Mi boca se seca, mi frecuencia cardiaca aumenta, y yo asiento. Se levanta y me hace hacer lo mismo antes de girarme.

La calidez de sus labios vuelve a deslizarse por mi hombro, rodeándome con su perfecta anatomía. Una corriente eléctrica se desprende de mi nuca y me recorre la columna vertebral. El vello de todo el cuerpo se me eriza y arqueo la espalda en respuesta a la caricia ardiente.

—Eres bella. —Sus labios vibran contra mi oído, provocándome escalofríos—. Te amo.

Echo la cabeza hacia atrás, sobre su hombro, de cara a su cuello. Se agacha un poco para poder besarme en los labios, lleva las manos a la parte delantera de mi top y comienza a sacármelo lentamente.

—¿Te la quitamos? —pregunta sobre mis labios.

Asiento y obedece; sus ojos brillan de deseo mientras me besa con delicadeza y amor. Nuestras lenguas se entrelazan sin esfuerzo y termino apoyada en él para no caerme. Sus manos encuentran mis pechos y me pellizca los pezones a través del encaje del sujetador hasta dejarlos erguidos.

—¿Ves lo que me haces, Anastasia? —Presiona la pelvis contra mi trasero y me demuestra exactamente lo que le hago antes de lamer el lateral de mi cuello.

Baja las copas de mi sujetador dejando expuestos mis pechos y me pasa las palmas de las manos por la punta de los pezones. Una de sus manos desciende hasta llegar al inicio de mi pantalón, lo desabrocha y no tarda mucho para que la prenda salga volando por mis piernas.

—Tu piel es tan suave —me susurra al oído, deslizando las manos por mi cuerpo, directo a donde se unen mis muslos. Las rodillas me tiemblan cuando su mano toma mi sexo por encima de mi ropa interior. Mis caderas se mueven hacia adelante en busca de más fricción—. ¿Te gusta, Anastasia? Porque tu cuerpo reacciona muy bien a mis caricias.

—Diego... ¡Mierda! Sí… me gusta —jadeo, y luego gimo cuando me pega a su entrepierna.

—¿Estás mojada por mí?

—Sí —susurro.

Pasa los pulgares por debajo del elástico de mis bragas mientras se agacha. Siento la corriente por todas partes cuando empieza a deslizar la diminuta prenda al mismo tiempo en que deja pequeños besos por mis muslos. Jadeo. Levanto mis pies para sacar las bragas. Sus dedos cambian de posición cuando se incorpora y su brazo me envuelve la cintura.

—¿Qué quieres que te haga, Anastasia? —susurra y besa la curva de mi hombro. Mi espalda choca contra su pecho.

El corazón se me acelera y no me ayuda a controlar la respiración. Quiero su tacto en mí. Tomo su mano y la guío despacio hacia el interior de mis muslos; aplano la palma contra mi cuerpo, con la mía sobre la suya.

Empiezo a aplicar presión y tiemblo cuando sus dedos se arrastran sobre la humedad de mi sexo. Trago saliva y muevo las caderas. Mi trasero choca contra su erección arrancándole un gemido. Necesito que me bese. Vuelvo la cara hacia él, que adivina lo que quiero al instante y cubre mi boca con la suya.

Muerdo con suavidad su labio inferior y tiro para que se deslice poco a poco entre mis dientes. Sigo montando su mano, sus dedos son ágiles, gloriosos.

—No te corras —me advierte con un susurro.

Retira la mano y se la lleva a la boca. Me mira fijamente mientras empieza a lamerse los dedos. ¡Santa mierda! Esta imagen es demasiado erótica.

—Vamos a delirar juntos.

Alzo la vista hacia sus hermosos ojos cafés.

—No voy a dejarte nunca, Diego. Me encantas.

—¿Me lo prometes? —Me besa una vez más, como si quisiera arrancarme la respuesta de la lengua.

—Te lo prometo —digo cuando nos separamos un segundo.

Y entonces, a pesar de lo malditamente bien que le queda el traje, me giro y me deshago de él bajo su atenta y lujuriosa mirada. Su desnudez me atrapa como un maldito embrujo. Mis manos se deslizan por sus caderas, bajo su bóxer, donde aparece su erección.

Una oleada de deseo me asalta con más potencia. Sus abdominales se tensan bajo mis caricias cuando mis manos ascienden por su torso, maravillada ante su belleza. Estira la mano y saca un condón del escritorio. Lo rasga y lo desenvuelve sobre su hombría con premura.

—No puedo esperar más. Necesito estar dentro de ti. ¿Quieres que sea rápido y duro, o lento y suave, bella?

—Rápido y duro —contesto con las sensaciones a flor de piel.

Se toca un poco antes de acercarse a mí en una clara invitación que no dudo en aceptar. Salto sobre él y rodeo su cintura con mis piernas. Parpadeo cuando su erección me roza en lo más íntimo mientras me lleva contra la pared.

Siento su erección caliente y resbaladiza presionando contra mi sexo y entrando en mí solo un poco. Respira con fuerza y deja caer la cabeza en mi cuello mientras se prepara para invadirme. Muevo las caderas y desciendo sobre él en una estocada, notándolo en lo más profundo y sacándome el aire por un segundo.

—Me vas a matar —gime mientras se queda quieto dentro de mí.

Quiero sacudir las caderas y provocar algún movimiento, pero, por cómo tiembla y palpita en mi interior, sé que se está conteniendo. Me quedo quieta y le acaricio el pelo negro mientras coge fuerzas. El corazón le late con tanta fuerza que casi puedo oírlo. El mío le sigue el ritmo muy de cerca.

—¿Te gusta mi sorpresa? —Pone la cara a la altura de la mía.

—Sí, me ha encantado —digo, al tiempo que afianzo los dedos alrededor de su cuello y aprieto las caderas.

Retira las manos de mi espalda y las apoya contra la pared. Poco a poco, recobra el aliento y luego arremete contra mí con una exhalación. Gimo. Su asalto ardiente y palpitante hace que cambie las manos de lugar y le clave las uñas en la espalda.

Apoya la frente en la mía y empieza a entrar y a salir de mí. Gimoteo con cada estocada mientras él prosigue a un ritmo constante. Joder, es perfecto. Me vuelve loca. Empiezo a resbalar sobre su piel húmeda, nuestros alientos se mezclan en los escasos centímetros que hay entre nuestras bocas.

—Bésame, Anastasia —susurra con la voz ronca. Pego los labios a los suyos en busca de su lengua.

Siento cómo un grito cobra forma en mi garganta cuando se echa hacia atrás y me embiste de nuevo haciendo que mi cuerpo se deslice por la superficie plana. Aprieto los muslos en su cintura con más fuerza para subir más y luego me dejo caer sobre él. Me embiste de nuevo, una y otra vez, empujándome contra la pared, mientras yo me trago mis pequeños gritos y él me besa hasta dejarme sin respiración.

—Mierda, me encantas, bella —dice al tiempo que se hunde más profundamente en mi interior.

—Die-go…

Ya no aguanto más. Los movimientos ya no son solo certeros, ahora son estocadas firmes, agresivas, feroces. Joder, estoy sudando deliciosamente. Clavo las uñas sin miramientos en su espalda.

—¡Joder! —maldice—. ¿Vas a correrte?

—¡Sí! —mi respuesta sale en un grito.

Mis palabras parecen darle más ímpetu a sus movimientos. Me ataca con una energía feroz. Las espirales de placer llegan a mí como una tormenta. Le entierro las uñas en la piel y le muerdo el labio sin piedad ahogándome con mi propio orgasmo. Dejo caer la frente sobre su piel sudada y salada, allá donde el cuello se funde con el hombro, mientras tiemblo sin control contra su cuerpo.

—Anastasia —gruñe mientras se retira y vuelve a arremeter un par de veces más sin contemplaciones.

Llega a su clímax y varias oleadas de contracciones se extienden por mi cuerpo, alargando el mío. Gime, luego deja que nos deslicemos hasta el suelo, agotados y sudorosos.

Nuestros cuerpos se mecen en vibraciones. Nuestras respiraciones poco a poco se apaciguan. Sus dedos en mi espalda me hacen saber que estoy donde debo estar. Con la persona que quiero.

—¿En qué piensas? —pregunta. Deja un beso en mi mentón.

—En lo mucho que significas para mí, gracias por esta sorpresa. Tengo al mejor novio cursi y ardiente del mundo. Te quiero en mi vida siempre, Diego, siempre —me sincero.

Las comisuras de sus labios ascienden en una sonrisa y una mirada de satisfacción ilumina su bello rostro. Es perfecto así como es, no necesito que cambie nada. Siento tanta paz cuando estoy entre sus brazos, aun cuando sé que afuera está creciendo una enorme tormenta que pronto va a azotar mi vida. A veces quisiera quedarme encerrada con él para siempre y que nadie nos moleste, pero sé que eso sería de cobarde y yo jamás lo he sido.

No me esconderé de Nicolás cuando me tenga que enfrentar a él, lo haré y lucharé por mi vida, porque ahora tengo un motivo, una razón para luchar por un futuro y lo más importante, he vuelto a sonreír y he aprendido poco a poco a perdonarme. Esto no es mi culpa, pero sé que soy yo quien debe resolverlo… Y lo haré.

Capítulo 71

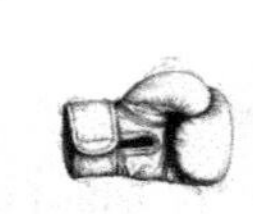

Anastasia

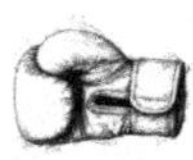

Me remuevo en mi cama una y otra vez, me refriego los ojos y veo que alguien está tocando mi ventana. Me levanto de golpe, me acerco con cautela y sonrío al ver a la persona que está al otro lado del grueso cristal. Su hermosa sonrisa se extiende cuando le doy vía libre para que entre. Sus delicados y suaves labios alcanzan los míos en un beso tierno. Le correspondo de la misma forma.

Sus dientes se clavan sin rudeza en mi labio inferior antes de soltarlo. Se pasa una mano por el pelo rubio y me sonríe.

—Te ves bonita. —Toma mi mano y le da una suave caricia.

—Estaba durmiendo, solo lo dices porque me amas —digo sin ocultar mi sonrisa. Él me observa con sus hermosos ojos azules mientras lleva una mano a mi mejilla.

—Eres bonita, créeme cuando te lo digo. —Me atrae a su pecho. No dudo en esconder mi cabeza en su cuello. ¡Dios! Amo tanto a este chico tan callado y misterioso, al contrario de su hermano, que es tan mujeriego. Nicolás acaricia suavemente mi cabello mientras me cuenta cosas sin importancia de su día.

—Te amo, Anastasia —me susurra y besa mi sien. Me separo para mirarlo a los ojos.

—Dime que me amas —me pide con una dulce sonrisa.

—Te amo, Nicolás.

—¿Ah, sí? —pregunta curvando sus labios en una sonrisa traviesa.

Apoya sus manos en mis hombros y me empuja con delicadeza hasta que mi espalda toca el colchón, un momento después se acomoda entre mis piernas cerniéndose sobre mí. Acaricia mi mejilla con ternura y va descendiendo hasta la altura de mi cuello.

—No deberías amarme, Anastasia. —Se inclina y deja un beso en mi mejilla antes de acariciar mi nariz con la suya—. Tengo muchos demonios y voces que me atormentan.

Tomo su muñeca y lo miro fijamente, intentando entender el porqué de sus palabras. No tiene sentido. Nicolás es tierno, cariñoso, cuidadoso y amable, no entiendo qué demonios puede tener en su interior.

—Te amo —repito.

—¿Segura? —pregunta serio. Su mano se cierra en mi garganta y una sonrisa perversa empieza a aparecer en sus labios—. No deberías amar a un monstruo como yo.

Mis ojos se abren con terror cuando comienza a apretar mi cuello con fuerza. Mis manos reaccionan aferrándose a las suyas, rasguñándolo en un inútil intento de alejarlo de mí. El miedo me entierra las garras en el pecho, mis pulmones se quedan sin aire. Mi cuerpo se estremece bajo su letal agarre, intento gritar, pero el sonido queda estrangulado en mis cuerdas vocales. Pataleo, pero lejos de quitármelo de encima, se cierne aún más. Abro la piel de su rostro con mis uñas, aun así, no se detiene. Mis pulmones arden, el horror se arrastra como fuego sobre cada parte de mi ser. El frío en sus ojos me sacude y la sensación asfixiante me nubla la vista. Mis fuerzas se agotan y mi mundo parece detenerse cuando sonríe arrebatándome el último aliento, quitándome la vi…

Tiemblo cuando mis ojos se abren, llevándome una mano al cuello. Lanzo un golpe cuando alguien me toca y el impulso me hace caer de la cama. Escucho un gruñido de dolor, pero me arrastro y no me detengo hasta que mi espalda toca una fría pared. La luz se enciende y parpadeo varias veces para acostumbrarme. Diego se levanta al tiempo que se masajea la mejilla derecha. Me muerdo el labio inferior con fuerza y me limpio las lágrimas que caen sin control. Odio estas pesadillas porque se sienten reales.

Se agacha y tira de mi mano para sentarme en su regazo.

—Ya pasó. —Me peina el cabello con mimo. La puerta se abre de golpe y me sobresalto un segundo antes de ver entrar a la rubia—. Tuvo una pesadilla, tranquila, Ale, yo me encargo.

Ale contrae el rostro y luego suspira. Ella más que nadie sabe qué tan vívidas pueden ser mis pesadillas. Ella ha velado mis sueños tantas veces. Por eso no me sorprendo al ver la preocupación en su rostro cuando se acerca y deja un beso en mi frente antes de volver a salir.

—Yo… Lo siento, Diego. No quise golpearte —digo aferrándome a sus brazos cuando me levanta y me lleva hasta la cama.

—No pasa nada —musita.

Sus brazos me rodean la cintura y mi cabeza cae sobre su pecho desnudo. Suelto un suspiro y alzo la vista.

—No llores, mi bella, ya pasó. —Limpia mis lágrimas—. ¿Qué puedo hacer para que te sientas mejor? —pregunta preocupado.

Estiro mi mano y acaricio su mejilla en donde lo golpeé.

—¿Puedes decirme algo cursi, por favor? —Hago un puchero.

Sonríe y me da un corto beso mientras entrelaza nuestras manos sobre su abdomen.

—A ver, a ver… ¿Qué puedo decirle a mi hermosa novia? —Aparta el pelo de mi cara.

—Sorpréndeme con tu don de la cursilería —bromeo y pone los ojos en blanco haciéndome sonreír. Amo molestarlo.

Se queda un minuto en silencio mirando al techo y yo observo sus gestos, me gusta cómo se mordisquea el labio inferior y una pequeña arruga aparece en su frente.

—Cambiaste mi vida, Anastasia. Le pusiste color a mis días… —Toma mi mentón entre sus suaves dedos y me mira a los ojos—. Me devolviste a la vida.

Mi corazón salta en mi pecho haciendo una fiesta de latidos caóticos. Mi mirada se nubla por las emociones que causan sus palabras. Estiro mi mano y alcanzo su mejilla para atraerlo a mis labios. Presiono mi boca contra la suya en un beso anhelante, lleno de tanto amor que apenas me cabe en el cuerpo.

—Tú también me trajiste de vuelta —susurro contra sus labios—. Tú me das vida, Diego.

Sus ojos brillan con ese amor vibrante que me demuestra cada día. Vuelve a abrazarme con fuerza y yo a descansar mi mejilla en su pecho escuchando el retumbar de su corazón.

—Descansa, yo estaré aquí y espantaré tus pesadillas —dice antes de que cierre los ojos y me deje caer en los brazos cálidos de un sueño profundo.

Capítulo 72
DETECTIVE MARIEL

La rabia arde bajo mi piel incluso horas después de abandonar Madrid, donde interrogué a uno de esos malnacidos. Atravieso la puerta de mi oficina notando que Harry está sentado en una silla frente a mi escritorio, esperándome. Me dejo caer en mi sillón con un resoplido de enfado.

Sus cejas se arquean, su expresión es inquisitiva.

—Abusaron de Nicolás cuando tenía dieciséis años. Ese hombre ni siquiera lo negó. —Me masajeo el cuello—. ¡Qué asco de persona! Nicolás siente toda esa ira hacia Anastasia porque como no pudieron abusar de ella, abusaron de él. Pasó de víctima a victimario. Además, ella acabó con sus negocios, eso le suma peso a sus viles sentimientos.

—¡Hijos de perra! —sisea ante la nueva información, luego frunce el ceño—. Pero Nicolás siguió trabajando con ellos.

—Al principio, él solo era un chico con problemas de drogas y con facultades mentales cuestionables. Ellos se aprovecharon de sus vicios. Luego, cuando quisieron cobrarle sus deudas y lo vigilaban, lo vieron junto a Anastasia y se obsesionaron con ella. Era solo un niño entonces, por Dios. —Suspiro—. Pero entonces, dada su evidente belleza física, esos malditos lo usaron, todos esos hombres lo tocaron, y no solo en su cuerpo, destrozaron lo poco que quedaba de un adolescente atormentado por las voces que no podía callar y lo convirtieron en su chico especial, en un arma que empuñar.

—Pero ya no es solo eso —me recuerda Harry.

—No, ya no. Ahora es un criminal, un tratante de mujeres. Un posible asesino. Bueno, podemos decir que es uno en toda la extensión de la palabra. Fue parte de los que asesinaron al hermano de Anastasia y casi la mata a ella. Estoy segura de que ha abusado sexualmente de las chicas que atrae y vende. —Me froto el puente de la nariz, agotada de que cada vez haya más mierda—. Lo que le pasó fue horrible, pero nada justifica lo que es hoy. Tomó muy malas decisiones y tendrá que pagar por ello.

Harry asiente en medio de un suspiro. Lo miro por unos segundos siendo consciente de la tensión que va acumulándose en su cuerpo.

—¿Qué pasa? —pregunto.

Se queda unos segundos en silencio.

—Esta mañana encontraron el cuerpo de un joven muerto de un disparo en la cabeza, el chico no andaba en buenos pasos, ya sabes… drogas, aún no se sabe mucho y el caso fue asignado a Luis —me informa y pongo los ojos en blanco—. ¿No crees que han estado calmadas las cosas con el asesino en serie?

—Demasiado.

Abro la carpeta sobre mi escritorio y miro las fotos de las chicas. Cuatro fueron asesinadas de la misma forma, pero lo que me atormenta es que con la última también mató a un hombre. Es evidente que el asesino goza torturando y abusando de ellas, si no fuera el caso, les dispararía como lo hizo con Tomás Quezada, el chico que mató en el mirador.

—Está rompiendo el patrón —digo.

—Está jugando con nosotros y estamos cayendo en su trampa —confirma Harry revisando los documentos de la autopsia que también han dejado en mi escritorio—. No creo que sea lo más inteligente de nuestra parte caer en ese juego.

Chasqueo la lengua porque es algo evidente, pero no tenemos muchas opciones, estamos perdidos. Ninguna de las pruebas nos lleva a ninguna parte.

—Me preocupa que esté rompiendo el patrón porque ahora puede ser aún más peligroso; puede matar a cualquiera sin ningún perfil en específico —digo con rabia—. Debe ser alguien que pertenezca a la fuerza armada.

—¿Crees que podría ser un policía? —pregunta con asombro y asiento con la cabeza—. Eso tendría mucha lógica. Explicaría cómo sabe limpiar tan bien las escenas del crimen. Aunque también puede ser alguien que estudie las ciencias forenses o que esté familiarizado con el tema. Tú y yo sabemos que muchos policías y agentes del FBI han escrito libros sobre el tema.

Me rasco el cuello, inquieta.

—Tienes razón, son demasiadas posibilidades. Y de nuevo estamos en lo mismo.

Harry asiente y puedo ver en su mirada las mismas emociones que me albergan: frustración, impotencia, rabia y dolor… Un dolor furioso por todas las vidas que ha destruido ese desgraciado, porque no solo asesinó a esas chicas, sino que destrozó a cada una de sus familias. ¡Hijo de puta!

Capítulo 73

Me arden los ojos cuando me despido de mi psicólogo y salgo del consultorio para encontrarme con Diego, quien lee *París era una fiesta* de Ernerst Hemingway. Parece absorto en su lectura, pero se levanta en cuanto nota mi presencia.

—¿Cómo te fue? —pregunta preocupado al ver mi rostro. Suelto un suspiro enorme. Acabo de estar una hora reviviendo mis pesadillas. El doctor dijo que probablemente se debía al estrés y a la ansiedad que estaba sintiendo con todo este tema, por lo que me aconsejó hacer en la noche prácticas de relajación como el yoga.

—Doloroso —digo, lanzándome a sus brazos. Él suspira y me besa en la frente—. Estoy bien, Diego, solo es difícil revivir tus pesadillas cuando quieres olvidarlas. —Me aparto cuando mi móvil vibra con notificaciones. Lo saco de mi bolsillo trasero y leo los mensajes de los gemelos y Jonathan.

Ese trío de tontos parece que por fin apareció. Los he echado de menos, pero sé que han estado inmersos en sus estudios porque tenían proyectos importantes que realizar en sus carreras. Les contesto que no pasa nada, porque en los últimos días se la pasan pidiéndome disculpas, por mensajes y llamadas, por no estar pendientes de mí. Prefiero que piensen que todo está bien, a tenerlos encima de mí preocupados.

Levanto la mirada y Diego me observa.

—Antes de irte a tus clases, ¿me puedes dejar en la estación de policía, por favor? Tengo una reunión.

—Claro, ¿van a hablar sobre los juicios? —pregunta mientras toma mi mano y me guía a la salida.

—Sí, es la próxima semana y es el último juicio para conocer su sentencia, por lo que sé, Simón y otros cinco jóvenes testificaremos en su contra —explico con la voz algo temblorosa—. Estoy con mucha ansiedad porque nunca pensé que tendría que vivir esto.

—Es normal que estés nerviosa, mi bella, lo que viviste fue algo muy fuerte. Eres muy valiente por salir adelante y buscar justicia para tu hermano y para muchas chicas que fueron engañadas y cayeron en esa red de trata, y por ti. —Toma mi rostro en sus manos cuando nos detenemos en el estacionamiento—. Eres una guerrera.

—Gracias por tus palabras.

Sonríe y me abre la puerta del copiloto. Me subo en su todoterreno y él, como siempre, me abrocha el cinturón de seguridad.

—¿Estás segura de que quieres dar tu testimonio? —Noto la preocupación en su voz—. Porque si no te sientes segura o lista, puedes decirle a Mariel. No quiero que vuelvas a revivir algo tan doloroso para ti.

—Quiero hacerlo, Diego. Hemos luchado mucho por esto y voy a hacer lo que esté en mis manos para que esos malditos se pudran en la cárcel por cada uno de sus crímenes. —Suelto el aire—. Además, en el viaje podrás conocer a mis padres. Mi madre te amará y mi padre… bueno, es un caso complicado.

—Me los ganaré, Anastasia, no creo que tu padre sea tan terrible.

—Mmm..., ya veremos. Mi padre es muy celoso, así que no creo que sea tan fácil con él, pero lo importante es que tienes mi corazón —lo animo.

Él asiente y me da un suave beso en los labios, acariciando mi pierna. Se aleja y corre a la puerta del conductor para poner el auto en marcha con dirección a la estación de policía. Mientras conduce, no puedo evitar mirarlo y preguntarme si sigue teniendo pesadillas con el accidente.

Dejo ir todo el aire de mis pulmones de manera brusca. Voltea a verme un segundo y luego vuelve su atención a la carretera. Empiezo a jugar con mis dedos justo antes de que la pregunta abandone mis labios.

—¿Ya no tienes pesadillas?

Diego para en un semáforo que está en rojo y posa su mano en mi rodilla. Levanto mi mirada de su tacto y sus ojos café me miran con mucha intensidad. Se pasa una mano por el pelo, un claro gesto de incomodidad ante el tema, y lo entiendo, pero tengo curiosidad.

—No son pesadillas en sí... Yo solo puedo ver las luces del camión y luego siento que caigo en un vacío y despierto asustado. No sé si realmente son pesadillas como tal. —Se muerde el labio inferior—. Antes revivía todas las noches el accidente, mi psicólogo dijo que tenía un trastorno por estrés postraumático; fue muy difícil esa época.

Mira al frente y toma una bocanada de aire antes de continuar.

—Amaba a mis padres y a mis mellizos con mi vida, eran mi luz. —Sonríe—. Mi padre era un italiano que se enamoró de una loca española que puso su mundo de cabeza. Mi madre era una mujer llena de vida que enamoró a mi padre con su bella locura. —Suelta una risa—. Siempre se amaron, lo demostraban muy a menudo, e incluso mi padre era bastante cursi, supongo que lo heredé de él. —Me mira de reojo—. Era mi ejemplo en todo, siempre supe que cuando conociera a la chica que pusiera mi mundo de cabeza sería la indicada.

Una sonrisa enorme tira de mis labios mientras observo el brillo en sus ojos.

—Seré honesto. —Dobla a la izquierda y se detiene en la orilla—. La razón por la que te digo bella es porque mi padre se lo decía a mi madre. Su amor era limpio y romántico como el de nosotros, Anastasia; jamás puse en duda que tú eras esa chica.

Me derrito de amor por él. Es perfecto. ¿Cómo se supone que lo deje ir cuando yo también siento lo mismo? Con Diego todo es tan fácil, tenemos sexo alucinante, me entiende, me ama locamente y me hace sentir especial todos los días con sus palabras y con sus acciones.

—Diego...

—Solo tú me conoces realmente. —Acaricia mi mejilla.

—Me vas a matar de amor. —Sonrío—. Así que tu padre también era un hombre cursi, ¿eh? Supongo que sí lo heredaste de él.

—Calla, Anastasia —dice riendo—. Tú tienes la culpa de sacar a un Diego tan enamorado.

Muerdo mi labio inferior para no reírme.

—Tengo que controlarme con lo de ser tan cursi —murmura para sí mismo y no puedo evitarlo, estallo en una carcajada.

—No tienes que cambiar nada, Diego, me encantas tal y como eres —confieso con una sonrisa.

Él rueda los ojos, pero sin apartar su expresión divertida. Se inclina y deja un beso en mis labios antes de volver a conducir a nuestro destino. En el camino me cuenta que ya va a comenzar con las prácticas en los hospitales, algo que me acelera el pulso porque ¡Dios! Diego vestido de médico debe ser un hermoso espectáculo que admirar.

Saludo a Mariel y a Harry sintiendo una energía extraña vibrando en el aire. Me siento al lado de este último sin quitarle ojo a Mariel, que está de pie mirándome de una forma que no puedo descifrar.

—¿Qué pasa? ¿Por qué tienen esas caras?

—Solo estamos esperando a Simón, tenemos que preparar tu testimonio para el juicio de la próxima semana. Tenemos seis en total —me informa Harry.

—¿Cómo has estado? —pregunta Mariel.

—Bien, no he salido mucho para ser sincera —le hago saber y ellos asienten con la cabeza.

Me remuevo en la silla, incómoda, hay algo que no se siente bien. La mirada de ambos sobre mí me pone nerviosa.

—¿Me permites acompañarte a tu piso para que charlemos un poco? Es mi tarde libre —pregunta Mariel con una sonrisa.

Harry la mira y ella asiente. Frunzo el ceño. Esto no me está gustando ni un poco. Hay algo que no me están diciendo y la sensación es desagradable. El ambiente se siente denso, pesado. Antes de que pueda seguir pensando o pueda pronunciar palabra, la puerta se abre y entra Simón, serio, pero su rostro se ilumina con una sonrisa en cuanto me ve. Saluda a Harry, estrecha la mano de Mariel y luego me da un beso en la frente.

—¿Cómo estás, bonita? —pregunta abrazándome.

—Bien. —Me separo un poco—. ¿Y tú?

—Mejor ahora que te veo.

Mariel tose y se acerca a tomar mi mano, salvándome de la situación incómoda. Ella sabe que estoy con Diego y bueno, supongo que nota lo incómoda que me hacen sentir esas palabras. Un momento después aparece el abogado y terminamos pasando la mañana repasando mi declaración y preparándome para las preguntas que puede hacer la defensa de los asquerosos hombres.

Unas horas después, Simón estaciona su auto frente a mi edificio, lo miro, parece muy pensativo, pero yo tengo una pregunta que no deja de rondar en mi cabeza una y otra vez; se supone que somos un equipo.

—¿Por qué me lo ocultaste?

Voltea a verme y me estremezco antes las emociones tan desgarradoras que veo en su mirada.

—¿Sobre los crímenes de abuso sexual a esas chicas? —Asiento y suspira—. Porque ni yo me lo creía, Anastasia. Nicolás y yo nunca nos hemos llevado bien, es más, nos odiamos, siempre tuvimos esta rivalidad, pero aun así es mi pequeño hermano, ¿cómo quieres que me sienta? Me ha costado asimilarlo y no quise preocuparte más. Has pasado por tanto.

Inhalo hondo entendiendo sus motivos. Él también ha pasado por mucho.

—¿Tus padres nunca vieron las señales cuando era pequeño? Porque es un peligro para la sociedad.

—Claro que sí. Cuando tenía ocho años mató a un gato, al principio pensaron que fue sin querer, hasta que un día mi madre llegó conmigo del colegio y vio que mi hermano estaba torturando a otro gato. Entonces las alarmas en mis padres se encendieron. —Se humedece los labios, como si necesitara una pausa para organizar sus pensamientos—. Lo llevaron a un psicólogo que dijo que tenía un trastorno esquizotípico de la personalidad, que normalmente aparece en los niños que no pueden empatizar; estuvo en terapia por dos años y el doctor lo dio de alta, ya que dejó de hacer esas cosas, al menos a la vista de nosotros. Supongo que cuando estuvo contigo, realmente se enamoró y pudo esconder su demonio, pero se topó con la gente equivocada y creo que fue inevitable. —Su labio tiembla y se pasa una mano por la cara.

—¿Tus padres saben lo de sus crímenes y sobre cómo participó en el asesinato de mi hermano? —cuestiono.

—Tuve que decirles todo y fue la cosa más dolorosa que he hecho, Anastasia. Observar cómo a mis padres se les rompía el corazón frente a mí ha sido lo peor. —Cierra los ojos un momento y añade—: Mi madre llora todo el día porque se culpa de haber criado a un monstruo y mi padre se ha encerrado en sí mismo.

Nos quedamos en silencio unos largos segundos.

—Lo siento, Simón.

—Mis padres van a testificar en contra de Nicolás cuando lo atrapen, supongo que para intentar traer un poco de paz a la familia de esas chicas. Muchos dicen que es de admirar lo que van a hacer y otros dicen que no pueden entender cómo le dan la espalda a su propio hijo.

Tomo su mano porque mi amigo está destrozado y me necesita.

—La gente siempre va a hablar de lo que quiere y siempre va a juzgar, aunque hagamos las cosas bien. Tus padres son fuertes y dignos de admiración por lo que van a hacer, no cualquier persona actuaría de esa forma, muchos padres lo negarían, pero los tuyos son unos guerreros —digo con sinceridad.

—Están destrozados, pero quieren hacer lo correcto. Dijeron que no pueden perdonar lo que hizo porque él sabía lo que estaba haciendo; él sabe diferenciar lo bueno de lo malo.

—Te respeto y admiro tanto, Simón.

Me regala una media sonrisa que no llega a sus ojos.

—Siempre te protegeré, Anastasia. Todo esto fue mi culpa. —Su voz está impregnada de dolor y angustia—. Si no hubiera sido un patán contigo, nunca hubieras conocido a mi hermano, al menos no de la forma en que estuvieron juntos. —Se pasa una mano por la cara—. Si tan solo hubiera sido un buen chico contigo, estoy seguro de que seguiríamos juntos, tu hermano seguiría con vida y nada de esto estaría pasando.

—Simón, no es tu culpa, cada uno de nosotros tomó su decisión —le recuerdo—. Éramos jóvenes, tú solo querías disfrutar de tu sexualidad. Supongo que yo quería vivir un romance como los que leía en los libros. Todos cometimos errores, pero aprendimos; bueno, excepto Nicolás.

Apoya su frente contra el volante y comienza a sollozar. Mi corazón se tambalea de la tristeza al verlo. No me reprimo y me lanzo a abrazarlo.

—Me salvaste, Simón, cuando iba a ser abusada por siete hombres, arriesgaste tu vida, e incluso lo has hecho muchas veces. Intentaste ayudar a mi hermano. —Tomo su barbilla para que me mire y limpio sus lágrimas—. Eres mi ángel y siempre estaré agradecida por todo lo que has hecho por mí.

—Siempre me tendrás, Anastasia, esperaré por ti.

Me tenso un poco, pero decido ser honesta sobre mi condición actual.

—Simón, no vivas en nuestros recuerdos. Volví con Diego, es el correcto para mí.

—¿Cómo lo sabes? —pregunta con cierta amargura.

—Porque no concibo mi vida sin él, porque no puedo siquiera visualizar un futuro en donde no esté, porque si Diego me pide que me case mañana con él, lo haría sin pensarlo. —Suspiro—. Daría mi vida por él. Lo amo como nunca he amado a nadie. Eres mi amigo, Simón, te quiero un montón, pero te mereces una chica que realmente te ame y esa no soy yo.

Su cuerpo se pone rígido y su expresión de dolor aumenta mientras sacude la cabeza. Por un momento, siento una opresión en el pecho al pensar que seguirá insistiendo, pero me sorprende cuando toma aire, luego lo suelta y me mira con una expresión más suave.

—Vale, lo intentaré…, intentaré olvidarte.

La sensación de haberme quitado una montaña de encima me asalta, liberando mis músculos de la tensión acumulada.

—Eso espero. Verás cómo pronto encontrarás a la chica perfecta para ti. —Me inclino y beso su mejilla—. Gracias por traerme, nos vemos luego.

Me bajo del vehículo y me encamino hacia Mariel, quien está apoyada en la pared junto a la entrada. Cuando me acerco, ella está mirando cómo Simón se marcha seguido por un auto de policía.

—Desde aquí pude ver cómo le rompiste el corazón —bromea. Suelto una bocanada de aire sintiéndome fatal, pero prefiero ser sincera con él. Nuestra relación fue un doloroso error que no repetiría jamás en mi vida.

Cuando entramos en mi apartamento, dejo a Mariel en la cocina pidiendo *pizza* y comida china mientras subo al segundo piso. El lugar está a solas, Alejandra, Cameron y Diego están en la universidad. Yo solo tenía una clase y fue suspendida. Cuando entro a mi habitación, un escalofrío se arrastra por mi espalda poniéndome rígida al instante. Algo no se siente bien.

Miro a todas partes y suelto un grito cuando veo la rosa azul en el centro de mi cama. ¡Dios mío! Nicolás estuvo aquí. Solo él me ha regalado rosas azules. De forma casi inconsciente, alcanzo la maldita rosa y la empuño con manos temblorosas. Las emociones son tantas que apenas siento las espinas clavándose sobre mi palma.

Mariel entra corriendo a la estancia y mira a todos lados. Su mirada se detiene en mí y no duda en acercarse a quitarme la rosa antes de prácticamente arrastrarme al baño. Posa mi palma debajo del agua limpiando la sangre. La escucho hablar, pero no puedo responder. Me conduce hasta sentarme en la taza del baño mientras termina de limpiarme.

—¿Qué te pasa, Anastasia? Me estás preocupando —vuelve a hablar.

Esta vez levanto la mirada y me obligo a contestar.

—Nicolás... Esa rosa…, esa rosa azul es de él. Es el único que me las regalaba. —Mis ojos se llenan de lágrimas nublando mi visión.

Mariel se pone alerta y saca su arma en tiempo récord.

—Quédate aquí y ponle seguro a la puerta cuando salga —me pide. Revisa la ducha y luego sale cerrando a su espalda—. No salgas de este baño, es una orden.

Pongo seguro, es mejor no llevarle la contraria a Mariel, la verdad es que me intimida un poco en esta faceta.

Pasan varios minutos antes de que regrese y me encuentre aún con lágrimas en los ojos. Suspira y me rodea en un abrazo reconfortante. Y entonces me dejo ir en un llanto de rabia, de dolor, de impotencia y desesperación. Lloro todo lo que mi alma me implora mientras me abraza. Lloro hasta que mi cuerpo deja de temblar y logro calmarme.

—Vamos a tener que tomar más medidas de seguridad, como cambiar las cerraduras, también tendremos que poner a más personas a cuidarte, ¿te parece?

«No, no quiero, pero sé que es necesario».

—Vale.

Salimos del baño. Mariel se aparta y toma su teléfono, camina de un lado a otro dando órdenes a la persona del otro lado de la línea. Me dejo caer en la cama sintiendo mi corazón aún tenso. Respiro hondo y me recuerdo que soy fuerte, que está bien llorar, pero jamás rendirse. Y yo no lo haré, no le daré el gusto a ese monstruo de seguir arruinando mi vida. Ya no más.

Capítulo 74

Anastasia

—¿Estás mejor? —pregunta Diego mientras se viste y yo termino de acomodar mi navaja bajo mi ropa para que nadie pueda verla. Me giro hacia él. Desde ayer, cuando supo lo que pasó, se la ha pasado preguntando lo mismo.

—Estoy bien, Diego. —Me acerco y junto nuestros labios en un beso cálido que pretende calmarlo, pero jadeo cuando noto su erección contra mi abdomen. Nos separamos porque tenemos clases—. Siempre estás caliente.

—¿Contigo? Cada segundo —responde y pasa una mano por su pelo—. Vamos, me muero de hambre, de comida y también de sexo, pero lo segundo tendrá para esperar a la noche. —Me guiña un ojo y sonrío.

El día transcurre despacio, más de lo que quisiera. Camino por los pasillos de la universidad, pero, de repente, mi piel se eriza y mi sangre se hiela. Miro a mi alrededor y no veo nada. Sé que está ahí, pero en qué parte. ¿Cómo puede pasar desapercibido? Camino un poco y doblo a la izquierda, cuando una mano tira de mí y me pega contra una pared. Pestañeo varias veces y veo a Nicolás con una siniestra sonrisa al mismo tiempo en que noto la punta de un cuchillo en mi estómago.

—Quédate quieta y sé buena—me susurra—. Saldremos de aquí y te subirás a mi auto. No armes un escándalo o te mato frente a todo el puto mundo, ¿entendiste?

Vuelvo a asentir notando mi ritmo cardiaco volverse irregular. Sus labios se curvan en una sonrisa antes de levantarse la capucha. Pasa una mano por mi cintura y desliza la punta del cuchillo por mi costado, ocultándola debajo de mi chaqueta negra. Respiro profundo mientras avanzo, necesito calmarme y pensar cómo salgo de esto con vida. Salimos de la universidad a paso rápido y me apunta a donde tiene aparcado su coche.

—¿Te gustó mi rosa? Fue como en los viejos tiempos, ¿verdad? —Me da un beso en la mejilla—. Tranquila, aún no empieza la fiesta y tu cuerpo ya está temblando.

—Nicolás...

—Cállate o te mato —sisea—. No tienes idea de lo mucho que he soñado con este día. —Arrastra el cuchillo por mi abdomen, jugando con mis nervios—. Deseo tanto someterte, jugar con tu cuerpo, follarte mientras gritas y tiemblas de miedo. —Acerca sus labios a mi oído. Me estremezco—. Te amo, Anastasia. Eres el amor de mi vida, pero me has traicionado y tengo que hacer que pagues. Las voces en mi cabeza me lo recuerdan cada día. Y lo haré. Voy a follarte como un salvaje, voy a abrirte la piel con mis dientes, voy a deleitarme con tus lágrimas, con tu desespero, con el terror en tus ojos cuando me corra dentro de ti. —Muerde el lóbulo de mi oreja mientras presiona el filo contra mi piel; aprieto los dientes—. Y entonces voy a matarte, voy a manchar mis manos con tu dulce sangre y voy a volver a correrme cuando vea la vida abandonar tus ojos. ¿Y tu cuerpo? Aún no sé qué haré con él, pero te juro, Anastasia, que no lo desperdiciaré —me susurra y da un beso en el cuello.

Un sudor frío recorre mi espalda frente a sus palabras. Es un monstruo mucho peor de lo que pensaba. Está enfermo. Miro a todas partes intentando hacer algo, pero él lo nota y reacciona presionando aún más el arma blanca en mi abdomen. Suelto un gemido de dolor cuando noto el filo abriéndome la piel.

—Sigue caminando, Anastasia. —Tira de mi brazo obligándome a avanzar.

Trago duro y aprieto mis manos. Cuando llegamos a su coche, él abre la puerta del copiloto y me empuja.

—Súbete al puto coche. ¡Ahora! —me ordena. Lo miro un segundo y veo que se está guardando el afilado cuchillo. No lo pienso dos veces y levanto mi rodilla impactando con sus partes nobles, él se dobla y comienza a gruñir. No pierdo tiempo y comienzo a correr, pero apenas doy unos cuantos pasos cuando me toma por la muñeca. Empuño mi otra mano y la impacto contra su cara con tanta fuerza que lo mando al piso.

El miedo me hace reaccionar y golpeo su estómago con una fuerte patada haciéndolo gruñir. No le doy tiempo a recuperarse y corro en dirección a la universidad, en donde, de inmediato, ubico a la seguridad y empiezo a gritarles para que el malnacido no me siga. Uno de ellos me alcanza a medio camino, casi al mismo tiempo que el policía que siempre me sigue, y, en medio de jadeos, les cuento lo que pasó. Ellos mismos terminan avisando a Harry. Aún siento mi corazón latiendo demasiado fuerte, demasiado rápido. Mis ojos arden, quiero llorar. ¡Joder! Estuvo muy cerca. Apenas puedo respirar.

Veinte minutos después, toman mi declaración y Diego me abraza con fuerza. Harry me ordena que me vaya a mi apartamento, al igual que Alejandra y Cameron, todos accedemos sin objeción alguna, sabemos que es peligroso. Por suerte los gemelos y Jonathan no se enteraron o estarían encima de mí sin importar que están en épocas de exámenes.

Durante el camino, Diego me abraza y tararea canciones para relajarme, pero no lo logra. Todo fue tan rápido que ni siquiera entiendo cómo me pude escapar de él.

Cuando llegamos a mi habitación, me deja en la cama y me levanta la camiseta para ver el pequeño corte superficial en mi piel. Noto las lágrimas correr por su rostro y por el mío mientras me cura.

—Lo siento tanto, debí haber estado contigo —dice cuando termina la tarea. Me besa la mejilla y seca mis lágrimas—. Soy un imbécil.

—No es cierto. Estabas en un examen. No es tu culpa. Lo importante es que pude escapar, estoy aquí y te puedo asegurar que le di una buena paliza.

Su cuerpo se tensa y yo acaricio su espalda para que se relaje. Nicolás nunca me ha podido ganar en las peleas, soy más ágil que él, por eso usa armas o a las personas que amo para tenerme acorralada, si no fuera el caso lo derrotaría como hoy.

—Casi te pierdo, Anastasia. ¡Dios..., no, no, no! —comienza a decir una y otra vez.

Lo abrazo con fuerza y luego le doy besos por toda la cara para que se calme.

—Diego, tranquilo, estoy contigo —lo reconforto.

—Lo siento, Anastasia, debería estar calmándote y no preocupándote más, pero eres lo más importante que tengo en la vida —dice en un susurro.

—Nada me va a pasar —digo con una sonrisa forzada. Me mira y frunce el ceño. Salta a la vista que no me cree del todo, pero así es la vida, no podemos dar nada por sentado y ambos sabemos que tengo una diana en la espalda.

—Te amo, Anastasia. —Su voz sale ronca.

Sonrío. Esas palabras realmente me dan fuerzas para luchar por mi vida, para no ser débil, para recordarme que la vida puede ser maravillosa cuando encuentras a la persona correcta, y sé que Diego lo es.

Capítulo 75

THE DARK ANGEL

Tamborileo mis dedos contra el volante mientras espero que la chica se acerque. La observo despedirse de su amiga y me bajo del coche con las muletas. La veo avanzar escribiendo en su móvil. Camino hacia ella y chocamos, su teléfono cae al igual que mis llaves.

—Lo siento tanto —se disculpa con una sonrisa. Se agacha a recoger nuestras cosas—. Toma, aquí tienes tus llaves, lamento haberlas tirado.

Niego con la cabeza, curvando mis labios en una sonrisa suave.

—No te preocupes, no me pude mover con rapidez —digo en un tono dulce y ella me da una sonrisa—. Por cierto, me llamo Jorge, ¿y tú?

Ella da un paso hacia atrás.

—No sé si debería darte mi nombre porque no te conozco. —Hace una mueca—. Me tengo que ir, mi novio va a pasar a buscarme.

Intenta pasar por mi lado, pero me muevo bloqueando su paso; alza una ceja con sorpresa.

—Perdona, pero tengo que irme.

—Claro, ¿pero me puedes ayudar a abrir la puerta de mi auto? Es que no puedo con las muletas y yo también tengo que irme. Por favor —suplico y le ofrezco una sonrisa ladeada—. Solo serán unos segundos, mi coche está estacionado ahí. —Apunto a la derecha.

Justo en ese momento, llega un auto a nuestro lado y baja la ventanilla. Me retiro con rapidez y me escondo detrás de mi coche. La chica habla un momento con quien asumo es su novio y, cuando se gira, me busca con la mirada, pero luego se sube con apremio al auto y salen del estacionamiento. La sien me palpita por la rabia cuando vuelvo al asiento conductor del mío.

¡Maldita sea! Se me escapó. Golpeo una y otra vez el volante. Tiro de mi cabello sintiendo la ira burbujeante por todo mi cuerpo. Tenía tantos planes para esa chica, quería ver el terror en sus ojos mientras le quitaba el aire y la follaba. ¡Maldición!

«Muerte, muerte», me susurra una voz en mi cabeza.

Esta es la segunda vez que fallo, pero no habrá una tercera. Estoy a punto de encender el auto cuando veo a una pelinegra viniendo en mi dirección. Volteo a ver a todos lados y sonrío cuando me doy cuenta de que no hay nadie. Bien, la castaña se me escapó, pero esta chica no correrá con la misma suerte.

«¡Fóllala! ¡Mátala!», vuelve a imponerse esa voz en mi cabeza. Mi corazón empieza a rugir ante la anticipación cuando me bajo, listo para cazar.

Capítulo 76
DETECTIVE MARIEL

Entramos en la sala de reuniones y miro de reojo cómo Luis se acerca a Omar con una encantadora sonrisa y comienza a hablar con él. Suelto un suspiro cansado; no quería que Luis estuviera aquí, pero es él quien está a cargo del homicidio de la última víctima masculina, así que tiene que venir para saber si es de quien se habla en la carta. Tomamos asiento y Harry saca su libreta para tomar apunte de todo lo que está diciendo Omar, quien se pone guantes antes de tocar el papel.

—¿Quieren que la lea? —pregunta y asiento—. También envió el segundo criptograma, es más corto, pero ya le hemos sacado una copia para cuando tengamos que imprimir las tres partes.

—Claro, puede comenzar —dice Luis juntando sus manos.

El señor Omar se aclara la garganta y comienza a leer esa maldita carta.

Soy el asesino de la pareja del **Mirador de Sarrià** y para demostrarlo, les diré el arma que utilicé esa noche para asesinar al hombre de un disparo en la frente. Fue con un arma calibre 22.

Soy el mismo que también asesinó a ese hombre en el apartamento 231, en la calle Alhambra. A él también le disparé en la frente, pero esta vez con una pistola de calibre 9mm, todo ello antes de secuestrar a su bonita novia de pelo castaño. Me gustan las mujeres castañas, son tan bonitas.

Aquí les mando la segunda parte del criptograma, espero que la policía esté disfrutando con este divertido juego entre nosotros. Solo queda una parte para que conozcan la motivación que hay detrás de mis acciones. Ahora tengo una pregunta para la detective: ¿De verdad crees que puedes atraparme? Porque eso sería patético. Voy a ganar este juego y tú... Tú solo serás una policía fracasada que se consumirá en lamentaciones cuando se dé cuenta de que no puede hacer nada para que más personas no pierdan la vida por mis manos. Esto es divertido, ¿no? Al menos para mí. ¡Suerte, detective! La va a necesitar.

THE DARK ANGEL

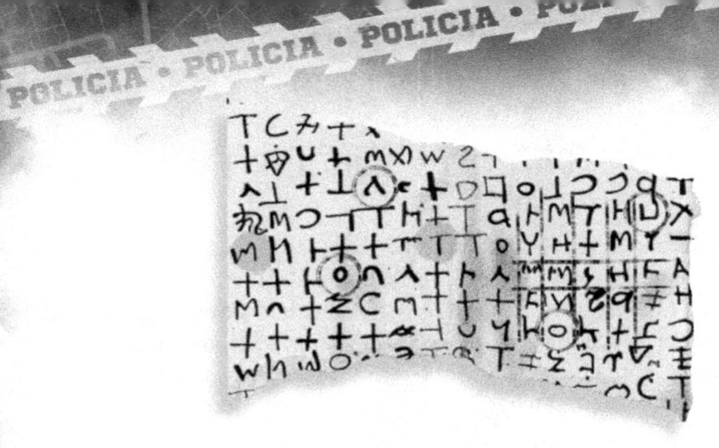

El silencio se extiende una vez que Omar termina de leer. Aprieto los ojos un segundo sintiendo la rabia instalándose en mi pecho y extendiéndose por mis extremidades. ¡Maldita sea!

Recupero la cordura cuando el director del periódico nos muestra el maldito criptograma. Como en el anterior, no se entiende una mierda. Guardo todo para que sea analizado en busca de alguna huella o ADN, pero estoy segura de que dará negativo, como siempre.

—¿Cuándo llegó esto? —pregunto cruzándome de brazos.

—Llegó esta mañana y, como la vez anterior, les avisé de inmediato para que vinieran —contesta Omar mirándonos—. ¿Aún no tienen sospechosos?

Nos levantamos sin contestar porque eso ya es confidencial. Sé que ellos quieren tener la exclusiva de todo y en las cartas puede que sí, pero en lo demás no. Nos despedimos del director y cuando subimos al ascensor, Luis me enfrenta.

—Sí, es definitivo, la descripción en esa carta coincide con el caso que estoy trabajando, Mariel. El chico fue asesinado con un arma de nueve milímetros, se encontró el casquillo en el suelo —confirma con un suspiro—. Supongo que ahora estaré en este caso.

—Supongo. —Miro a Harry y él enarca una ceja—. Solo espero que podamos trabajar sin entorpecernos el uno al otro en el camino.

—Sí —dice con una sonrisita que no sé cómo interpretar.

Ojalá no sé comporte como un imbécil, porque en serio no estoy de humor y terminaré pateándole el culo.

Capítulo 77

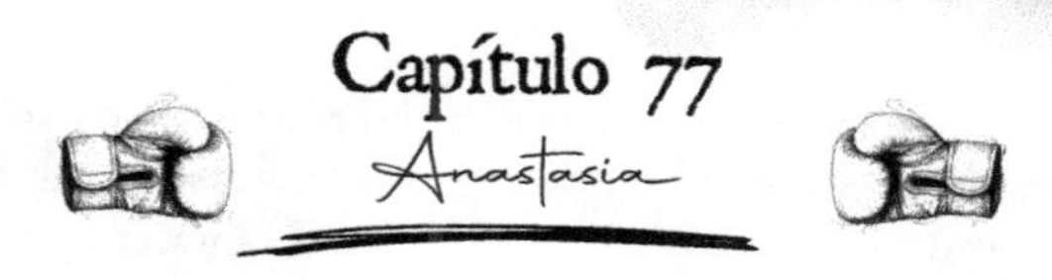

Entro a mi apartamento y apoyo mi espalda contra la puerta. Me paso una mano por la cara sintiendo un peso sobre mis hombros que parece aumentar cada día que pasa. Estoy tan cansada de la situación y aborrezco el ser seguida por tres policías todo el día. Guardo las carpetas en mi mochila, hoy estuve poniendo en orden algunos documentos importantes para mí. Necesito tener todo listo por si algo me llegara a pasar.

Camino a mi cocina, pero me detengo porque encuentro a Diego allí cantando una canción *(Everything I Do) I Do It For You* de Bryan Adams. Lo observo y siento un nudo en mi garganta, lo he sentido desde ese encuentro con Nicolás, y por más que he intentado ser positiva no lo he logrado, casi no he dormido o comido pensando que él va a entrar a mi apartamento de nuevo.

Respiro profundo antes de acercarme despacio a su encuentro, mientras lo escucho cantar bastante entretenido. Se gira cuando estoy a dos pasos de él.

—Mi bella, llegaste. —Una sonrisa se extiende por su rostro y, cuando estoy frente a él, se inclina y deja un beso fugaz en mis labios.

—¿Invadiendo mi cocina, Diego? —pregunto con diversión. Él me sonríe atrayéndome por la cintura. Sus manos descienden hasta llegar a mi trasero—. Y manoseándome… ¿Terminaste de toquetearme?

—Aún no —dice riendo.

—Pervertido. —Lo empujo fingiendo enfado.

Doy un paso atrás, alejándome; él enarca una ceja antes de empezar a caminar en mi dirección de una forma lenta y peligrosa. Sus ojos tienen un brillo juguetón y su boca una sonrisa pecadora. Suelto un pequeño suspiro que lo hace carcajearse. Doy un respingo cuando me toma de los muslos, me alza y me sienta sobre la encimera.

—¿Qué te ocurre? —pregunta preocupado, acariciando mi mejilla.

Echo la cabeza hacia atrás y dejo salir el aire antes de volver a encararlo.

—He tenido malos pensamientos —confieso—, pero ahora que tengo a mi chico cursi y ardiente me siento mejor y esos pensamientos se van.

—Me alegro. —Frunce el ceño—. He estado algo preocupado por ti, así que he decidido hacerte un pastel.

—¿De chocolate? —pregunto ilusionada, es mi favorito y lo sabe.

—Sí.

Paso mis brazos alrededor de su cuello, sonriendo.

—Gracias.

—Joder, me encanta verte sonreír, nunca me prives de esa sonrisa, ¿entendido?

Sonrío aún más y me inclino hasta tocar sus labios con un suave beso, pero su expresión sigue siendo de preocupación.

—Ya no quiero verte tan atormentada, Anastasia. ¿Qué puedo hacer para que te relajes un poco? Si quieres puedo cantarte una canción, sé tocar la guitarra —dice con una sonrisa traviesa y a la vez tierna.

Mis ojos se abren aún más ante la sorpresa.

—¿Por qué yo no sabía eso desde un principio? Eso te habría hecho parecer aún más *sexy* —bromeo.

—Mmm… —Su dedo acaricia el contorno de mi rostro—. Lo pasé por alto, mi bella. Te recuerdo que mi mente y mi oído son selectivos —me dice y suelto una carcajada por sus tonterías. Sus labios se curvan en una sonrisa antes de abrazarme y hundir el rostro en mi cuello dándome cortos besos que me hacen estremecer.

—Me alegro de que vuelvas a sonreír con mis estupideces. —Toma mi cara en sus manos—. Quiero verte sonreír siempre, Anastasia, siempre, ¿de acuerdo?

—Estás algo mandón. —Hago un puchero.

—Tal vez —susurra sobre mis labios.

Sus manos acarician mis muslos y entrecierro mis ojos con desconfianza.

—Diego —susurro—. ¿Acaso quieres cumplir una fantasía sexual en la cocina? —pregunto de broma.

Él me sonríe de lado mostrando sus hoyuelos. Es una sonrisa arrebatadora que puede quitarle el aliento a cualquier chica y él lo sabe muy bien. Suspiro.

—¿Estás leyendo mi mente? —Su voz se torna ronca, yo asiento notando los latidos de mi corazón alterarse—. Me has pillado. Es algo con lo que he soñado desde hace tiempo y creo que hoy se hará realidad —dice muy seguro de sí mismo.

—Diego, la cocina… —Antes de que termine, siento sus labios sobre los míos mientras sus manos me quitan la chaqueta con desespero.

Su lengua juega con la mía y su mano no pierde el tiempo, se arrastra hasta uno de mis pechos y lo masajea por encima de la prenda. Mi cuerpo se enciende y mis dedos alcanzan el dobladillo de su suéter. No tardo en deshacerme de la tela y dejar a la vista ese perfecto y musculoso torso.

Sus dedos acarician mis costados al mismo tiempo en que su boca vuelve a reclamar la mía en un beso voraz que me arranca un gemido de deleite. Mis piernas lo rodean con fuerza, atrayéndolo más a mí. Su dureza choca con mi sexo y ambos jadeamos. Y como si lo necesitara con urgencia, lleva sus manos a mi trasero y me frota contra su erección, que parece endurecerse aún más mientras pasan los segundos. Siento el roce de sus dedos cuando desabrocha mi blusa. Gimo en su boca cuando su lengua saquea la mía. Desliza la tela por mis hombros aumentando el deseo. Nos separamos en busca de aire, pero no me da tregua, tampoco es que la quiera, cuando me empuja sobre la superficie plana. La calidez de su lengua alcanza mi estómago y tiemblo. Por reflejo, poso mis manos en sus hombros mientras lo veo ascender hasta llegar a las copas de mi sujetador, el mismo que se encarga de bajar para dejar mis senos al descubierto.

—Tienes unos pechos perfectos.

—Ajá.

Suelta una risa antes de llevarse uno a la boca y chuparlo con hambre y devoción, su lengua se pasea alrededor de mi pezón y tira de él haciéndome jadear. Su otra mano se une a la fiesta en mi otro pecho. Su boca vuelve a la mía en un beso suave que me desconcierta. Lo hace a propósito. El idiota sonríe ante mi desespero y se endereza un poco para deshacerse de mi pantalón y mis zapatillas.

Mi cuerpo vibra con desesperación y, por un momento, siento ganas de golpear su cara y borrarle esa maldita sonrisa de autosuficiencia. Sus manos suben despacio por el interior de mis piernas, haciendo que mi respiración se altere aún más.

—Me pudiste desvestir con una sola mano. —Alzo una ceja—. Tengo que contarlo como otro de tus innumerables talentos —bromeo y la risa que deja escapar vibra sobre mi piel cuando se inclina y besa mi mentón, para después volver a mi boca.

—Eres tan *sexy*, Anastasia. —Me muerde el labio inferior.

Se incorpora y me lleva consigo. Rodeo su cintura con mis piernas y sonrío al ver la tensión que se acumula en su cuerpo cuando mi mano se planta en su pecho y desciende deliberadamente por sus firmes abdominales. Nuestras miradas siguen conectadas y soy capaz de ver el deseo anhelante en sus pupilas. Sus labios se curvan en una sonrisa pícara cuando me ve desabrochar su pantalón.

—¡Joder! Mi chica es traviesa —sisea cuando envuelvo su erección con mi palma.

Un gruñido atraviesa su garganta con ferocidad al sentir mi mano deslizarse de arriba abajo sobre su caliente y palpitante hombría. Sigo el movimiento por unos momentos, hasta que toma mi muñeca.

—¡Dios, Anastasia! Me encanta, pero no pienso correrme así. —Aparta mi mano, busca su cartera en su bolsillo trasero y saca un condón que se apresura a desenvolver sobre su pene. Ahora es él quien se envuelve a sí mismo y se masturba. Soy incapaz de dejar de mirar el movimiento. Mi rostro arde ante la imagen erótica. Su sonora risa me hace levantar la mirada y toparme con la diversión en sus ojos.

—¿Disfrutando de lo que ves? —pregunta con aire malvado.

—Por supuesto, tengo una maravillosa vista. —Me remuevo ansiosa. Sus ojos se oscurecen cuando se inclina hasta que está tan cerca que siento su aliento contra mis labios.

—Créeme —susurra con la voz enronquecida—, yo tengo una vista majestuosa. —Mira mis pechos y me estremezco.

Me lanzo a sus labios y lo devoro con las ganas rugiendo sobre mi piel. Con mi cuerpo necesitado de liberarse a un punto doloroso. Su mano zarpa al interior de mis muslos. Vibro. Siento su tacto rodeando el borde de mis bragas y gimo en su boca cuando se cuela entre la tela de encaje. Muerdo su labio inferior cuando dos de sus dedos patinan sobre la humedad de mi sexo.

—¡Joder! —gruñe al sentir mi calor mientras sus dedos entran y salen de mí, rozando mi punto de placer. Las sensaciones me arropan, el calor me araña la piel, mi sexo late ansioso por más atención.

—¡Mierda! Estás tan húmeda. Necesito estar dentro de ti ya.

Jadeo ante sus palabras y es toda la respuesta que necesita para saber que estoy incluso más necesitada que él. Sonríe mientras toma su falo y desliza la punta a lo largo de mi humedad. Me aferro a sus hombros, a la sensación de su lengua revoloteando en mi cuello, al vibrar dentro de mi pecho mientras roza mi sexo con insistencia.

—¿Te gusta, Anastasia? —me pregunta antes de chuparme el cuello mientras espera mi respuesta.

—Lo estás haciendo a propósito —le reclamo con un puchero.

—¿Quieres tenerme dentro de ti? —inquiere con esa sonrisa perversa al mismo tiempo que la cabeza de su polla resbala sobre mi entrada. Ambos jadeamos.

Doy un respingo cuando su palma impacta contra mi trasero, mandando electricidad a cada parte de mi ser.

—Respóndeme, bella —me exige.

—Sí —digo jadeante—. Te quiero dentro de mí.

—Tus deseos son órdenes.

Apenas salen las palabras, mueve su pelvis y da un empujón que lo deja en mi interior. No puedo evitarlo, suelto un grito cuando me atrae más a su pecho, hundiéndose completamente dentro de mí. Gruñe mientras nuestros cuerpos calientes y sudorosos se unen en un delicioso vaivén que nos hace temblar a ambos.

—¡Joder! Me encanta, Anastasia.

—¡Dios!

Clavo mis dedos en su piel recibiendo sus embistes lentos, circulares, certeros. Lo siento en todas partes al mismo tiempo.

—Diego... —Su nombre en mis labios parece desbordarlo, porque los movimientos se vuelven feroces.

Noto su desespero cuando me levanta con una impresionante facilidad y camina conmigo encima hasta que mi espalda choca contra la nevera. Mi cuerpo rebota contra su hombría mientras nos consumimos en el deseo, en el placer de fundirnos al compás de cada uno de nuestros movimientos. Inclino la cabeza hacia atrás y vibro cuando sus labios se cierran en mi cuello succionando mi piel.

—Por favor, Diego, más... No pares —jadeo.

Sus embestidas se vuelven violentas, precisas y a la vez caóticas. Mi nombre sale de sus labios en forma de gruñidos salvajes; el suyo sale de los míos en medio de gemidos y gritos cuando mi orgasmo empieza a construirse en mi vientre bajo. Mi espalda golpea la superficie plana y fría de la nevera unas cuantas veces más antes de dejarme ir en un orgasmo devastador. El suyo solo tarda unas embestidas más en aplastarlo y hacerlo rugir contra mi hombro.

Seguimos con pequeños espasmos cuando se desliza hasta el suelo y nos quedamos quietos hasta que nuestra respiración vuelve a ser regular.

Suspira y aparta el pelo de mi cara antes de llenarme el rostro de besos que me hacen reír.

—¿Estás viva? —pregunta con una sonrisa.

—¡Calla! —exijo, riéndome.

—¿Cómo estuvo?

—¡Fue espantoso! —bromeo.

—Muy espantoso. Pensé que jamás iba a llegar a mi orgasmo. —Me sigue el juego.

Lo empujo sin dejar de sonreír y me pongo de pie sintiendo un repentino vacío. Tomo aire y busco mi ropa interior mientras él se levanta y se deshace del preservativo.

—Vamos a bañarnos, me siento sucia.

—Me gusta más así, bella, sucia. —Me guiña un ojo y sonríe. Niego con la cabeza y una sonrisa aparece en mi rostro mientras subo las escaleras. Sí, definitivamente Diego sabe cómo relajarme.

Diego se remueve incómodo en el asiento del taxi. Contengo la risa porque nunca lo había visto tan nervioso. Parece a punto de sufrir un paro cardiaco. Una risita se me escapa, lo que lo hace rodar los ojos y emitir un bufido.

Tomo su mano y le doy un suave apretón.

—Relájate, Diego, te defenderé de mi padre. —Le doy un beso en la mejilla—. Eres mi hombre favorito, pero no se lo digas porque te mata —bromeo, o no.

—Me alegra hacerte reír aun cuando estoy a cincos segundos de lanzarme del auto. —Tira de mí y me atrae a su regazo.

—¡Diego! —Me río con más fuerza.

No tardamos más de dos minutos en llegar a nuestro destino. Intento tomar mi bolso cuando salimos del taxi, pero él se lo lleva al hombro junto al suyo, como si no pesaran nada, y entrelaza su mano libre con la mía. No le doy tiempo a Diego de arrepentirse, toco la puerta y solo pasan unos segundos antes de que esta se abra y mi padre aparezca. Una sonrisa ilumina su rostro cuando me ve. Sus brazos me rodean haciéndome sentir una calidez en el pecho que me regala vida.

—Mi niña está aquí. —Me da un beso en la frente y no puedo evitar comenzar a sollozar. Los extrañaba tanto y me duele no poder viajar a menudo para estar con ellos—. No llores, mi pequeña guerrera.

—Lo siento, papá. —Me separo de él—. Te extrañé mucho.

Mi padre me sonríe y acaricia mi mejilla con cariño, luego frunce el ceño cuando desvía la mirada sobre mi hombro, donde Diego permanece con una ligera sonrisa. ¡Dios mío!

—Papá, este es mi novio Diego. Y Diego, él es Alexander, mi padre.

Mi novio extiende la mano y papá tarda unos segundos en corresponder. Al final lo hace, pero me da la impresión de que el apretón es más fuerte de lo que debería.

Mi padre no dice nada, pero sigue fulminando con la mirada a Diego. ¡Dios! Lo va a espantar. Miro sus manos unidas con rigidez, por lo que interfiero separándolas.

—¿Y mamá? —pregunto tratando de aligerar la tensión en el aire.

—Adentro, pasen.

Nos da espacio para que entremos. Avanzamos por el pasillo hasta la cocina, en donde mi madre tararea una canción mientras prepara la comida.

Mi padre se acerca y besa sus labios de manera tan dulce que me enternece. Luego le dice algo al oído y ella gira sobre sus pies con una sonrisa encantadora. No titubea ni por un segundo en correr hacia mí y abrazarme con entusiasmo.

—Mi bella hija por fin está aquí. —Se aparta para besar sonoramente mi mejilla y luego voltea a ver a Diego sin borrar su expresión cuando lo saluda amable.

—Encantado de conocerla, señora —dice mi novio sonriendo con jovialidad.

Mamá le devuelve el gesto.

—Tu chico es muy guapo, Anastasia, ¿no lo crees, amor? —le pregunta a mi padre, quien pone los ojos en blanco.

—Mi hija no debería tener novios —es todo lo que dice antes de ponerse a picar las verduras.

—Está celoso porque ya no es tu hombre favorito. —Mamá me guiña un ojo.

Escucho el resoplido de papá mientras presento formalmente a Diego como mi novio. Unos minutos después, dejamos nuestras cosas en nuestras respectivas habitaciones, ya que, como suponía, tenemos que dormir en cuartos separados por órdenes de don Alexander, quien no hace las cosas fáciles porque parece acechar a mi novio como si estuviera a punto de atacar. Temo que, si mi progenitor no se relaja, Diego saldrá corriendo en cualquier momento.

CAPÍTULO 78

DETECTIVE MARIEL

El enfado por las impertinencias de Luis, el que le asignaran el caso de Nicolás a él y que encima tenga que estar aquí como un buitre, pasa a un segundo plano cuando entramos a The España Post para ver la tercera parte del maldito criptograma. Y el hecho de que pronto toda Barcelona tendrá acceso a esas cartas me inquieta, porque aumentará el miedo en la gente. Entramos en el despacho de Omar y, por su cara de angustia, deduzco que la situación no es buena. Nos saludamos con cordialidad pese a la tensión en la estancia. Tomamos nuestros lugares para iniciar la reunión.

—Como saben, llegó la tercera parte y nuestros editores ya están trabajando en la siguiente edición en donde el titular será The dark angel, junto con el criptograma y las notas —me informa Omar con una mueca mientras me entrega lo que llegó.

—¿De verdad lo van a publicar? Eso sería hacerle caso al asesino —replica Luis.

—No tenemos otra opción. ¿Quiere que mate a más inocentes? —Noto la molestia en el tono de voz de Omar—. Haremos lo que él nos pide. Yo tengo una familia que cuidar. Este asesino sabe mi lugar de trabajo y me puede seguir para hacerle daño a mi familia. No voy a correr el riesgo de que nos dañen solo porque ustedes han sido incapaces de atraparlo. Yo haré mi trabajo, ustedes hagan el suyo.

—¡Es caer en su puto juego! —Luis se exaspera.

—¡Silencio! —demando a punto de perder la puta paciencia—. No tenemos otra opción, Luis. Este sujeto no se anda con bromas y prefiero que publiquen el criptograma, a que acabe con las vidas de más personas por no hacerlo; además, eso nos dará un poco de tiempo —digo con resignación—. Me envían un periódico a mi oficina, por favor.

Omar asiente y yo me aclaro la garganta antes de empezar a leer la nota:

¿Tanto tiempo y no han podido atraparme? Parece que alguien no está haciendo bien su trabajo. ¿No, detective? Debo decir que justo ahora estoy sonriendo. Este juego es bastante entretenido. Al menos para mí, no puedo decir lo mismo para ustedes o para mis víctimas. En fin, es tiempo de que toda España conozca la razón de por qué estoy matando a estas personas. Espero que no sean tan idiotas de no publicarlo o créanme, lo que han visto de mí no es nada comparado con lo que soy capaz de hacer. ¿Se imaginan lo triste que sería que mis próximas víctimas fueran unas dulces e inocentes niñas? Porque eso es lo que haré si no hacen lo que quiero. Ustedes no hacen bien su trabajo, pero puedo prometerles que yo sí cumplo con mis amenazas.

Saludos a los estúpidos cerdos de la policía. THE DARK ANGEL

Es un maldito bastardo. Nos despedimos de Omar y salimos del edificio. No sé cómo se sienten los demás, pero yo me siento ahogada en este maldito caso. Como si fuera una novata. Por suerte, hoy llega el agente del FBI, lo que me da algo de alivio. Seguro él podrá ayudarnos.

Luego de llegar a mi oficina, cuando alguien toca la puerta.

—Adelante.

Esta se abre y cuando levanto la mirada me encuentro con un hombre blanco de pelo oscuro y expresión seria pero amable. Trae un maletín negro en la mano.

—El agente del FBI —dice Sally apareciendo a su lado—. ¿Quieren café?

—Sí, por favor. —Me pongo de pie y me acerco. Extiendo la mano—. Mariel Muñoz —me presento estrechando su mano con firmeza.

—Jess Brown. Disculpe, me gustaría un café cargado sin azúcar —le pide a Sally. Señalo la silla frente a mi escritorio para que tome asiento, luego regreso a mi sillón.

—Dígame, señor Brown, ¿nos podrá ayudar con este caso?

—Por supuesto, como debe saber, en mi país hemos tenido muchos asesinos seriales, por lo que tenemos experiencia. Muéstreme lo que tiene y la podré ayudar.

Tomo un largo respiro y le entrego una carpeta. Empieza a hojear mientras lo observo con interés. Frunce el ceño cada tanto y después de unos considerables minutos, suspira.

—Un asesino brillante —comenta Jess—. Se podría decir que casi ha cometido los crímenes perfectos. ¿Tiene algún sospechoso?

—En realidad, no tanto como eso. Hay unas doscientas opciones en base a una huella de bota militar. Como verás, es un caso muy difícil. Es por eso que le pedimos ayuda al FBI. ¿Puedo preguntarte algo? —Jess asiente—. ¿Has estudiado criptografía?

—Claro, es algo que tenemos que saber. ¿Por qué?

—Llegó esto de parte del asesino. Sus símbolos se me hacen muy conocidos, pero no recuerdo dónde los he visto, son tres partes que forman una sola carta.

Le entrego la hoja, provocando que su cuerpo se tense. El color en su rostro parece desvanecerse y el endurecimiento de su expresión me dice que reconoce los símbolos, y que no son nada buenos.

—¿Te lo enviaron a ti? —pregunta con la voz un poco más… afectada.

—No, de hecho, llegó a un periódico de aquí de Barcelona. ¿Por qué? ¿Reconoces algunos de estos símbolos?

Asiente y toma su maletín. Saca una tableta, desliza sus dedos con agilidad sobre la pantalla y luego me la extiende. Frunzo el ceño mientras mis ojos se clavan en los símbolos que hay delante de mí, y mi corazón da un latido violento cuando empiezo a leer la transcripción que está justo debajo.

Me gusta matar gente porque es mucho más divertido que matar animales salvajes en el bosque, porque **el hombre es el animal más peligroso de todos.**

Matar algo es la experiencia más excitante. Es aun mejor que acostarse con una chica. Y la mejor parte es que cuando me muera voy a renacer en el paraíso y todos los que he matado serán mis súbditos. No daré mi nombre porque ustedes tratarán de retrasar o detener mi colección de súbditos para mi vida en el más allá.

THE DARK ANGEL

—¡Mierda! —suelto, asombrada, reconociendo una de las cartas más famosas en el mundo criminal y policial—. *El asesino del Zodiaco*. Con razón se me hacía tan conocida esa simbología.

—Tu objetivo admira a uno de los mejores asesinos seriales de la historia. Uno que ejecutó tan bien sus asesinatos que nunca se conoció su identidad. ¿Has escuchado decir que todos los asesinatos tienen un margen de error o dejan algo suelto? Pues El asesino del Zodiaco parece haber cometido los crímenes perfectos; y sigue siendo el misterio más grande para la policía y los agentes del FBI.

Suelto el aire asimilando todo mientras él empieza a descifrar los símbolos. Esto es una locura. No tengo idea de cuánto tiempo pasa cuando escucho su voz.

—Lo tengo —dice con su marcado acento.

Me pasa las dos hojas con una evidente tensión en sus labios.

Un escalofrío escala por mi columna cuando ignoro los símbolos y me centro en la traducción:

Los débiles caen bajo las garras del poder. Las bestias se alimentan del miedo arraigado en las entrañas de aquellos que son solo piezas en los tableros. Yo **soy quien mueve los hilos**, yo soy la bestia, pero una hermosa. Soy un artista que busca la perfección, que moldea su arte: **la muerte.**

Asesinar no se trata de violencia, de lujuria. Se trata de tener el control sobre otros. De deleitarse en lo sublime y poético que resulta la expulsión de un último aliento en unos preciosos labios carnosos. Se trata del placer, del disfrute, de la saciedad en todos mis sentidos cuando la luz de vida se apaga en sus ojos mientras me robo sus últimos latidos. **Se trata de ELLA,** mi musa, mi amor, mi fantasía más vívida, la llama que mantiene encendido mi odio más letal... **Siempre se ha tratado de ELLA**; ahora iré tras sus pasos. **¿Creen que pueden detenerme?** Ustedes solo son peones que, quizás, si me aburro, también caigan a mis manos.

THE DARK ANGEL

—¡Joder! —maldigo y cuando levanto la mirada, el agente está observando las fotos de las víctimas. Parece concentrado en ello.

—Todas sus víctimas eran tan jóvenes y guapas, pero muy parecidas entre sí, el típico patrón que usan los asesinos en serie, aunque aquí puedo ver que tenemos dos patrones. Muchos de sus crímenes son planeados, es muy probable que haya pasado días y noches siguiendo a sus presas, mientras que otros parecen haber sido ejecutados por impulso. Justo en esos casos fue donde cometió pequeños errores, sin embargo, estos no son tan relevantes como para conducir a un sospechoso en específico. Además, él menciona a una "ella" y me temo que sus problemas psicópatas están impulsados por una persona que despierta sentimientos muy poderosos en él. —Su mirada se encuentra con la mía—. No quisiera ser esa persona. Nadie debería serlo, porque si no lo atrapamos, va a matarla de la forma más atroz.

Tiene razón. La chica que sea objeto de sus deseos, tiene un pie en la tumba y ¡maldita sea! No puedo permitir eso. No puedo.

—Lo atraparemos —dice Brown.

—Eso espero, porque si no seguirá matando hasta que él mismo se detenga.

Jess suelta una risa ronca, sin gracia, y niega con la cabeza.

—Eso nunca pasa, son como máquinas para matar, es casi imposible que ellos paren o se entreguen.

Sus palabras, bastante crudas pero reales, impactan contra mí como un golpe en la cara. Esto es una mierda, y todos estamos embarrados de ella.

Alguien toca la puerta sacándome de mis cavilaciones y enseguida Sally entra con un periódico en la mano. Maldigo cuando veo el título y ella da un respingo antes de salir de mi oficina. Si antes estábamos metidos en un maldito lío, ahora es peor. El miedo se expandirá por todas partes, logrando el cometido del asesino: aterrorizar a toda la sociedad.

VOL. 1 No. 1 THE ESPAÑA POST 5. USD

The Dark Angel

EXCLUSIVA

En los últimos meses se han reportado desapariciones de varias jóvenes universitarias por parte de familiares y amigos. La mayoría **tienen edades entre los 16 y los 26 años.** En todos los casos, la policía trabajó con el fin de encontrarlas con vida, pero no fue posible.

En estos meses se han ido encontrando los cuerpos de las jóvenes con el peor desenlace. Al principio, la policía pensó que los casos no estaban conectados, pero fue gracias al mismo asesino: **"The dark angel"** quien se ha adjudicado ser el autor de estos crímenes que han alarmado a toda España por su nivel de crueldad.

El mismo asesino se ha nombrado a sí mismo con el nombre mencionado anteriormente.

Todo esto a través de las cartas que ha enviado a nuestra oficina junto con el **criptograma** adjunto, **invitando a toda la sociedad española a descifrarlo.**

¿POR QUÉ LA POLICÍA NO LO ATRAPA?

Esa es la pregunta que todos se hacen. Es evidente la lentitud y su falta de experiencia en casos como estos. Por lo poco que sabemos, no parecen dirigirse en el camino correcto para atraparlo. El asesino se ha burlado constantemente de ellos; parecen estar jugando al gato y al ratón. La duda aquí es: ¿quién es el gato y quién es el ratón? Sin embargo, hay algo más importante que cuestiona toda la sociedad: **¿cuántas personas tienen que morir para que aquellos que juraron protegernos puedan atrapar a este astuto criminal?**

The Dark Angel, sin duda, se ha convertido en un asesino peligroso e inteligente que ha sido capaz de burlar a toda la policía de Barcelona.

Esperamos que las capacidades de investigación de la fuerza de seguridad pública mejore y dé resultados favorables para dar con el paradero del asesino que aterroriza nuestra hermosa ciudad.

Capítulo 79

Me miro en el espejo aún con lágrimas en los ojos. Tengo las mejillas húmedas, los ojos enrojecidos y el cuerpo repleto de sensaciones crudas que se reflejan en pequeños temblores. Hace apenas una hora que pasó el juicio y siento tanto que tengo el corazón a punto de estallar. Ver a esa chica dando su declaración cuando habló sobre Nicolás y la forma en que la engañó, haciéndola su novia para después drogarla, fue horrible. Pero hay algo más dentro de mi pecho: un alivio que me recorre cada célula. Una liberación tras haber presenciado la sentencia máxima a esos hijos de puta.

¡Por fin! Por fin mi hermano tuvo justicia. Solo falta Nicolás y estoy segura de que pronto lo detendrán. Tienen que hacerlo, necesito terminar con la pesadilla.

Respiro hondo y me siento en la cama. Alguien toca la puerta y le doy vía libre para que entre. Mi padre aparece en la entrada. Me mira con tristeza mientras se acerca y se sienta a mi lado.

Sus manos viajan a mi rostro para limpiar mis lágrimas.

—Estoy muy orgulloso de ti, cariño. —Su voz sale suave, la mía se rehúsa a salir; suspira—. Alejandra y Cameron ya se van —me informa y asiento.

Soy afortunada de tenerlos. Que hayan viajado solo para apoyarme significa mucho para mí.

—Y ese está con tu mamá —dice refiriéndose a Diego.

—¡Papá! —digo riendo aún con el rostro húmedo.

—¿Qué? Sigo pensando que no deberías tener novio. —Se encoge de hombros. Un segundo después su expresión se transforma, parece triste—. Me arrepiento tanto por haberte dejado sola. Fuimos unos padres terribles.

—Eso ya pasó. —Tomo su mano—. Y, como les dije antes, no los culpo. Ni siquiera yo podía perdonarme. A veces no estoy tan segura de que lo haya hecho.

Frunce el ceño y toma mi mentón para que lo mire.

—No repitas eso. Tú no tienes la culpa de nada, fuiste una víctima más de esa basura humana y de esos criminales que por fin tienen lo que se merecen. Nicolás también va a pagar por todo, pero tú… —Sus ojos se nublan—. Tú eres una persona maravillosa y resiliente. Y no lo digo porque seas mi hija, lo digo porque creciste a golpes de la vida. Golpes que no merecías. Y todo eso lo hiciste sola, sin nuestro apoyo, cosa que nunca debió pasar.

—Papá…

—No, Anastasia, soy tu padre y cometí un error. Pero tú no hiciste nada malo. Sobreviviste a una monstruosidad. ¡Por Dios! Si volvió a atacarte y ni siquiera nos lo dijiste.

—No quería preocuparlos.

—No vuelvas a hacer tal cosa, hemos cometido un montón de errores —acaricia mi mejilla—, pero seguimos siendo tus padres, te amamos y siempre vamos a estar para ti. ¿Vale?

Dejo ir el aire y asiento.

—Vale. Te amo, papá.

—Y yo a ti, cariño. —Se pone en pie—. Ahora te dejo descansar y te envío a ese chico aquí. —Suelta un bufido que me hace reír.

—Sé que en el fondo te gusta Diego, deja de intimidarlo, lo estás asustando —le reclamo con un deje de diversión y veo la contención de una sonrisa en sus labios.

—Mi casa, mis reglas, pequeña. —Toca mi nariz con su índice—. Le diré que suba solo porque parece que él tiene la felicidad de mi hija en estos momentos.

—No te haces una idea de todo lo que siento por él, pero mi felicidad jamás dependerá de un hombre, papá. Hace mucho que aprendí que no necesito tener a alguien a mi lado para ser feliz. Diego simplemente le da más color a mi felicidad. —Sonrío—. Siento que por fin estoy volviendo a ser yo, que recupero mi vida y es porque he luchado para conseguirlo.

—Eso es lo que quería escuchar —dice, acariciando mi mejilla.

Solo pasan unos segundos antes de que salga por la puerta, y solo un par de minutos para que Diego aparezca en mi habitación mientras miro por mi ventana.

Sus manos rodean mi cintura y su rostro se hunde en mi cuello. El contacto acelera mi corazón.

—Tu papá me intimida mucho. —Deja un beso en mi hombro—. Tiene el mismo carácter que tú, solo que a él no le puedo decir que es bello —bromea.

Si Diego le dijera algo así, estoy segura de que mi padre le rompería la cara. Aunque la realidad es que mi progenitor es muy guapo, Alejandra babeaba por él cuando era chica.

—A mi papá le gusta hacer eso contigo, pero en el fondo le caes bien.

En cuanto me volteo, mis latidos se vuelven violentos al verlo con los brazos abiertos para mí. Porque él lo sabe, él es capaz de ver la vorágine de sentimientos en mi interior a través de mi entereza. Él sabe que ahora mismo soy una tormenta de sensaciones. Que estoy aliviada con el resultado del juicio porque mi hermano tiene justicia, pero que haber rememorado todo lo que he pasado, ha sido un duro golpe para mí.

Mis ojos están húmedos cuando me estrello contra su cuerpo. Mi llanto se vuelve inclemente mientras me aferro a la tela de su camiseta. Su pecho se infla en una respiración profunda al tiempo que sus brazos me acogen, me envuelven en un amor que me llena. Que me alienta a no rendirme. Tiemblo cuando dejo escapar los años de dolor a través de las lágrimas. Y no tengo idea de cuánto tiempo tardo para calmarme, solo soy consciente de la mano de Diego acariciando mi espalda.

No dice que todo va a estar bien, de hecho, no dice nada, porque sabe que no hace falta. Que lo único que necesito es a él, no solo abrazando mi cuerpo, sino mi alma. Suspiro y levanto la cabeza para mirarlo. Sus ojos están enrojecidos y sé que su llanto silencioso es por mí. Sin embargo, sonríe. Sus dedos vuelan a mi rostro y limpia la humedad que queda en mis mejillas.

—Te amo, Anastasia, te amo tanto que tu dolor me destroza el corazón. Que verte llorar es como sentir que me arrancan la piel. —Posa su frente sobre la mía y cierra los ojos—. Te amo tanto que daría lo que fuera por extirpar cada gota de dolor, aunque tuviera que soportarlo yo. ¡Joder! Te amo…

Me estremezco con su declaración. Con la sinceridad latente en cada palabra. Lo amo, él lo sabe; pero el pecho se me comprime al recordar que nunca se lo he dicho, que la pequeña pero potente frase siempre arde en mi garganta. Ahora mismo lo hace, pero lo siento, noto cómo él acaba de derribar esa última barrera. Abro la boca para dejar escapar ese «te amo» que lucha por saltar de mis labios, pero entonces me besa. No salvaje, no feroz. Me besa con ternura, con calidez, con dulzura. Me besa con los sentimientos a flor de piel. Sus manos se tensan en mi cintura y yo tiemblo ante el contacto de su lengua.

Nos separamos con las respiraciones agitadas y los corazones a mil. Su frente vuelve a tocar la mía mientras mis manos rodean sus hombros.

—Yo te…

El sonido de la puerta al abrirse nos hace separarnos de golpe. Ambos giramos para encontrarnos a mi padre con el ceño fruncido, mirando a Diego.

—Joven, las manos donde pueda verlas —le advierte.

—¡Papá!

—Lo siento —dice Diego, y es increíble lo tímido que es ante mi progenitor.

—Estás bajo mi techo; por lo tanto, mis reglas —me recuerda ignorando a mi novio. Se acerca a mí y pone sus manos en mis hombros—. Cuando yo vaya a tu apartamento me dices tus reglas, pero aquí se cumplen las mías.

—Lo pillo. —Ruedo los ojos, pero sonrío cuando me abraza—. Te tomaré la palabra, pero deja de asustar a mi novio.

Lo miro fijamente cuando me separo y él a mí. Una pequeña sonrisa aparece en sus labios, lo que me hace saber que se lo está pasando bomba molestando e intimidando a Diego. Miro de reojo a este, quien tiene una mirada tierna y sus ojos brillan.

Mi padre se acerca a él y le da una suave palmada en la espalda.

—Aún te sigo observando, muchacho. Mantén las manos lejos cuando yo esté presente y todo será mejor entre nosotros dos. ¿De acuerdo?

—De acuerdo —responde con una sonrisa que provoca un bufido por parte de mi padre antes de salir de mi habitación.

—¡Dios mío! —Me giro y tomo la mano de Diego—. ¿Prometes que no saldrás corriendo?

Sonríe inclinándose para besar la comisura de mis labios.

—Jamás. Tu padre tiene que matarme porque, joder, no te podría dejar nunca. ¿Quedó claro? —pregunta y asiento, sintiéndome la mujer más afortunada del mundo solo por tenerlo en mi vida.

Miro su nombre grabado en la tumba y un puño invisible me golpea el pecho deteniendo mi corazón por un instante. Las fuerzas parecen abandonar mi cuerpo y me dejo caer sentada en la tierra seca. Es solo cuando siento a Diego detrás de mí, abrazándome, que el aire vuelve a mis pulmones. Suspiro y relajo los hombros.

—Lo siento tanto, hermano. No debiste morir así, fue injusto que te quitaran la vida. Tenías tanto que vivir, perdóname, por favor. —Me limpio las lágrimas que caen por mis mejillas—. Te amo y te extraño tanto —digo con la voz rota. Luego sonrío—. Pero hoy por fin se te hizo justicia. Sé que aún falta Nicolás, pero te juro que él también va a caer. —Dejo ir el aire—. Espero que puedas descansar en paz. —Dejo escapar un par de lágrimas más, notando los brazos de Diego acogerme con más ímpetu y, al mismo tiempo, sintiendo esperanza, una que tenía años sin sentir. Porque lo sé, todo está a punto terminar, aunque la pregunta es: ¿cómo?

Despierto cuando el dolor en la garganta me tortura, cuando los pulmones me arden por la falta de aire. Me siento sobresaltada sobre la cama llevándome una mano al cuello. Miro a todas partes con los ojos húmedos. Otra vez la maldita pesadilla.

Pensé que podría ser una buena noche porque logramos lo que queríamos con esos hijos de puta. Creí que ya no volvería a tener malos sueños. Después de la cena con mis padres, me había sentido relajada, pero Nicolás sigue persiguiéndome aun cuando duermo. Miro mi móvil y son las dos de la mañana. Mis ojos vuelan a la ventana y creo ver una sombra en el árbol que me provoca un escalofrío. Salto de la cama y camino a la habitación de al lado, donde está Diego.

Cierro la puerta con cuidado y me meto bajo las sábanas. Diego se remueve un poco mientras acaricio su barbilla.

—Anastasia —susurra con voz ronca—. ¿Qué pasa?

—Perdón, es solo que tuve otra pesadilla. No sé por qué me está pasando esto de nuevo, yo… —Se me entrecorta la voz—. Creía que habían quedado atrás.

—Todo va a estar bien, estoy seguro de que es por el estrés de estos últimos meses, bella. Y por lo que pasó hoy. —Me abraza con fuerza y me da un beso en la frente—. Déjame ser tu príncipe en tus sueños, ¿vale?

—Vale. —Sonrío, aun cuando él no puede verme con claridad.

—Tu padre me va a matar cuando vea la puerta cerrada y se dé cuenta de que no estás en tu cuarto. —Suelta un gemido que me hace reír—. Silencio, mi bella.

—Eres un tonto, pero eres mío —susurro antes de darle un suave beso.

Me siento en casa, segura, y es la única razón por la que vuelvo a cerrar los ojos y a sumergirme en un profundo sueño.

Capítulo 80
DETECTIVE MARIEL

Presento a José, mi hermano, con Harry y Jess. Un día después del juicio, que salió justo como esperábamos, estamos reunidos en su oficina para hablar sobre los asesinatos que ocurrieron unos meses atrás aquí en Madrid, pues el departamento de policía de ambas ciudades ha decidido colaborar en sus investigaciones con el fin de buscar similitudes con los casos de Barcelona. Necesitamos resolver esto cuanto antes.

—¿Entonces las víctimas de tu caso eran prostitutas? —pregunta el agente Brown. Mi hermano asiente—. Eso es interesante.

—Sí, las tres eran prostitutas entre los dieciocho y los veinticuatro años, pero todos sus rasgos eran diferentes. Una de ellas tenía el pelo rubio, otra lo tenía negro y la última chica era castaña —informa José y me pasa los documentos de las autopsias—. Todas esas chicas eran muy guapas y las escenas del crimen eran casi perfectas.

—Igual que las nuestras —dice Harry mientras sigo leyendo los documentos, notando que, en efecto, sí existen muchas similitudes entre todos los casos. Las pruebas apuntan a que es el mismo asesino. Los escucho hablar entre ellos, hasta que Harry hace una pregunta a la que creo tener la respuesta.

—¿Por qué cambió de víctimas? —inquiere—. Quiero decir, es más fácil seguir por el camino de la compañía nocturna.

Cierro la carpeta y apoyo la espalda en el soporte de la silla.

—Porque de seguro le resultaba demasiado fácil ir por esas chicas —intervengo—. Las mujeres que se dedican a la prostitución corren peligro cada noche porque suben al auto de un desconocido, no eran un reto para un asesino. Para él debe ser mucho más estimulante vigilarlas y acecharlas, para luego secuestrarlas y torturarlas, abusar de ellas y luego matarlas. —Suspiro—. Como él mismo lo dijo, esto es un maldito juego para él y se divierte con nuestra frustración. Somos su maldita burla.

Apenas suelto las palabras, siento un dolor de cabeza taladrarme el cráneo. ¡Joder! Apenas he dormido tres horas.

—La forma que tiene de matar es casi la misma. —Le entrego los documentos a Brown y luego miro a Harry—. Creo que tenemos el mismo asesino.

Me froto las sienes mientras dejo que el agente revise las autopsias. Mi cuerpo me pide a gritos un descanso, pero ¿cómo puedo descansar cuando hay tantas vidas en peligro? ¿Cómo puedo tomar una pausa cuando ese asesino no lo hace? Levanto la mirada cuando escucho el marcado acento del agente.

—Cambia sus patrones constantemente. Esto lo hace con el fin de confundirnos y que creamos que tenemos dos asesinos. —Se rasca la barbilla—. Eso lo hace aún más peligroso. Aunque hay un patrón que ha perdurado más que los demás: las chicas castañas.

Chasqueo la lengua porque tiene razón. Y la verdad no dejo de pensar en la traducción del criptograma. ¿Quién será esa chica a la que se refería? Resoplo.

—A veces pienso que podría ser algún policía —confieso, frustrada—. Tal vez fue al servicio militar a los dieciocho, estuvo uno o dos años dentro y luego decidió seguir con la carrera de policía. Alguien así encajaría con el perfil que mandó el FBI.

—Como hablamos antes, eso explicaría lo de las botas, pero no podemos comenzar a desconfiar de nuestros compañeros —acota Harry—. Tenemos muchos sospechosos que investigar.

—En estos momentos, para mí cualquier persona es sospechosa. —Me paso la mano por el cuello—. Todos sabemos que las pruebas que tenemos son circunstanciales y que los sospechosos por las botas son demasiados, no hay nada en concreto. Lo del asesino siendo un policía no deja de ser una opción.

—Tienes un buen punto, hermanita —dice José mientras Brown parece pensativo—. Somos conscientes de que hay muchos policías corruptos, ¿por qué no puede existir uno psicópata y asesino?

Asiento y dejo caer la cabeza en el respaldo. Escucho a los demás seguir debatiendo mientras yo cierro los ojos un instante. ¿Ella? ¿Quién es esa "ella" objeto de deseo de ese enfermo? ¿Ya estará entre sus garras? ¿Cuánto más tardaremos en atrapar a ese animal? ¡Dios! ¿En qué momento esto se convirtió en una pesadilla tan oscura?

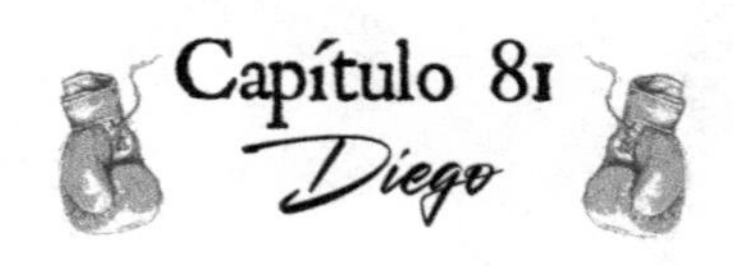

Capítulo 81
Diego

Casi escupo mi bebida de la impresión. Miro a Dylan, quien tiene una sonrisa inocente. Ya llevo tiempo compartiendo con ellos y hasta el momento me siguen sorprendiendo las cosas que dice él. Miro a Anastasia y luego a Cameron.

—¡Eres tan raro, Dylan! —exclama mi novia.

—Solo quiero algunos detalles de cómo es su vida sexual. —Se encoge de hombros al tiempo que Anastasia lo fulmina con la mirada. Él ríe—. Amorcín, eres una egoísta, yo siempre te he contado todo, e incluso si me pongo condón o no, solo quiero detalles de si va a haber un futuro Dieguito o una pequeña Anastasia.

No puedo evitarlo esta vez, termino escupiendo mi bebida dentro del vaso y comienzo a toser. Anastasia le lanza un zapato en la cabeza y la sala estalla en carcajadas. Siento la suave mano de mi chica en la espalda, al tiempo que miro a Dylan masajear el área donde recibió el golpe. Qué chico.

—¡Joder!, ¡cállate! No me quiero imaginar tu pene y menos el de Diego. —Javier le da un empujón.

—Tan sensible que eres, hermanito. Es solo sexo. ¿Qué tiene de malo? No se hagan los santos porque todos son unos putos perros que han follado sin parar. —Nos apunta a todos los hombres.

—¡Dylan! —lo reprende Anastasia, muerta de la risa.

Acaricio su muslo y luego aparto su hermoso pelo castaño de su hombro. Se voltea y me regala una preciosa sonrisa que me hace latir el corazón más deprisa. La amo tanto.

—A veces me cuestiono tu sexualidad —interviene Jonathan. Dylan se gira hacia él y le sonríe. Este frunce el ceño—. ¿Por qué me miras, perra?

—Yo soy él que siempre doy, cariño. Recuerda nuestras noches, perra envidiosa —comenta con tranquilidad el aludido.

Todos soltamos una risa ante sus ocurrencias. Estos chicos son raros, pero también increíbles y aman a mi novia.

—Tú jamás vas a tener mi trasero —se burla Jonathan; le da un trago a su cerveza.

Nos reunimos un rato para celebrar que se terminó otra semana más de exámenes y también para subirle un poco el ánimo a Anastasia. Tiene pesadillas con mucha frecuencia, a pesar de que va a terapia. Quise hacer esta pequeña reunión con sus amigos para que sonriera, y vaya que Dylan lo ha logrado.

—Gracias por esta sorpresa —me susurra ella y besa mi cuello.

—Sabes que haría cualquier cosa por ver esa sonrisa en tu rostro. —Beso su frente.

—¿Puedo abrazar a Anastasia o no? —pregunta Dylan con una sonrisa.

Yo me encojo de hombros y le doy un beso en la sien antes de que su amigo, literalmente, me la robe del regazo. Él me saca la lengua y pongo los ojos en blanco.

Miro cómo Dylan le dice cosas en el oído a Anastasia y ella se muerde el labio inferior para no reír. Pasa un rato en que mi novia pasa por todos los brazos de sus amigos de forma fraternal. Sonrío. No me da celos porque ellos son como hermanos y siempre me lo han demostrado. Jonathan se roba a Alejandra y Cameron se acerca a mí.

—Somos dos estúpidos enamorados —dice antes de chocar su vaso con el mío.

—Yo ya perdí esa batalla la primera vez que la vi —admito.

—Lo sé, amigo, se te cae la baba por ella, pero pensé que solo sería otro capricho. —Hace una mueca—. Lamento haberte amenazado para que te alejaras de ella, pero no sabía cuáles eran tus intenciones y Alejandra estaba nerviosa.

—Es normal. —Me encojo de hombros—. Siempre tuve mala reputación, pero no tienes ni idea de lo feliz que soy ahora y lo en paz que me siento.

—Yo soy feliz por ti, te lo mereces.

Pasamos más de media hora hablando entre nosotros hasta que Alejandra vuelve con Cameron y mi bella novia regresa a mí. Anastasia me muestra su enorme sonrisa y me da un corto beso en los labios. Un rato después, Alejandra y Cameron aparecen con palomitas, papas fritas y maní para comer durante la película que Dylan escogió: *¿Y dónde están las rubias?*

Las horas transcurren entre bromas sexuales del más extrovertido de los gemelos. Discusiones tontas y risas que le devuelven la chispa vibrante a mi chica. Justo lo que quería. Miro la hora, son las once de la noche y Dylan abraza a modo de despedida a Anastasia. Somos los únicos que quedamos en la sala de estar, Alejandra y Cameron se fueron a acostar; según ellos a dormir, pero a mí no me engañan.

—Recuerden siempre usar condón, aún soy demasiado joven y *sexy* para ser tío —dice Dylan, acariciando el vientre de Anastasia. Ella pone cara de terror y le da una palmada a la mano—. Nos vemos, guapa, te amo, ¿tú me amas?

—Siempre, Amorcín.

—Adiós, Diego.

—¡Adiós! —Le devuelvo la sonrisa y lo veo desaparecer por la puerta.

Me acerco a mi chica y la rodeo por la cintura acercándola a mi cuerpo.

—¿Lista para ir a la cama? —le pregunto subiendo y bajando las cejas de manera sugerente.

Una carcajada sale de su boca haciéndome reír.

—Por supuesto —responde rodeando mi cuello.

Alcanzo sus labios a medio camino y nos besamos despacio, suave, tierno. Nos besamos y sé, con certeza, que ese beso es una premisa de una noche maravillosa envueltos en nuestras pieles desnudas. Un fragmento de las emociones que desprenden nuestros cuerpos. Una promesa de amor verdadero.

POLICIA • POLICIA • POLICIA • POLICIA

Capítulo 82

DETECTIVE MARIEL

Todos estos días hemos estado vigilando a nuestros siete sospechosos, pero han estado tranquilos según los informes de mis compañeros. Tomo mi limonada porque me siento muy cansada y el resfriado no me está ayudando, ni siquiera recuerdo cuándo fue la última vez que dormí más de cuatro horas.

«Soy un artista que busca la perfección, que moldea su arte: la muerte». Las palabras de ese maldito criptograma retumban en mi cabeza al punto de doler.

«Se trata de ELLA, mi musa, mi amor, mi fantasía más vívida, la llama que mantiene encendido mi odio más letal...».

Levanto la mirada cuando la puerta de mi oficina se abre y Harry aparece con una carpeta en la mano.

—¿Qué me tienes? —pregunto cuando noto cierta tensión en su cuerpo.

—¿Por qué no te tomas unas horas para descansar? Te ves agotada.

—Lo estoy —admito—, pero no puedo darme ese lujo ahora.

Se sienta frente a mi escritorio en medio de una profunda exhalación.

—Ya tengo el informe completo sobre las botas militares —me informa.

—Ya era hora. ¿Por qué mierda se demoraron tanto en entregar los informes?

—Porque esos modelos fueron creados en el año 1979 y tenían miles de archivos en papel, así que no fue fácil hacerlo. La verdad es que no hay muchas novedades, sin embargo, hay algo bastante interesante. A que no adivinas quién realizó servicio militar en esos años. El padre de Simón.

—Bueno, en esos años el servicio militar era obligatorio, así que supongo que le tocó, ¿crees que él podría ser el asesino?

—No, pero tengo un sospechoso. Sé que mi teoría sonará un poco loca, pero... —Se pone de pie y posa una foto de Anastasia en el pizarrón de evidencias, junto a las fotos de las víctimas. Me tenso—. ¿No te recuerdan a alguien estas chicas? ¿No les encuentras un cierto parecido a Anastasia?

Me congelo mientras mi corazón se acelera porque tiene razón. Hay muchas similitudes entre ellas. Como el pelo, la forma que lo llevan, el tono de piel, los ojos e incluso la sonrisa.

—Es solo una teoría, pero encaja perfectamente con todo —continúa Harry y me acerco para observar mejor—. Si algo nos ha enseñado la historia, es a no cometer los mismos errores, a no subestimar a las personas. Y mucho menos a los criminales como Nicolás. Él es mi sospechoso. —Lo miro—. Tiene un expediente de problemas mentales en su niñez. Fue diagnosticado con trastorno esquizotípico de la personalidad, este normalmente aparece en los niños que no

EVIDENCIA

pueden empatizar. No tenía buena relación con su madre. Por lo que me ha dicho Simón, ella nunca lo trató como lo trataba a él, por lo que podría haber comenzado desde pequeño a odiar a las mujeres.

No digo nada, mi mente va muy rápido. Me extiende la carpeta que aún lleva en la mano, una que lleva el nombre de Nicolás Ramírez. La tomo, pero no la abro, me centro en lo que dice.

—Tú misma dijiste que había sido abusado sexualmente cuando tenía dieciséis años y ese podría ser el punto de no retorno para él. Además, Nicolás encaja muy bien con el perfil que mandó el FBI. Sé que tenemos muchos más sospechosos que tienen hasta antecedentes, pero encaja todo. Puede que las botas aún estuvieran en buen estado y se las pasaran a Nicolás.

Suspiro. Tiene razón.

—Eres brillante, Harry, y concuerdo contigo, pero todo lo que tenemos contra Nicolás es circunstancial, al menos en este caso.

—Lo sé, pero tenemos que atraparlo, y ahora más con nuestra sospecha. La gente tiene mucho miedo por el criptograma que publicó el periódico y las noticias sobre el asesino serial. Muchas personas están queriendo comprar armas para protegerse.

—Sí. —Me tenso aún más—. Si estamos en lo cierto, esto le hará mucho daño a Anastasia, estará aterrorizada.

Retomo mi lugar y reviso el expediente médico de Nicolás, junto al perfil que envió el FBI. No tardo en darme cuenta de que todo encaja. ¡Maldita sea!

Dejo los documentos en el escritorio con más fuerza de la necesaria y empuño las manos.

—Lo que me jode es que no tenemos casi ninguna prueba, y sin nada que lo vincule será casi imposible saber a ciencia cierta. —Me froto la sien notando cómo el dolor de cabeza vuelve a azotarme con fuerza—. Quiero que cada chica que ha sido asesinada tenga justicia.

Harry deja escapar el aire, viene hacia mí y se agacha a mi lado.

—Lo conseguiremos. —Toma mi mano y la aprieta—. Le haremos justicia a todas esas víctimas.

—Pero Harry, si el asesino fuera Nicolás sería algo terrible. ¿Sabes lo que significa eso? Que está experimentando con esas chicas para cuando tenga a Anastasia en sus manos. Ambos sabemos que cada vez está más violento. ¿Y si solo está practicando hasta que...? —Niego con la cabeza y doy un golpe a la mesa con rabia porque todas esas mujeres tenían tanta vida. Tenían una familia que sufre su pérdida.

—Tienes razón, pero tranquilízate. —Vuelve a tomar mi mano. Ni siquiera me di cuenta de que lo había soltado. Se inclina un poco mientras la acaricia—. Somos un equipo, Mariel. Haremos que Nicolás caiga. Sea el asesino o no. Y si no lo es, entonces averiguaremos quién está detrás de todas esas muertes y lo haremos pagar.

Echo la cabeza hacia atrás y cierro los ojos un segundo. Luego me incorporo y asiento.

—Llama a Simón —le pido y frunce el ceño—. Es hora de que nos cuente un poco más de Nicolás y su infancia, ¿no lo crees? Yo haré una llamada a José para que vaya a interrogar a los padres.

—De acuerdo.

Apenas transcurre media hora cuando Simón se reúne con nosotros, pero la expresión en su rostro se transforma en una feroz cuando ve la foto de Anastasia junto a las víctimas.

—¿Qué mierda es esto? ¿Por qué está esa foto ahí? —La arranca del pizarrón—. ¿Y qué tiene que ver el enfermo de mi hermano con esto? —pregunta alterado.

—Cálmate, Simón. Te lo explicaremos todo, pero antes necesitamos que nos cuentes todo sobre la vida de tu hermano. Cualquier cosa que te haya parecido extraño —le dice Harry.

—Pero es que no entiendo qué…

—Prometo que te diremos todo lo que podamos sobre el caso, pero si de verdad quieres ayudar a Anastasia, entonces cuéntanos lo que te pedimos, ¿vale? —intervengo.

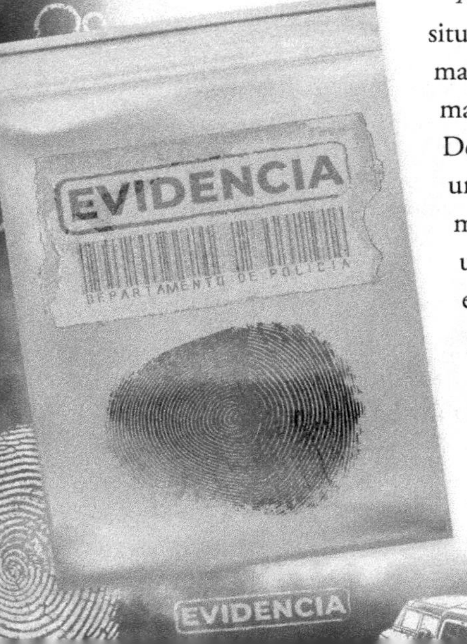

Asiente y entonces lo hace, nos habla de situaciones lúgubres con cuchillos que, de alguna manera, amenazaron su vida. De la muerte de una mascota a manos de Nicolás aún siendo un niño. De escenarios en los que su hermano actuó de una manera enfermiza, y entonces un escalofrío me recorre el cuerpo porque lo sé… Nicolás es una opción real. Es la viva imagen de un asesino en serie. Es una pieza que parece encajar a la perfección en este maldito rompecabezas que me tiene a punto de colapsar.

Capítulo 83

THE DARK ANGEL

El agua se tiñe de rojo mientras me lavo las manos y pienso en ella: la luz que ntentó instalarse en medio de mi oscuridad. Pero no fue suficiente, nunca nada o ha sido. Aun así, sigue siendo la mujer que amo. Ella también me ama, lo sé, y pronto estaremos juntos, aunque sea por poco tiempo, porque tengo que natarla. Tengo que saciar las ganas que me envuelven solo de pensarlo.

Anastasia fue el principio de todo y a veces me pregunto si también será el final, si la adrenalina que corre por mi cuerpo cuando tomo el control y le arranco la vida a alguien acabará cuando vea la suya apagarse. Me pregunto si nis ansias de empuñar su corazón acabarán cuando lo tenga en mis manos. Sin embargo, algo me dice que no será así, las voces en mi cabeza no parecen desvanecerse, todo lo contrario, se avivan con cada muerte.

Ella me traicionó, involucró a más personas en nuestro juego, me denunció cuando yo era el mejor estudiante de mi carrera —Psicología— y tenía una estrecha relación con mi padre. Tuve que renunciar a ello por su culpa, y aunque no me afecta en lo absoluto haber tenido que salir de la universidad, no puedo perdonarla, aunque la ame. Cometió un error y tendrá que pagarlo. La romperé por dentro, disfrutaré cada parte de su cuerpo, la haré mía y entonces la liberaré de esta vida que terminará aborreciendo.

Me miro al espejo y sonrío ante mi reflejo real. Porque esto es lo que soy, un apuesto hombre joven y con carisma. Con una apariencia amable que esconde as turbulentas sombras que se agitan en mi interior.

—Nicolás Ramírez —musito mi nombre como si ello dijera algo, pero no lo hace. El nombre que escogieron mis padres para mí no significa nada. No es un reflejo de lo que soy, por eso lo cambié a uno que me identifica: The dark angel.

Me seco las manos y salgo del baño. Cuando llego al sótano, veo el cuerpo descuartizado de la última chica que disfruté y la llama en mi pecho vuelve a encenderse con más fuerza. Tomo la pulsera que llevaba en su muñeca y la guardo en mi bolsillo como un bonito recuerdo.

Suspiro y me preparo para deshacerme de los trozos en bolsas de basura mientras me recuerdo que debo volver a vigilar a Alejandra para confirmar su rutina, como lo he estado haciendo estos últimos días, porque lo sé, ella será la clave para que mi chica vuelva a mí.

Mi cuerpo vibra con emociones violentas mientras guardo las partes del cuerpo en la bolsa plástica. Un deseo burbujeante se instala en mi piel. Necesito más. Ya nada me parece suficiente y mientras me aseguro de no dejar huellas, me digo que luego de vigilar a Alejandra por unas horas, tal vez pueda hacer una parada para encontrar una nueva víctima. Sonrío. Es una muy buena idea.

Capítulo 84
DETECTIVE MARIEL

Me estremezco cuando bajamos del auto y el aire frío me golpea la cara. Sé que no debí viajar a Madrid solo para estar presente en la reunión con los padres de Simón y Nicolás, debido a mi resfriado, pero no podía faltar. Un estornudo se me escapa de la nariz llamando la atención de los que me acompañan: José, mi hermano; Harry, el agente Brown y Luis.

—¿Estás bien? Te ves muy mal, Mariel —dice Luis y asiento con la cabeza—. ¿Estás segura?

—Sí, solo es un resfriado —digo con voz áspera, sintiendo la garganta arder—. ¿Qué opinas de todo el caso? ¿Tienes algún otro sospechoso principal?

—No, tenemos a un asesino muy astuto, entiendo por qué tu equipo no ha avanzado.

—Bueno, ahora también formas parte de este caso. —Mi piel se eriza y me froto los brazos para entrar en calor. Mi hermano lo nota y me pasa un brazo por los hombros.

—Te ves agotada —susurra solo para que yo pueda escucharlo.

—Lo estoy —confieso, justo cuando llegamos a la puerta de la casa de dos pisos. Harry toca el timbre. Mis músculos se tensan cuando la puerta se abre y mis ojos viajan a la mujer frente a mí: ojos azules, cabello castaño, rasgos delicados. Sin duda, sus hijos se parecen a ella en esto último, pero me asombra las similitudes de esta mujer con Anastasia.

Salgo de mis pensamientos cuando José muestra su placa y nos presenta a los demás. La saludo con amabilidad y luego la seguimos a la sala. Soy consciente de la sorpresa y el recelo en su expresión.

—¿Le pasó algo malo a mis hijos? ¿Atraparon a Nicolás? —pregunta alarmada.

—No, su hijo sigue en búsqueda y captura, pero estamos aquí para que usted nos cuente un poco sobre cómo era la relación con él —dice José caminando alrededor. Yo me siento, no me encuentro muy bien—. Podríamos empezar tal vez con su infancia, por ejemplo.

Ella nos mira varios segundos, se acomoda el cabello detrás de la oreja y deja ir el aire antes de empezar a hablar. Parece incómoda mientras nos cuenta lo que Simón ya nos contó, pero también menciona otras situaciones que me dejan atónita, como esa vez que se enfadó tanto que tomó un cuchillo y la amenazó con clavarlo en su abdomen, pero no es lo único que me toma por sorpresa, sino lo que su madre confiesa que le hizo a un niño pequeño.

—¿Usted lo encerraba en un sótano en forma de castigo? —pregunto incrédula y ella asiente—. ¿Qué hacía él en ese lugar?

—Bueno… —Se remueve inquieta—. Gritaba porque decía que no le gustaba estar ahí, pero era la única forma que tenía para que él entendiera que lo que hizo estuvo mal —dijo con un tono de voz nervioso—. Pero dejé de hacerlo cuando se cayó y se golpeó la cabeza.

—Supongo que es normal que un niño de cinco años gritara que no le gustaba estar en un lugar oscuro y húmedo que tal vez le causó un trauma. —No puedo evitar que mi voz suene afilada—. ¿Qué tan fuerte fue el golpe?

—Tuvo una pequeña contusión, y desde ese momento no volví a encerrarlo allí porque me di cuenta de mi equivocación. De hecho, su padre y yo cometimos muchos errores. —Su rostro se contrae un poco. Puedo ver el dolor en sus ojos y no es para menos—. Le dije a mi esposo que no era sano que le enseñara a matar ratones siendo tan pequeño.

—¿Por qué su esposo hizo algo como eso con un niño tan pequeño? —inquiere Harry, tan sorprendido como yo—. Según sé, ustedes no hicieron algo así con Simón. ¿Por qué les dieron a sus hijos una educación tan distinta?

La mujer parece envejecer en segundos. Sus ojos se nublan por un instante y la veo apretar los párpados para evitar las lágrimas. Noto el movimiento de su garganta cuando traga antes de empezar a hablar.

—Nicolás era distinto a Simón, siempre lo fue. Era difícil de tratar, incluso su mirada a veces se tornaba… oscura, pero luego sonreía como si nada y preferí pensar que solo estaba imaginando cosas. Adrián, mi marido, siempre intentó ser el mejor padre posible para los dos y pensó que había encontrado un pasatiempo con Nicolás, a mí no me gustaba, pero mi hijo parecía contento, más accesible. Así que lo pasé por alto hasta que sucedió lo de los gatos y tuvimos que buscar ayuda con un especialista. —Sus hombros se desploman, parece exhausta—. Después, en la adolescencia, fue un chico común, claro que seguía siendo callado, pero entrenaba en el gimnasio y tenía una novia muy bonita, Anastasia. De verdad intentamos ser buenos padres, pero fallamos.

Pasamos una hora más hablando de Nicolás. En reiteradas ocasiones la mujer asegura que en la adolescencia no notaron nada raro y que después de que se mudara solo, a temprana edad, se cerró más. No supieron mucho de él, ni de sus problemas con las drogas y sobre sus negocios ilegales.

En cuanto llegamos a la estación donde trabaja mi hermano, este me busca una limonada. Parece preocupado por mí. Todos estamos reunidos para analizar la declaración de María. Me siento agotada y febril, pero no puedo descansar en estos momentos.

—Bueno, está claro que Nicolás odia a su madre y creo que sinceramente su obsesión por las mujeres castañas con ojos azules es por ella y Anastasia —dice el agente Brown con seguridad—. Por todo lo que hemos investigado y lo que acabamos de escuchar, ese chico tiene conductas psicópatas desde niño. En mi experiencia, puedo decirles que todas esas conexiones y similitudes entre las víctimas no son coincidencias. Estoy casi seguro de que él es el asesino.

—Concuerdo contigo, es demasiada casualidad todo esto, pero no tenemos pruebas. —Mi voz sale ronca; Harry me mira con cierta preocupación—. Su padre tiene que confirmar si esas botas Wing Workers son de él y si se las pasó a Nicolás. —Me tomo el último sorbo de la limonada y dejo el vaso sobre el escritorio—. Tenemos que tener evidencia contundente y no solo una hipótesis.

—Bien, Nicolás es nuestro principal sospechoso, pero González me acaba de mandar el nombre de un sospechoso, también es un joven universitario llamado Jaime Alcalá —interviene Harry leyendo el informe que se nos envió y que solo leí por encima porque llegó apenas atravesamos la estación de policía—. Tiene delitos de acoso e intento de abuso a una niña de nueve años. No tiene coartada para las desapariciones y algunas de sus compañeras dicen que es muy insistente con el tema de las fotos para sus trabajos de fotógrafo. Tiene veinticinco años.

—Es un bastardo enfermo —maldice Luis.

—¡*My God*! —Brown se pasa una mano por el rostro—. Bueno, él también podría ser un gran sospechoso, pero estoy seguro de que es Nicolás.

—Según el informe, un hombre mayor vio cómo el joven intentaba meter a la fuerza a la niña al auto y llamó a la policía, quienes lograron arrestarlo, pero por alguna razón, los padres de la pequeña no quisieron seguir adelante con el caso, por lo tanto, solo le dieron un año de cárcel. Aunque pudo salir a los seis meses por buena conducta —explica Harry, molesto—. No debemos descartarlo, debemos vigilarlo y, por supuesto, seguir buscando a Nicolás, ahora con más ahínco.

—Estoy de acuerdo con Harry en vigilar los pasos del tal Alcalá. Es un peligro para la sociedad —digo enfadada—. Bueno, será mejor que nosotros regresemos a Barcelona y, José, tú nos mandas la declaración de Adrián Ramírez.

—Claro. —Mi hermano me abraza—. Tienes que descansar, Mariel, tienes un poco de fiebre. Si te pones peor no podrás ayudar a nadie.

—No puedo y no insistas, no me siento tan mal —me excuso con una tensa sonrisa—. Nos estamos hablando.

Harry, Luis, el agente Brown y yo nos dirigimos a Barcelona con la certeza de que esto tiene que terminar. Y hay algo dentro de mí que me dice que tenemos un hilo firme de donde tirar. ¡Por fin!

Ya han pasado dos semanas y no hemos avanzado nada, solo tenemos la confirmación del padre de Simón de que sí tenía esas botas, pero que no sabe en qué lugar están porque las había guardado en el ático, lo que me parece una mentira. En cuanto a Jaime Alcalá, lo hemos vigilado y se ha comportado aparentemente normal.

La puerta se abre y Brown aparece bajo ella.

—¿Puedo pasar? —pregunta con una carpeta en la mano.

—Adelante.

Entra y deja los documentos sobre la mesa antes de sentarse frente a mí.

—Hice otro perfil más detallado de Nicolás Ramírez, en donde expongo todos los puntos de por qué él es el asesino en serie —dice con seguridad.

—Yo le creo, Brown, de hecho, por todo lo que sabemos, estoy convencida de que lo es, pero aun así tenemos que tener pruebas que lo relacionen con el crimen. Usted y yo sabemos que presentar un perfil y un móvil para los crímenes en un juicio no servirá de nada, saldrá libre en poco tiempo... —Mi teléfono suena y suelto un suspiro porque algo me dice que no serán buenas noticias—. ¿Qué ocurre, Oviedo? —pregunto y me da una respuesta que me tensa—. Bien, voy ahora mismo.

—¿Qué sucede? —inquiere Brown.

—Encontraron otro cuerpo en otra área del Parque Nacional. —Me pongo de pie—. Tenemos que ir.

Asiente y salimos de la estación, enrumbándonos al lugar. En menos de veinte minutos estamos en la escena del crimen. Maldigo cuando veo que la prensa ya está en el lugar. Por suerte, la policía los ha retenido para que no lleguen al cuerpo. Harry nos abre paso entre la multitud.

Nos adentramos en el bosque y tardamos unos cuantos minutos hasta llegar a la escena. Mi estómago se revuelve con el olor fétido que emerge, aprieto los labios y contengo la respiración unos segundos para no vomitar.

Respiro muchas veces hasta que logro controlarme. El forense ya está haciendo su trabajo cuando nos acercamos. Todos nos ponemos guantes para no contaminar el área. Observo sigilosamente todo el espacio antes de agacharme junto al médico mientras Harry toma fotos y Brown es minucioso en cada paso que da. Saco una mascarilla y me la pongo para poder hacer mi trabajo mejor. Un nudo se forma en mi garganta al ver más de cerca el cadáver en descomposición y notar que le falta un pecho y parte del muslo. A sus pies hay una marca de zapato y le indico a Harry que tome la muestra para verificar el modelo.

—¿Qué opina? —le pregunto al forense.

—La chica tiene un estado avanzado de descomposición, murió hace tres o seis semanas, y como verá, le falta el seno derecho y la parte posterior del muslo izquierdo. Los cortes fueron perfectos, por lo tanto, el asesino fue el que lo hizo, aunque aún no sé con qué propósito —me informa.

—Probablemente esté practicando canibalismo —suelta Brown observando todo con ojo crítico. Lo miro y aprieto los labios. Yo también tenía esa sospecha, pero joder, esto es otro nivel de lo asqueroso y repugnante. —¿Por qué alguien haría eso? —pregunta Harry.

—Para mayor placer —responde el agente sin dejar de revisar la escena con detenimiento—. Con cada asesinato necesita experimentar más, porque solo matar ya no le es suficiente, no le da el placer que quiere.

El silencio se extiende entre los presentes, yo trago saliva y sigo en mi labor. Pasan unos minutos hasta que doy la orden de levantar el cuerpo. El dolor en el pecho empieza a ser insoportable. Esto ya es demasiado. Tantas víctimas masacradas vilmente.

—La joven tiene signos de violencia y murió estrangulada, como las demás, pero le haré una autopsia más detallada para confirmar el abuso sexual y buscar más pruebas. Como ADN. Te llamaré cuando tenga el informe completo —me dice el forense.

—Gracias —digo, tragándome el nudo en mi garganta.

Me acerco al agente Brown en el momento exacto en el que suelta un suspiro de frustración.

—¡*Fuck!* Es un maldito enfermo. Lo que está haciendo es una práctica sexual. Muchas veces los psicópatas que hacen eso creen que comiendo una parte de sus víctimas pasan a formar parte de ellos.

—Esto es asqueroso, está cruzando todos los límites —digo asqueada; es la primera vez que tengo un caso como este—. ¿Cómo sabes todo eso?

—Jeffrey Dahmer… —me mira fijamente—, Ted Bundy, y la lista sigue y sigue. A la mayoría de esos enfermos les da curiosidad y no se quedan con la duda. Experimentan con el fin de satisfacer sus más sórdidas fantasías. No creo que vaya a parar.

—Eso ya lo sé, Brown.

—Esto está escalando a puntos que no creíamos; tenemos que detenerlo pronto —interviene Harry, preocupado.

—Pero también está llegando el fin. —Brown se agacha y toma una colilla de cigarro. Saco rápido una bolsa plástica de recolectar pruebas para que la guarde. Lo hace—. Se ha confiado de sus habilidades. Cada vez está siendo más descuidado y cometiendo más errores, por lo tanto, caerá antes de lo que cree.

Suspiro, aliviada. Si encontramos ADN en la colilla daremos un gran paso.

—Eso espero.

Y en verdad lo hago, porque necesito creer que este horror está a punto de terminar.

Capítulo 85

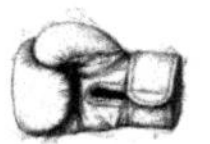

Anastasia

El sol brilla como una esfera gigante en el intenso azul del cielo, mientras observo a Diego jugar basquetbol con sus amigos. Sonrío cuando lo veo encestar la pelota y celebrarlo señalándome y lanzándome un beso que simulo atrapar.

Mis ojos pasean a mi alrededor percatándome de que no haya nadie, y por un momento me parece ver a Nicolás merodeando. Pestañeo varias veces y su imagen desaparece. ¡Maldición! Estoy paranoica, no puedo evitarlo. Apenas he logrado conciliar el sueño con medicamentos y ha sido peor, porque en medio de mis pesadillas me sorprendo dando golpes a diestra y siniestra.

Una figura femenina se acerca llamando mi atención. Dejo escapar un suspiro de cansancio. De verdad no quiero más dramas con una chica que no sabe aceptar cuando alguien no la ama. Que no conoce su lugar y que le falta el respeto a los demás y, sobre todo, que se desvaloriza a sí misma como mujer.

Bárbara se sienta en la esquina de la banca, pero no la miro. Sigo los movimientos de Diego mientras juega con destreza. Parece que mi chico tiene muchas habilidades.

—Diego realmente te ama —dice Bárbara con la tristeza tiñendo su voz. Giro la cabeza para mirarla, analizando sus palabras y su postura. Teniendo en cuenta su obsesión por mi novio, no me fío de ella. No sé qué decir, así que solo la miro.

—Yo también lo amo profundamente y me cegué tanto que estuve a punto de cometer una locura —confiesa con lágrimas empezando a recorrer su rostro—. ¿Sabes? Pensé que sería como todas las películas o libros donde al final tu mejor amigo también se enamora de ti, pero no, Diego solo me tenía para pasar un buen rato.

Mis ojos se deslizan a la cancha, en donde Diego parece paralizado con la mirada sobre nosotras. Al menos hasta que vuelvo a escuchar la voz sollozante de la pelirroja.

—Lo amaba demasiado, tanto para escuchar todo lo que él quisiera contarme. Tú no tienes idea cómo me sentía cada vez que me contaba con qué chica se enrolló; mi corazón se rompía, Anastasia. Y cuando llegaste tú… —Ríe con amargura—. ¡Dios! Parecía idiotizado. Nunca lo había visto tan interesado como lo estaba contigo, y cuando escuché que te llamaba bella, lo vi todo rojo porque supe que lo había perdido, que se había enamorado de ti. —Su voz sale rota. Inhalo profundo e intento serenarme, entenderla, aunque nunca justificaré sus acciones.

—Bárbara, yo no lo busqué, te lo puedo asegurar.

Ella asiente y me mira con los ojos húmedos.

—Te creo. Fui testigo de cómo te persiguió e insistió, a veces puede ser muy persuasivo. Yo… solo quería pedirte perdón por todo. —Me sorprende escuchar sinceridad en su voz—. El amor a veces te ciega y yo solo podía pensar en que Diego fuera mío. —Se mira las manos temblorosas—. Me equivoqué, lo sé, pero estoy yendo al psicólogo para volver a sentirme segura conmigo misma.

Ladeo la cabeza para observarla y una sensación extraña se instala en mi pecho. No me gusta ver a nadie sufriendo y ella parece estarlo.

—Bárbara, no te culpo por estar enamorada de Diego, pero espero que seas consciente de que no te puedo perdonar, al menos no ahora. Lo que intentaste hacer estuvo realmente mal y si no te pusimos una denuncia fue porque él de verdad te apreciaba como amiga.

La veo asentir, al tiempo que intenta deshacerse de las lágrimas que recorren sus mejillas. Saco de mi mochila mis pañuelos desechables y le entrego un par.

—Eres una buena persona, Anastasia. Lo siento... por todo —susurra antes de irse casi corriendo.

Me sorprendo cuando Diego llega a mi lado y entorna los ojos en dirección al lugar por donde acaba de desaparecer la pelirroja.

—¿Qué te dijo, bella? —pregunta con un tono de preocupación.

—Me pidió perdón por todo. —Sonrío cuando noto su ceño fruncido—. Así que calma, mi chico cursi. Yo estoy bien, pero ella... parecía destrozada.

Se sienta a mi lado y levanta su mano para acariciar mi mejilla. Su tacto se siente tan natural y cálido que casi de inmediato me relajo, lo que me permite apreciar lo bien que se ve con su pelo algo húmedo y la camiseta de tira que deja a la vista sus musculosos brazos. Levanto la mirada y me cruzo con su sonrisa divertida.

—Bella, sé que me veo *sexy*, pero concéntrate, ¿qué te dijo?

—Me contó sobre su historia de amistad, de cómo estuvo siempre enamorada de ti, y me pidió perdón por lo que intentó hacernos, tampoco fue mucho lo que hablamos —le explico, acariciando sus brazos de arriba abajo, sintiéndome satisfecha al verlo estremecerse por mis caricias.

—Que haga lo que quiera, mientras se mantenga lejos de ti y de mí está todo bien. Ella murió en el momento que intentó drogarme para poder abusar de mí.

Asiento con la cabeza porque estoy de acuerdo, nada justifica sus acciones y es mejor que mantenga la distancia con nosotros. Suficiente tengo con tener a Nicolás como mi sombra. No necesito a alguien de la que no me fío a mi alrededor.

Sus dedos entrelazados con los míos me proporcionan una sensación de seguridad. Y sé que Diego no puede protegerme de mi demonio personal, pero su amor parece ayudarme a calmar mi ansiedad. Caminamos fuera de la universidad, al fin terminó nuestro día de clases. Mis ojos se abren con asombro cuando Alejandra corre en mi dirección y, sin que lo vea venir, se trepa encima de mí haciéndome retroceder varios pasos. Gruño entre dientes cuando me veo caída de culo en el suelo, pero Diego me sostiene para que no pase.

—¡Dios mío! Rubia, me estás babeando el cuello —me quejo porque me está asfixiando con sus brazos alrededor de mi cuello; sus piernas rodean mi cintura como un koala—. ¡Ale!

Diego se aparta al verme plantada, firme, y se va al lado de Cameron.

—Te amo —me susurra mi amiga. Me da un sonoro beso en la mejilla y se pone en pie. Suspiro y miro de reojo a los chicos que nos miran con curiosidad.

—Si van a montárselo ustedes solas, esperamos que al menos nos dejen mirar.

Una sonrisita traviesa tira de los labios de Diego. Ale le da un puñetazo de broma en el pecho y él finge que le duele dejando caer su peso sobre su amigo, quien sacude la cabeza sonriendo. Ruedo los ojos.

—Eres un maldito pervertido —dice Alejandra, provocándolo.

—Si soy un angelito —replica Diego con un adorable puchero.

La rubia entorna los ojos en su dirección.

—No te hagas el loco porque sé que nos escuchas mientras Cameron y yo tenemos sexo.

Abro la boca para intervenir antes de que sigan el tema, temiendo que mi mejor amiga termine enfadada, pero es tarde porque Diego habla primero.

—Bueno, Alejandra, tú no eres precisamente una monja de clausura —se burla.

Cameron se echa a reír y eso no le hace ni pizca de gracia a Alejandra, que le clava el puño en el estómago a modo de respuesta.

—Pero puedes estar tranquila, nos hemos perdido siempre de todo el espectáculo visual; solo hemos escuchado tus gritos, monjita —explica Diego, como si fuera un crítico profesional de cine, y una sonrisa perversa sale a relucir en su rostro.

Lo empujo para que nos vayamos, pero ellos se miran antes de estallar en una carcajada. Alejandra lo abraza y Cameron toma mi brazo.

—Vámonos, Anastasia, porque si no nos movemos ellos no lo harán. —Asiento y comenzamos a caminar a la salida. Sonrío cuando escucho los pasos apresurados detrás de nosotros. Me toma de la cintura y me levanta del suelo dándome varias vueltas, haciéndome reír a carcajadas.

—¡Diego! —chillo para que me baje y me da un beso antes de bajarme.

—Nos vemos en el apartamento, chicos —dice Cameron arrastrando a Ale a su auto. Diego me conduce a su todoterreno, abre la puerta con una absurda reverencia para mí y posa una mano en mi cabeza para que no me pegue con el marco de la puerta. Sonrío. Sus labios se curvan mientras se inclina y deja un beso fugaz en mi boca antes de abrocharme el cinturón.

—Así estarás quieta y te comportarás como una niña buena. —Me sonríe con gesto juguetón. Suelto un bufido.

—Imbécil. —Tiro de él hasta atrapar su labio inferior entre mis dientes. Gime y el sonido es música para mis oídos. Sonrío complacida—. Vámonos.

—Eres perversa.

Rodea el auto y se sube al asiento del conductor mientras yo miro por el retrovisor a los policías que me cuidan. Mi cuerpo se tensa sin que pueda evitarlo. ¡Dios! ¿Cuándo terminará esto?

Apenas abro la puerta de mi apartamento, me paralizo sintiendo algo retorcerse en mis entrañas. Miro la estancia y a simple vista parece que está todo normal, pero me siento incómoda y desprotegida, y eso solo pasaba cuando él entraba en la casa de mi abuela.

—¿Qué ocurre? —pregunta Diego, alarmado.

—Llama a los policías, por favor —digo cerrando de nuevo el apartamento, dejándonos en el pasillo. Alejandra me abraza mientras Diego habla con los oficiales.

Un momento después, los dos policías entran a mi hogar y todos nos quedamos afuera esperando que revisen. Diego me da besos en la sien para intentar tranquilizarme, pero no puedo porque pasan los minutos y los oficiales no salen. Mis nervios están por colapsar cuando, por fin, los dos hombres se acercan a nosotros.

—Está libre —dice uno de ellos. Suelto un suspiro de alivio—. De todas formas, vamos a revisar las cámaras para saber si realmente alguien entró.

—Gracias —dice Diego, y yo solo soy capaz de asentir.

Una vez dentro de la estancia, dejo a los chicos en el salón de estar y subo a mi habitación. Camino en dirección a la cama, me siento tan cansada, pero me detengo cuando la misma sensación de hace unos minutos vuelve a arrastrarse en mi interior. Mis ojos se mueven frenéticos en busca de algo que esté mal.

Mi mirada se posa en la foto de mi mesita de noche, esa en donde mi hermano y yo salimos sonrientes, felices. Trago saliva al notar que no está en la misma posición en la que siempre la dejo. Vuelvo a acomodar la foto y voy a mi closet notando el cajón de mi ropa interior entre abierto; no lo deje así. Soy bastante rutinaria con mis cosas. Estuvo aquí.

Me pongo de puntillas y estiro mi mano buscando mi cuchilla, pero no está donde la tenía escondida. Sin embargo, hay algo diferente en su lugar. Lo tomo en mi mano con cuidado y el aire se atasca en mi garganta cuando veo lo que es. En mis manos reposa una rosa azul y una fotografía que me hace estremecer.

—No puede ser. No, no… ¡No! —grito con horror al ver un cuerpo decapitado y mutilado en un sótano. Echo la rosa a la basura y suelto la foto como si me quemara; me abrazo a mí misma sintiéndome morir de a poco. ¡Dios! Esto no puede ser, esto no puede estar pasando, yo… Mis pensamientos se detienen cuando miro al piso y veo las letras detrás de la imagen. Me agacho y vuelvo a tomarla con la mano temblorosa.

Te extraño, Anastasia, ¿y tú? Pronto estarás aquí, conmigo...

Te amo tanto que matarte me duele en la misma medida en la que me excita. Pero tengo que hacerlo, eres la culpable de todo, eres mi musa, todo esto empezó por ti, veremos si termina contigo.

Me traicionaste, tienes que pagar. Tu hora está cerca.

Sacudo la cabeza y me limpio las lágrimas que caen por mis mejillas. Un temblor asalta mi cuerpo sin que pueda detenerlo. Volteo la foto y veo la imagen una vez más. Mi estómago se retuerce ante tal atrocidad. Hace mucho que sé que Nicolás es capaz de matarme, su mente enferma está obsesionada conmigo, pero no creí que fuera a hacer algo como esto. ¿Será real la maldita foto? ¿De verdad es un monstruo mucho peor de lo que creí? ¿Y si solo quiere jugar con mi mente? ¡Por Dios!

—Anastasia, ¿qué haces aquí? —pregunta Diego a mi espalda. Se escucha preocupado.

Guardo la foto dentro de mi pantalón, limpio mi rostro y tomo un respiro antes de girarme.

—Necesitaba pensar un poco. —Intento sonreír, pero mis labios amenazan con temblar—. Ahora bajo a comer.

Diego me mira de arriba abajo y se acerca con cautela.

—¿Por qué llorabas?

Dejo ir el aire.

—Diego, esto me está pasando factura, no sé cuánto tiempo podré seguir así —confieso—. Estoy cansada de tener a personas siguiéndome, estoy cansada de ver el lado positivo. Estoy harta de convencerme a mí misma de que van a atrapar a Nicolás, cuando cada día que pasa parece menos probable.

Él frunce el ceño ante mis palabras.

—Anastasia… —Toma mi rostro entre sus manos—. Sé que esto es agotador. Sé que estás exhausta, puedo verlo, pero no puedes rendirte, no puedes perder la fe. La policía está haciendo todo lo posible para atraparlo, pero sabes que no es tan fácil. —Acaricia mis pómulos—. Sé que lo estás viendo todo oscuro ahora mismo, pero por favor, no pienses que pasaremos el resto de nuestras vidas huyendo porque no será así.

—¿Pasaremos? —pregunto mirándolo a los ojos y sonríe.

—¿Aún no lo entiendes, Anastasia? Yo iré a donde tú vayas. Te amo y mi lugar es contigo, siempre contigo. Mi futuro solo lo concibo a tu lado, viéndote sonreír y apreciando el brillo en tus pupilas cuando me miras.

Mi corazón se acelera por cada una de sus palabras. Cierro los ojos cuando me atrae a su cuerpo y me abraza. Mis manos se aferran a su espalda con necesidad y me dejo embriagar por su aroma, por su calor, por ese amor que parece crecer cada segundo en su pecho… y en el mío.

Capítulo 86
DETECTIVE MARIEL

Miro las fotos de todas las víctimas y en total tenemos seis cuerpos femeninos y tres masculinos, y aún están desaparecidas cinco chicas de las que no tenemos rastros. Cada minuto que pasa me convenzo más de que se trata de él. De Nicolás.

Siempre es el mismo método, a los hombres los aniquila de un disparo o con cuchillo, y a las mujeres las tortura y abusa de ellas sexualmente, pero siempre con condón, porque no se ha podido encontrar ningún rastro de semen e, incluso, cuando practica necrofilia lo hace con preservativo.

La puerta de mi oficina se abre y entran Luis y su hija, Samantha. Harry entra un segundo después con un vaso de agua que le entrega a la chica, quien viene llorando. Me acerco a ellos, desconcertada.

—¿Qué sucedió? ¿Estás bien, Samantha?

—No, mi hija fue secuestrada, Mariel.

—¿Qué demonios…?

—Sí, pero se pudo salvar porque le he enseñado a defenderse. —Toma un largo respiro como si no lo hubiese hecho en mucho tiempo—. Yo… —Su voz se quiebra por un segundo, luego carraspea y recupera su postura, pero sin dejar de sostener a su hija—. Samantha viene a dar su testimonio para lograr hacer un retrato sobre su secuestrador. Por su forma de actuar creo que podría ser el asesino en serie. —Su cuerpo exuda tensión, pero puedo entenderlo, estuvo a punto de perder a su hija.

Asiento con la cabeza y tomo mi grabadora para tomar la declaración.

—¿Estás bien, Samantha? ¿Te hizo algún daño? —pregunto a la chica que parece estar saliendo del *shock*.

Luis la guía hasta sentarse en la silla frente a mi escritorio. Me recuesto sobre la esquina del mismo, a su lado.

—Me duele un poco la cara por los golpes, pero yo también le hice daño. Se me rompieron todas las uñas por defenderme. —Me muestra sus manos y veo como en varias uñas hay sangre y piel—. Aún no sé cómo pude salir de ese auto.

Miro a Luis.

—¿Ya la vio el médico? ¿Tomaron muestras de sus uñas? —pregunto y asiente mientras Harry nos observa de pie, junto a la entrada—. Bien, sabes que no contamos con mucho personal, pero le pondremos seguridad.

—Gracias —contesta sentándose junto a su hija—. Estarás bien, cariño —le dice. Ella asiente y se limpia una lágrima que rueda por su mejilla izquierda.

—Bien. ¿Puedes contarme como sucedió todo? —le pregunto y toma aire antes de responder.

—Sí.

Capítulo 87

SAMANTHA (HORAS ANTES)

Camino por el centro comercial y me acerco a la vidriera de una tienda de ropa. Un carraspeo llama mi atención y giro la cabeza para encontrarme con un joven oficial que me ofrece una sonrisa amable.

—Buenas tardes, señorita, soy el oficial García Martín y hemos atrapado a un hombre que estaba intentando robar su auto —explica con tono neutro—: ¿Quiere ir a revisarlo para asegurarse de que todo esté en orden y que no le falte nada?

—Claro —respondo sorprendida y preocupada al mismo tiempo. Durante el trayecto para bajar al sótano nos mantenemos en completo silencio mientras ruego para que mis pertenencias estén a salvo. En cuanto llegamos a mi auto, me percato de que todo está donde lo dejé.

—¿Está todo en orden? —pregunta el oficial.

—Sí, no falta nada.

—Bien, tenemos al hombre que intentaba ultrajar su vehículo, pero es importante que ponga la denuncia para que el proceso sea más rápido. De lo contrario, es posible que ese delincuente se salga con la suya. Es triste, pero es la verdad. —Me da una mirada de disculpa—. ¿Tiene tiempo para ir a la estación y hacer la denuncia?

Me lo pienso un segundo. No es como pensaba pasar mi día, tengo cosas que hacer, pero sin duda alguna no quiero que ese ladrón intente robar a otras personas sin saber cuánto les costó conseguir lo que tienen. Hago una ligera mueca y asiento.

—Sí, por supuesto.

—Bueno, tenemos que salir del subterráneo porque tengo mi coche unas cuadras más abajo, cerca de la lavandería —me informa—. ¿Vamos?

Avanzamos mientras me detalla de manera superficial lo sucedido. Frunzo el ceño cuando llegamos a nuestro destino. Me parece extraño que sea un auto común y corriente, tal vez su patrulla está dañada. Lo veo tomar la manilla y abrir la puerta para mí, es un gesto amable, pero hay algo que no se siente bien. Tal vez ser hija de un policía me hace ser demasiado desconfiada, pero no puedo evitarlo. Me quedo unos segundos mirándolo. Parece notar mi incomodidad porque me ofrece una pequeña sonrisa amable.

—¿Todo bien? —pregunta muy cerca de mí y no sé si es idea mía, pero creo percibir un olor a alcohol en su aliento. Miro su placa en el pecho y me parece auténtica, pero necesito asegurarme de su identidad.

—¿Puedo ver su identificación, por favor?

—Claro. —Abre su cartera y me muestra su DNI. Suelto un pequeño suspiro de alivio y decido confiar.

—Está bien, vamos.

Me subo al auto y, en cuanto lo pone en movimiento, me doy cuenta de que fue un error porque me siento incómoda. ¿Por qué no vine en el mío? Toda mi vida he sido muy intuitiva, siempre hay algo en mi cabeza que me alerta del peligro. Justo ahora esa alama resuena con fuerza.

Apenas estamos a la mitad del camino hacia la estación cuando, de repente, detiene el auto en un lugar poco concurrido donde solo hay edificios cerrados a cada lado de la carretera. Mis manos empiezan a sudar en nanosegundos mientras giro la cabeza para mirarlo.

—¿Qué está haciendo? Aún no hemos llegado a la estación de policía.

Mi corazón se descontrola cuando no responde y, sobre todo, cuando noto el cambio en su mirada. Esta se vuelve fría, afilada. Algo está muy mal. Intento tomar el cierre de la puerta para abrir, pero se abalanza sobre mí, deteniéndome. Intenta ponerme unas esposas, pero le clavo las uñas y suelta una maldición.

Comenzamos a forcejear y esquivo el golpe que lanza a mi cabeza, pero no el que va a mi cara. El impacto me sacude, pero me niego a dejarme arrastrar por el dolor. Mi padre me enseñó a defenderme y no pienso ceder ahora, no cuando estoy segura de que mi vida corre peligro. Si dejo de defenderme, me matará, lo veo en la perversidad de su mirada. El terror me arropa cuando recuerdo las noticias del asesino en serie. Pienso en mi familia, en mis padres. Si este hombre me mata mi padre perderá la cabeza.

¿Y si es él quien encuentra mi cuerpo? ¡No, no, no! El miedo me impulsa y le abro la piel con las uñas. Aprovecho su siseo de dolor y estrello mi puño contra su cara. Tiro de la puerta, pero me toma del cabello y me lo impide. Las lágrimas terminan por derramarse cuando siento el cañón de su arma en mi sien.

—¡Quédate quieta o te volaré la puta cabeza! —me amenaza. Los nervios intentan traicionarme, pero me niego a que mi padre tenga que recoger mi cuerpo torturado, me niego a morir cuando tengo una vida que amo.

—¡Hazlo! ¡Porque no iré contigo! —grito y empujo el arma hacia arriba haciendo que se escape una bala. Empujo la puerta que había quedado abierta en el primer tirón y salgo corriendo.

Me siento mareada, por lo que logra alcanzarme y empujarme sobre el costado del coche. Intenta golpearme con el arma, pero forcejeamos de nuevo. Levanto mi rodilla y la impacto contra su entrepierna.

—¡Maldita sea! —gruñe doblándose del dolor.

No pierdo tiempo y corro hacia el auto que se aproxima. Levanto las manos con desesperación y grito por ayuda. Corro al asiento del copiloto cuando la mujer se detiene y me mira asustada. Quizás piensa que soy una demente.

—Conduzca, por favor, está armado.

Gracias a Dios me escucha y pisa el acelerador, pero parece tan nerviosa como yo.

—¿Estás bien? ¿Qué te pasó? —pregunta aún con cautela.

Apenas puedo ver por las lágrimas que corren por mis mejillas.

—Ese hombre que dejamos atrás intentó…, intentó secuestrarme —digo con la voz entrecortada—. ¿Me puedes llevar a la estación de policía, por favor?

—Claro que sí.

Capítulo 88

DETECTIVE MARIEL

Aprieto la grabadora con rabia cuando Samantha termina de narrar lo que pasó. Es frustrante saber que muchas han pasado por lo mismo, y que la mayoría no ha tenido tanta suerte como ella. No me pasa desapercibido que encaja en el perfil de las chicas que fueron asesinadas. Aunque el atacante, si es The dark angel, debe saber que es hija de un policía. ¿Y si secuestrarla era un mensaje a los que estamos en su caso? Suspiro y le paso un pañuelo a Samantha mientras su padre la abraza.

—Sé que lo que pasaste fue muy duro, pero ¿me puedes dar una descripción del sujeto que te intentó secuestrar? Es importante para poder atraparlo.

—Sí, tengo su rostro grabado en mi memoria.

Esperamos unos minutos para que entre el policía a cargo de hacer los retratos hablados y luego ella comienza a describir al sujeto con lujo de detalles. Camino a mi escritorio y tomo una foto de Nicolás, porque todas las características que está dando encajan con él.

—¿Este es el sujeto que te atacó? —pregunto mostrándole la imagen.

Sus ojos se abren con terror y sacude la cabeza de forma positiva.

—Lo tenemos —informo entre dientes. Noto a Harry tensarse detrás de Luis y su hija—. Fuiste una chica muy valiente, gracias a ti ahora tenemos la confirmación de que es este sujeto. Luis, si quieres puedes tomarte unos días libres para estar con tu hija.

—No papá estoy bien —interviene Samantha, temblando—. Por favor, atrapen a ese monstruo. Ustedes no vieron lo que yo vi en sus ojos. Parecía un demente; estoy segura de que ahora mismo está buscando a su siguiente víctima y no quiero eso.

—Me tomaré la tarde y mañana capturaremos a ese hijo de puta —afirma Luis poniéndose de pie junto a su hija. Asiento y lo veo irse.

—Ahora sabemos que no tenemos dos casos, sino uno —dice Harry desde su lugar. Parece muy cabreado y lo entiendo. Estuvo frente a nosotros todo el tiempo y no lo vimos.

—Nosotros empezaremos a intensificar su búsqueda desde ahora y… —Mi teléfono comienza a sonar y lo contesto—. ¿Qué pasa?

Escucho a Anastasia hablar nerviosa sobre cómo Nicolás pudo entrar en su apartamento y dejó una foto que contiene la imagen del cuerpo descuartizado de una chica. Dice que no sabe si la foto es real o falsa. Suspiro porque conozco la respuesta.

—Vamos para allá, pero no salgas. Es una orden y lo digo muy en serio. —Corto la llamada tras su promesa de acatar lo que le ordené.

—¿Qué sucede? —pregunta Harry con preocupación.

—Tenemos que ir al apartamento de Anastasia. Está en peligro.

Capítulo 89

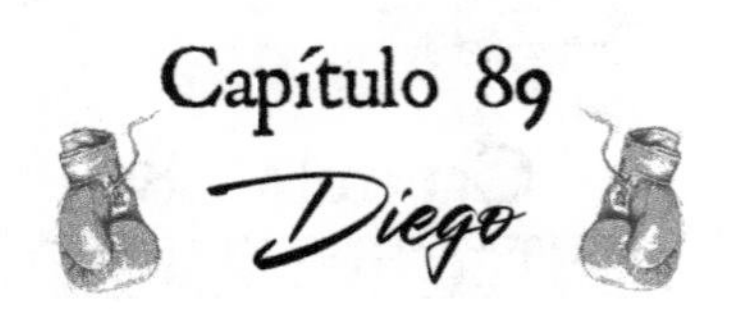

Abro la puerta para que entren Harry y Mariel, quienes apenas me saludan. Anastasia sale a su encuentro para llevarlos a su habitación y me pide que me quede aquí abajo, cosa que me hace enfadar porque mi lugar es a su lado, apoyándola, y no aquí, mirando cómo suben las escaleras.

Entro en la cocina para servirme un vaso de agua e intentar calmar esta horrible sensación. Me aterra y a la vez me enfada que ella esté construyendo un enorme muro entre nosotros cuando debería ser todo lo contrario, y lo peor es que no sé cómo romperlo. Me siento en el taburete y juego con mi vaso de un lado a otro porque me estoy cansando de tener paciencia para todo. ¡Joder! La amo y entiendo el dolor por el que está pasando, pero no me parece justo que me siga ocultando cosas, se supone que somos una pareja.

Un rato después, Mariel y Harry bajan y se despiden antes de irse. Anastasia no tarda en bajar las escaleras, y en cuanto pone un pie en la cocina nuestras miradas se encuentran por varios segundos hasta que la aparto, molesto. Me levanto e intento pasar por su lado, pero toma mi brazo con cautela.

—Diego…

—No es un buen momento para mí y la verdad es que estoy enojado contigo —digo, deshaciendo su agarre.

—¿Estás enojado conmigo?

—Sí. Estoy cansado de que me ocultes cosas y de que me hagas a un lado como un estorbo. Entiendo lo duro que es todo esto, pero no me tienes que apartar de esa forma. Quiero estar ahí para ti. Somos una pareja y deberíamos apoyarnos en las buenas y en las malas —le explico e inhalo para calmarme—. Anastasia, te amo con locura, pero a veces el amor no puede con todo y menos si no hay sinceridad entre nosotros.

En el camino me cruzo con Cameron, que va saliendo de la habitación en donde se está quedando Alejandra. Abre la boca para hablar, pero niego con la cabeza porque quiero estar solo. Siento que explotaré en cualquier momento y no quiero dañar a nadie.

Entro en la habitación y voy directo al baño, me saco la ropa y abro el grifo con la intención de conseguir un poco de paz. Sé que debería ir a mi piso, pero no puedo mientras Nicolás esté rondando por ahí. Me deshago de mi bóxer y me meto a la ducha. Suelto un suspiro en cuanto las primeras gotas tocan mi rostro.

La puerta cruje y no tengo que voltear para saber que se trata de ella.

—¿Será que me puedo duchar tranquilo? —No puedo evitarlo, mi voz sale furiosa. Anastasia cierra la puerta y se va, por suerte.

Me mojo el pelo y cierro los ojos con fuerza. No entiendo por qué no puede ser sincera conmigo, yo siempre lo he sido con ella, y estoy cansado de pedirle que me cuente las cosas. Sé que es difícil para ella hablar de sus miedos, pero en este punto debería saber que no me iré a ninguna parte.

Cuando salgo del baño, Anastasia está sentada en la cama en posición de indio y mira con atención cada uno de mis movimientos. Cruzo el espacio hasta su clóset, donde tengo algunas de mis cosas porque estoy quedándome con ella hasta que atrapen a ese criminal, me pongo mi pijama y camino al lado derecho de la cama donde me acuesto.

—Diego… —susurra.

—No es el momento, Anastasia —le advierto mirando al techo. Aún sin mirarla puedo sentir sus movimientos mientras se acerca a mí, puedo sentir su perfume. Le doy la espalda y ella suelta un bufido—. Necesito un poco más de tiempo.

—Vale, me voy entonces.

—No tienes que hacerlo, es tu habitación, si quieres me voy…

—¡No! —Salta de la cama—. No quiero que te vayas.

Observo cómo entra en su armario, saca unas mantas y cojines antes de cerrar la puerta. Me siento como la mierda, pero tampoco puedo seguirla porque en serio no me gusta su falta de confianza.

No he podido dormir un carajo. Me siento fatal por la forma en que le hablé a mi chica. No significa que no siga pensando lo mismo, pero no fue la forma de enfrentar la situación, sin embargo, soy un ser humano y me equivoco. Termino de hacer las lagartijas, miro la hora y son las dos de la madrugada; Anastasia no ha vuelto a la cama. Me seco el sudor del cuello con una toalla y miro de reojo la puerta sabiendo que no podré dormir si no la tengo a mi lado. Odio pelear con ella, incluso aunque sienta que tengo razón. Me trago mi orgullo y dejo de comportarme como un maldito imbécil.

Abro la puerta y salgo al pasillo oscuro, no quiero encender las luces porque Alejandra está dormida, me voy guiando por la pared y luego por el barandal de la escalera. Cuando llego al salón la veo tendida en el sofá mirando la ciudad; una pequeña lámpara ilumina la estancia. Escucho un pequeño sollozo y se me parte el corazón aún más.

Me acerco a paso lento y me da la espalda cuando me ve. Suelto un suspiro y me acuesto junto a ella tomándola por la cintura. Noto su cuerpo sacudirse por el llanto silencioso y la atraigo a mi pecho queriendo protegerla de su dolor.

—Déjame, Diego. —Se remueve intentando apartarme, no lo permito—. Ahora soy yo la que necesita estar sola —medio gruñe.

Suspiro y acaricio su brazo.

—Perdóname, Anastasia. Nunca debí hablarte de esa forma, soy un imbécil y lo sabes —le susurro al oído y ella ni corta ni perezosa me pega un codazo que me tira al suelo.

Suelto un gemido de dolor; se ha pasado con su fuerza.

Ella me mira de reojo, pero ni se acerca a ayudarme. Cierro los ojos y me llevo una mano al estómago quejándome para atraer su atención. Lo consigo cuando frunce el ceño y se incorpora.

—Lo siento, ¿estás bien? —Intenta tocarme, pero tiro de ella y le atrapo la cintura dejando su rostro pegado al mío. Sonrío al ver su expresión de sorpresa, rueda los ojos e intenta apartarse, pero me giro llevándola conmigo y dejándola debajo de mi cuerpo. Hundo mi rostro en su cuello e inhalo su aroma. Vuelvo a encararla y rozo su nariz con la mía.

—Te amo tanto —le susurro completamente serio y ella niega con la cabeza—. Perdóname por ser un gilipollas contigo, no fue la forma.

Inhala hondo y lleva una mano a mi mejilla en una suave caricia.

—Diego… —Roza mis labios con la yema de sus dedos—. Si no te quise mostrar lo que me dejó Nicolás es porque es asqueroso, además, es una prueba importante para Mariel. Yo no quería verlo, fue horrible y sé que jamás podré olvidarlo. No quiero eso para ti —dice con la voz rota; sus ojos se llenan de lágrimas haciéndome sentir aun peor—. Perdóname, Diego, pero no quería que tú la vieras también, nadie merece algo así.

Me dejo caer a un lado y la atraigo hacia mí. La abrazo con fuerza mientras la escucho romperse, su llanto es desgarrador y tengo que tragar varias veces para no llorar con ella. Odio verla así, tan vulnerable, pero estoy aquí para ella, siempre lo estaré. Me incorporo y la siento en mi regazo, apoyando mi espalda contra el borde del sofá. Mi mano sube y baja por su espalda intentando tranquilizarla, ella se aferra a mi cuello mientras le doy varios besos en la sien para que se calme.

—Bella, por favor no llores, estoy contigo. —Tomo su mentón para que me mire. Me destroza ver sus ojos hinchados y rojos—. Gracias por explicármelo. Te amo, Anastasia, pero necesito que no me escondas las cosas porque me hace sentir mal. Y aunque no quiero pensarlo, termino creyendo que no confías en mí lo suficiente. —Seco sus lágrimas—. No quiero sonar cruel, pero no te ves tan bonita llorando y con los mocos colgando de tu nariz —bromeo intentando aligerar la tensión y Anastasia se pasa la mano por la nariz y me sonríe un poco.

—Jamás dejes de sonreír para mí —vuelvo a pedirle acariciando su mejilla. Sus labios se separan un poco para decir no sé qué, pero no pierdo tiempo y la beso con la necesidad incesante de tenerla siempre entre mis brazos, de cuidarla, de hacerla feliz. Se queda paralizada por un segundo antes de corresponder mi beso, nuestras lenguas se tocan, se provocan, hasta que danzan juntas a un ritmo frenético.

—Hazme el amor, Diego. Hazme olvidar que la vida puede ser una mierda.

—Te amo —le digo justo antes de volver a besarla mientras deslizo mis manos por su cuerpo. Saboreo sus labios, su piel. Me sumerjo en su interior y hundo mis dedos en sus caderas mientras muevo las mías en medio de nuestros jadeos fundidos.

Y mientras la miro gemir mi nombre cuando se corre y gruño el suyo mientras me dejo envolver en el placer, reafirmo que Anastasia es el amor de mi vida y que haría cualquier cosa por ella.

Capítulo 90

DETECTIVE MARIEL

Los brazos de Harry me rodean la cintura por la espalda. Dejo caer la cabeza en su hombro y suspiro.

—¿Te arrepientes? —pregunta acariciando la piel de mi abdomen.

—Claro que no. —Me giro y engancho mis brazos en su cuello—. Hace mucho que me gustas y esta noche fue maravillosa en medio de todo este caos.

Supongo que necesitaba esto, una pausa, algo que me dé una esperanza en medio de tanta mierda. Pero como la vida a veces puede ser una hija de puta, mi móvil suena y no tengo que ser adivina para saber que una llamada a esta hora de la noche significa malas noticias. Abandono los brazos cálidos de Harry en contra de mi voluntad y contesto la puta llamada.

—¿Qué pasa?

—Tenemos otra víctima, jefa —responde González y aprieto el móvil con fuerza—, pero no es en Barcelona, es en Costa Brava, ocurrió hace cuatro horas. Puede que sea nuestro asesino porque la forma en la que cometió el crimen es muy parecida a la escena que tuvimos en el apartamento.

Mi pecho se infla en una inhalación profunda.

—Voy de camino. Llama al agente Brown, por favor.

Maldigo en voz alta y luego le digo a Harry lo que sucede mientras nos vestimos.

—Será una noche larga —dice en medio de un suspiro.

Otra noche sin dormir una mierda, y mucho peor aún, más víctimas.

Federico, el detective encargado del área, me recibe. El lugar está atestado de policías.

—¿Qué tenemos?

—El asesino mató al esposo y al hijo, además abusó sexualmente de la esposa y secuestró a la hija.

Lo sigo por donde me indica y cuando llegamos a un cuarto me estremezco. Cierro los ojos unos segundos ante la atroz escena. Me muestra una foto de la chica secuestrada y no me sorprende que tenga las mismas características que las demás, y de Anastasia.

—Fue una verdadera masacre —continúa Federico. Miro el cuerpo del hombre que está acostado en la cama, pareciera que está durmiendo, pero alrededor de su cabeza tiene un charco de sangre; la mujer está con los ojos abiertos con una mirada de horror.

—Muñoz. —Llega Brown a mi lado—. ¿Me acompañas un momento?

Me disculpo con el detective y me aparto junto al agente mientras toman fotos de la escena.

—¿Qué pasa?

—Es un individuo enfermo, cada vez parece más cómodo con lo que hace. Está jugando con nosotros. Comió en la casa, pero no dejó huellas. Tenemos que detenerlo o cada escena será peor. Para él es un juego, es como subir de nivel. Es lo que hace.

—Lo sé. ¡Joder! ¡Lo sé!

Regreso con Federico.

—Bueno, Muñoz, ¿tiene algún patrón parecido a sus escenas de crímenes? —pregunta viendo cómo trabajan los médicos forenses—. Porque puede que haya dos asesinos sueltos.

Lo medito un momento.

—No, sinceramente no es como los casos que tenemos en Barcelona, pero la hija tiene las mismas características de las chicas que han desaparecido. Puede ser el mismo, pero no puedo estar segura —soy honesta—. Tal vez solo nos quiere confundir, ya que tenemos una víctima que escapó.

—Estoy confundido, pero hasta que no tengamos las pistas no podemos sacar nada. Hasta el momento tengo una hipótesis de cómo fue que atacó el asesino. El individuo abrió la ventana, entró silenciosamente, primero fue al cuarto de la hija donde la ató y la amordazó. —Caminamos por el pasillo y entramos en el dormitorio del hijo—. Después amordazó al hijo y le disparó en la cabeza cuando le estaba dando problemas. Asumimos que estaba usando un arma con silenciador para no alertar a los padres. —Muestra un casquillo de balas en una bolsa plástica—. Salió de esa habitación, entró a la siguiente y disparó al esposo, luego atacó brutalmente a la mujer. Abusó de ella y luego la estranguló con el cable de la lámpara. Fue a la cocina, tomó algo de comer y salió por la puerta con la hija.

Pasamos varias horas revisando toda la casa, tomando fotos y tratando de encontrar huellas, pero no hay nada. Siempre usa guantes y condón.

En el auto no puedo soportarlo más y me echo a llorar. Soy una persona fuerte y profesional, pero soy humana y esto es demasiado. Todos estos meses han sido horribles. Encontrar tantas personas violentadas de una forma tan cruel es funesto, y esta vez fue una familia completa con un niño de nueve años. Fallamos de nuevo y me siento como la mierda por hacerlo, por destrozar la confianza de las personas que confían su seguridad en nosotros, en mí. Harry me abraza mientras lloro en su pecho.

—Necesitamos atraparlo, Harry. —Me aferro a su abrigo—. Necesitamos detenerlo o habrá más víctimas por mi culpa.

—No es tu culpa, Mariel. —Acaricia mi espalda—. Solo es culpa de ese enfermo. —Me aparta y toma mi rostro entre sus manos—. Pero lo atraparemos, lo prometo.

No soy tonta, él no puede prometerme algo así, pero prefiero creerlo porque si no lo hago, terminaré por enloquecer.

Me bajo del auto y trato de evitar a los periodistas, pero me resulta casi imposible. Me veo con una cámara y un micrófono en la cara, y me contengo para no mandarlos a la mierda por todas las malditas preguntas amarillistas y morbosas que sueltan. Lorena Soto, periodista de 24 horas, me intercepta.

—¿Es cierto que encontraron la misma huella de zapato en la casa donde la familia fue asesinada en Costa Brava?

Pongo cara de póker y trato de ser amable.

—No, eso no es cierto. Son dos casos separados. Ahora me disculpan, tengo trabajo que hacer.

Logro salir de entre la multitud con ayuda de oficiales y apenas entro a la estación, Sally, mi secretaria, me entrega una carta sin remitente. Me froto la sien y camino a la sala de juntas porque tenemos que reunirnos para hablar del caso. En cuanto estoy dentro, abro el sobre porque me temo que no es nada bueno. Y lo confirmo cuando empiezo a leer.

THE DARK ANGEL

Todos somos malvados de una forma u otra. Yo solo abrazo mis sombras. ¿No lo ha pensado? Nadie es realmente bueno en esta vida. Están cansados y frustrados, ¿verdad?

No sé si lo sabes, mi querida Mariel, pero para atrapar a un asesino serial se necesita un error del asesino o un golpe de suerte de la policía, y yo no cometo errores. ¿Crees en la suerte? Porque yo no. El tiempo corre y están actuando muy lento. Tic, tac, tic, tac. El reloj no se detiene y yo estoy ganando el juego. Mi colección de juguetes sigue creciendo.

No me entienden. Tal y como suponía, no son capaces de hacerlo, nadie puede. Yo estoy más allá de su experiencia. Estoy más allá del bien y del mal.

Me paso una mano por la cara, frustrada. Es una basura humana, un animal carroñero, una bestia sedienta de sangre. El mundo cada vez está peor y mi fe en la humanidad se ha desgastado con este maldito caso.

Me levanto de la silla y camino al pizarrón donde tenemos las fotos de toda la evidencia que hemos recolectado de los crímenes hasta ahora: la réplica de la mordida que se encontró en varios cuerpos, para que cuando lo atrapemos podamos hacer una comparación con los dientes de Nicolás; la réplica de la zapatilla que se encontró en varias escenas del crimen —una zapatilla Adidas de la talla cuarenta y uno—, al igual que las botas Win Walker de la misma talla, también tenemos fibras negras de la alfombra de coche, además de los casquillos de bala. Volteo a mirar hacia la puerta, por donde entra Harry, acompañado de varios policías. Su cara no augura buenas noticias.

—¿Qué pasa? —pregunto.

—Tienes que ver esto. —Toma el mando y enciende la televisión.

Mi sangre se enciende cuando en la pantalla aparece la alcaldesa de Costa Brava dando una rueda de prensa.

—Su atención, por favor, para una breve declaración. Por favor, observen bien este retrato —comienza la alcaldesa, sosteniendo el retrato del sospechoso, quien es muy similar a Nicolás. Aprieto los labios con fuerza y escucho varios murmullos de mis compañeros—. Esta persona entró en la casa durante la noche para matar a la familia Quezada, pero también es sospechoso de otros crímenes en Barcelona. Esta situación es muy grave, hay una recompensa de $100.000 euros por cualquier información que conduzca a su arresto y condena. Según el análisis de balística, el arma que mató al señor y a su hijo Quezada en Lloret de Mar el día de ayer, es la misma vinculada a otro caso de asesinato en el sur de Barcelona.

Empuño las manos con rabia mientras la prensa la ataca con preguntas. Estrello el puño en la mesa con la ira bordeando mi cuerpo ante tal estupidez. ¿Cómo carajo se atrevió a revelar una información tan importante? ¿Qué mierda tiene en la cabeza?

—Mariel… —Harry se acerca con cuidado.

—Esa mujer acaba de cometer un error —digo furiosa. Salgo de la sala necesitando espacio y aire—. ¡Maldición! ¡Putos políticos de mierda! —maldigo una y otra vez.

Mi secretaria se acerca a mí con un café cargado.

—Gracias, Sally, ponme en contacto con el jefe de policía de Costa Brava, ahora mismo —le ordeno aún molesta por lo que acaba de pasar. Entro a mi oficina hecha una fiera a esperar a que me pasen la llamada. Me dejo caer en mi sillón pensando en por qué mierda el jefe de policía le contó tantos detalles del crimen a la alcaldesa. Lo único que les importa a los políticos es que vuelvan a salir elegidos y nada más. ¡Maldita sea!

Capítulo 91

Diego

Observo de reojo a Anastasia y sigue durmiendo. Últimamente es lo único que hace, casi no duerme de noche y cuando lo hace tiene pesadillas. Va a la universidad y regresa a su apartamento para dormir antes de que anochezca. Sus amigos vienen a verla de vez en cuando y casi siempre está dormida. Ni siquiera Dylan logra hacerla reír de verdad. Estoy preocupado por ella, pero no puedo evitar sonreír porque está enredada en las sábanas de su cama y se ve hermosa.

Abro el armario donde guardamos nuestro trabajo y libros de la universidad, necesito los papeles de la práctica, así que saco todas las carpetas que encuentro y me siento en el piso. Comienzo a mirar distintas carpetas hasta que una llama mi atención. Sé que no debería mirar, pero las iniciales de Nicolás están en ella. No puedo evitarlo y reviso los papeles que son de varios juicios. Frunzo el ceño porque… no puede ser. Miro a Anastasia y veo que ya está despierta y parece paralizada sentada sobre la cama. Solo mira la carpeta en mi mano.

—¿Qué es esto? —pregunto preocupado, volviendo mi vista a los papeles.

De la nada, estos salen volando de mi mano cuando Anastasia me los arranca. Me pongo en pie y noto sus ojos nublarse mientras aprieta la carpeta contra su pecho y me mira con la respiración agitada.

—¿De dónde...? ¿De dónde sacaste eso? —pregunta nerviosa.

Mi corazón se rompe al ver el dolor en sus ojos. Esos papeles son todos órdenes de alejamiento hacia Nicolás en diferentes ciudades: Sevilla, Madrid, Bilbao, Córdoba. Suspiro e intento relajar mi tono de voz. No quiero que mis palabras suenen a reproche cuando ella fue solo una víctima.

—Anastasia —hablo con cautela—. Nicolás te ha estado acosando casi tres años, aun con orden de alejamiento, ¿por qué no llamaste a la policía?

Ella levanta la mirada y lágrimas caen de sus ojos.

—Claro que llamé una y otra vez durante los meses que Nicolás me perseguía, pero siempre me decían lo mismo: «Señorita, está a más de veinte metros en un lugar público, tal vez solo fue casualidad, y mientras no rompa la distancia no podemos hacer nada». —Se limpia las lágrimas y aprieta con más fuerza la carpeta—. Los llamé cada vez que lo veía, pero solo me hicieron sentir que estaba exagerando. Prácticamente, me estaban diciendo que mientras él no me matara no harían nada por mí.

Aprieto mis puños sintiendo tanta impotencia y rabia que apenas puedo contener. Tiene razón, las órdenes de alejamiento son una mierda, casi nunca hacen nada por las víctimas de acoso. La veo darse la vuelta y sentarse en el borde de la cama, deja los papeles a un lado y se abraza las piernas. Me siento a su lado para estar a su altura y limpiar sus lágrimas nuevas.

—Me acosó durante dos meses completos, lo veía en cada esquina y, a veces, incluso, me asomaba por la ventana y ahí estaba en la otra calle solo observando fijamente en mi dirección. —Su labio inferior amenaza con temblar—. Sus acosos siempre eran intensos, pero solo duraban un mes o dos. A él le encantaba ese juego de torturarme mentalmente.

Tenso la mandíbula para no explotar de la ira. No es el momento. Anastasia toma una bocanada de aire antes de continuar:

—Hubo un tiempo donde viví con mis abuelos en Bilbao, donde nací. Solo habían pasado cinco meses desde lo que le sucedió a mi hermano, aún seguía afectada por todo y llevaba dos meses en terapia cuando comenzó a acosarme. —Su cuerpo se sacude—. Al principio pensé que era una coincidencia, pero no lo era, lo veía a cada rato cuando salía de la casa de mi abuela. Comencé a tener más miedo, hasta que ya no salía, pero un día todo empeoró.

Veo el dolor atravesando sus ojos, su rostro. Me destroza.

—Anastasia, si no quieres hablar porque te trae malos recuerdos, no lo hagas, amor —digo con ternura, acariciando sus mejillas húmedas. Las lágrimas no dejan de salir.

—Recuerdo que un día, de madrugada, sentí un ruido en las escaleras. Nicolás ya llevaba dos meses acosándome sin parar y yo estaba aterrada, me la pasaba encerrada, llorando. Esa madrugada, Nicolás entró en mi habitación... No sé cómo lo hizo, pero entró en la casa. —Suelta un sollozo—. Entró en mi cuarto y arrastró una silla, despertándome del todo. Cuando lo vi fue como ver a un demonio. Nicolás sacó un arma y me apuntó, estuvo haciéndolo por más de tres horas... Yo lloraba y él sonreía con maldad.

Cierro los ojos porque tengo ganas de romperlo todo, de acabar con ese maldito enfermo. Nunca he sentido ganas de lastimar a nadie de esa forma, pero juro que en este instante quisiera molerlo a golpes.

—Luego se puso de pie para irse, pero antes de hacerlo se acercó a mí y me dio un beso en la frente. Ese día entendí que ese solo sería el inicio de su macabro juego, que quería llevarme a la locura, y casi lo consigue. Más de una vez me quise suicidar por esos juegos —termina de hablar con la voz ronca y su rostro enrojecido.

—Anastasia. —Tomo su mentón para que me mire—. Pronto esta pesadilla va a acabar. —Le doy un beso fugaz—. Estoy aquí, bella. Eres el amor de mi vida y no pienso dejarte sola nunca.

Una pequeña sonrisa aparece en sus labios, deslumbrándome por completo.

—Eso espero, porque realmente quiero ser libre de él. —Acuna mi rostro entre sus suaves dedos haciendo que me incline para posar su frente contra la mía—. Quiero un futuro contigo, Diego. Quiero un futuro para los dos.

La acuno contra mi pecho y beso lo alto de su cabeza.

—Tendremos ese futuro, Anastasia. Te lo juro.

Cierro los ojos y la abrazo con la certeza de que haré todo lo posible para cumplir mi promesa.

Anastasia y yo merecemos un futuro, y lucharé a su lado para conseguirlo.

Capítulo 92

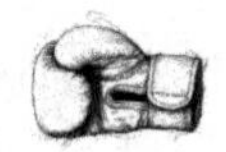

Anastasia

Me llevo la mano a la garganta mientras me dejo caer en un puesto vacío para esperar a Diego. Debe estar por llegar. Remuevo las piernas, inquieta. Aún tengo la sensación de los dedos de Nicolás haciendo presión en mi cuello, asfixiándome. Sí, solo fue la misma pesadilla que últimamente se repite casi cada noche, pero las sensaciones que me producen son reales. Por eso he estado tan aislada de todo y de todos. Ahora mismo soy más nervios que persona y me siento más ansiosa que nunca, como si mi mente me advirtiera que esto no ha acabado, pero que pronto lo hará.

Miro a mi alrededor en busca de Diego y lo veo acercarse con una rubia que le hace ojitos. Diego apenas escucha lo que le está diciendo la chica. Él me busca con la mirada y, cuando me encuentra, sus ojos se achican y me muestra su jovial sonrisa que tanto me gusta. Se disculpa con la rubia y se sienta a mi lado.

—Mi bella. —Me planta un beso en la mejilla.

—Mi chico cursi y ardiente.

—¿Cómo estás? —pregunta y noto la preocupación en su voz.

Sé que está angustiado por mi estabilidad emocional y le agradezco que siga conmigo, cualquier otro chico me hubiera dejado. Las terapias ayudan, pero las pesadillas constantes afectan mi mente y es algo que no puedo controlar. Casi no he tenido noticias de Mariel porque sé que está ocupada y Simón, aunque siempre se ha mantenido en contacto, se ha alejado un poco desde que accedió a intentar olvidarse de mí. Pero él siempre tuvo la razón, esto es más grande que yo, aunque confío en que la policía va a atrapar a Nicolás.

—Sentada. —Me hago la tonta. Él alza una ceja.

—Hablo de tu estado de ánimo, Anastasia. ¿Estás cansada por la pesadilla de anoche? —Juega con los dedos de mi mano.

Suelto un suspiro dramáticamente.

—Enamorada —respondo con una sonrisa.

Diego me mira desconcertado. Mi corazón salta en mi pecho de forma brusca al darme cuenta de que se lo he dicho y de lo real de esa palabra.

—¿Cómo? —pregunta con la voz teñida de sorpresa. Sonrío ante su expresión algo perpleja y trato de relajarme. De no pensar en lo vulnerable que me hace sentir exponer mis sentimientos de forma tan clara y directa.

—Me preguntaste sobre mi estado de ánimo, los cuales son: feliz, triste y...

—Eso ya lo sé, bella —me interrumpe—. ¿Estás enamorada? ¿De quién?

—De un tonto que no para de hacer preguntas. —Por primera vez en muchos días, le ofrezco una sonrisa completa y verdadera. Toma mi cara entre sus manos y su pulgar empieza a acariciar mi mejilla con cariño.

—¿El tonto preguntón soy yo? —inquiere con cierta diversión.

—Sigues preguntando cosas, Diego, estás lento hoy y…

Sus labios se roban mis palabras cuando se ciernen sobre los míos.

Llevo mis manos a su cuello y, sin importarme nada, dejo que saboree mis labios y que su lengua acaricie la mía.

—¡Dios! No sabes cuánto te amo —me dice apoyando su frente sobre la mía.

Acaricio la piel de su nuca y sonrío. No sabía que necesitaba tanto ese beso ahora.

—Yo…

—Hola, chicos —saluda Alejandra y nos separamos por inercia. Ni siquiera la vi venir.

¿Iba a decirle que lo amo? Eso creo, no estoy segura. Esas palabras suelen sentirse tan pesadas sobre mi lengua después de haberlas dicho tantas veces a ese monstruo. Aunque el sentimiento en sí le da vida a mi corazón. Me levanto y la abrazo dándole un beso en la mejilla, dejándola tan sorprendida que se queda quieta por unos segundos antes de corresponderme.

—¿Cómo estás, mi rubia bonita? —pregunto cuando nos separamos.

—Bien —dice inquieta. Mira a su novio que está a su lado. Lo saludo con un asentimiento de cabeza, atenta a lo que va decir mi amiga. La conozco lo suficiente para saber que algo pasa—. Ya que todo está más calmado, me quedaré hoy con Cameron en su apartamento; necesito que me des un respiro, Anastasia.

Me es inevitable hacer una mueca, ya que no me parece una buena idea. Una horrible sensación empieza a crecer en mi pecho a pasos agigantados. No la quiero lejos. Necesito verla para saber que está bien.

—Alejandra...

—Nada malo va a pasarme —me interrumpe—. Además, tengo a ese guapo policía que me persigue a todas partes —me recuerda.

—No me parece buena idea —intento de nuevo y suelta un bufido.

—Solo será una noche, Anastasia, necesitamos algo de privacidad —dice molesta y doy un paso atrás porque sus palabras me duelen y me hacen sentir tan egoísta—. ¡Mierda! No quise decir eso, solo queremos algo de privacidad como pareja. —Toma mi mano—. ¿Lo entiendes?

Tomo aire y lo dejo ir despacio.

—Te amo, rubia, no quiero que te sientas asfixiada por mí. —La abrazo mientras lucho por contener las lágrimas—. Pásalo bien con tu guapo chico, pero por favor, cuídate mucho. Vayan directo a casa y si ves algo raro, por favor, Ale, llámame —le suplico.

—Claro que sí, pero creo que estás exagerando un poco.

Los cuatro nos despedimos y mi corazón se encoge cuando los veo irse seguidos por el policía. Cuando el auto desaparece de mi vista, la presión en mi pecho aumenta.

—¿Estás bien? —pregunta Diego. Asiento y lo dejo guiarme hacia su todoterreno, al tiempo en que siento la mitad de mi corazón huir detrás de mi mejor amiga.

Durante el camino me mantengo en silencio sin poder deshacerme de la ansiedad e inquietud. Diego parece notar mi agonía porque toma una de mis manos, la besa y luego empieza a cantar *Patience* de los Guns N' Roses, la tonada es tranquila.

Shed a tear 'cause I'm missin' you
I'm still alright to smile
Girl, I think about you every day now
Was a time when I wasn't sure
But you set my mind at ease
There is no doubt
You're in my heart now

Se detiene en un semáforo en rojo y aprovecha para tomar mi barbilla entre sus dedos y seguir cantando haciéndome sonrojar.

Said, woman, take it slow
It'll work itself out fine
All we need is just a little patience
Said, sugar, make it slow
And we come together fine
All we need is just a little patience

La canción avanza y Diego continúa cantando con esa voz tan sensual y ronca que me tiene fascinada.

—¿Te gusta? Es una de mis canciones favoritas. Me trae paz cuando la escucho, al igual que tú, mi bella. —Aprieta mi mano mientras conduce—. Es nuestra canción.

—Cursi —digo, pero mis latidos me traicionan aumentando su ritmo.

No dice nada, solo sonríe y no puedo evitar quedarme mirándolo y preguntándome cuándo se metió tan hondo en mi corazón.

Una vez en mi apartamento, entramos a la cocina y lo escucho tarareando la misma canción que acaba de dedicarme. Mi móvil vibra y veo que es Simón. Levanto la mirada y Diego me está observando con curiosidad.

—¿Por qué no contestas? ¿Quién está llamando?

—Es Simón —soy honesta—. Subiré para hablar con él; prometo que no me demoraré nada, ¿vale?

—Vale, iré haciendo un pastel de chocolate —responde con recelo, haciéndome sonreír. También creo que quiere engordarme—. No me mires así, no estoy celoso.

—Ajá —contesto aguantándome la risa.

—¡Que no lo estoy! —Se acerca y lleva las manos a mi cintura—. No estoy celoso porque tú me amas a mí.

—Tiene lógica. —Le doy un beso fugaz en los labios—. Vuelvo enseguida, ¿vale? No me extrañes mucho. —Me aparto y empiezo a subir por las escaleras.

—¡Yo siempre te estoy extrañando, bella! —Escucho su grito cuando estoy a punto de entrar a mi habitación. Sonrío. Abro la puerta de mi cuarto y estoy a punto de devolverle la llamada cuando vuelve a llamarme. Contesto.

—Anastasia… —Noto la preocupación en el tono de su voz y me alarmo—. ¿En dónde estás? ¿Has visto la televisión en estos días? ¿Hoy?

—En mi casa. Acabo de llegar de la universidad. ¿Por qué? ¿Qué sucede, Simón? ¿Atraparon a Nicolás? —pregunto con el corazón latiendo a mil por segundo.

—¿Qué sucede? —Mis nervios se disparan.

—Anastasia, no salgas de tu apartamento y no dejes que Alejandra lo haga por ningún motivo. —Hace una pausa que me pone peor—. Es algo que salió el día de ayer, pero que se confirmó hoy y… —Su voz se quiebra.

—¡Dios! Me estás asustando. Simón, por favor… ¡Habla!

Tarda unos segundos que me parecen eternos, hasta que…

—Nicolás es el asesino en serie que ha estado matando a esas chicas, lo están pasando ahora mismo por la televisión.

No respiro. El mundo me da vueltas, mis rodillas pierden fuerza y me veo obligada a sentarme en la orilla de la cama para no caer de bruces. Empuño la tela de mi camiseta justo en el pecho ardiendo. Un nudo en mi garganta amenaza con asfixiarme y mi cuerpo tiembla violentamente sin que pueda detenerlo.

—Anastasia, ¿estás ahí? —La voz de Simón a través de la línea me hace soltar el aire contenido.

—Sí…, yo… —Tomo el mando del televisor y lo enciendo. Busco las noticias y la encuentro de inmediato. Mariel aparece en la pantalla confirmando que Nicolás es el asesino.

—¡Anastasia! —vuelve a gritarme Simón.

—Estoy aquí… Es solo que… Esto no puede ser cierto… Yo… —Apenas me sale la voz y ni siquiera me había dado cuenta de que tengo las mejillas húmedas—. No puede ser, Simón. ¿Cómo es posible? Es que… no lo entiendo.

—Lo sé, lo sé… Pero ¡maldita sea! —Casi puedo palpar su dolor a través de la línea—. Escúchame, Anastasia, ¿te has fijado en cómo son físicamente las chicas que han desaparecido?, ¿no te son familiares sus rasgos?

Me limpio las lágrimas, pero no dejan de salir. ¿Rasgos familiares? Lo analizo por un momento. Ni siquiera puedo pensar con claridad. Todo parece irreal.

—Sí, pero no me he fijado tanto en ellas, ¿por qué? —pregunto, aunque algo me dice que no me gustará la respuesta. Se queda en silencio de nuevo—. Simón, ¿por qué me haces esa pregunta?

Simón suelta un suspiro antes de contestar:

—Anastasia, yo... —Se queda callado unos segundos antes de continuar—: Será mejor que no lo sepas por tu bien. Me pongo de pie, aún temblando.

—¡No! Estoy harta de los malditos misterios. Mariel y Harry debieron decírmelo cuando vinieron ayer y les dije que Nicolás estuvo en mi apartamento.

—¿Cómo que estuvo en tu…?

—Eso no importa ahora, Simón —lo interrumpo, alterada—. Quiero saber qué sucede. Tengo el derecho de saberlo. Estoy agotada de tanta mierda y ahora me dices que es mejor que no lo sepa por mi bien. ¿Estás bromeando?

—Solo quiero que estés bien…

—¡Maldita sea! No estoy bien, Simón. Me acabas de decir que tu hermano no solo es un tratante de personas que está obsesionado conmigo y que mató a mi hermano, sino que es un maldito monstruo que asesinó vilmente a personas. Así que no, no estoy bien y no lo estaré hasta que atrapen a ese psicópata, pero por ahora necesito la verdad, así que habla —le exijo sintiendo mi pecho arder.

—Anastasia…

—¡Simón! —advierto.

—Está bien… —Lo escucho emitir un jadeo casi doloroso—. Todas esas chicas se parecen a ti, Anastasia, todas tienen algo similar a ti.

La sensación de un puñal enterrándose en mi estómago me atraviesa. El mundo se desdibuja ante mis ojos y el móvil se me resbala de entre los dedos. Mis piernas ceden y caigo de rodillas con un impacto sordo. Ni siquiera el dolor de la caída me saca del infierno al que soy arrastrada por las palabras de Simón. ¿Se parecen a mí? ¿Esas chicas están muertas por mi culpa? ¿Porque se parecen a mí? ¡Por Dios! Mi estómago se revuelve y consigo fuerzas para ponerme de pie y lograr llegar al baño justo cuando lo poco ingerido atraviesa mi garganta. Arde, todo arde por dentro y no sé si es el dolor de saber que Nicolás es el asesino o la culpa que me exprime los pulmones.

Levanto la cabeza y me encuentro con mi reflejo sintiéndome asqueada. Un grito furioso se escapa entre mis dedos y las sensaciones me devoran como pirañas hambrientas que me muerden con saña. Mi mano derecha se contrae y termino estrellando mi puño contra el espejo, sintiéndome incapaz de seguir mirándome. Los vidrios rotos laceran mi piel, algunos se quedan enterrados entre mis nudillos, pero ni siquiera el dolor de las heridas merman en sentimiento de desprecio hacia mí misma que empieza a emerger en mi interior.

Lo logró. Nicolás lo prometió y lo logró. Me destruyó, acabó con lo que quedaba de mí. Me hizo pedazos y ni siquiera tuvo que tocarme para hacerlo. No puedo evitarlo, los gritos atraviesan mis cuerdas vocales. Mi cuerpo se sacude bajo el llanto desgarrador y siento mi corazón a punto de reventar por la rapidez con la que late. Las rodillas me flaquean y me siento a punto de colapsar cuando unos brazos me rodean por la cintura y Diego me lleva contra su pecho mientras el llanto desesperado me deja casi sin aliento.

—¡Dios! ¿Qué hiciste, Anastasia? —Toma mi mano y la lleva debajo del agua en el lavamanos. Percibo su voz, pero no puedo escucharlo. Los oídos me zumban y la garganta me duele por mis gritos desesperados.

Apenas soy consciente de que retira los vidrios de mi piel y me cura las pequeñas heridas. Me siento muerta en vida, vacía. Lo dejo que me tome en brazos y me conduzca a la cama. Mi llanto cesa, pero el dolor y la culpa abrazan mi cuerpo haciéndome sentir tan miserable, sucia, tan… asesina.

Mi espalda toca el colchón y reacciono volviéndome un ovillo. Las lágrimas no dejan de correr, pero los gritos han cedido. No porque no quiera seguir gritando y maldiciendo a Nicolás y a la vida por traerme hasta este punto, sino porque no tengo fuerzas. No puedo más. Diego acaricia mis mejillas y yo me abrazo a mí misma.

—Anastasia, háblame, por favor —me ruega con la voz rota. Toma mi barbilla con cuidado y hace que lo mire. Mi corazón termina de romperse cuando veo el amor en sus ojos. Un amor que no merezco.

—Soy un monstruo, Diego. —Sollozo—. Aléjate de mí o terminarás lastimado como todos lo que están a mi alrededor. ¡Por Dios! —Me duele el alma—. Le he destrozado la vida a personas que ni siquiera me conocían.

Sus ojos se humedecen mientras sigue acariciando mi rostro.

—¿Por qué dices eso, bella? Tú no eres…

Se calla cuando suelto un sollozo más profundo al notar en la pantalla del televisor, que aún sigue encendido, que vuelven a pasar la noticia de Nicolás. Sus ojos toman la dirección de los míos y veo cómo va palideciendo a medida que dan la información.

—Soy una asesina. —Mi voz sale envuelta en llanto y me llevo las manos al rostro volviendo a tener náuseas —. Nicolás asesinó a esas chicas porque se parecían a mí. Es mi culpa, yo maté a todas esas mujeres que tenían toda una vida por delante.

—No, no lo eres, Anastasia. —Se acuesta a mi lado y me atrae a su pecho. Ni siquiera lo detengo, no tengo fuerzas—. Tú no eres la responsable de nada, no tienes la culpa de nada de lo que ha hecho Nicolás. Solo eres una víctima más —dice con la voz rota, acariciando mi costado—. Tú eres buena, eres bondadosa, amable, tierna y apasionada, no eres mala. Has sufrido mucho por ese monstruo, no puedes culparte por esto, eres inocente. Lo entiendes, ¿verdad?

Niego con la cabeza.

—Escúchame, bella, eres una de las mejores personas que he conocido en toda mi vida. Las acciones de Nicolás son su responsabilidad. Él tomó decisiones, unas horribles, pero suyas. Y solo él tiene que pagar por ellas. Él es el asesino, no tú. Ahora quiero que me mires. —Alzo la mirada y su pulgar atrapa una lágrima que cae por su mejilla—. Te amo y no voy a permitir que eches a tus hombros culpas que no te pertenecen.

Trago saliva y no digo nada. A él también le hago daño. Veo su dolor por mi causa y lo entiendo, yo también me preocupo por las personas que amo…

—Necesito llamar a Alejandra. —Me levanto de golpe y encuentro mi móvil en el suelo. Las manos me tiemblan mientras marco el número de la rubia y me pongo aún peor cuando salta varias veces al buzón—. ¡Joder! Contesta el puto teléfono.

—¿Qué ocurre? —inquiere Diego.

—No contesta, puede estar en peligro. —El móvil se me resbala cuando intento marcar otro número—. Llama a Cameron, por favor —le pido porque apenas puedo agacharme a recoger el maldito aparato.

—No contesta —me dice un minuto después. ¡Joder!

—Tenemos que ir al apartamento de Cameron ahora mismo. —Me limpio el rostro mientras salgo de la habitación con Diego detrás de mí—. ¿Puedes llevarme?

Bajamos las escaleras, pero toma mi brazo antes de que llegue a la puerta.

—Claro que te llevo, pero ¿qué ocurre, Anastasia? ¿Por qué dices que puede estar en peligro?

Abro la boca para decir que no hay tiempo para explicarle, pero unos golpes en la puerta y unos gritos desesperados nos alertan. Conozco esa voz. Corremos hacia ella. Soy la primera en llegar. Tiro de la perilla con el corazón desbocado y este parece detenerse cuando veo a Cameron con una herida sangrante en la cabeza y... solo.

—No, por favor, no. Dime que no es lo que creo, por favor —suplico dando pasos atrás. Cameron asiente en medio de su llanto—. ¡No! —grito, aún retrocediendo, como si alejarme de él fuera a cambiar las cosas. Como si así pudiera despertar de esta maldita pesadilla. Se la llevó, ese maldito enfermo se llevó a mi amiga, a mi hermana de vida.

Diego lo ayuda a entrar cuando empieza a llorar y parece que está a punto de caer. Lo deja en el sofá y corre por el botiquín de primeros auxilios.

—¿Cómo pasó? ¿Cómo pudo ocurrir? —grito desesperada—. Habla, Cameron —le exijo. Sé que está herido y desconsolado, pero no puedo pensar en nada más que no sea Alejandra y en que tiene los minutos contados.

Diego regresa y, sin perder tiempo, empieza a curar a su amigo. El llanto no lo deja hablar. Tomo una bocanada de aire y me siento a su lado. Sostengo su mano para que se calme, aun cuando quiero zarandearlo y gritarle, pero él no tiene la culpa y parece en *shock*.

—Cameron, estoy aquí, ¿vale? —Aprieto su mano, aunque la mía tiemble—. Necesito que te calmes y me digas lo que sucedió.

—Llamaré a Mariel —dice Diego llevándose el móvil a la oreja.

Asiento y miro a Cameron cuando empieza a hablar.

—Teníamos hambre y decidimos bajar para comer algo en la cafetería cerca de mi apartamento, pero antes de que saliéramos del edificio, algo me golpeó la cabeza dejándome inconsciente. Cuando desperté, Ale no estaba y el policía que debía protegernos, él... estaba muerto. —Rompe a llorar y lo abrazo con las lágrimas que descienden por mi rostro. Los minutos pasan y me siento colapsar. No quiero que Cameron me vea destruida ni preocupar más a Diego. Me disculpo y subo las escaleras. Suelto un sollozo contenido en cuanto pongo un pie en la habitación. Me dejo caer en la cama con el rostro entre las manos. Tengo que hacer algo, necesito hacer algo para salvar a Alejandra, necesito...

Un sonido desconocido me alerta. Miro a todos lados buscando el móvil que suena. No es el mío y tampoco el de Diego. Entro a mi closet rastreando el sonido y lo encuentro dentro de una maleta junto a un frasco y una rosa azul. Mi corazón se altera cuando me doy cuenta de quién lo dejó allí.

La llamada termina cuando pretendo contestar. Mis manos siguen temblando. Intento devolver la llamada, pero llega un mensaje:

«Llamaré en una hora, Anastasia. Si quieres que tu linda amiga siga con vida, no le dirás a nadie de este teléfono y seguirás mis instrucciones. Te amo».

Escucho la puerta de la habitación abrirse y pongo el móvil en vibración antes de guardarlo entre mi ropa. Salgo del clóset y Mariel aparece en mi campo de visión.

—Anastasia, ¿estás bien? —Sacudo la cabeza intentando contener el llanto, pero es inútil—. Oye... —Toma mi mano—. Vamos a encontrar a tu amiga, toda la policía está buscando a Nicolás y las personas saben que él es el asesino, no se va a escapar —me asegura.

—Él es inteligente, no van a atraparlo tan fácil. —Me limpio las lágrimas—. Yo... Me quiere a mí, tal vez yo pueda salvarla, tal vez yo...

—Tú no harás eso —dice Harry entrando a mi habitación junto a Diego, Simón y Cameron.

Saca su ordenador, toma mi teléfono y le inserta algo.

—Es un chip de rastreo, estoy seguro de que Nicolás se pondrá en contacto contigo, así que rastrearemos su llamada para atraparlo. Dame tu teléfono, Simón. También podría llamarte a ti.

Simón hace lo que le piden mientras lo miro. Tiene los ojos rojos y cansados. Mi cuerpo se siente pesado, entumecido. Me trago las sensaciones que me produce el mensaje de Nicolás, no puedo poner más en riesgo a Ale. Cameron se acerca y me abraza. Apenas siento mis brazos, pero logro devolverle el gesto. Él lo necesita y yo también, aunque no lo merezco. No merezco nada.

—No puedo vivir sin ella —me susurra con la voz rota—. Es el amor de mi vida, Anastasia. Dime que ella estará bien, por favor —me suplica.

—Te lo prometo, Cameron. —Paso la mano por su espalda—. No dejaré que nadie le haga daño.

Pasan los minutos y nos vamos a la sala de estar, pero Nicolás no llama. Cuando veo que ha pasado casi la hora, me libero de los brazos de Diego y subo a mi habitación. Transcurren solo un par de minutos cuando la llamada entra. Me obligo a calmarme lo suficiente para poder contestar. Tengo que ser fuerte por ella.

—Anastasia. —Mi nombre sale de su boca en una voz tan suave que nadie imaginaría el monstruo que es. Me quedo paralizada unos segundos—. Déjame escuchar tu voz, preciosa. ¿Me has extrañado? Porque yo sí… Solo mira todo lo que he hecho para ti.

Las náuseas vuelven y me contengo para no vomitar. Me limpio las lágrimas y trago saliva antes de contestar.

—¿En dónde está? No le hagas nada, Nicolás. —Lo escucho reír—. ¿Qué quieres? Haré lo que quieras, pero no le hagas daño, por favor.

—Me gusta escuchar esas palabras saliendo de tu boca. —Noto la diversión en su voz y aprieto los puños. Debí matarlo aquel día después de mi pelea—. Tu vida por la de ella. Un trato justo, creo yo. Ella no es mi objetivo, lo eres tú. Yo que tú no lo pienso tanto, para ti ella es importante, para mí ella es solo una más.

Sus palabras impactan contra mi pecho. El miedo me abarca porque ahora sé lo que es capaz de hacer y no quiero ni imaginar que torture a mi rubia. Yo no podría…

—No le hagas nada, por favor. —Mi voz se quiebra—. Está bien, ¿qué tengo que hacer?

Suelta una risa y empieza a darme instrucciones. Cuando cuelga, apenas puedo mantenerme en pie. Es un ser despiadado y cruel. Ni en mis peores pesadillas pensé que él sería el asesino serial. Esto es mucho más grande que yo.

Me encierro en el baño y comienzo a llorar, desconsolada. No por mi vida, sino porque no tengo la certeza de que Nicolás cumpla su promesa de dejar a Alejandra a salvo. La puerta se abre y es Diego, estoy segura de que escuchó mi llanto. Me arrojo a sus brazos sintiéndome tan cansada.

—Siento que me estoy muriendo, Diego. Sabía que no tenía que dejarla, es mi culpa si algo le pasa...

—Confía, Anastasia. Harry y Mariel se fueron porque tenían una pista, por favor confía en ellos —me suplica tomando mis manos.

Asiento, aunque sé que no es así. Si antes no pudieron atraparlo, ahora menos. Tomo su rostro entre mis manos y aprecio sus hermosas facciones. Me regala una tierna sonrisa y mi corazón se comprime porque tal vez no vuelva a verlo sonreír. Tal vez es la última oportunidad de besar sus labios. De perderme en su mirada llena de amor. Diego es la persona más dulce que he conocido en mi vida y por eso no pierde la fe, porque no conoce la oscuridad de Nicolás, pero yo sí, por eso la perdí hoy. Me acerco a él y lo beso. Disfruto de la calidez de su lengua, del contacto de su cuerpo contra el mío. De sus brazos sosteniéndome.

Me dejo llevar por unos segundos del sabor de sus labios, siendo consciente de que quizás no tenga otra oportunidad, porque tengo que hacer lo que ese enfermo me pidió, tengo que salvar a Alejandra, aunque eso no significa que no pelearé hasta el final.

Hago que incline la cabeza y toco su frente con la mía.

—Eres lo más hermoso que me pasó en la vida, Diego, jamás lo olvides, ¿vale? —susurro—. Me has enseñado a amar de una forma tan pura y bonita, que no puedo estar más que agradecida con la vida por haberte conocido.

Él frunce el ceño y luego abre los ojos con terror. Me abraza con fuerza y siento su desespero cuando clava sus dedos en mi cintura.

—No hagas una locura, no me dejes, Anastasia.

—Diego…

—No me dejes, por favor, te necesito. —Me aprieta contra su pecho—. Eres la luz en mi vida. Deja que Harry y Mariel hagan su trabajo, no te arriesgues, por favor —me suplica con la voz tensa.

—Diego, ya no queda más de mí. Me odio. ¡Mírame! —Me aparto y vuelvo a sostener su cara entre mis manos—. Ya no puedo con esto. Nicolás mató a todas esas mujeres pensando en mí, eran chicas jóvenes que tenían todo un futuro por delante y él se las llevó por tener rasgos parecidos a los míos, dudo que pueda sanarme. Ya no queda nada de mí. Él me destruyó.

—No eres culpable de nada, Anastasia. ¡Entiéndelo! —Me besa con desespero, pero me quedo quieta—. Me prometiste que nos íbamos a casar a los treinta años. —Limpio las lágrimas que caen por sus mejillas—. Eres el aire que respiro, Anastasia, si te pierdo me voy a perder a mí mismo, no me dejes, te necesito. Prométeme que no harás ninguna locura, por favor.

—Diego… —Las lágrimas también cubren mi rostro

—¡Promételo!

—Te lo prometo —musito, odiándome por hacer una promesa que no creo poder cumplir, igual que ninguna de las otras que le he hecho. Sabiendo que, aunque su amor ha sido algo maravilloso en mi vida, el conocerme fue lo peor que le pudo haber pasado. Le he hecho daño, le rompí el corazón y juré que no lo volvería a hacer, y aquí estoy, a punto de hacerlo pedazos una vez más. ¡Maldito Nicolás!

Capítulo 93

Miro el reloj, son las dos de la madrugada. Estoy aterrada por lo que acabo de hacer, pero era necesario. Eran las instrucciones de Nicolás porque sabe que estoy vigilada. Tampoco quiere que lleve ningún móvil que puedan localizar. Me limpio las lágrimas y me acerco a Diego, quien está profundamente dormido. Me siento horrible por haberlo drogado, al igual que a Simón, Cameron y el policía que se quedó vigilando. Guardo el cuchillo en mi espalda y unas horquillas en mi pelo. Acepté ir a ese lugar, pero eso no significa que no lucharé con uñas y dientes para salir de ahí. Me acerco a él y le doy un beso en la frente.

—Te amo, Diego —digo, y al hacerlo me maldigo porque me doy cuenta de que no se lo dije cuando podía escucharlo. Ahora no sé si algún día podré decírselo mirándolo a los ojos y ver la felicidad en su rostro al oírlo. Me armo de valor y salgo de mi apartamento, recordándome que tengo que ser fuerte y valiente.

Tengo el corazón en la boca desde que salí de mi apartamento, pensé que me atraparían cuando tomé el taxi hasta la agencia, en donde rento un auto sin GPS, viéndome obligada a dejar como garantía mi DNI y un montón de papeles que confirman mi identidad. Enciendo el coche y me dirijo a la cabaña que me marca el GPS del móvil que dejó Nicolás en mi piso. El camino me parece eterno, mis nervios me traicionan y termino deteniéndome un par de veces para vomitar. La culpa se asienta sobre mis hombros y me obligo a suprimir el miedo, el asco y las emociones porque necesito mantenerme firme, alerta. Ya han muerto demasiadas personas por mi culpa, no puedo permitir que Alejandra sea una más de ellas, aunque para ello tenga que matarlo o dar mi vida.

Voy dejando los kilómetros atrás mientras la madrugada se cierne sobre el camino de tierra que acabo de tomar. Detengo el auto y el frío me azota mareándome por un segundo. Examino a mi alrededor todo lo que la oscuridad me lo permite. El silencio es aterrador, aunque no tanto como el zumbido de los árboles meciéndose sobre mi cabeza. Es escalofriante. Avanzo a paso rápido hasta que una pequeña cabaña de madera aparece en mi campo de visión.

—Eres puntual —dice Nicolás fumando un cigarro con tanta tranquilidad que me aterro aún más. Está recostado contra un árbol y la leve luz que sale de la estructura en pie alumbra su rostro.

Me limpio las manos en el pantalón porque están sudadas a pesar del frío. Cuando estoy más cerca suelto un grito de horror porque su camiseta está llena de sangre; me cubro la boca para no volver a vomitar.

Cierro los ojos esperando que esto solo sea una pesadilla, pero no lo es. Aprieto los puños, conteniendo mis emociones.

—Acércate, Anastasia, no te haré nada…, por ahora —dice con una voz neutra, pero mis pies no responden, estoy frente a mi peor pesadilla—. ¡Dije que te acerques! —me grita al ver mi inacción. Trago saliva y me acerco, el miedo amenaza con hacer temblar mis piernas. Cuando estoy a unos pasos de él, un escalofrío me recorre la piel y lo nota, por supuesto que lo nota; sonríe.

—Me excita ver tu miedo, Anastasia. —Le da una última calada a su cigarro.

—¿En dónde está Alejandra? —pregunto abrazándome a mí misma.

Da tres pasos hacia mí y, sin que lo vea venir, me toma del cuello, gira llevándome con él y me azota contra el árbol del que estaba recostado. Suelto un gemido de dolor por el impacto en mi espalda. Me aferro a su muñeca por instinto, mientras su otra mano empieza a acariciar mi mejilla.

—Ella ya está a salvo, como lo prometí. —Aprieta más su agarre, dificultándome el paso del aire, y veo cómo sus pupilas empiezan a dilatarse. Esto realmente lo excita, maltratar a mujeres—. Tu vida a cambio de la de tu amiga. Qué noble de tu parte, Anastasia —se burla.

Sus dedos se tensan en mi garganta y suelto un siseo de dolor.

—Me fascina tenerte así, temblando. —Hunde su rostro en mi cuello e inhala—. Hueles delicioso —dice y atrapa el lóbulo de mi oreja entre sus labios. Me asquea—. Pero quiero oler tu sangre, Anastasia. Quiero abrir tu piel con mis dientes mientras te follo.

El aire abandona mis pulmones y no por su agarre en mi cuello, sino por sus palabras. Prefiero morir a dejar que me viole. Mi rostro se humedece y mi estómago lucha por contener lo poco que me queda, si es que queda algo.

—Nicolás… —logro jadear. Apoya su frente sobre la mía.

—Tengo una duda, mi chica bonita, ¿por qué te sacrificaste por ella? La gente muere todo el tiempo, ¿qué significa una persona menos en esta tierra? Al final nuestra única certeza es la muerte.

Sacude la cabeza cuando no contesto. Estampa sus labios sobre los míos y se enfurece cuando no le doy acceso a su asquerosa lengua. Aprieta más mi cuello y noto mis pies apenas tocando el suelo. Mis pulmones reniegan por la falta de oxígeno y mis uñas se entierran en su piel por reflejo. Necesito respirar. Me suelta dejándome caer de forma abrupta y me arrastro retrocediendo hasta dejar mi espalda contra el lado izquierdo del tronco mientras me llevo la mano a la garganta y toso desesperada intentando llevar aire a mi sistema respiratorio.

—Vas a ser mía, Anastasia. Que no te quede duda —dice dando un paso hacia mí—. Ahora… —Se agacha y empuña mi cabello tirando de él—. Te hice una pregunta.

El dolor me hace derramar más lágrimas, pero no digo nada. ¿Para qué? Es evidente que no sirve explicarle lo que se siente cuando pierdes a alguien cercano a ti. Él nunca va a entender lo que es amar a alguien tanto que darías tu vida a cambio de que ella esté bien. Es un psicópata que no puede sentir amor por nadie, ni siquiera por su propio hermano.

—¡Responde, maldita puta! —Tira con más fuerza de mi cabello arrancándome un grito—. Ya no eres tan fuerte, Anastasia; ya no eres nadie. Te rompí cuando maté a tu hermano, te destrocé cuando asesiné a esas chicas parecidas a ti y terminé contigo cuando secuestré a Alejandra. Pero, como te dije, me da curiosidad saber por qué mierda te sacrificas por ella. Sabes cómo acabará.

Sacudo la cabeza, sollozando, y Nicolás tira de mí para ponerme en pie.

—Si no me contestas voy a matarla…

—¡Porque la amo! —grito con rabia y desespero—. Alejandra es mi hermana y daría mi vida por ella. Así de simple, Nicolás. —El miedo no se va, pero la ira toma un lugar importante dentro de mi pecho. Y aun con lágrimas adornando mi rostro, sonrío—. Pero tú nunca lo entenderías, ¿verdad?

—Yo te amo…

—¡No! —grito entre lágrimas—. No lo haces y nunca lo harás. ¿Y sabes por qué? Porque eres un monstruo incapaz de sentir algún sentimiento humano. Eres una alimaña carroñera y vil, eres un maldito engendro y solo mataste a todas esas personas buscando sentir algo que nunca podrás sentir.

—Siento placer. —Deja su rostro frente al mío y noto que, aunque intenta parecer calmado, mis palabras golpean su ego—. Me deleito cada vez que me suplican que pare, cada vez que me corro mientras les arrebato la vida.

Su confesión me hiela la sangre. Trago saliva y me obligo a no bajar el rostro.

—Lo que sea que sientas es fugaz, ¿no? —Aprieta la mandíbula ante mi pregunta—. Es por eso que sigues buscando más víctimas. Por eso no te has detenido, porque ese placer del que hablas es momentáneo y luego esa oscuridad que te rodea te consume. ¿Me equivoco? —Sonrío, mi corazón parece a punto de colapsar—. Y cuando no estás siendo un psicópata y miserable malnacido que tortura a personas, solo eres un chico sumergido en su demencia y en su cobardía. Porque es lo que eres, un cobarde que necesita someter a otros solo para complacer su necesidad de poder. Lo haces para sentirte alguien cuando no eres nadie. Todas esas personas que mataste valían mil veces más que tú. —Lo miro con desprecio mientras él aprieta sus manos en puños. No tengo que ser adivina para saber lo que viene, pero la rabia me consume y no me detengo—. Mírate, me das asco. No eres más que un ser despreciable con una cara bonita…

Veo venir el golpe y logro esquivarlo. Soy más ágil que él a la hora de moverme, así que lanzo un puñetazo que va directo a su mejilla. Levanto otra vez el puño, lista para golpear de nuevo, pero me detengo cuando saca un arma.

—¡Quieta, maldita puta! ¡O te juro que te mato y luego mato a la zorra que llamas amiga! —El cañón de su arma toca mi frente y todo dentro de mí se remueve cuando veo las emociones crudas en sus ojos, y lo sé, sé que cumpliría su promesa.

Mi cuerpo tiembla por completo, el miedo vuelve a corroerme con la mención de Alejandra. Aprieto los puños y trato de calmar mi respiración. Tengo que ganar tiempo hasta asegurarme de que mi mejor amiga está a salvo. No puedo luchar para salir de aquí hasta que lo sepa.

—Ahora serás una niña buena y entrarás en esa puta cabaña. —Me toma de la muñeca y me pega a su pecho—. Porque no estamos solos, tenemos visita.

Un escalofrío recorre mi cuerpo y me suelto de su agarre con agresividad, sintiéndome asqueada por su contacto.

—Anastasia, Anastasia… —Vuelve a tirar de mí y apoya su frente contra la mía—. No me hagas enojar más de lo que ya estoy, no voy a dejarte ir. Vas a morir. Ese era el trato, la vida de Alejandra por la tuya, yo lo cumplí; ahora deja tu altivez y pórtate bien, tal vez si lo haces tu muerte no va a ser tan dolorosa.

Asiento sin poder contener las lágrimas. Sus palabras son una sentencia, y pese a saberlo con anterioridad, nadie está preparado para mirar la muerte a la cara. Toma mi brazo y me guía hasta la maldita cabaña. ¿Cuántas chicas cruzaron esta puerta y salieron en alguna bolsa de basura, sin vida? ¿Ahora es mi turno?

A diferencia de lo que creí, la estancia no es sucia ni asquerosa, tampoco sangrienta, todo está impecable. Intento analizar todo a mi alrededor, pero me arrastra a una habitación oscura. Los recuerdos de la noche en que murió mi hermano me asaltan y reacciono por instinto sosteniéndome al marco de la puerta. ¿Y si hay más hombres ahí para abusar de mí?

Lo escucho soltar una risotada, antes de recibir el impacto de su palma en mi mejilla con tanta fuerza que me manda al suelo.

—Te estás comportando muy mal y me estoy molestando cada vez más, Anastasia, pero no creas que me desquitaré contigo. No, no, no —canturrea—. Tú eres fuerte y puedes aguantar una paliza, pero creo que ella no lo soportaría. —Sonríe con maldad hacia el fondo de la habitación y sigo su mirada temiendo que sea Alejandra, herida, pero no distingo nada, hasta que...

Enciende las luces y mi corazón termina de fragmentarse cuando veo a una niña con pelo largo, castaño, abrazando a un peluche. Sus pequeños ojos azules me miran con miedo y tiemblo de la rabia. Es solo una pequeña, por Dios.

—A que es bonita. —Sus palabras salen suaves pero amenazadoras. Se agacha y deja su rostro frente al mío—. No me hagas enfadar o ella pagará las consecuencias —me advierte—. ¿Quieres eso, Anastasia? ¿Quieres que la linda niña pague por tu culpa? ¿Quieres su sangre en tus manos? —Acaricia mi mejilla y me aparto. Sonríe y me toma el mentón con fuerza girando mi cabeza y obligándome a mirar a la pequeña—. Se parece mucho a ti. Es como verte a los diez años…

—Eres un enfermo… —sollozo.

—La nena iba tranquilamente a su escuela. —Me ignora—. Pero se topó con alguien malo, muy malo —dice con voz infantil, burlón.

La niña comienza a llorar con fuerza y me suelta para acercarse a ella, pero me pongo de pie y me interpongo.

—¡No la toques!

—¡Apártate!

—No voy a dejar que…

El dolor me atraviesa cuando su puño se estrella contra mi mejilla. Caigo al suelo, desorientada. Duele. No me da tiempo a recomponerme cuando vuelve a golpearme. Esta vez su pie impacta contra mi abdomen dejándome sin aire. Aprieto los ojos por el inmenso dolor que me araña el estómago, pero me pongo en alerta cuando escucho los gritos desesperados de la niña. Alzo la mirada y veo que Nicolás la tiene cogida del pelo diciéndole que deje de chillar, es tan indefensa.

Me levanto lo más rápido que puedo, ignoro la punzada de dolor y me voy contra él. No lo pienso, estampo mi puño contra sus costillas, logrando que deshaga el agarre. El dolor me recuerda las laceraciones en mis nudillos por mi arranque de ira contra el espejo. Intento volver a golpearlo, pero me bloquea tomando mi mano y retorciéndola con tanta fuerza que el grito abandona mi garganta con rabia.

Me suelta e intenta volver por la niña que abraza su peluche, pero vuelvo a interponerme.

—Quítate, Anastasia, o te vas a arrepentir —me amenaza y niego con la cabeza—. ¡Me harté! —Toma mi brazo y tira de mí, pero mi instinto protector ruge y vuelvo a darle un puñetazo en la nariz.

Gime adolorido y medio desorientado, aprovecho para darme la vuelta y socorrer a la niña, pero tira de mi cabello y siento el cuero cabelludo a punto de desprenderse de mi cráneo. Intento pelear, pero vuelve a golpearme en el estómago. Me doblo por el impacto y no duda en tirar una vez más de mi pelo sacándome de la habitación.

Todo arde, todo duele, pero puedo soportarlo. Ella no lo haría. Nada importa mientras su ira esté dirigida a mí y no a esa inocente pequeña.

—Sigues siendo una maldita fiera, pero tranquila, mi bonita, sé muy bien cómo tratar a las chicas como tú.

Me empuja obligándome a bajar por unas escaleras y cuando enciende la luz el mundo me da vuelta bajo los pies. Me mareo y las náuseas vuelven de forma violenta cuando veo el cuerpo sin vida y desnudo en el maldito sótano. El olor es insoportable y la escena es terrorífica.

—Ups, se me olvidó que tenía compañía aquí. —Camina hacia ella y le acaricia el rostro—. Llegaste tarde para salvarla, Anastasia. Otra muerte sobre ti.

Me echo a llorar sin poder contenerlo. El asco casi me asfixia mientras miro cómo las manos de Nicolás recorren el cuerpo de la chica; ella no merecía esto. Sé que no hay manera de que escape de aquí, no hay suficiente tiempo para mí, pero puedo salvar a esa niña inocente. Tengo que sacarla como sea de esto.

—Era casi tan bonita como tú y tenía solo dieciocho años. ¿No te sientes mal contigo misma al saber que todas las chicas que he matado es porque me recuerdan a ti? —Apenas puedo verlo a través de mis lágrimas. Él se acerca y me da pequeños golpes en la frente con el índice—. Tú las mataste, Anastasia. Es tu culpa que yo matara a todas esas chicas porque te extrañaba.

Acaricia mis mejillas y limpia las lágrimas que ruedan por ellas. Me quedo quieta porque tiene razón, yo las maté, las condené al igual que a mi hermano.

—¿Sabes? —Toma mi mentón con suavidad, contrastando con la bestia que es—. De verdad lo intenté por ti. Traté de ignorar las voces en mi cabeza. Me aferré a tus besos e intenté ser bueno. Vi la luz en ti y por un momento creí que podrías eliminar mis sombras, pero no fue así. —Sus labios se curvan en una sonrisa fría, malévola—. Al final mi oscuridad emergió, revelando mi verdadero yo. Y todo gracias a ti, fuiste mi musa para matar a cada una de esas chicas porque te amo.

—¿Porque me amas me vendiste?

—Eres tan hermosa —dice, ignorándome. Su pulgar acaricia mi labio inferior y me veo tentada a cercenar su dedo con mis dientes, pero no quiero provocarlo más y que regrese con la pequeña.

—No me amas, Nicolás. Tú no eres capaz de…

Mis palabras mueren en mi boca cuando me estampa contra la pared.

—¡Tú no tienes ni puta idea de lo que soy capaz de sentir o no! —Presiona su mano en mi garganta. Sus ojos parecen arder—. Si te vendí fue porque tuve que hacerlo para pagar mis deudas, pero eras mía, siempre lo fuiste y siempre lo serás. ¿Por qué lo hiciste tan difícil? —Respira hondo, se inclina y roza su nariz con la mía—. Solo tenías que complacerlos, luego serías mía y te follaría como sé que siempre lo quisiste. Aunque te confieso que no hubiese sido tan divertido como lo ha sido seguirte y jugar con tu mente.

Ya ni siquiera me sorprende lo que dice.

—Por favor, Nicolás…

—Me excita que me ruegues —se regocija y luego se lanza a mi boca. No le doy vía libre, por lo que toma mi labio y lo succiona antes de morderlo. Clavo las uñas en su piel y logro que suelte mi cuello. Lo miro con odio mientras me llevo la mano al pecho tratando de recuperar el aire. Él suelta una carcajada.

—Vas a acabar igual que todas las putas que maté, Anastasia. —Me empuja hacia el colchón haciendo que caiga—. Esta noche no la vas a olvidar nunca, será la última.

—¡Eres un puto enfermo de mierda! —grito sin poder controlarme.

Me pongo de pie con rapidez y no me molesto en correr porque sé que si lo hago me va a atrapar. Nicolás bufa molesto y saca una cuchilla, me apunta con ella y trago duro.

—Te amo, Anastasia, pero tú no sientes lo mismo, y prefiero matarte que verte con otro. Aunque eso no significa que no disfrutaré de ti antes de acabar con tu vida; después voy a ir por esa niña tan dulce. —Se acerca y toma mi mentón—. Pero si me lo haces muy difícil, también me encargaré de Alejandra. Todavía puedo hacerle daño.

Mi corazón se comprime. Las lágrimas siguen desprendiéndose de mis ojos.

No puedo permitir que las lastime.

—Por favor, Nicolás. No les hagas daño —le ruego con la voz rota.

—Eso depende enteramente de ti. —Se lame los labios mirando los míos—. ¿Te vas a quedar quieta cuando quiera tocar tu cuerpo? —Posa sus manos en mi cintura y comienza a descender, pero las detengo. Sus ojos brillan con una chispa de maldad; niega con la cabeza—. ¿Ves? No te vas a rendir tan fácil. Así que supongo que tendré que usar a la nena…

—Es una niña, Nicolás. Déjala ir —le imploro—. Por favor, si las dejas libres te prometo que no lucharé por mi vida.

Entorna los ojos, pensativo.

—Está bien, Anastasia. —Saca su móvil y marca un número bajo mi atenta mirada—. Será mejor que te comportes, en esta llamada voy a avisar en dónde pueden encontrar a Alejandra. Si no lo haces, cortaré la comunicación y tu amiga morirá ahogada —me advierte y asiento.

Lo escucho hablar con su hermano y me trago las emociones al escuchar cada una de sus palabras. Sin embargo, me quedo tranquila porque no voy a poner en peligro a Alejandra. Solo hablo cuando me lo pide.

—Tu amiga está a salvo —me dice cuando cuelga. Un alivio me embarga, pero no dura porque se acerca y posa la mano en mi abdomen.

Me tenso cuando la introduce debajo de mi camiseta y asciende hasta mi estómago. Cuando está a punto de alcanzar mis pechos, no puedo tolerarlo más y lo empujo.

—¡No me toques, maldito cerdo! —grito con rabia y sus ojos se vuelven dos pozos oscuros, sin fondo.

La furia lo invade y parece un animal cuando se me viene encima y tira de mi cabello sin clemencia.

—¡Zorra maldita! —me encara—. Sabía que no podía confiar en ti, ahora esa mocosa pagará las consecuencias y quedará en tu conciencia.

Me suelta y empieza a caminar. El miedo se asienta en mi pecho, pero no puedo permitir que la lastime. Lo ataco subiéndome a su espalda. Maldice por lo alto y me retuerce las manos en su cuello hasta que lo suelto. Me preparo para golpearlo; ahora que Alejandra está a salvo, sé que tengo poco tiempo para salvar a la pequeña criatura. Lanzo un golpe, pero logra esquivarlo y cuando aprieto el otro puño para estrellarlo contra su nariz, un dolor me atraviesa el cráneo mareándome al instante.

Me llevo una mano a la parte de atrás de mi cabeza y cuando miro mis dedos veo la sangre deslizándose entre ellos. Alzo la mirada y lo último que veo es su sonrisa, antes de que las paredes giren a mi alrededor, mis rodillas cedan y el mundo se vuelva negro por completo.

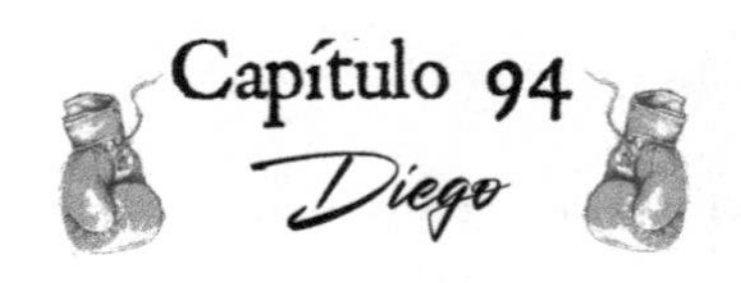

Capítulo 94

Diego

Una pesadez gobierna mi cabeza. Escucho voces lejanas y siento a alguien sacudiendo mis hombros, pero mis ojos se niegan a abrirse. Mi nombre suena más fuerte, más cerca. Mis párpados se levantan despacio y me toma varios pestañeos poder identificar a la persona junto a mí. Me incorporo sintiéndome desorientado; es como si tuviera resaca, pero no he tomado.

—Diego, ¿estás bien? —pregunta extendiéndome una botella de agua que tomo y le doy un sorbo. Me giro para mirar a Anastasia, pero no está. ¿Qué mierda?

Me levanto rápido, lo que resulta ser una mala idea, porque el mundo se sacude ante mí. Me tambaleo, pero Simón es rápido a la hora de ayudarme a volver a sentar.

—Tranquilo, respira —me dice, pero no puedo evitar ver el miedo en sus ojos. El mismo miedo que empieza a echar raíces en mi pecho.

—¿Dónde está Anastasia? ¿Qué mierda me pasa? ¿Por qué…?

—Creo que Anastasia nos drogó —dice Cameron apareciendo en la puerta. Noto sus ojos hinchados y rojos cuando se acerca a mí y se sienta a mi lado.

Frunzo el ceño haciendo memoria de lo último que recuerdo. Estaba con Anastasia y ella me pasó un vaso con jugo... Luego estábamos acostados abrazándonos, pero cada vez me costaba más estar enfocado en ella. ¿Anastasia me drogó? ¿Por qué?

Simón se pasa las manos por el rostro, angustiado, y entonces todo cae sobre mí como una montaña de piedras. Lo hizo. Nos drogó a todos para poder ir a donde está Nicolás. Cameron parece notar el momento exacto en el que me quiebro por dentro, entonces me abraza y me derrumbo.

—Ella ya no quería seguir luchando. —Me aferro a su sudadera—. Se odia a sí misma por culpa de ese enfermo.

—Diego —Cameron me aparta y hace que lo mire a la cara—, Anastasia estará bien, ella no se daría por vencida así de fácil, estoy seguro de que tiene un plan para salvar a Alejandra y volver a ti.

—¿Por qué? ¿Por qué me drogó? ¿Por qué no piensa en mí? Yo no puedo vivir sin ella.

Veo a mi mejor amigo tragar hondo sin saber qué decir. Él sabe lo que siento, está en la misma posición. Maldigo, me pongo de pie y pateo la mesita de noche. Cameron empieza a derramar lágrimas, Simón camina de un lado a otro y es Harry, cuando entra junto a Mariel, quien me detiene.

—Tienes que calmarte, Diego. Anastasia necesita que seas fuerte.

—¿Dónde está? —Lo tomo de la solapa de su chaqueta, desesperado—. Tienen que hallarla, maldita sea, ella tiene que estar bien, yo…

—Diego… —Mariel pone una mano sobre mi hombro y me doy cuenta de que prácticamente estoy agrediendo a Harry. Me aparto.

—Lo siento. —Me paso una mano por la cabeza. Las lágrimas de desespero me desbordan—. ¿Saben algo de ella y de Alejandra?

Mariel suspira con pesadez.

—Arrendó un vehículo sin GPS, así que no tenemos nada, le perdimos el rastro —me informa Harry manteniendo la calma, aunque veo la rabia en su mirada—. Dejó como garantía su documento nacional.

—Por favor, encuéntrenla... No puedo perderla —les pido a Mariel y Harry.

Cameron me secunda pidiendo lo mismo por su novia, y por un momento me siento un malnacido por no pedir por ella, porque en realidad sí me importa Alejandra, quiero que esté bien, solo que perder a Anastasia me nubla el juicio.

—Las encontraremos —nos promete Mariel.

Bajamos al *living* y me siento en el sofá, aún mareado por la droga. Un ruido llena la estancia y Simón saca su teléfono. Asiente hacia Harry, quien teclea sobre un ordenador a toda velocidad y luego le indica que conteste en altavoz parándome los pelos.

—Hola, hermanito, ¿me has extrañado? —pregunta quien asumo es Nicolás; el matiz sádico y burlón en su voz me hiela la sangre y al mismo tiempo me llena de una ira asesina. Quiero matarlo—. He escuchado que tienes nuevos amigos, en fin, solo te llamo para decirte que Anastasia está conmigo y está viva, si te lo preguntas, aunque no por mucho tiempo.

—¡Hijo de puta! —mascullo. Aprieto mis manos en forma de puños tratando de contener la rabia mientras Harry no para de teclear.

—Déjala ir, Nicolás —pide Simón tratando de conciliar, pero el psicópata solo ríe de forma escalofriante—. Entrégate, deja de hacer tanto daño, hazlo por mi padre.

Nicolás suelta un bufido al escuchar las palabras de su hermano.

—Sí, claro que la dejaré ir, pero muerta. Sé que tú la amas, pero ella es mía y como es mía hago lo que quiera. Es una maldita puta —escupe con odio. Cierro los ojos, frustrado; lo voy a matar—. Además, ese fue el trato entre Anastasia y yo, ¿no te lo contó? —alardea.

—Déjala ir, Nicolás, por favor —vuelve a rogar su hermano, y tengo que respirar profundo para no maldecir en voz alta. Mariel me hace señas para que me calme.

Harry hace un gesto con la mano para que Simón siga hablando y no corte la llamada mientras él rastrea al bastardo hijo de puta.

—No, no, hermanito. Soy un hombre de palabra y le prometí que la mataría, así que cumpliré, pero también le prometí intercambiar la vida de su amiga por la suya y eso haré. Ese es el motivo de mi llamada.

—Por Dios, Nicolás. Has arruinado tu vida y te juro que lamento el no haber podido hacer nada para evitar que te convirtieras en el monstruo que eres hoy. Te pido perdón por no ver que necesitabas más ayuda. Pero si te entregas y cooperas, podrían hacer un acuerdo para que no sea tan dura tu condena. Prometo que si lo haces no te dejaré solo. —Simón camina de un lado a otro mientras habla con su hermano. Por mi parte, es obvio que ese enfermo no va a acceder, pero al menos lo está demorando un poco más al teléfono.

El silencio se toma el aire antes de que Nicolás responda.

—¡¿Crees que soy estúpido?! —truena—. No he llegado hasta aquí por carecer de neuronas, hermanito. A diferencia de tus amigos, los policías imbéciles, yo sí sé usar el cerebro. —Ríe—. Me he burlado de toda la puta justicia española, ¿y crees que de verdad me importa lo que sientas, quieras o creas?

—No te estoy mintiendo, Nicolás…

—¿No? —inquiere el aludido—. ¿Vas a decirme que tu nueva amiguita Mariel no está ahí contigo? —Simón hace silencio y Mariel aprieta los labios con rabia—. Ni tú ni nadie sabe una mierda de mí, así que dejen de creer que me conocen porque no tienen ni puta idea.

—Suelta a Anastasia, ¡maldita sea! —grito sintiendo mi sangre arder.

Se echa a reír.

—Asumo que ese es el idiota que siempre merodeaba a mi chica. —Su forma tan fría de hablar me estremece, como si supiera que lo próximo que dirá será un puñal para mi alma—. Voy a complacerte, claro, cuando esté muerta; tal vez te envíe algo de ella por correo —se burla de mí.

—¡Anastasia! —grito y mi corazón se comprime cuando la escucho llamarme.

—¡Diego!

—Debo colgar, tengo a dos chicas muy guapas que están esperando por mí y a una de ellas la estoy viendo. —Noto el sadismo en sus palabras—. Ah, por cierto, Alejandra está en una maleta a una cuadra del apartamento, al este. Tranquilos, no soy tan malo y tiene agujeros para que pueda respirar. —Cuelga y grito frustrado, impotente, lleno de dolor y rabia.

Mariel no pierde tiempo y le pide a los policías que custodian el edificio que vayan por Alejandra, Cameron sale corriendo para unírseles.

—¡Mierda! —maldice Harry—. No pude rastrear su ubicación, pero logré delimitar el perímetro en que se encuentra. El problema es que la extensión es bastante amplia. —Voltea la pantalla del ordenador, mostrando un bosque a las afuera de Barcelona, a unos cuarenta minutos de la ciudad—. ¿Estamos listos? —le pregunta a Mariel, quien termina de dar indicaciones a través de una radio y asiente.

—Todo listo. El equipo ya está en las patrullas y pediré un helicóptero para que nos brinde apoyo.

La veo tomar su móvil mientras que yo no puedo dejar de moverme, inquieto, desesperado. Simón se me acerca.

—Ya se van —dice y me ofrece una sonrisa rota poniendo su mano en mi hombro—. Anastasia es una guerrera, sé que luchará hasta el final. —Asiento con la cabeza—. Ella es más fuerte que mi hermano.

Unos minutos después, cuando la detective parece tener todo en orden, la seguimos a ella y a Harry, que atraviesan la puerta de salida, encontrándonos con Alejandra y Cameron. Ella me ve y corre a mi encuentro. La recibo con los brazos abiertos sintiendo un peso menos sobre mi alma. Saber que la rubia está bien me da cierto alivio. Aunque el no tener a Anastasia conmigo es como sentir lava quemando mi piel o un cuchillo de doble filo atravesándome el pecho, desangrándome.

Se aferra a la tela de mi sudadera y llora, destrozada.

—¿Por qué lo hizo? —Solloza—. La va a matar, Diego. Nicolás la va a matar por salvarme a mí…

—Escúchame. —Tomo su rostro en mis manos y la rabia aumenta al ver un corte cerca de su ceja izquierda y un par de golpes en sus mejillas, labios y mentón. Contengo mis lágrimas—. Anastasia no va a morir. Vamos a encontrarla, ¿de acuerdo? —Asiente.

—Ustedes quédense aquí —nos ordena Harry entrando en el ascensor junto a Mariel, pero detengo la puerta antes de que se cierre, escabulléndome. Cameron, Simón y Alejandra hacen lo mismo que yo —. O pueden venir —gruñe.

Mariel maldice en voz alta.

—Van a venir, pero se quedarán en el auto y no intentarán ser héroes, porque cualquier error o imprudencia le podría costar la vida a Anastasia y a la otra chica que tiene ahí adentro, ¿quedó claro? —Nos mira con severidad y asentimos.

—Por favor, tráela de vuelta..., yo la amo, me salvó la vida. —Alejandra le ruega a la detective tomando su mano—. Por favor, ella tiene que estar bien, yo me muero si le pasa algo.

—La sacaremos de ahí, confía en nosotros —promete—. ¡Ahora muévanse! —nos ordena cuando el ascensor se detiene. Todos corremos hacia el auto de Harry. Mariel comienza a dar órdenes mientras Harry conduce como alma que lleva el diablo. La pareja a mi lado se abraza, Simón parece perdido en sus pensamientos y yo… Yo siento que la vida se me escapa entre los dedos, porque si a Anastasia le pasa algo, no quedará nada de mí.

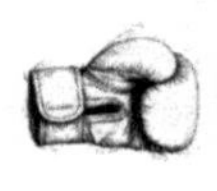

Capítulo 95

Anastasia

Un pequeño jadeo se me escapa de entre los labios al sentir las punzadas de dolor que me taladran la cabeza. Aprieto los ojos un segundo antes de intentar abrirlos. Me cuesta hacerlo, pero lo consigo. El asqueroso olor es lo primero que percibo cuando logro orientarme. Me incorporo ayudándome con la mano izquierda, quedándome sentada, pero cuando intento ponerme en pie, me doy cuenta de que la derecha está esposada a una barra que va desde el piso hasta el techo.

Escucho un gemido y mi cabeza se gira por inercia, el dolor en la parte trasera de mi cabeza me hace quejarme, pero todo pasa a segundo plano cuando veo la escena del otro lado de la estancia. Mi estómago se revuelve cuando veo a Nicolás violando al cuerpo sin vida de la chica. Trago saliva intentando controlar la sacudida de terror y repulsión que experimenta mi cuerpo al ver el placer plasmado en su rostro mientras embiste como un animal. Su mirada se dirige a mí y su amplia sonrisa me hace sentir enferma.

—Ya despertó la bella durmiente —dice y empuja con más fuerza. Está extasiado con lo que hace y yo… ¡Dios! Es horrible.

Me llevo la mano a la boca, pero no puedo contenerlo. El vómito atraviesa mi garganta y, por suerte, logro expulsarlo a un lado.

No me doy cuenta de cuándo se aparta de la chica, solo soy consciente de que de un momento a otro lo tengo encima, sentado sobre mis piernas, tocando mis pechos, la curva de mi cintura y mis labios.

—No me toques, enfermo —le grito e intento defenderme, pero no lo consigo con las piernas inmovilizadas y una mano esposada—. ¡Suéltame! —Intento empujarlo y recibo un puñetazo que me deja quieta y tendida en el suelo.

Su golpe, ligado al dolor en mi cráneo me dejan aturdida, pero no lo suficiente para no sentir sus manos en mi piel y sus labios en mi cuello.

—Eres tan bella —jadea en mi oído y las lágrimas empiezan a salir. La frustración, la ira y el asco me invaden.

—Por favor… —suplico e intento empujarlo con mi mano libre, pero retiene mi muñeca y posa su rostro frente al mío. Sonríe.

—No sabes cómo me excita verte así, asustada, suplicando y sometida por mí.

—No lo hagas, por favor —ruego y su sonrisa se ensancha.

Se incorpora un poco y lleva una mano a mi abdomen. Levanta la tela que lo cubre y pasa sus dedos por mi piel. Tiemblo.

—No. —Sollozo y me remuevo en vano—. Por favor, no.

—Eso es —dice alzándose lo suficiente para dejarme ver cómo se deshace del preservativo aún sin usar, cubre su erección con su mano y empieza a masturbarse sobre mí—. Déjame escuchar tus súplicas mientras me corro.

El llanto ruge en mi interior y lo dejo salir, fuerte, furioso, amargo, desesperado.

—Sí, me excita verte llorar, Anastasia. ¡Joder! Eres… —Su mano se mueve con más furor mientras yo me voy en llanto. No tarda en correrse sobre la piel de mi abdomen, haciéndome sentir humillada, rebajada y miserable.

Se aparta con una sonrisa en los labios. El corazón me duele, esto es una maldita pesadilla. Tomo una de las telas rasgadas que hay en el piso —parece la ropa de la chica— y me limpio su asqueroso semen.

—Eres un maldito psicópata —escupo con rabia y ríe socarrón.

—Agradece que no te viole aún. —Se guarda la polla, se cierne sobre mí, abre las esposas y me hace ponerme en pie antes de empezar a empujarme para que suba las escaleras. Lo hago sintiéndome como la mierda. Me duele la cabeza, el rostro, los músculos, el alma.

—Tengo que ir a deshacerme de un cuerpo. —Me arrastra hasta el interior de la habitación en donde está la niña. Me esposa contra los barrotes de la cama—. Ahora vuelvo, y cuando lo haga estaré dentro de ti. —Me da un beso en la frente y sonríe antes de salir de la habitación echándole una breve mirada a la niña que se encoge ante el acto.

La pequeña está a mi lado, sobre la cama, abrazando el peluche mientras me mira con sus preciosos ojos azules, está muy asustada. Me acerco todo lo que las esposas me dejan, pero es suficiente para que estemos una junto a la otra.

Tomo una horquilla de mi pelo y empiezo a maniobrar.

—¿Estás bien? —le pregunto y asiente—. ¿Cómo te llamas, linda?

Abro la horquilla y le quito la punta de plástico. Enderezo el metal y lo separo dejando un pedazo de alambre recto. Doblo la punta intentando hacer una llave para poder abrir las esposas, espero que aún recuerde hacerlo.

—Nicole —dice tímida—. Quiero ver a mis papás. —Sus ojos se llenan de lágrimas y vuelvo a maldecir mil veces más a Nicolás. ¡Lo odio!

Mi corazón se rompe al verla aferrarse a su peluche. Coloco la punta en el ojo de la cerradura y doblo el metal hacia atrás para hacer la forma que necesito.

—Nicole, tienes un lindo nombre. Yo me llamo Anastasia.

No dice nada. Me toma algunos intentos hasta que escucho el clic y la esposa se abre. Me giro hacia la pequeña, quien me mira sorprendida.

—Te sacaré de aquí, ¿vale? No será difícil, ¿viste cómo me solté? —le pregunto con una sonrisa y ella asiente—. Te prometo que saldremos de aquí juntas y que tus padres estarán contigo, pero debes hacerme caso en lo que te diga. ¿De acuerdo?

—Tengo miedo de él. Me llevó cuando iba de camino al mi colegio. —Solloza—. No me gusta que me toque por todas partes.

Maldigo por dentro una vez más y contengo las lágrimas para que no se asuste más. La atraigo hacia mí y la abrazo unos segundos intentando consolarla, pero no hay mucho tiempo. Tengo que salvarla. Examino la ventana; no se puede abrir a menos que la rompa y aun así el hueco es muy pequeño. Pero tengo que intentarlo ahora que Nicolás no está. Vuelvo a la cama para tomar las sábanas y envolverlas en mi puño para intentar romperlo, pero la puerta se abre de golpe dándole paso al maldito enfermo. Me enderezo y Nicole corre a mi espalda.

—¡Vaya, vaya! —Se acerca a paso lento como león que acecha a su presa—. Así que la mocosa está apegada a ti y lograste soltarte. —Pasea las yemas de sus dedos por mi mentón—. Por eso eres la mejor: tan bonita, *sexy* e inteligente—. Toma un mechón de mi pelo y aspira mi olor—. Eres tan dulce y estoy ansioso por probarte.

Toma mi muñeca y me vuelve a arrastrar al maldito sótano. El horrendo olor sigue impregnando las paredes y siento que me mareo en cuanto pongo un pie en la estancia. Me empuja contra la pared y empieza a tocarme.

—No, por favor, Nicolás. —Lo aparto por los hombros y dejo mis manos allí. Sus ojos conectan con los míos, y por un segundo, solo por un segundo, me parece ver el destello del Nicolás que me conquistó en la adolescencia, pero entonces vuelve a aparecer esa sonrisa macabra que me eriza la piel. Me quedo tan helada que no veo su mano levantarse, solo siento el impacto de su puño en mi mentón mandándome al suelo y haciéndome probar mi sangre.

El dolor me mata, pero logro esquivar el siguiente puño. Aunque no puedo evitar que se me suba encima y sujete mis muñecas.

—¡Quédate quieta! No me obligues a encadenarte para luego ir a por esa niña, y créeme, lo haré frente a tus ojos... —Se calla abruptamente y las aletas de su nariz se inflan, parece que está a punto de explotar—. Eres mía, Anastasia, ¿por qué mierda no lo entiendes? —Acaricia mi rostro de forma tan sublime que me desconcierta. Trago saliva.

—Nicolás...

Aprieta la mandíbula y posa las manos en mi cuello. Me alarmo.

—Sería tan fácil matarte ahora mismo. —Tensa sus dedos en mi cuello y alcanza mis labios. Lo muerdo y maldice. Deshace el agarre, pero atina un puñetazo en mi vientre que me quita la respiración por unos segundos. El llanto me azota y me doblo de dolor cuando se levanta a buscar las cadenas para atarme.

Mi corazón bombea como loco y todo duele, pero me niego a dejarme atar. Si lo hago Nicole morirá y no puedo permitirlo. Tira de mi mano herida, presionándola y haciéndome gritar.

Me jala hasta donde están las malditas cadenas con las esposas y sacudo la cabeza.

¡No más! ¡Ya basta!, ¡no más víctimas inocentes!

Estoy cansada y el dolor se extiende por todo mi cuerpo. Sé que va a matarme y estoy tan agotada que me daría por vencida, pero Nicolás se equivocó, me dio una motivación para seguir luchando: Nicole. Me empuja contra la pared, pero me le resbalo de entre las manos cuando intenta ponerme las esposas.

—Eres una maldita perra. —Me toma del pelo y lanzo el codo hacia atrás con todas mis fuerzas. El golpe impacta contra su estómago haciéndolo caer de culo. La adrenalina del momento viaja por mi sangre y no pierdo tiempo a la hora de golpear su rostro con puñetazos desesperados.

Me le siento encima y sigo golpeando sin parar. Grito y maldigo mientras mis nudillos se llenan de sangre.

—¡Jódete, maldito imbécil!

Apenas puedo verlo por las lágrimas. Tira de mi tobillo y me manda al piso intercambiando las posiciones. Lanza un golpe y cruzo los brazos evitando que llegue a mi cara. Consigue alcanzar mi cuello dificultando el paso del aire.

—Te voy a violar, Anastasia, y luego te mataré e iré por esa puta niña para hacer lo que se me dé la gana con ella.

Rasguño su brazo intentando detenerlo, pero no lo consigo. Mi cuerpo reacciona a la defensiva y levanto la rodilla, aprovechando el espacio que me da para llegar a su entrepierna y lograr que me suelte. Respiro de forma errática mientras me aparto, pero la rabia y el dolor son mucho más grandes. Aprovecho que está en el piso y lo pateo hasta casi dejarlo inconsciente. Subo las escaleras corriendo y abro la puerta donde está Nicole, esta se acerca a mí y mira hacia la salida.

—Nos vamos de aquí ahora. —Me apresuro a tomar las sábanas y la envuelvo en mi codo. Golpeo dos veces en el cristal con fuerza y este se rompe. Pateo para deshacerme de los trozos que quedan adheridos al marco—. Escúchame, Nicole, vas a tener que ser valiente. ¿Me lo prometes?

Ella asiente mientras limpio sus mejillas húmedas. La giro hacia la ventana y le señalo el camino.

—Tienes que correr derecho y encontrarás la carretera, ¿vale? No pares de correr en ningún momento. ¿De acuerdo?

—¿No vas a venir? —pregunta en un susurro y niego con la cabeza—. No quiero ir sola.

—Yo tengo que quedarme aquí para detenerlo y así tú podrás escapar, pero te prometo que estaré bien —le aseguro con una pequeña sonrisa—. ¿Estás lista?

El sonido de la puerta me hace girar a ver. Nicolás aparece justo en frente de mí, con el rostro ensangrentado, la ira destellando en sus ojos y respirando como un animal rabioso.

Me pongo a la defensiva, pero la bofetada llega sin que pueda detenerla. Empuño las manos, lista para defenderme, cuando siento que todo me da vueltas; mi mirada se nubla y mi cuerpo se derrumba haciéndome notar algo duro contra mi espalda baja: el maldito cuchillo. ¿Cómo pude haberlo olvidado? Quiero ponerme en pie y asesinar a Nicolás para proteger a Nicole, para que no haga más daño, pero no puedo, los golpes recibidos en mi cabeza me afectan, mi consciencia se desvanece y lo último que escucho es su risa y la voz de la pequeña diciendo mi nombre.

¿Acaso este es mi final?

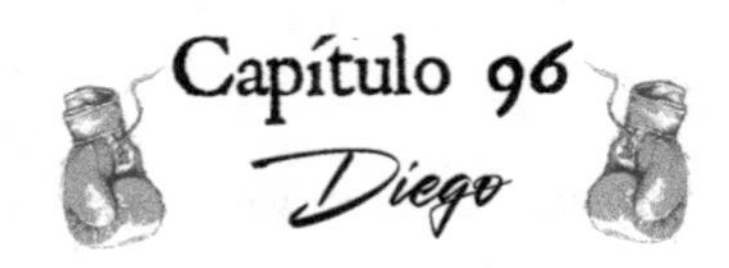

Capítulo 96
Diego

El sol ya está en lo alto del cielo cuando miro el reloj, ansioso y con el miedo atorado en la garganta. Ya han pasado treinta minutos desde que tomamos camino y no sé cuánto falta exactamente. Mariel y Harry no paran de dar órdenes, unos agentes rastreadores ya están en el área y un helicóptero está listo para darle apoyo a la policía.

—Encontramos un cuerpo —le avisan a Mariel a través de la radio policial—. Está a unos doscientos metros muy cerca de la carretera, en el bosque.

—Entendido. Tenemos que comprobar si es una de las chicas que estamos buscando. Envíame la ubicación exacta —responde Mariel.

El corazón se me comprime mientras Alejandra toma mi mano con fuerza y sacudo la cabeza porque me niego a que sea ella, que el amor de mi vida sea otra víctima de ese enfermo.

¿Por qué acepté ese maldito vaso de jugo? Si no lo hubiese hecho ella aún estaría conmigo. ¿Por qué nunca piensa en ella? ¿Por qué siempre pone a otras personas antes que a sí misma? Sé que salvó a Alejandra, pero se pudo haber hecho de otra forma.

—No puede ser. —Mi voz sale rota—. Ella no me pudo haber dejado. No se atrevan a decirme algo así porque es una puta mentira —reniego golpeando el asiento y la rubia se lanza a abrazarme, al tiempo en que Cameron estira la mano y la posa en mi hombro en señal de apoyo.

—Es imposible —interviene Simón, evidentemente afectado. Planta una mano en mi otro hombro—. Es muy poco tiempo desde la llamada, ella seguía con vida... no creo... —Se le corta la voz y cierro los ojos unos segundos abrazando con más fuerza a la rubia.

—No creo que sea Anastasia, pero tenemos que ir a ver para estar seguros. —Pasan unos minutos antes de que Harry estacione junto a otros autos de policía—. Volveremos enseguida, quédense aquí.

Harry y Mariel bajan del coche y los veo desaparecer en el bosque. «No puede ser ella, no puede ser», me repito una y otra vez. Me separo de Alejandra, paso por encima de Simón y me bajo; tengo que comprobar con mis propios ojos que no es ella.

—¡Diego! —Escucho los gritos de Cameron y Alejandra.

Avanzo con rapidez ignorando su llamada.

Las lágrimas empañan mi vista y apenas puedo ver el camino. Me limpio la humedad que rueda por mis mejillas y no dejo de caminar hasta que veo al grupo de policías. Me echo a correr intentando pasar los presentes, pero me detienen. Grito el nombre de la mujer que amo llamando la atención de Mariel, quien me mira furiosa al darse cuenta de que no le hice caso.

—¡Dime que no es ella, por favor! —le grito, suplicante.

Mariel ordena algo a los policías y todos asienten. La mitad de ellos se quedan en el lugar y la otra mitad corre a sus vehículos mientras Mariel niega y pasa por mi lado de regreso al auto. Aun así, mi corazón late con prisa, y solo logro soltar un suspiro de alivio una vez que estoy de regreso en mi asiento y Harry vuelve a conducir de forma temeraria, pero no me quejo, todo lo que quiero es llegar a Anastasia.

Inhalo y exhalo porque siento que me falta el aire, ya ha pasado mucho tiempo desde que se fue de mi lado y siento que muero sin ella. Me siento inútil sin poder hacer nada, sabiendo que su vida corre peligro. Me enderezo en mi lugar cuando escucho que un policía habla a través de la radio policial.

—Los especialistas de rastreo que envió para estudiar el área encontraron el vehículo que rentó la señorita Evans, está a unos pocos kilómetros de una cabaña donde vimos movimiento y confirmamos que está el sospechoso —informa el policía—. Está a unos cuatro kilómetros de su ubicación, detective.

—Entendido —responde Mariel—. Que acordonen el área, pero sin poner en riesgo a las chicas. En unos minutos estamos allá. Y no disparen a menos que sea de vida o muerte, quiero a Nicolás vivo para que pague por todo lo que ha hecho.

—Como ordene, mi detective.

Los sentimientos me avasallan y sé que son buenas noticias, pero no estaré tranquilo hasta que la tenga en mis brazos.

¡Aguanta, Anastasia! No te rindas.

Capítulo 97

Abro los ojos despacio sintiendo un dolor tan profundo que juraría que mi cráneo está a nada de reventarse. Examino mi entorno. Estoy en el sótano. Me levanto con torpeza y el horror me arropa cuando escucho los gritos de Nicole. Subo corriendo las escaleras e intento abrir la puerta, pero está cerrada. «¡Hijo de puta!». Y entonces lo recuerdo: el cuchillo. Lo saco de mi espalda, le quito la funda y agradezco a Dios que Nicolás no lo notó. Me toma casi un minuto forzar la puerta, pero lo consigo tragándome todo el dolor que experimenta mi cuerpo y mi cabeza por los golpes.

Cuando consigo llegar a la habitación, por un instante me congelo con la escena que ven mis ojos: Nicole no para de removerse mientras Nicolás intenta sacarle el vestido de uniforme por los hombros. La pequeña tiene el labio partido y Nicolás maldice cuando la niña sigue pataleando. Se exaspera y levanta la mano para golpearla, pero entonces algo estalla en mi pecho: el pasado me golpea con fuerza, toda la mierda que he vivido me deja un sabor amargo sobre la lengua.

Pienso en todas esas chicas que han muerto a manos de ese enfermo y todo me arropa, pero no me derrumbo, todo lo contrario, me lleno de rabia, de ira. El pecho me arde, la sangre me quema las venas y el miedo que le tengo al hombre que tengo enfrente, de espaldas a mí, se convierte en algo más potente y corrosivo: odio… Un odio que me impulsa para írmele encima a Nicolás, pero el malnacido es rápido y nota el ataque justo antes de que el filo toque su piel.

—¡Anastasia! —grita Nicole y Nicolás se abalanza hacia mí, haciendo que caiga junto a él sin el cuchillo, que se me ha escapado por el impacto.

—Maldita puta de mierda, estoy cansado de ti, ni siquiera vale la pena que te toque —me dice con odio y tiemblo con su mirada demencial, pero aun así, le encesto un puñetazo en la nariz, que cruje por el golpe; aprovecho su desorientación para darle un cabezazo y apartarlo de mí—. ¡Eres una hija de puta!

Me pongo en pie con rapidez y le estampo una patada con tanta fuerza que lo manda al suelo, no me contengo y lo sigo golpeando hasta que aúlla de dolor. Corro hacia Nicole y me tomo unos segundos para ver si está bien, cuando lo compruebo, la tomo de la mano lista para huir.

—Nos vamos.

No termino de voltear cuando siento la mano de Nicolás cerrarse en mi cuello antes de estamparme contra el piso. El dolor me atraviesa todos los músculos, pero una pequeña esperanza me alcanza cuando noto que mi espalda calló sobre el cuchillo que había caído al suelo. Me ahorca y el pánico me abraza mientras intento llegar al arma blanca, pero, de repente, Nicolás me suelta en medio de un grito de dolor y apenas soy consciente de lo que pasó: Nicole le clavó un cristal en la espalda. Me las apaño para incorporarme tomando bocanadas de aire, mientras la pequeña corre a esconderse detrás de mí. Dejo mi mano derecha a mi espalda, apretando el mango del cuchillo que logré alcanzar. El psicópata que tengo enfrente se saca el cristal y viene a nosotras intentando acorralarnos. Por un momento me tenso cuando creo que va a sacar el arma de alguna parte, pero asumo que no subió con ella pensando que no la necesitaría con una pequeña de diez años.

—¡Todas las mujeres son unas malditas perras! —grita fuera de sí.

Lanza su puñetazo que logro bloquear con mi brazo izquierdo, mientras saco el derecho y le entierro el cuchillo en el pecho. Sus ojos se abren de par en par por la sorpresa. Mis manos tiemblan porque jamás había apuñalado a alguien.

—Y tú eres un maldito monstruo. —Ejerzo más fuerza empujando el cuchillo, que termina enterrado casi por completo antes de que caiga al suelo.

Tomo a Nicole de la mano y corremos a la salida. No me quedo a comprobar si está con vida o no. Abro la puerta de la cabaña y el viento azota mi cara. Miro un segundo a la niña que tiene lágrimas en los ojos, pero no hay tiempo para poder consolarla, tengo que ponerla a salvo. Le indico que corra lo más rápido que pueda y lo hace.

Miro hacia atrás en varias ocasiones, pero no lo veo siguiéndonos. Nicole está cansada y yo también, pero no podemos detenernos.

—Ya casi llegamos al auto, preciosa, resiste —digo con la voz agitada.

La pequeña asiente, pero cuando estamos a solo unos metros de llegar se cae, agotada. La tomo en brazos y avanzo hasta el auto. La subo en el asiento del copiloto y corro al lugar del conductor, pero cuando estoy a punto de ponerlo en marcha, la puerta de Nicole se abre haciéndola gritar y dándole paso a un Nicolás furioso que la saca del asiento y apunta a su cabeza con el arma.

—¡Anastasia! —Mi corazón se comprime con el grito de la niña que empieza a llorar, asustada. Intento acercarme, pero escucho un disparo que me aturde; un segundo después siento un dolor caliente en mi hombro, bajo la mirada y veo la sangre que empieza a salir de mi piel. Los ojos se me llenan de lágrimas y me muerdo el labio inferior cuando noto el ardor incrementando, pero me contengo.

—Quieta, Anastasia, porque si das un paso más el otro tiro va directo a tu cabeza —me advierte Nicolás.

Las lágrimas se deslizan por mis mejillas, el dolor de la herida no se compara con el que siento al sentirme impotente por no poder ayudar a la pequeña. Si sobrevivo, nunca me podré recuperar de todo esto. Al final lo consiguió, me destruyó de la peor forma. Me doy asco a mí misma y sé que jamás podré ver mi reflejo sin pensar en lo que vivió Nicole, lo que viví yo. Jamás podré enfrentar mis propios ojos sin ver en mi mirada la culpa por la muerte de esas chicas que solo fueron víctimas de un enfermo que se obsesionó conmigo.

—Te amo, Anastasia. Te deseo tanto que no tienes idea. Llevo años soñando con follarte mientras presiono tu cuello y tu rostro se enrojece hasta que el aire deje de correr a tus pulmones. —Sonríe de lado—. Pero si hay algo más potente que mi deseo de meterte la polla, es mi deseo de ver tus ojos presos de miedo, como ahora, justo antes de matarte. Prefiero verte muerta antes que verte con ninguno de esos idiotas que te merodean —me dice y trago saliva al saber lo que está a punto de suceder—. Adiós, Anasta...

Y entonces todo sucede en cuestión de segundos, la policía se toma el lugar, rodeándonos. Nicolás reacciona tomándome del cuello y apuntándome con el arma. Reconozco el auto de Harry, de donde sale Mariel y el propietario del vehículo, haciendo lo mismo que los demás policías, apuntando a Nicolás.

Nicole toma mi mano y correspondo a su agarre. Está temblando. Nicolás, al verse acorralado, presiona con más ahínco el cañón contra mi cabeza. Todos estamos quietos hasta que las puertas de los asientos traseros del auto de Harry se abren. Mi corazón se sacude cuando veo a las cuatro personas que descienden: Diego, Alejandra, Simón y Cameron.

—¡Anastasia! —grita Diego, llorando.

Tiemblo ante las emociones. Diego se ve desecho, la preocupación adorna los rostros de los cuatro, pero ver a mi rubia bonita a salvo es un alivio para mi alma. Aunque no puedo disfrutar saberla bien porque sus gritos desesperados me destrozan. Observo a Simón, quien está llorando y sosteniendo a Diego, le doy una pequeña sonrisa por todo lo que ha hecho por mí, por salvarme de su hermano tantas veces.

—Suéltalas ahora, Nicolás, estás rodeado —grita Mariel, sin dejar de apuntar.

Lejos de lo que le piden, me pega más a su pecho y niega con la cabeza. Puedo sentir cómo aspira el olor de mi pelo y me siento asqueada. Está enfermo.

—No se acerquen o la mato. ¿Me escucharon? ¡Las mato a las dos! —grita clavándome el cañón al punto de provocarme dolor.

—Déjalas ir, no tienes escapatoria, Nicolás —grita Harry, acercándose lentamente.

Alzo la mirada y me topo con los ojos verdes de Harry, inclino la cabeza hacia la niña, esperando que entienda lo que quiero decirle, que tienen que salvarla, que ella es lo que importa en estos momentos.

—¡Quieto! Un paso más y la mato. Sabes que soy capaz. —Apunta a Simón—. No dejaré que esté contigo, pedazo de mierda.

Alejandra me mira con los ojos muy abiertos y muevo los labios gesticulando un «te amo», que al parecer entiende porque niega con la cabeza. Mi mirada vuelve al chico que amo y mi corazón termina de romperse al ver el miedo, el dolor y la impotencia en sus bonitos ojos. El adiós parece inevitable y me siento tan cansada que no me quedan fuerzas.

La mano de Nicole abandona la mía y mis ojos viajan al brazo de Nicolás cuando apunta a la pequeña. El terror me impulsa a lanzarle un codazo que lo aparta de mí y no dudo a la hora de correr hacia la niña. Me lanzo a abrazarla justo cuando dos detonaciones se elevan en el aire, lo primero que siento es un ardor potente en el estómago y en el hombro que parece incinerarme por dentro, y luego un dolor letal me atraviesa con tanta violencia que me roba el aliento. Logro ver a Mariel disparar en dirección a Nicolás y aparto a Nicole para ver que está bien.

—¡Anastasia! —dice mi nombre asustada mientras mira mi abdomen. Bajo la mirada y me llevo la mano al lugar al ver la sangre manchando mi camiseta, y lo sé… sé que el fin está cerca.

El mundo empieza a darme vueltas y termino en el suelo, de espaldas, sin poder enfocar bien. Lágrimas gruesas caen de mis ojos y siento mi cuerpo incinerándose, preso del dolor.

El rostro de Diego aparece frente a mí llevándome a su pecho en medio del llanto. Al menos por unos segundos hasta que se aparta, se quita la sudadera quedándose con camiseta, y presiona la herida de mi estómago. Suelto un gemido de dolor, cada vez me cuesta más respirar y ver con claridad.

—Perdóname, bella, necesito parar la hemorragia. —Tomo su mano para que se detenga, estoy tan cansada y ya no sirve de nada—. No me mires así, no me puedes dejar, me lo prometiste, tenemos mucho por vivir juntos. —Comienza a darme besos por toda la cara sin dejar de llorar.

La rubia sostiene mi mano y rompe en llanto. Ni siquiera la vi venir.

—No me dejes, Anastasia, por favor —me ruega.

—Tienes que ser fuerte, la ambulancia está cerca —me dice Simón y sonrío, o al menos eso creo, porque al final se ha convertido en una persona tan importante para mí. La boca empieza a saberme a hierro y el dolor se extiende más allá de mis heridas, pero, por alguna razón, ya no tengo miedo porque sé que ellos estarán bien sin mí, que podrán hacer una vida tranquila, por fin.

—Diego… —Mi voz sale rota, débil.

—¡No me dejes, por favor! —me ruega—. Eres mi chica fuerte y valiente, resiste —suplica y me duele su dolor, su tristeza, su desespero.

Extiendo mi mano y acaricio su mejilla, sin importarme manchar su piel de mi sangre. Mi tiempo se acaba, lo sé.

—Con sentimientos, Diego —susurro con una leve sonrisa—. Te amo… Te amo, mi chico *sexy* y ardiente… —Las lágrimas salen de mis ojos y lamento tanto no haberle dicho antes lo que siento.

—Yo también te amo, mi bella, no puedo vivir sin ti, no te vayas. —Deja un beso en mis labios sin importar que la sangre empieza a salir por mis comisuras, lo noto.

Mi pecho arde, me falta el aire y el calor que antes sentía empieza a convertirse en frío, mucho frío.

—Eres… lo más hermoso… que la vida… me dio. —Acaricio su labio un segundo antes de que mi mano ceda—. Yo… te… amo…

Mi voz se apaga, mis ojos se cierran sin que pueda evitarlo, mis fuerzas se agotan y solo logro escuchar el sonido de la ambulancia, los gritos de mis amigos y las súplicas de Diego antes de que mi cuerpo se sacuda por el frío y mi consciencia empiece a desvanecerse sintiendo que por fin soy libre, que por fin podré descansar.

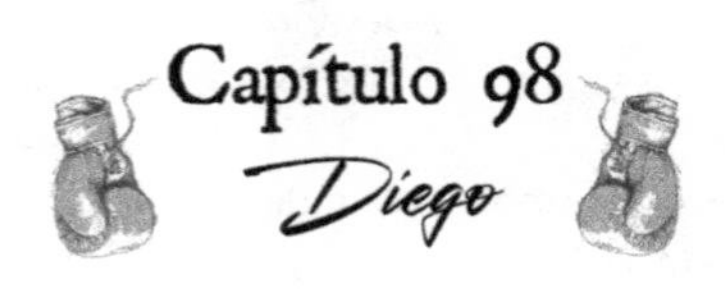

Capítulo 98
Diego

—¡No, por favor, no! —grito del miedo cuando pierde el conocimiento. Su pulso es lento y el mío es demasiado rápido. No puedo perderla.

Lloro sin soltar su herida, sin dejar de mirarla mientras su rostro palidece por la pérdida de sangre. Su «te amo» resuena en mi cabeza. Tenía miedo de confesarme su amor con tanta claridad, sentirse vulnerable, aunque me lo demostraba cada día. Soñé tanto con escucharla decírmelo, pero jamás imaginé que su «te amo» saliera en medio de una pesadilla. ¡Y duele! Siento como si me arrancaran la piel. ¡Dios! ¡Cómo duele! Mariel nos aparta cuando llegan los paramédicos haciéndose cargo de Anastasia, volteo a ver a Nicolás, a quien traen esposado y tiene una herida no letal. La rabia y el dolor se funden cuando veo su sonrisa de victoria y, sin poder razonar, mis pies se mueven hacia a él, que nadie tiene tiempo de detenerme cuando le lanzo un puñetazo tan fuerte que termino de romperle la boca, pero no es suficiente. Alzo el puño para volver a golpearlo, pero alguien me detiene por detrás.

—Tranquilo, pagará por todo lo que ha hecho —me dice Harry alejándome del psicópata que ríe en el suelo—. No vale la pena que te ensucies las manos con ese miserable. Ella te necesita.

Intento respirar, que el dolor no me asfixie. Vuelvo al lado de Anastasia, quien ya está dentro de la ambulancia con oxígeno mientras hacen lo necesario para controlar la hemorragia. Me subo con ella, no la dejaré sola nunca más. Las lágrimas no me abandonan en todo el camino porque está mal, necesita que retiren las balas ya.

Cuando llegamos al hospital ya ha perdido mucha sangre. La llevan a la sala de emergencias e intento entrar, pero me lo impiden dejándome más nervioso y asustado de lo que ya estaba. Necesito estar a su lado. Mariel, Harry, Alejandra, Cameron y Simón no tardan en aparecer, y es la rubia la primera en alcanzarme lanzándose hacia mí. La rodeo con mis brazos notando mi corazón latiendo frenéticamente ante el horrible *déjà vu* que todos vivimos. Otra vez estoy en esta sala de hospital viendo cómo el amor de mi vida lucha por su vida, pero esta vez es peor, mucho peor.

—Tengo que avisar a sus padres —le dice Mariel a Alejandra, ella asiente.

Mariel se aleja y no sé cómo se enteraron, pero Dylan, Javier y Jonathan entran en la estancia con los ojos rojos y el mismo desespero que yo.

—Otra vez ella aquí —dice Dylan con la voz ronca antes de abrazarme.

—Saldrá adelante, Anastasia es más fuerte de lo que creen —dice Alejandra limpiándose las lágrimas. En ese momento, llega la niña que fue secuestrada, viene con sus padres, quienes se acercan a nosotros, preocupados.

—¿Anastasia? —pregunta la pequeña. Todos nos quedamos callados porque no nos pasa desapercibido que la criatura tiene rasgos parecidos a ella, cayendo en cuenta de lo enfermo que está Nicolás, lo obsesionado que está con Anastasia para llegar a este punto. Es solo una niña, por Dios.

—Ella está siendo atendida por los médicos —le dice su mamá ante nuestro silencio. La pequeña frunce el ceño sin parecer muy convencida—. Esperaremos a que termine y la podrás ver, ¿vale?

Mariel se acerca a ellos y hablan sobre los exámenes médicos. No especifican porque la niña está presente, pero sé que quieren saber si abusó de ella. Me estremezco ante la sola idea, no quiero pensar lo que están sintiendo sus padres, sobre todo cuando Nicole, como escuché que la llamó su madre, empieza a llorar ante la mención de su agresor.

Harry se sienta al lado de Simón, quien llora sin parar. Me siento en el suelo porque otra vez estoy en la sala de espera, pero esta vez en peores condiciones y todos lo sabemos, sobre todo yo que estudio medicina. La bala del estómago pudo haber dañado órganos importantes, pero no se sabrá hasta que no la operen.

—No puedes dejarme, Anastasia, me prometiste que no me dejarías caer y que nos casaremos a los treinta, no puedes fallarme en esas promesas, por favor —susurro como si pudiera escucharme.

Cameron se sienta junto a mí y me atrae hacia él en un abrazo, me aferro a ese gesto como si mi vida dependiera de ello. Me vibra el pecho de tanto dolor. Es injusto todo lo que ha pasado mi bella. Justo cuando estaba feliz por haber terminado el año universitario, ocurre esto. Se sacrificó por nosotros, nos protegió con su vida y ahora está luchando por sobrevivir. ¡Dios! Esto es tan...

—Ella es fuerte, Diego, va a salir adelante —me asegura Cameron.

Asiento, aunque en el fondo sé que existe la posibilidad de que no supere la operación o que haya secuelas, pero me niego... Me niego a vivir sin ella, me niego a perderla.

Han pasado casi seis horas desde que llegamos al hospital y no sabemos nada. El miedo aumenta cuando vemos pasar más médicos y enfermeras en dirección a la sala de cirugía en donde intervienen a Anastasia. Siento que me arrancan el corazón pedazo a pedazo al pensar que quizá no está soportando la operación.

—Eres una guerrera, no lo olvides, Anastasia —susurro mirando la puerta, ansioso por recibir noticias de la mujer que amo.

Los padres de Anastasia entran a las carreras a la sala de espera. Lucen destrozados y no es para menos. Abrazan a Alejandra antes de venir a mí —me alegro de que ya hayan revisado las heridas de la rubia y esté bien— y darme un abrazo que me hace ir en un llanto. Incluso su padre llora junto a mí, sabemos que podemos perderla y no estamos preparados para ello. No creo estarlo nunca.

El tiempo sigue su curso y el temor y la ansiedad se elevan en medio del silencio. Todos estamos a punto de enloquecer de la angustia. Escucho mi nombre a lo lejos, levanto la mirada y veo a mis abuelos avanzar hacia mí, pero ¿cómo? Yo no los llamé. Miro a Cameron y sonríe. Mi abuela me abraza y mi abuelo se sienta a mi lado.

Un doctor aparece preguntando por la familia de Anastasia. Todos nos ponemos de pie, alertas. Frunce el ceño al ver a tantas personas, pero no dice nada al respecto.

—La señorita Evans está en un estado crítico, las próximas cuarenta y ocho horas van a ser cruciales. La bala perforó el estómago, provocando una hemorragia interna, y no solo eso, la bala rebotó perforando un pulmón. Es un milagro que no haya dañado más órganos y que siga con vida. La paciente tuvo dos preinfartos a mitad de cirugía, pero pudimos controlarlo. Sin embargo, temo decirles que la señorita Evans está en coma debido a varias contusiones importantes en la cabeza. Como les dije, las próximas cuarenta y ocho horas serán decisivas para saber si tiene oportunidad de recuperarse. —Suspira al escuchar el llanto de Alejandra y las caras de miedo de todos—. Lo siento mucho, podrán pasar un rato para verla y despedirse de ella… —Dejo de escuchar después de eso. ¿Despedirse? No, no puedo hacerlo.

Los papás de Anastasia se derrumban y mi abuela corre a abrazarme cuando las fuerzas me abandonan y me dejo caer en el asiento. Lloro volviendo a sentirme como un niño pequeño. Me niego a perderla.

—Abuelita…, mi novia… Mi novia está ahí... —susurro con la voz entrecortada, mientras ella me limpia las lágrimas—. La estoy perdiendo.

—Ella es fuerte, mi Dieguito, saldrá de esto, tienes que ser positivo. Cuando entres ahí, háblale, cuéntale las metas, sueños y planes que tienes con ella. Recuérdale los motivos por los que debe seguir luchando por su vida. —Me da un beso en la mejilla. Asiento.

—¿Pueden irse a quedar conmigo un tiempo, el abuelo y tú? No quiero estar solo —le suplico.

—No te dejaremos solo —me asegura envolviéndome en sus brazos, que ahora son lo único que no me deja caer por completo.

Entro en la habitación de cuidados intensivos donde se encuentra sobre una camilla; ya han pasado treinta y cuatro horas y está estable, pero sigue en coma y el peligro no ha desaparecido. Tomo su mano con cuidado y me centro en su rostro, tiene varios moretones y cortes, pero aun así se ve hermosa.

—Hola, mi bella. —Acaricio su piel—. Te amo, lo sabes, ¿verdad? —Le regalo una leve sonrisa—. Claro que lo sabes, y sé que tú me amas con la misma intensidad que yo lo hago; estamos destinados a estar juntos y lo sabes.

Trago saliva aprisionando mis emociones. No puedo quebrarme, pero me duele verla respirar a través del ventilador porque no puede hacerlo por ella misma.

Me limpio las lágrimas que han logrado escapar.

—Tienes que luchar por tu vida, Anastasia, por favor.

Sigo acariciando con cuidado el dorso de su mano, no quiero hacerle daño. Suelto un gemido de dolor porque es tan desgarrador verla tendida en esa camilla, pálida, y sin tener la certeza de que sobrevivirá en las próximas horas.

—Todos han venido para darte palabras de amor. Tienes a mucha gente que te ama, Anastasia, y no quiero que lo olvides. Incluso, hay una pequeña que te ve como su heroína. —La contemplo sin pestañear, esperando que reaccione ante mis palabras, pero no lo hace—. Tengo tantas frases cursis para recitarte al oído; aún me faltan millones de besos y caricias que darte. Aún nos falta mucho camino por recorrer juntos. Solo tú tienes esa habilidad de alterar mi corazón sin siquiera tocarme, Anastasia.

Apoyo mi frente en la cama sin soltar su mano. Esto tiene que ser un muy mal sueño del que en algún momento despertaré.

—Nunca olvides que la felicidad es un lugar. Somos nosotros… Nosotros juntos. —Me incorporo y beso su frente—. En unos días comenzaré con mis prácticas en un hospital. Ah, y mis abuelos se van a mudar conmigo por un tiempo; no quiero estar solo —le cuento con la esperanza de que me escuche—. Te prometí que sería fuerte porque sé que este no es el fin de nuestra historia, pero necesito que tú también lo seas. Sé que estás cansada, pero necesito que sigas siendo mi chica valiente que no se rinde, ¿vale? —Me limpio las lágrimas que no dejan de salir—. Te juro que haría cualquier cosa para que estés bien, pero no puedo. Te toca a ti luchar; hazlo, mi bella, pelea y regresa a mí. No me dejes, por favor.

Giro la cabeza a la puerta cuando la enfermera entra para decirme que la visita ya ha terminado. Me levanto y vuelvo a besar su frente.

—Te amo, mi bella. Por favor, lucha por tu vida. No te rindas —le ruego antes de salir en contra de mi voluntad, porque lo único que quiero es estar a su lado y verla abrir sus hermosos ojos azules. ¿Qué voy a hacer si no lo hace? ¿Qué será de mi vida si la suya se apaga? ¿Cómo decirle adiós a la persona que le da sentido a mi existir? No puedo... Yo nunca podré despedirme de ella porque ya forma parte de mí. Anastasia cambió mi historia, le dio vida a mi vida, y nadie, jamás, va a poder borrar su huella en mi corazón.

Epílogo

Diego

Tres meses después

Bajo corriendo las escaleras de mi apartamento, siendo consciente de que ya voy algo atrasado para mi tercer año de universidad. Entro en la cocina y el rico aroma a pan tostado inunda mis fosas nasales. Sonrío al ver a mi abuela tarareando una canción mientras prepara el desayuno. Agradezco que mis abuelos se hayan quedado conmigo todo este tiempo, apoyándome en este proceso. Me acerco a ella y le doy un beso en la mejilla.

—Hola, hermosa mujer.

—Vas tarde a tu primer día —me regaña dejando un bolso térmico con mi desayuno frente a mí, como si fuera un niño, aunque no me molesta, todo lo contrario—. Será mejor que te apures.

—Eres la mejor abuelita —la halago—. Pero sabes que la puntualidad no es lo mío y menos en la universidad —bromeo y me apunta con una cuchara de madera.

—Será mejor que salgas de esta cocina en cinco segundos o te pegaré —me amenaza fingiendo enfado, aunque apenas puede contener la sonrisita.

—No me regañes, abuela, se supone que tienes que darme mucho amor. —Me acerco y la abrazo de nuevo—. ¿El abuelo aún duerme? —Asiente mientras tomo mi desayuno—. Adiós, mujer hermosa —me despido con otro beso, tomo las llaves de mi todoterreno y salgo de mi piso. Presiono el botón y me quedo unos segundos quieto, esperando que ella aparezca, pero, por supuesto, no lo hace. Niego con la cabeza y entro al ascensor sintiendo el peso del tiempo.

Han pasado tres meses desde que Anastasia no está a mi lado. Tres meses en donde he tenido que ser fuerte por ella, porque se lo prometí, y es una promesa que intento no romper, aun cuando me estoy muriendo por dentro.

Tres meses en los que cada día ha dolido al despertarme sin ella a mi lado. Tres meses en donde mi apartamento, atestado de recuerdos juntos, se ha vuelto mi propia tortura personal. Duele mucho porque no la he dejado de amar ni un solo segundo, al contrario, mi amor por ella crece cada momento que pasa.

En todo este tiempo he mantenido mi cabeza ocupada con las prácticas del hospital, las cuales han sido sanadoras, en cierta forma, y me han ayudado a mantenerme en pie y no caer en el alcohol; a ella no le gustaría ver cómo arruino mi vida. Sé que ahora está orgullosa de mí y de cómo he llevado todo esto; no ha sido fácil y muchas veces me he sentido perdido en su ausencia, pero luego recuerdo sus palabras y la promesa que le hice.

Ahora que no está, las noches son más largas y los días se hacen eternos, pero mi corazón sigue resistiendo. Respiro hondo, aspirando el fresco aire de la primavera. A pesar de que Barcelona no ha cambiado nada, yo sí lo he hecho, ahora soy una mejor persona gracias a ella.

Vuelvo a tomar una bocanada de aire antes de subir a mi auto; lo pongo en marcha y sonrío al recordar su sonrisa, su mirada y todo lo que movió en mi interior.

Ella me ayudó a vencer mis demonios y me demostró que no tenía por qué fingir ser otra persona que no soy. Me enseñó a amar de una forma pura y honesta, regalándome momentos llenos de risa, bromas y mucho sexo que forjaron nuestra historia.

Llego a la universidad y avanzo por los pasillos encontrándome con Alejandra y Cameron. Nos saludamos y noto que los ojos de la rubia están nublados cuando se aparta.

—Hoy pasaré a ver a los padres de Anastasia —me informa Alejandra, y una lágrima se desliza por su mejilla.

—Yo pasaré después de ir al hospital —le hago saber, y ella asiente con la cabeza. Ambos hemos ido a ver constantemente a los padres de Anastasia para apoyarlos; están devastados con todo lo que está pasando. Alexander, su padre, apenas habla y come.

El móvil le suena a Alejandra y ella se aparta para hablar. La reparo mientras se aleja. Está mucho más delgada.

—¿Alejandra está comiendo? Me preocupa —le pregunto a Cameron, que también la observa.

—Estoy haciendo lo posible para que vuelva a comer. —Suelta un suspiro cansado—. Hace unos días la escuché vomitando y al principio negó que estuviera haciendo eso, pero a mí no me engaña. Alejandra se estaba provocando el vómito y mañana comienza la terapia con una psicóloga para tratar su problema.

—Le tuve que dar a elegir y tal vez fui un poco cabrón, pero le dije que si no pedía ayuda médica profesional hasta aquí llegamos —me dice y suelto un pequeño silbido—. Créeme, fue mi última opción para que reaccionara y por fin lo logré. Jamás la dejaría sola, pero necesito que ella vuelva en sí y que esté mejor. Hace dos días que está comiendo como antes y poco a poco veo que tiene más color en la cara.

Asiento volviendo a mirar a donde está la rubia hablando por teléfono.

—¿Cómo estás tú? Te noto algo ojeroso y más delegado —me dice Cameron llamando mi atención y resoplo.

—Lo llevo tan bien como puedo. Trato de ser fuerte por ella, se lo prometí —contesto casi en un susurro.

—Anastasia estará…

—Nos vemos después de clase —lo interrumpo cuando veo la pena en sus ojos y siento el nudo formándose en mi garganta. No puedo quebrarme en mi primer día de clases y sé que lo entiende porque me deja ir sin más, algo que agradezco.

Entro en mi salón para iniciar un nuevo año, pero este se siente tan diferente al del año pasado cuando conocí al amor de mi vida. Siento un vacío en el pecho porque no está conmigo. Me ubico al lado de Juan, quien me da un abrazo a modo de saludo y Marcos hace lo mismo chocando su puño conmigo.

—¿Cómo estás, Diego? —pregunta el primero alegremente.

—Bien, supongo. —Me encojo de hombros—. Es difícil y cuesta asimilar todo lo que me ha sucedido en tan poco tiempo, pero estoy mejor.

—El tiempo todo lo cura. Eres fuerte, amigo mío, y eres bueno. Estoy seguro de que de ahora en adelante vienen cosas increíbles para tu vida, te lo dice tu genial amigo. —Su ego me saca una sonrisa—. ¡Eso es! Sonríe, Diego.

—¡Oh, cállate! —Lo golpeo con un libro en la cabeza.

Entro en la siguiente aula donde veo a Javiera, quien me sonríe y señala el puesto vacío a su lado. Le devuelvo la sonrisa y camino hacia ella porque me agrada. En estos últimos meses nos hemos vuelto más cercanos y admito que es una chica muy guapa e inteligente. Juan me da un pequeño empujón y pone su brazo en mi hombro, interrumpiendo mi camino.

—¿Te vas a sentar con la chica guapa? —pregunta con una sonrisa burlesca.

—Sí. ¿Acaso te estás poniendo celoso, amor? —bromeo.

—No, porque eres un puto y solo te uso para mi placer. Una noche es todo lo que siempre vamos a tener tú y yo. —Se burla y me guiña el ojo.

Sacudo la cabeza, sonriendo, y avanzo hacia Javiera, quien está escribiendo en su teléfono. Me acerco y le doy un beso en la mejilla antes de sentarme y sacar mis cuadernos.

—Hola, novio falso —me saluda con una tierna sonrisa dejando el móvil al lado.

—Hola, hermosa, ¿cómo estás?

—Bien. —Frunce el ceño y fulmina a Juan con la mirada, quien está haciendo la forma de corazón con su mano—. ¿De verdad tus amigos creen que tú y yo tenemos algo? —pregunta con curiosidad.

Suelto un suspiro ante el tema. Es cierto que últimamente nos hemos vuelto más unidos, antes nos sentábamos juntos en clases, pero ahora es una amistad que va más allá de la universidad. Sin embargo, no ha pasado nada entre nosotros. Juan asegura que yo le gusto, pero no lo creo, ella jamás me ha coqueteado o se me ha insinuado. Además, yo jamás podría mirar a otra chica.

—Sí. —Presiono dos dedos en el tabique de mi nariz.

Ella suelta una risa y me da una fuerte palmada en el brazo.

—No me lo tomes a mal, pero no eres mi tipo. —Hace una pequeña mueca y luego sonríe—. Eres un gran amigo y tal vez es hora de que sea sincera contigo.

Arrugo las cejas, mirándola, mientras ella toma un mechón de su pelo y lo guarda tras su oreja. Parece algo nerviosa.

—Tengo novia, Diego. Una jodidamente hermosa y *sexy* novia llamada Rebeca. —Apoya el mentón en su mano y me observa—. No te lo estaba ocultando y no creas que aún sigo en el clóset porque no es así... Es solo que antes no te conocía tanto y bueno, amigo, tú tienes toda la pinta de ser un chico malo. No sé, tal vez solo pensé que no me aceptarías como soy —confiesa y luego sonríe—, pero eres una increíble persona y ahora lo sé.

Le ofrezco una sonrisa de comprensión.

—Jamás te juzgaría por tus preferencias sexuales, Javiera. Y no tendría por qué hacerlo, amor es amor y eso es lo importante. Entiendo tu punto, pero que me vista de negro no significa que sea el chico malo —suelto un pequeño bufido—. Eres mi amiga y agradezco tu sinceridad porque me has apoyado mucho.

Ella toma mi mano.

—Gracias, Diego, no me equivoqué contigo —dice con una sonrisa dulce—. Y tranquilo, esto es solo un obstáculo que lograrás superar, ya verás que todo mejorará. Que pronto tendrás esa felicidad que tanto te mereces. Mientras tanto, confórmate con tu amiga guapa, sensual y divertida.

Suelto una risa por su autoadulación, pero dice la verdad, ella es eso y mucho más. Solo espero que sea cierto lo que dijo sobre mi felicidad y que el dolor que siento en el pecho no sea para siempre.

—Espero que tengas razón. —Suspiro.

—Tu negativa me deprime, amigo. —Rueda los ojos y vuelve a mirar la pantalla de su móvil—. ¡Ay, Dios mío! Recién es lunes y ya quiero que sea viernes para ir a ver a mi novia.

Abro una barra de cereal y le doy un pequeño mordisco.

—¿Y en dónde vive tu novia? —pregunto con interés.

Sus ojos brillan con emoción y se ve que está enamorada de su «hermosa y *sexy* novia», sus palabras no las mías.

—Vive en Madrid, de donde soy. Vine aquí por la beca. —Hace un pequeño puchero—. Me gustaría haber estudiado allá, pero no era la mejor opción para mí, además, esta universidad es mi sueño desde niña, así que solamente la veo algunos fines de semana.

—Sí, lo entiendo. Ella te apoya, ¿verdad? —inquiero.

—Ajá. Ella misma me animó porque al principio me iba a matricular en otra universidad donde también me habían aceptado, pero Rebeca dijo que si no venía a esta iba a terminar conmigo. —Sonríe—. ¿Sabes? Quería quedarme para que estuviéramos juntas y ella me sale con esa amenaza.

Suelto una carcajada.

—Ya veo que ella es la que manda —me burlo.

—Es una mujer con carácter. —Se muerde el labio inferior—. Además, Kaira, una buena amiga, también me amenazó con terminar nuestra amistad si no seguía este sueño, así que prácticamente no me dejaron opción.

Asiento con una sonrisa y miro a la puerta cuando el profesor entra al salón. Vuelvo a mirar a Javiera, que de nuevo está mirando la pantalla de su móvil con una sonrisa boba en los labios. Suspiro. Al menos uno de los dos está felizmente enamorado y ese no soy yo.

Rondo en las habitaciones que me corresponden para verificar los signos vitales de los pacientes y llenar sus expedientes, por supuesto, bajo la supervisión de mi médico tutor de prácticas, quien me guía en cada paso. Así transcurre toda la tarde hasta que tengo un pequeño descanso.

Camino por un pasillo y luego me desvío a la derecha hasta alcanzar la puerta que busco. Me quedo unos segundos quieto y me limpio las manos en mi bata antes de entrar en la habitación donde se encuentra con cables por doquier.

—Bella —susurro con la voz rota.

Anastasia sobrevivió a las cuarenta y ocho horas, y a los pocos días salió de terapia intensiva, pero siguió sumergida en un profundo coma del que, hasta el día de hoy, no ha salido. Cada día he estado aquí alentándola a despertar, diciéndole todas las frases cursis que se me han pasado por la cabeza; le he contado sobre lo que está pasando afuera mientras ella se recupera.

Me acerco a su camilla y le doy un suave beso en la frente.

—¿Cómo estás? —Acaricio su mejilla algo pálida—. ¿Sabías que eres mi paciente favorita? —Sonrío—. Por favor, Anastasia, abre esos hermosos ojos azules que me enamoraron desde que te vi por primera vez.

La observo fijamente y tomo su mano. Hace tres meses que se encuentra en esta habitación sin hacer ningún movimiento, aunque los doctores dicen que se está recuperando bien. Desde entonces, vengo todas las tardes a estar con ella y a recordarle cuánto la amo. A veces, sin que pueda evitarlo, me enfado con ella por no abrir los ojos para mí.

—Hace un tiempo te canté una de mis canciones favoritas de los Guns N' Roses, ¿lo recuerdas, mi bella? —Juego con sus dedos que ahora parecen tan delicados—. Creo que decía algo así:

Said woman take it slow and it'll work itself out fine
All we need is just a little patience
Said sugar make it slow and we'll come together fine
All we need is just a little patience
(Patience)

Sigo cantando y no sé si quiero recordarle a ella o a mí que debo tener paciencia y fe, porque sé que tarde o temprano volverá a mí. Ella volverá a iluminar mis días con su mirada y yo la haré sonreír por el resto de mi vida.

Acaricio su mejilla con ternura mientras la tristeza me envuelve por verla conectada al ventilador; su respiración es tranquila y se ve tan pacífica. Parece dormida, pero por más que le pido que despierte no lo hace. A veces me siento un ingenuo por esperar que abra sus ojos al escuchar mi voz.

Me siento a su lado y aprieto la mandíbula al verla tan vulnerable; la rabia me alcanza. Ella no lo merece, Anastasia debería estar de pie, sonriente, feliz, pero a veces la vida es una mierda y daña a las personas buenas.

Y entonces está un monstruo como Nicolás, que no solo sigue vivo, sino que ahora es toda una estrella. Es increíble como una cara bonita llama tanto la atención, creo que incluso más que las atrocidades que ha hecho. Los medios no dejan de hablar de él y hasta tiene un club de *fans* que lo cataloga como el Ted Bundy de nuestra época, y que adopta el apodo que el malnacido se asignó: The dark angel. Y me enfurece más saber que la mujer que amo esté aquí, en una camilla de hospital, mientras la prensa amarillista habla más de ese enfermo y sus atributos físicos, de cómo no parece un asesino, que de sus crímenes cometidos. No he escuchado ni una sola mención sobre lo que le hizo a Anastasia o sobre las víctimas y sus familias; al contrario, se han dedicado a repasar la vida de Nicolás.

La puerta se abre trayéndome de vuelta a la realidad y haciendo pedazos mis cavilaciones. El doctor Méndez aparece en mi campo de visión frunciendo el ceño; se lleva los dedos al tabique de la nariz sacudiendo la cabeza. Un claro gesto de que está molesto por mi presencia a esta hora. Se acerca lentamente a mí y posa su mano en mi hombro.

Devuelvo la mirada a Anastasia sin soltar su mano.

—Hola, doctor. ¿Va a reprenderme? —pregunto con una pequeña sonrisa inocente. Suelta una larga bocanada de aire y acerca otra silla para sentarse a mi lado.

—Debería hacerlo, Diego. Tienes que dejar de entrar en horarios que no son de visitas, es peligroso para ella, no hace falta que repita los peligros que corre —me regaña un poco.

—Sé los riesgos, doctor, pero necesitaba verla. Además, sabe que me cuido, que jamás la pondría en peligro. Estoy sano. —Volteo a verlo, esperanzado—. ¿Tiene alguna novedad?

—No. Todo ha seguido igual —se masajea las sienes—, pero en serio, Diego, tienes que dejar de entrar aquí a escondidas…

Dejo de escucharlo cuando mis ojos recaen una vez más sobre Anastasia. No debería estar aquí, le he traído varios de sus libros favoritos, flores, peluches y he escrito varias cartas dejándolas entre las páginas de los libros. No quiero que ella esté en un lugar extraño, triste y frío como son las habitaciones del hospital, pero incluso así, pese a ambientar el espacio, el dolor comprime mi tórax porque esto nunca debió suceder.

Me he pasado todo este tiempo reprimiendo las emociones desgarradoras que se arrastran por mi pecho, luchando conmigo mismo para no revelar mi verdadero estado de ánimo, ocultando el dolor que parece crecer a pasos agigantados. Lo he hecho porque es injusto para mis abuelos verme destruido, porque se lo prometí a ella, pero ¿cuánto tiempo pasará hasta que explote o pierda la fe?

Una ligera tensión en mi agarre me hace abrir los ojos de par en par ante la sorpresa, reparo la mano de Anastasia entre la mía y vuelvo a su rostro. No me lo imaginé. Pasó.

—Ha movido la mano —digo emocionado—. ¡Anastasia ha movido sus dedos! ¡Me escucha! —Mi voz se tiñe de ilusión.

El doctor se levanta de inmediato y comienza a examinarla mientras yo sigo acariciándola, hablándole, esperando volver a sentir su tacto.

Él se guarda la linterna y me mira.

—Creo que fue solo un pequeño estímulo, pero no ha despertado. —Le da un apretón suave a mi hombro—. Lo siento. Pero no te rindas, Diego, tómalo como una señal y sigue hablándole para que ella vuelva con nosotros.

Asiento con la cabeza conteniendo las lágrimas que pelean por salir.

—Te daré diez minutos más, pero después te quiero fuera de esta habitación, ¿entendido? —me advierte con voz amable pero firme.

—Gracias —contesto en un susurro ronco.

—Solo diez minutos. —Apunta a su reloj y camina hacia la puerta.

Observo cómo la madera se cierra a su espalda y suelto un suspiro algo tembloroso. Me paso una mano por el cabello, alborotándolo, y vuelvo a mirar a mi bella. Me incorporo para besar su mejilla y noto una de mis lágrimas caer sobre su piel; la limpio con un nudo en la garganta.

—Por favor, Anastasia, abre tus ojos. —Me quedo unos segundos en silencio—. Despierta y hazme sentir completo otra vez. Por favor.

Por supuesto, su voz brilla por su ausencia y mi corazón se rompe cada día más. No soporto no escuchar su risa, no ver el brillo en su mirada, no sentir la paz que me da tenerla entre mis brazos, no poder apreciar el azul de sus ojos cuando me gritaba a través de ellos sus sentimientos. Me ama. Me ama tanto como yo a ella y su «te amo» se repite en mi cabeza como un arma de doble filo. Por un lado, mis latidos se alteran por su confesión, pero también me aterra la idea de no volver a escucharla decírmelo. ¿Y si nunca despierta? ¿Y si está tan cansada que decide rendirse? ¿Y si…? No, no puede irse, no va a dejarme. Me ama y tengo que ser paciente; mientras tanto, tengo que conformarme con las fotografías que inundan mi teléfono y mi habitación, alegrándome con las migajas de lo felices que fuimos y ahora parece tan lejano, porque no despierta y yo siento que muero un poco cada día.

—¿Te cuento un secreto, mi bella? —No responde, pero casi puedo escuchar su respuesta: «¿Tengo que fingir que me interesa?»—. Aun cuando tú estás en esta cama, nuestro amor sigue siendo fuerte y real. En estos momentos no puedo besarte y estrecharte contra mi pecho como quisiera, pero nuestro amor sigue intacto.

Las lágrimas me sobrepasan sin que pueda evitarlo, y sé que me escucha, por eso me pongo de pie y voy al baño. Me lavo el rostro y cuando mis ojos se centran en mi reflejo, me estremezco. ¿Ese soy yo? Mi mirada de nuevo está apagada, mi delgadez es notable y mi expresión es desoladora. ¿En qué momento perdí el color de la piel hasta parecer un vampiro? ¿Cuándo se me instalaron esas ojeras tan marcadas debajo de los ojos? ¿En qué parte del camino mi vida se convirtió en una pesadilla?

«Cuando la viste caer bajo el peso de las balas», me grita mi subconsciente y tiene razón. Un trozo gigante se desprendió de mi alma cuando la vi caer, ensangrentada, con la mirada perdida.

He perdido tanto: a mis padres, hermanos y parte de mi adolescencia, que me niego a perderla a ella. La luz que me trajo de la oscuridad, el amor que me recordó que el mundo tiene más colores de los que recordaba, la mujer que le dio vida a mis días y paz a mi alma.

Regreso a su lado, pero sé que tengo que irme antes de que el doctor Méndez vuelva a sacarme. Me inclino un poco y apoyo mi frente sobre la suya. Suspiro.

—Abre los ojos, por favor —le suplico con la voz rota, pero sigue sin hacerlo. No me regala la felicidad que ese monstruo me arrebató—. No le des el gusto, mi bella, lucha por ti, por mí, por nosotros. —Acaricio su mejilla y luego mi mano desciende a su cuello donde palpo su pulso, recordándome que está viva, que este no es el final—. Te amo tanto que apenas puedo respirar en tu ausencia. Por favor..., vuelve. —Me aparto para mirar su rostro apacible, pálido. Mi corazón se contrae y las lágrimas vuelven a aparecer—. Sé que no me lo imaginé, que moviste los dedos y que me escuchas, y quiero que recuerdes que te esperaré todo el tiempo que necesites. Sigo aquí, contigo, y no me iré nunca.

Beso su frente y acaricio su rostro antes de ponerme en pie.

—Te amo más de lo que te puedas imaginar y te amaré siempre —le digo antes de salir por la puerta sin ser lo suficientemente valiente para mirar atrás, o no podría irme, y no miento, lo que siento por ella se expande en mi pecho y solo sueño con el día en que despierte.

Me voy dejándola allí, en ese cuarto de hospital, con la esperanza de que no se rinda y luche, mientras las lágrimas descienden lentamente por mis mejillas.

Mientras mi corazón duele en cada latido. Mientras el mundo pierde un poco más de color cada día que pasa ahí dormida, pero con una sola certeza: no me voy a rendir, porque Anastasia lo vale todo y yo estoy dispuesto a pagar el precio de esperarla. Porque lo sé, lo nuestro no ha acabado, ella va a despertar y juntos seguiremos construyendo nuestra historia de amor. Porque yo siempre seré su chico *sexy* y ardiente, y ella siempre será mi bella, el amor de mi vida.

Printed in the USA
CPSIA information can be obtained
at www.ICGtesting.com
LVHW040348090724
784975LV00033B/487